FONDEMENTS ET ÉTAPES DE LA
RECHERCHE
SCIENTIFIQUE
EN
PSYCHOLOGIE

FONDEMENTS ET ÉTAPES DE LA RECHERCHE SCIENTIFIQUE EN PSYCHOLOGIE

MICHÈLE ROBERT

Denis Allaire, Jacques P. Beaugrand, David Bélanger, Marc-André Bouchard, Claude Charbonneau, François Y. Doré, Christopher Earls, Andrée Fortin, Michel Sabourin

3e édition

T-HYACINTHE, QUÉBEC

MALOINE S.A. PARIS

Dépôt légal: 1er trimestre 1988
Bibliothèque nationale du Québec
Bibliothèque nationale du Canada
ISBN 2-89130-109-9 (Edisem)
ISBN 2-224-01771-5 (Maloine)

Liste des collaborateurs

DENIS ALLAIRE
Département de psychologie
Université de Sherbrooke

JACQUES P. BEAUGRAND
Département de psychologie
Université du Québec à Montréal

DAVID BÉLANGER
Département de psychologie
Université de Montréal

MARC-ANDRÉ BOUCHARD
Département de psychologie
Université de Montréal

CLAUDE CHARBONNEAU
Département de psychologie
Université de Sherbrooke

FRANÇOIS Y. DORÉ
École de psychologie
Université Laval

CHRISTOPHER EARLS
Département de psychologic
Université de Montréal

ANDRÉE FORTIN
Département de psychologie
Université de Montréal

MICHÈLE ROBERT
Département de psychologie
Université de Montréal

MICHEL SABOURIN
Département de psychologie
Université de Montréal

Table des matières

Préface à la troisième édition

Ce livre constitue l'édition révisée et augmentée d'un ouvrage paru pour la première fois en 1982. Comme ce dernier, il consiste en une introduction aux principales caractéristiques de la méthode scientifique, telle qu'on l'emploie dans les divers domaines de la psychologie et dans d'autres sciences du comportement. L'édition révisée reprend la structure du volume original, mais le contenu en diffère grandement. Huit des dix chapitres initiaux ont été remaniés, de façon importante dans certains cas; il s'agit des chapitres 1, 3, 4, 5, 6, 7, 10 et 11. De plus, trois nouveaux chapitres 9, 12 et 13 ont été ajoutés.

La présentation des caractéristiques de la méthode scientifique est faite en étroite correspondance avec celle des étapes de la réalisation concrète d'une recherche, et donc avec les différents moments définissant la dynamique de cette opération. C'est d'abord aux étudiants de premier cycle en psychologie ou dans les domaines connexes que ce cheminement est proposé. L'objectif que se sont fixé les dix auteurs — rattachés à quatre universités québécoises — est de convaincre ces étudiants de l'efficacité et de la pertinence de l'instrument intellectuel que constitue la méthode scientifique pour ce qui est d'élargir et d'approfondir la compréhension des phénomènes comportementaux de tous ordres. Depuis 1982, la première édition du volume a été utilisée par quelques cohortes d'étudiants en majorité inscrits dans des universités du Québec, de l'Ontario et du Nouveau-Brunswick. Les collègues responsables de ces étudiants en début de formation universitaire ont transmis aux auteurs des renseignements fort précieux qui les ont éclairés sur divers aspects susceptibles d'être améliorés. Les participants, étudiants et professeurs, à cette mise à l'essai du volume pendant cinq ans ont donc été les principaux moteurs du travail de clarification et d'expansion qui vient d'être effectué.

Le chapitre 1 constitue une initiation aux fondements épistémologiques et logiques de la démarche scientifique et aux divers moments du cycle de l'activité de recherche, depuis l'identification d'un problème à résoudre jusqu'à la publication de conclusions empiriquement légitimes et la définition d'un nouveau problème. Le chapitre 2 présente les particularités de différentes approches qui, participant toutes de la méthode générale exploitée en science, assurent l'acquisition de diverses connaissances psychologiques, dont le poids peut toutefois différer dans l'explication des phénomènes. Le chapitre 3 expose certaines considérations relatives à la structuration de la problématique théorique et empirique dans laquelle s'insère toute recherche et d'autres considérations relatives à la formulation des hypothèses à mettre à l'épreuve. Plus proprement méthodologiques, les chapitres 4 à 7 ont trait à la notion de validité, à la définition précise des éléments sur lesquels portera la vérification, à l'établissement des modalités de contrôle qui éviteront que d'autres éléments n'empêchent d'obtenir le produit désiré, et à la construction d'un plan de recherche qui maximisera la valeur de ce produit. Le chapitre 8 aborde d'importants concepts métrologiques intimement liés aux opérations générales de mesure. Le chapitre 9 se centre sur la mesure verbale des comportements par le biais des questionnaires et examine les phases de leur administration et de leur construction. Le chapitre 10 poursuit l'initiation aux différents procédés de mesure en développant les principes qui guident l'exercice de l'observation directe des comportements. Le chapitre 11 décrit les stratégies d'analyse et d'interprétation auxquelles recourt le chercheur une fois qu'il dispose des données lui permettant de statuer sur l'hypothèse formulée au départ; il se termine par certaines réflexions sur la possibilité de généraliser les conclusions dégagées dans le cadre d'une étude donnée. Le chapitre 12 analyse les différentes formules qui assurent la diffusion de l'information scientifique et qui s'offrent au chercheur parvenu à la dernière étape du cycle de la recherche, soit au moment de faire connaître la nature et le produit de son travail. Enfin, le chapitre 13 clôture l'ouvrage en soulignant l'importance, à n'importe quelle phase du cycle de la recherche, d'adopter des modes d'action en tout point conformes à l'esprit et au contenu du code déontologique qui régit les activités de recherche auprès de sujets humains ou animaux.

Bien que plus complet, plus précis et plus nuancé, cet ouvrage n'a certes pas la prétention d'être exhaustif. Ce n'est qu'en poursuivant leur familiarisation avec la méthode scientifique, au contact d'ouvrages plus poussés et plus spécialisés et d'activités de recherche réelles — quelle qu'en soit l'envergure — que les utilisateurs de l'ouvrage parviendront à mieux apprécier tout le potentiel de la méthode scientifique dans l'accès à des connaissances de type aussi bien fondamental qu'appliqué. C'est de la même façon qu'en contrepartie ils situeront les limites intrinsèques et spécifiques de ce puissant instrument de l'esprit humain. Cependant, il est souhaitable que, dès leur tout premier contact avec les notions et les pratiques méthodologiques, les étudiants prennent conscience de la relation qui existe entre procédés méthodologiques et idées scientifiques, peu importe que ces dernières soient passablement intuitives ou, au contraire, très formalisées. En effet, une idée virtuellement productive ne le sera jamais effectivement si son auteur procède à un examen empirique qui se révèle déficient, ne serait-ce qu'en partie. A l'inverse, une recherche méthodologiquement sans faille n'assurera pas une contribution importante si l'idée qui la sous-tend est sans intérêt. Par conséquent, les ressources méthodologiques constituent indéniablement des moyens très efficaces de mettre à jour le contenu des idées des chercheurs et pour statuer sur le degré de certitude à leur associer. Mais il importe d'abord et avant tout que des idées intéressantes et fortes puissent jaillir d'une réflexion bien informée.

MICHÈLE ROBERT
Montréal 1987

CHAPITRE 1

DÉMARCHE SCIENTIFIQUE ET CYCLE DE LA RECHERCHE

JACQUES P. BEAUGRAND

Ce premier chapitre examine sommairement quelques-unes des questions fascinantes soulevées par la logique de la découverte scientifique. En quoi consiste la démarche scientifique? Quelles en sont les caractéristiques? Les fondements de la science sont-ils vraiment solides? Le progrès scientifique est-il cumulatif ou révolutionnaire? La science procède-t-elle par induction ou par déduction?

Le texte qui suit mettra aussi en lumière l'importance primordiale que revêtent les théories en science. Enfin, les diverses étapes du cycle de la recherche scientifique seront également présentées.

DÉMARCHE SCIENTIFIQUE

Une méthode est un procédé régulier, explicite et reproductible (Bunge, 1983), une suite d'étapes intellectuelles et de règles opératoires à suivre pour résoudre un problème. La méthode sera ici distinguée des méthodes (au pluriel), ces dernières étant assimilables aux procédés et techniques de recherche auxquels le reste de ce volume est consacré. Il existe une méthode générale en science qui est appelée démarche scientifique et c'est elle qui intéresse le présent chapitre. Cette démarche est universelle, partagée par toutes les sciences empiriques[1].

---

1. Le qualificatif «empirique» signifie «reçu au moyen des sens».

Étapes de la démarche scientifique

Pour le chercheur, les principales étapes de la démarche scientifique correspondent aux opérations intellectuelles suivantes.

(1) Découvrir le problème ou la faille, dans le domaine de connaissance qui intéresse le chercheur. Poser le problème de façon précise.

(2) Examiner ce qui est connu à l'intérieur des connaissances du domaine ou des domaines connexes, que ces connaissances soient factuelles, théoriques, ou encore méthodologiques. Examiner ce qui a déjà été fait pour voir si cela peut, en principe, s'appliquer et éventuellement résoudre le problème. Si l'examen suggère des réponses satisfaisantes, passer à l'étape (4). Sinon,

(3) inventer de nouvelles hypothèses, théories et techniques ou produire de nouvelles données empiriques pouvant contribuer à résoudre le problème.

(4) Arriver à une solution temporaire du problème, qu'elle soit exacte ou approximative. Le chercheur a recours aux connaissances factuelles et méthodologiques (celles qui concernent les méthodes et instruments qui ont été appliqués pour les obtenir) déjà disponibles ou plus ou moins fondées provenant du domaine étudié ou encore de domaines connexes. Dans certains cas, ces réponses temporaires sont suggérées par des modèles théoriques; mais, dans tous les cas, ces **hypothèses** devront être formulées de manière à ce que l'on puisse éventuellement les soumettre à une ou plusieurs épreuves empiriques. Les propositions hypothétiques formulées à cette étape seront le plus souvent couchées en des termes se référant à des objets inobservables. Il faudra donc,

(5) inférer ou déduire les conséquences qu'entraînent la ou les solutions proposées. S'il s'agit d'une théorie, on devra lui faire prédire les résultats.

(6) Mettre au point des procédés et techniques adéquats pour confirmer ou infirmer les implications empiriques des hypothèses. On vérifie aussi la pertinence ou l'adéquation des techniques mises au point, ainsi que leur validité et leur fidélité.

(7) Soumettre les hypothèses à l'épreuve des faits et faire l'interprétation des résultats. C'est ici qu'il y a évaluation, à la lumière des résultats obtenus, de la vraisemblance des hypothèses et des techniques employées.

(8) Délimiter les domaines auxquels ces hypothèses et ces techniques s'appliquent, domaines pour lesquels il est possible de conclure et de généraliser.

(9) Contribuer à la formulation de nouveaux problèmes de recherche, entre autres, par la correction des hypothèses, théories, procédés ou données qui ont été employés pour obtenir une solution plus ou moins satisfaisante. Le cycle pourra ici être repris à l'étape (1). Cependant, tôt ou tard il faudra amorcer l'étape suivante qui consiste à

(10) rendre publiques les nouvelles connaissances factuelles, théoriques et méthodologiques, afin de contribuer à la dimension critique de la science.

On admettra qu'aucune de ces étapes n'est suffisamment spécifique et précise pour constituer une règle ou une prescription quant à la façon de procéder. La méthode scientifique correspond davantage à une attitude qu'à un ensemble de procédés servant à résoudre un problème. Cette démarche générale est indépendante de l'objet d'étude, en autant que cet objet est empirique ou a au moins des implications matérielles observables. Ainsi, elle est appliquée par les physiciens aux particules atomiques, par les astronomes aux corps célestes, aussi bien que par ceux qui font l'étude du comportement.

En plus d'adopter cette démarche scientifique générale dont viennent d'être décrites les principales étapes, chaque discipline scientifique attaquera les problèmes de son domaine d'étude à l'aide d'un ensemble de procédés, de tactiques ou de techniques qui lui sont plus ou moins caractéristiques. Ce sont ces dernières méthodes (au pluriel) qui, de concert avec les problèmes types, le domaine spécifique des objets d'étude admissibles par la discipline et la culture des chercheurs donneront à la discipline son identité caractéristique. S'il n'existe pas de différence stratégique fondamentale entre les sciences empiriques, c'est par les tactiques et les techniques qu'elles préfèrent employer pour résoudre leurs problèmes spécifiques que ces disciplines se distinguent. Mais, en plus d'être universelle, quelles autres caractéristiques la démarche scientifique possède-t-elle?

Caractéristiques de la démarche scientifique

La démarche scientifique présente plusieurs caractéristiques qui la différencient des autres modes de connaissance. Nous verrons, un peu plus loin, les conditions minimales qui rendent scientifique une entreprise, ou son résultat. Les sciences du comportement sont assurément matérialistes, comme les autres sciences empiriques. Ces sciences tentent de rendre compte de faits empiriques, matériels et observables directement ou indirectement, à l'aide d'autres faits matériels. Ces derniers n'étant cependant que rarement observables, ils doivent être construits, inférés, posés sous forme d'hypothèse ou de théorie. Les connaissances scientifiques factuelles ne peuvent être uniquement constituées de faits observables et c'est méconnaître les sciences empiriques que de prétendre qu'elles ne portent que sur des observations empiriques. Ainsi, les concepts de masse, d'évolution et de cognition ne renvoient pas à des choses directement observables. Le matérialisme que l'on retrouve en science peut prendre une forme spéciale qui en fait un **réalisme critique** (Bunge, 1973) dont les neuf hypothèses de base sont les suivantes.

— Il existe un monde réel, extérieur au sujet qui connaît et agit. Ce monde est composé de choses, c'est-à-dire d'objets matériels ou concrets.

— Toute propriété est la propriété d'un objet matériel: il n'y a pas de propriété en soi. Ainsi la psyché, la cognition, les sensations, les images et le comportement sont des concepts qui renvoient à des propriétés (des productions, à la limite) du système nerveux.

— Les objets concrets et leurs propriétés sont connaissables en soi, objectivement.

— Les choses ou leurs propriétés sont l'objet d'un déterminisme. En effet, la science admet l'existence d'un ordre et de principes organisateurs. Même si les causes des phénomènes peuvent être multiples, la science présume qu'il est possible de les connaître. La nature exacte des principes structuraux peut être l'objet d'un doute systématique; cependant, on accepte au départ l'existence d'un ordre.

Fondamentalement, la science s'intéresse aux régularités dans les faits. Cependant, cette connaissance objective ne peut se faire que partiellement et progressivement, par approximations successives.

— La connaissance scientifique d'un objet est le résultat conjoint d'une expérience (en particulier de l'expérimentation) et du raisonnement (en particulier du raisonnement théorique).

— Il est nécessaire, pour rendre compte du réel, de feindre qu'il existe des objets conceptuels qui ne sont ni entités matérielles, ni eux-mêmes des processus cérébraux. Ces objets conceptuels, ces idées, sont cependant des créations de l'activité cérébrale des chercheurs. Leur existence conceptuelle est feinte ou conventionnelle. «Ainsi, nous tenons pour établi qu'il existe des ensembles, des relations, des fonctions, des nombres, des structures, des propositions, des théories (...)» (Bunge, 1983, p. 53).

— La connaissance scientifique d'une chose en soi, n'est pas directe, mais plutôt symbolique et représentative (à l'aide d'objets conceptuels et théoriques). Bien que le premier travail d'une science matérielle consiste évidemment à identifier, nommer, comparer, décrire et classer les objets empiriques qui font partie de son domaine d'étude, de cette première entreprise naissent très tôt les construits et hypothèses visant à expliquer l'existence des régularités dégagées au niveau factuel. Le plus souvent, les explications fournies pour rendre compte de ces faits ne sont pas directement observables. Ces objets, structures d'objets, propriétés ou processus sont postulés comme existant «derrière» les faits observables ou les «sous-tendant». Les concepts faisant partie de ces explications sont alors dits théoriques parce qu'ils dépendent de la théorie à laquelle ils contribuent, ou au sein de laquelle ils sont conjecturés. Nous verrons un peu plus loin ce que sont les théories et quels rôles elles jouent en science.

— La connaissance des faits est hypothétique plutôt que finale: elle est constamment corrigible. Les solutions que propose la science ne sont que partiellement vraies; elles ne sont jamais considérées comme complètes et finales. La science est une tentative, un essai continuel. Elle admet qu'il est toujours possible de faire des erreurs et qu'il faut donc continuellement remettre en question ses faits, ses théories et ses explications. Selon Popper (1978),

> Le jeu de la Science est en principe sans fin. Celui-là se retire du jeu qui décide un jour que les énoncés scientifiques ne requièrent pas de test ultérieur et peuvent être considérés comme définitivement vérifiés (p. 51).

De même, les théories, qui sont des systèmes conceptuels ayant pour fonction de représenter des objets réels, ne doivent pas être considérées autrement que comme de pâles approximations des objets que leurs auteurs prétendent qu'ils représentent. Ils ne sont que des instruments de synthèse des connaissances et de prédiction, des prétextes à réfutation. Il ne faut donc pas confondre l'objet référé avec l'objet référant (objet conceptuel, théorie). Cette conception du statut des théories conduit à une attitude bien différente de celle par laquelle le chercheur s'accroche désespérément à sa théorie pour la justifier. Au lieu de retarder le développement scientifique dans son domaine, en se faisant l'avocat et le défenseur acharné d'une théorie, d'un modèle ou d'une hypothèse, le chercheur peut être l'agent d'un progrès très rapide; il peut devenir celui qui met au point des expériences ingénieuses ayant pour but la confrontation simultanée de plusieurs systèmes incompatibles, mais explicatifs d'un même fait. C'est ce que Platt (1966) a appelé faire de l'inférence forte. La recherche consiste alors à confronter les diverses hypothèses antagonistes: que la meilleure survive!

Dans les sciences empiriques, la mise à l'épreuve est faite par l'expérience, c'est-à-dire par la comparaison des conséquences empiriques des hypothèses avec les produits de l'expérience. Ces derniers sont obtenus, selon les termes de Claude Bernard (1885), par l'observation invoquée (celle effectuée par l'astronomie ancienne ou l'éthologie descriptive) ou encore par l'observation provoquée par l'expérimentation (comme dans les domaines de la médecine, de la psychologie et de l'éthologie expérimentales).

La méthode scientifique se différencie donc des autres méthodes de connaissance — comme la croyance populaire, religieuse ou même préscientifique — non seulement par son absence de dogmatisme au niveau des connaissances, mais aussi par sa capacité d'auto-correction. C'est là sa dimension critique.

— La science est une activité sociale, publique. Rendre publics ses résultats, méthodes et procédés, en les communiquant ou en les publiant, permet aussi la révision et la remise en question continuelle. Une démarche est dite scientifique si elle autorise d'autres chercheurs à reproduire les observations, à éprouver à leur tour les hypothèses et à les réfuter le cas échéant. C'est aussi en reproduisant systématiquement un fait en d'autres temps et sous d'autres conditions qu'on peut arriver à le comprendre et à formuler les lois qui le régissent. Qu'une erreur ait été commise par un premier chercheur concernant l'observation ou la mesure des faits, la théorie ou le non-respect d'un postulat de base de la démarche scientifique, elle ne peut être corrigée que si d'autres observateurs peuvent à leur tour procéder à la mesure des mêmes faits. Par ailleurs, celui qui ne rend pas publics et reproductibles les résultats de ses recherches ne remplit pas une des conditions essentielles à une action scientifique. Par la publication des connaissances factuelles et instrumentales, la science fournit elle-même les instruments et les moyens qui lui permettent de reconnaître ses erreurs et de les corriger. Cette évaluation continuelle se fait à plus ou moins long terme et, de ce point de vue, la science est une entreprise sociale relativement indépendante des erreurs des individus qui la font, et des courants à la mode à une époque donnée. La science se protège aussi de cette façon contre les spéculations sauvages.

Une science peut être définie comme une discipline utilisant la démarche scientifique dans le but de découvrir des régularités dans son objet d'étude, de les décrire, de les expliquer pour en comprendre les déterminismes et mécanismes et, éventuellement, d'utiliser ces connaissances pour prédire, contrôler et modifier la réalité.

Pour qu'une entreprise de recherche ou ses produits (concepts, hypothèses, théories, résultats, explications) soient considérés comme scientifiques et comme recevables en science, trois conditions minimales semblent nécessaires. En premier lieu, l'explication ou l'hypothèse devra être cohérente et compatible avec l'ensemble des faits déjà connus dans le domaine. En second lieu, elle devra, maintenant ou éventuellement, présenter des implications matérielles possibles, empiriques, observables et permettant la mise à l'épreuve. Enfin, ces connaissances hypothétiques, factuelles ou méthodologiques devront se prêter non seulement à une évaluation critique de principe, mais aussi à la mise à l'épreuve publique permettant la reproduction éventuelle et la spécification des connaissances.

Fondements paradoxaux de la démarche scientifique

En tentant de connaître l'univers d'une façon objective et en remettant toujours en question ses procédés, les résultats produits, ainsi que l'interprétation qui en est donnée, la méthode scientifique se différencie des autres méthodes de connaissance, ainsi que l'indiquera plus en détail le chapitre 2. Contrairement à certaines autres formes de connaissances dogmatiques ou autoritaires toutefois, elle ne se considère pas infaillible: elle comprend que sa connaissance s'appuie sur les mêmes bases que l'expérience consciente qui est à la base de toute connaissance. Cette situation est paradoxale.

Toutes les sciences prennent leur origine dans l'expérience consciente et immédiate du chercheur. La science commence lorsque deux ou plusieurs individus signalent les mêmes expériences subjectives en présence des mêmes événements. L'expérience subjective est donc à la fois base du vécu, qualifié de phénoménologique, et base de l'information, qui pourra devenir scientifique. La distinction entre les deux aspects s'établit en référence à la notion de validité de l'expérience intersubjective.

Alors que l'expérience phénoménologique n'est valide que dans sa forme brute, vécue, personnelle, non analysée et non communiquée (ces dernières opérations risquant même de la détruire), l'expérience scientifique n'est valide que dans la mesure où elle donne lieu à des communications et à des rapports équivalents et systématiquement répétables par deux ou plusieurs personnes dans des circonstances semblables. On voit donc immédiatement qu'une grande partie du travail de la science doit consister à définir un langage autorisant une communication non ambiguë entre les chercheurs, à inventer des instruments (conceptuels et matériels) permettant de spécifier et de contrôler les circonstances dans lesquelles les observations[2] peu-

---

2. Nous emploierons le terme d'observation dans son sens propre, qui a été défini par Claude Bernard (1885) comme étant «la constatation d'un fait à l'aide de moyens d'investigation et d'études appropriées à cette constatation» (p. 18). Observer constitue donc dans ce sens une procédure empirique fondamentale et commune à toutes les sciences factuelles. Mesurer, c'est-à-dire comparer une grandeur à une autre, prise comme étalon ou unité, et expérimenter impliquent aussi d'abord et nécessairement de faire des observations. L'observation dépasse donc ici l'observation directe du comportement ou l'application des techniques d'observation dont il sera question au chapitre 10.

vent être répétées à volonté, et à rendre les observations indépendantes des particularités de chaque observateur.

Toutes les sciences empiriques débouchent sur le même paradoxe. Au lieu de leur fournir une base absolue, l'expérience ne leur apporte que des bases empiriques, sensorielles et, partant, relatives. Comme Popper (1978) l'a si bien reconnu, ces bases sont à la fois discutables et faillibles.

> La base empirique de la science objective ne comporte donc rien d'«absolu». La science ne repose pas sur une base rocheuse. La structure audacieuse de ses théories s'édifie en quelque sorte sur un marécage. Elle est comme une construction bâtie sur pilotis. Les pilotis sont enfoncés dans le marécage mais pas jusqu'à la rencontre de quelque base naturelle ou «donnée» et, lorsque nous cessons d'essayer de les enfoncer davantage, ce n'est pas parce que nous avons atteint un terrain ferme. Nous nous arrêtons, tout simplement, parce que nous sommes convaincus qu'ils sont assez solides pour supporter l'édifice, du moins provisoirement (p. 111).

La connaissance empirique, tout comme son prolongement plus formalisé que constitue la science, est rationnelle non pas à cause de ses fondements, qui sont phénoménologiques, mais parce qu'elle est capable de s'autocorriger continuellement en remettant systématiquement en question tout ce qu'elle propose.

ÉVOLUTION DES CONNAISSANCES SCIENTIFIQUES

Comment progresse la connaissance scientifique? Par induction ou par déduction? Par l'élimination d'hypothèses concurrentes? Par un processus accumulatif ou par des révolutions paradigmatiques?

Induction ou déduction

Quel est le processus logique qui sous-tend la simple constatation d'une régularité ou encore la structuration d'une théorie scientifique? On distingue généralement deux modes d'approche, l'inductive et la déductive, et il y a controverse concernant le choix de celui qui devrait être logiquement possible et effectivement employé par les chercheurs. Le premier est appelé *inductif* parce qu'il va du particulier au général, c'est-à-dire des faits à la théorie, à la régularité uniforme. En science matérielle, la méthode inductive consiste à aborder concrètement le sujet d'intérêt et à laisser les faits suggérer les variables importantes, les lois et, éventuellement, les théories unificatrices. Les tenants radicaux d'une telle approche prétendent souvent faire *tabula rasa* afin d'éviter autant que possible que toute préconception du phénomène n'entache leur perception objective des faits. Les lois, en tant que propositions formulant les régularités, se trouvent alors induites à partir de l'examen des données. L'approche inductive se conforme alors au cheminement suivant: le chercheur constate certains faits réguliers lors de la réunion des conditions X et Y; il en induit une forme légale, exprimée en une proposition de loi, à savoir que tous les faits de cet ordre se produisent lorsque les conditions X et Y sont réunies.

La méthode déductive procède à l'opposé de l'induction. Quand il y recourt, le chercheur formule d'abord une hypothèse plus ou moins spécifique et infère logiquement à partir de cette dernière des implications matérielles pour ensuite colliger des données dans le but de voir s'il y a concordance entre ces dernières et les modèles d'exploration et ainsi éprouver la valeur des hypothèses. La déduction est le raisonnement qui conduit toute proposition générale à ses implications particulières. La déduction est aussi le procédé logique utilisé dans un système hypothético-déductif (théorie) pour obtenir une conclusion, soit un théorème, celui-ci étant pris comme conséquence nécessaire (idée que véhicule l'expression «si et seulement si») d'une ou plusieurs propositions (c'est-à-dire des postulats) établies comme prémisses. Il existe des règles de déduction, des procédés stéréotypés qui permettent, dans un système logique, de tirer validement une proposition d'une ou plusieurs autres différentes. On trouvera chez Robert (1978) plusieurs règles du raisonnement déductif dont le *modus ponens* et le *modus tollens*, le syllogisme hypothétique, etc. Ces règles d'opération logique peuvent être appliquées pour garantir le contrôle indirect du bien-fondé d'hypothèses posées à priori.

La conception *étroitement* inductiviste de la recherche scientifique est insoutenable pour plusieurs raisons. En premier lieu, il est loin d'être évident, d'un point de vue purement logique, que nous ayons le droit d'inférer des énoncés universels à partir d'énoncés singuliers, aussi nombreux soient-ils; toute conclusion tirée de cette manière peut toujours, en effet, se révéler fausse: quel que soit le nombre important de cygnes blancs qui ont pu être observés, il n'est pas légitime de conclure que tous les cygnes sont blancs. Alors qu'il existe des règles de déduction, aucune règle semblable n'a été formulée pour l'induction logique. L'inférence inductive ne semble donc pas applicable, sur le plan strictement logique, pour dégager des régularités universelles. C'est ce qu'il est convenu d'appeler le problème de l'induction ou le problème de Hume: comment établir la vérité d'énoncés universels fondés sur l'expérience? C'est ce problème logique qui a incité Popper (1978) à mettre au point la méthode déductive de contrôle, selon laquelle une hypothèse est d'abord énoncée, puis soumise à des épreuves empiriques.

En second lieu, une recherche reposant sur l'induction ne pourrait jamais débuter. En effet, l'observation et l'enregistrement de tous les faits, sans sélection ni évaluation à priori de leur importance relative, ne peut être conduite à terme étant donné le nombre d'observations en cause; de même, tous les faits établis jusqu'à présent ne peuvent être rassemblés car leur nombre et leur diversité sont infinis. Ne peut-on se limiter qu'aux faits significatifs? Mais ceux-ci sont significatifs par rapport à quoi? Le type de données qu'il convient de recueillir n'est pas déterminé par le problème avec lequel on est aux prises, mais plutôt par la solution provisoire que le chercheur tente de lui apporter en posant une hypothèse. Le précepte, selon lequel on doit rassembler les données sans être guidé par une hypothèse sur les relations entre les faits étudiés, se détruit lui-même et personne ne s'y conforme dans la réalisation d'une recherche scientifique puisqu'il faut déjà avoir une idée de ce sur quoi le chercheur portera son attention. En revanche, il est nécessaire de hasarder des hypothèses et de les formuler ouvertement afin qu'elles orientent la conduite d'une recherche. De telles hypothèses déterminent, entre autres choses, quelles observations et quelles mesures doivent être recueillies. L'invalidité logique de l'induction a conduit certains à la notion d'induction probabiliste ou de logique probabiliste. Cependant, s'il faut assigner un certain degré de probabilité aux énoncés fondés sur des inférences inductives, on devra aussi proposer une mécanique pour procéder à cette induction, une logique qui lui serait appropriée — ce qui n'a pas encore été clairement fait.

Le problème de l'induction soulève encore bien des controverses et c'est sans doute parce que dans le langage quotidien des scientifiques le terme *induction* prend plusieurs sens. On doit distinguer l'induction comme procédé d'inférence logique et de raisonnement, l'induction comme démarche générale des sciences empiriques qui prennent nécessairement support dans l'expérience, et l'induction comme processus psychologique. Tel que déjà mentionné, l'induction comme procédé d'inférence logique n'existe pas. Par contre, on ne peut pas nier l'importance des faits pour les sciences matérielles; ce sont ceux-ci qui les appuient par un processus très global d'induction. Quant à l'*induction ratiomorphe* (Lorenz, 1981), elle correspond au processus perceptivo-cognitif, mal compris en psychologie, mais qui permet malgré tout à un organisme de dégager des régularités dans le monde qui l'entoure et ainsi d'obtenir un certain contrôle sur celui-ci, devenu jusqu'à un certain point prédictible.

Les questions destinées à savoir comment une idée nouvelle peut naître dans le cerveau du chercheur et quand et comment cette idée peut être considérée comme probable, corroborée, ou réfutée par la réalité semblent de plus en plus relever de la psychologie de la connaissance plutôt que de la logique de la connaissance. L'induction ratiomorphe serait ce mécanisme perceptivo-cognitif permettant à notre système nerveux de dégager les premières régularités, même en science. Même si on admet l'existence d'une mécanique perceptivo-cognitive inductive, étant donné le caractère relatif des faits, le patron régulier auquel elle aboutit n'est jamais qu'une bonne hypothèse à vérifier par le plus grand nombre possible de recherches. Cette induction ratiomorphe ne peut contribuer à l'établissement de lois scientifiques que si elle s'accompagne d'une étape hypothético-déductive pour éprouver la valeur de ses hypothèses. Les sciences actuelles ne prétendent plus procéder uniquement par induction. Dans tous les cas, on admet que des idées préthéoriques, des anticipations, des hypothèses floues, des réseaux plus ou moins confus d'expectatives diverses accompagnent toujours une recherche. Ce sont ces mêmes préconcepts, attitudes et théories qui éclairent l'observation et permettent de sélectionner, même à ce niveau très empirique, ce qui est pertinent. On ne peut pas non plus affirmer à l'inverse que les conclusions auxquelles une recherche aboutit sont uniquement obtenues par une déduction suivie d'une confirmation ou d'une réfutation. Les hypothèses ne tombent pas des nues. Cette intéressante controverse induction-déduction est analysée par Popper (1978), Carnap (1950, 1952), Hempel (1966), Lakatos (1968), Lakatos et Musgrave (1970) et Salmon (1967).

Mais d'où viennent les hypothèses? Une hypothèse concernant une relation régulière entre deux faits, soit une loi, peut en principe avoir deux origines: elle peut être suggérée par les faits qui ont été observés (induction ratiomorphe) ou encore, par déduction, dans une système hypothético-déductif qui déjà synthétise, dans ses postulats, définitions et hypothèses, des informations à propos soit des faits eux-mêmes, ou de leurs facteurs de production. Ceux qui font la science utilisent probablement chacune de ces méthodes à des degrés divers. Le dosage peut varier selon que le secteur de recherche a déjà été bien ou peu étudié et, il faut l'admettre, selon les préférences (et croyances méthodologiques) des individus faisant la recherche. Peu importe, les lois qui sont des régularités de faits, ou encore des régularités de relations entre des faits, ne peuvent être obtenues qu'après avoir été maintes fois posées en hypothèses, puis confirmées. Dans un domaine peu exploré, l'observation joue le rôle d'une méthode de reconnaissance pour identifier des variables importantes, dégager les premières régularités par induction ratiomorphe, et formuler à leur sujet des hypothèses qu'on pourra, par la suite, confronter avec des données produites de façon plus systématique. Par contre, dans un domaine qui a fait l'objet de nombreuses recherches, on a déjà dégagé des régularités sous la forme de généralisations empiriques ou même de lois. Il se peut même que des systèmes explicatifs aient été proposés sous forme d'hypothèses, ou même de théories complexes. Dans ce cas, le chercheur peut employer une méthode du genre hypothético-déductif, en posant d'abord une hypothèse spécifique qu'il mettra ensuite à l'épreuve. Comme il sera fait mention dans les prochains paragraphes, la plupart du temps, dans les phases normales du développement d'une science, les hypothèses d'une recherche sont des hypothèses *ad hoc* proposées par un chercheur pour maintenir une hypothèse, un modèle, ou une théorie qui, pour des raisons souvent bien difficiles à comprendre, lui tiennent à cœur. En conclusion, ces deux approches, l'inductive et l'hypothético-déductive, se complètent et s'imbriquent selon le niveau d'avancement de la recherche dans un domaine spécifique.

Processus de mise à l'épreuve des hypothèses

Quels sont les processus qui permettent au chercheur d'accepter une proposition ou une hypothèse à l'intérieur d'une théorie, et quels sont ceux qui conduisent à l'élimination ou au rejet de la même proposition? En principe, la non-confirmation empirique d'une hypothèse contenue ou obtenue d'une théorie implique logiquement le rejet de la théorie qui la contient ou en est l'origine. A l'opposé, la confirmation de l'hypothèse n'implique pas nécessairement que cette théorie soit vraie. En effet, il peut exister un nombre infini de systèmes théoriques capables d'expliquer et de prédire un même résultat. Par convention, une théorie sera dite confirmée aussi longtemps que, dans la comparaison de ses énoncés de base ou de ses hypothèses avec la réalité, elle réussit à montrer que ses énoncés ne sont pas en contradiction avec celle-ci. Cette évaluation permet de déclarer confirmée une théorie dont les hypothèses sont compatibles avec la réalité. Si les données sont incompatibles avec les implications logiques de la théorie, la théorie est déclarée infirmée et, en principe, selon la logique poppérienne, elle devrait être rejetée.

La notion de réfutabilité[3] empruntée à Popper (1978) doit être exposée ici. Pour cet auteur, une théorie n'est scientifique que s'il est possible d'en déduire des énoncés de base pouvant être immédiatement confrontés aux observations, énoncés dont la fausseté éventuelle entraînerait logiquement la fausseté de la théorie dont ils sont déduits. On dit alors la théorie réfutable. Lors de la mise à l'épreuve d'une hypothèse, ses implications empiriques sont comparées aux observations invoquées et provoquées. Si les implications singulières

---

3. La traduction française de *Logik der Forschung* publiée chez Payot emploie l'expression «falsifiabilité» au lieu de «réfutabilité» (qui semble plus français cependant).

se révèlent acceptables ou confirmées, la théorie a provisoirement résisté au test: on n'a trouvé aucune raison de l'écarter. Par contre, si la décision est négative ou, en d'autres termes, si les conclusions sont contraires aux prévisions, cette réfutation des conséquences atteint également la théorie dont les prévisions ont été logiquement déduites (Popper, 1978). C'est donc par l'infirmation potentielle des implications qu'une théorie est réfutable. Quant aux hypothèses et à leurs implications empiriques, elles sont soumises à une épreuve empirique qui débouche sur une confirmation ou sur une infirmation.

Mais nous verrons, de par la nature de l'opération logique en jeu lors de la mise à l'épreuve d'une hypothèse, que le critère de la réfutatibilité poppérienne n'est pas complètement satisfaisant. Tout d'abord, l'obtention de résulats défavorables à une théorie ne conduit pas irrémédiablement à son abandon; ce n'est qu'après avoir effectué un certain nombre de tests contredisant une théorie, et après avoir soigneusement vérifié les instruments de mesure et les conditions auxiliaires de ces mises à l'épreuve, que les chercheurs se résolvent à abandonner une théorie jusque-là satisfaisante. Ces conditions auxiliaires comprennent toutes les conditions qui accompagnent et définissent le contexte théorique et empirique dans lequel la mise à l'épreuve sera conduite. De plus, la réfutation n'indique pas quelle partie de la théorie il convient de modifier.

Le terme de «vérification» (c'est-à-dire, évaluer le degré de vérité) est souvent employé pour désigner cette épreuve qui débouche sur une confirmation ou sur une infirmation d'une hypothèse ou d'une théorie à partir de la confrontation de ses implications matérielles. Cependant, il faut bien comprendre que la compatibilité des implications matérielles n'autorise absolument pas à déclarer *vraie* une hypothèse ou une théorie. Tout au plus cette compatibilité contribue à lui attribuer un certain degré de confirmation. Qu'une théorie résiste à la réfutation n'indique rien sur sa véracité, puisque plusieurs systèmes théoriques peuvent être construits de telle sorte que leurs prédictions soient compatibles avec n'importe lequel ensemble de données. Ce serait donc une erreur logique que d'accepter comme *vraie* une théorie ou une hypothèse lorsque ses implications matérielles possibles sont compatibles avec ce qui a effectivement été observé. Par contre, une théorie qui prédit blanc, alors que c'est noir que l'on observe, devrait en principe être rejetée, à moins qu'on n'ait oublié de spécifier les conditions auxiliaires de la mise à l'épreuve. Cette question des conditions auxiliaires sera abordée au prochain paragraphe. D'ailleurs, il est toujours possible qu'une hypothèse ne soit pas corroborée dans une expérience, alors qu'elle a pu l'être dans une autre menée dans des conditions tout à fait semblables. Ceci est en partie dû au fait que, lors de la réalisation d'une recherche, plusieurs des décisions du chercheur se prennent en fonction d'autres théories. Par exemple, l'utilisation d'un instrument optique pour l'observation postulera que la lumière se propage en ligne droite, alors qu'un autre instrument sera l'émanation d'une théorie électromagnétique ou d'une théorie de la mesure. Ainsi, les décisions concernant la signification des résultats obtenus dans une recherche se prennent en référence à des instruments élaborés à partir de théories statistiques. C'est donc pour un ensemble de recherches, ou pour un programme de recherche, que devrait s'appliquer la règle de la réfutation poppérienne.

Rôle des hypothèses *ad hoc*

Les chercheurs scientifiques acceptent mal que leurs «bébés» ne survivent pas; ils souhaitent volontiers que leurs créations et leurs idées soient viables et se propagent, comme s'il s'agissait de leurs propres gènes (Hull, 1978). Certains n'hésiteront pas à défendre leurs hypothèses par d'autres hypothèses qui sont des hypothèses *ad hoc*.

La logique, ou le *modus tollens*[4], de la vérification d'une hypothèse, d'après les modifications apportées par Grünbaum (1963), est strictement la suivante:

$$(H + A) \rightarrow e^*$$
$$-e^* \rightarrow -(H + A).$$

L'hypothèse H et des postulats A impliquent l'observation de e*. Le fait de ne pas obtenir e* entraîne, comme conclusion, que l'hypothèse H et les postulats A ne peuvent être vrais simultanément. Mettre une hypothèse à l'épreuve consiste à vérifier ses implications ou conséquences dérivées; cependant, cette dérivation s'accompagne le plus souvent de prémisses supplémentaires, fréquemment implicites, concernant les conditions de la recherche. Ces prémisses sont autant d'hypothèses auxiliaires. Le fait de ne pas obtenir les observations attendues (–e*) implique qu'il est impossible de savoir s'il faut rejeter H ou A, ou les deux à la fois. Le terme A peut même représenter une explication opposée. Fréquemment, les conditions auxiliaires sont constituées par les conditions de l'environnement ou de l'expérience, agissant de manière non contrôlée (les variables extrogènes), conditions qui peuvent contribuer à contaminer l'effet attendu. Le chercheur formulera donc une hypothèse accusant l'une ou l'autre de ces conditions, dans le but explicite de sauver l'hypo-

---

4. Le *modus tollens* est une procédure d'inférence logique employée dans le syllogisme. Une proposition est rejetée si ses conséquences logiques ne sont pas obtenues.

thèse de recherche menacée par des faits irréconciliables. L'hypothèse accusant les conditions auxiliaires est alors dite *ad hoc*. Il n'y a rien de répréhensible dans le fait de protéger une hypothèse à l'aide d'hypothèses *ad hoc*, pourvu que ces dernières soient explicatives, tout en étant conformes à d'autres théories scientifiques, et pourvu qu'on puisse aussi les mettre à l'épreuve indépendamment dans d'autres recherches (Bunge, 1967b). Par une utilisation habile d'hypothèses *ad hoc* et scientifiques, les chercheurs contribuent à préciser de plus en plus les conditions générales qui régissent l'apparition des faits, ou les conditions d'application des lois.

Il est donc heureux pour la science que les chercheurs ne se soient pas conformés strictement à la règle impitoyable du rejet des hypothèses et des théories, qu'ils se soient accrochés à leurs hypothèses et qu'ils aient formulé des hypothèses *ad hoc* pour les préserver de la disparition. En fait, la plupart des grandes découvertes de la biologie et des sciences du comportement n'auraient pas vu le jour, si on s'en était tenu aveuglément aux règles intransigeantes de la réfutation poppérienne. Convaincus du bien-fondé de leurs hypothèses, et ce malgré une contradiction apparente entre les prédictions empiriques faites à partir de ces dernières et les données disponibles, les chercheurs se sont entêtés à les défendre en faisant intervenir des hypothèses auxiliaires *ad hoc*. Ainsi, Darwin n'a pu construire sa théorie sans postuler dans des hypothèses *ad hoc* que les variations individuelles étaient à ce point négligeables qu'elles échappaient à l'observation; il a dû également postuler que la lignée de fossiles connus à son époque était incomplète et qu'il y manquait des chaînons très importants. Mendel n'a pas, non plus, rejeté sa théorie de la transmission parentale des caractères morphologiques parce que les pois de la première génération ne possédaient pas les caractéristiques des plants parents. Il a dû systématiquement faire intervenir des hypothèses *ad hoc* pour sauvegarder son hypothèse principale; une de ces hypothèses a donné lieu aux notions de dominance et de récessivité des caractères génétiques. Un autre exemple est fourni par les travaux de Pavlov sur les réflexes conditionnés. Ce physiologiste n'aurait jamais découvert l'inhibition conditionnée s'il n'avait pu proposer l'existence de ce phénomène dans une hypothèse *ad hoc* visant à expliquer pourquoi, après un certain nombre d'essais, le réflexe conditionné, pourtant si bien établi, s'estompait graduellement.

Progrès scientifique et révolutions scientifiques

Comment progresse la science? A la fois par accumulation systématique progressive de connaissances et par un processus comportant des progrès très rapides que Kuhn (1972) a qualifié de «révolution scientifique».

La science se construit autour de paradigmes. «Les paradigmes sont des découvertes scientifiques universellement reconnues qui, pour un temps, fournissent à un groupe de chercheurs des problèmes et des solutions types» (Kuhn, 1972, p. 10). Par exemple, en psychologie, le mentalisme et le behaviorisme ont joué le rôle de paradigmes auxquels se sont ralliés, à une certaine époque, deux grands groupes de psychologues. Un paradigme fournit en quelque sorte une conception de l'univers à étudier, un cadre de référence très général. Il indique un ensemble de problèmes potentiels, des objectifs et buts, des approches méthodologiques ou techniques par lesquelles cet ensemble de problèmes peut être abordé, de même qu'une collection d'éléments déjà connus et admissibles comme point de départ pour de nouvelles connaissances.

Selon Kuhn (1972), une science présente au cours de son histoire plusieurs cycles paradigmatiques. Chaque cycle comprend une phase préparatoire au cours de laquelle s'affrontent à l'intérieur de la même discipline plusieurs écoles de pensée, plusieurs théories opposées. Une contribution importante peut tout à coup rallier une majorité et faire accéder la discipline à une phase, que Kuhn qualifie de normale, qui consiste à faire progresser le domaine, un peu à la manière de la résolution d'un casse-tête, par l'accumulation très graduelle de faits qui viennent renforcer le paradigme. La connaissance progresse au cours de cette phase normale de façon itérative. On entend par là qu'une discipline procède par essai et erreur et par approximations successives pour cerner progressivement un problème et lui trouver une solution de plus en plus précise. Chaque solution est donc fonction de la solution proposée au cycle précédent, et elle l'améliore. De ce point de vue, la science est un processus cumulatif puisque les connaissances antérieures, et souvent même les erreurs, servent à définir les étapes ultérieures. La progression scientifique en phase normale se fait donc graduellement. Pendant le déroulement de cette activité scientifique normale s'accumulent aussi des faits anormaux, c'est-à-dire irréconciliables avec les paradigmes en place. Au début, ces anomalies sont volontairement ignorées; cependant, elles attirent progressivement l'attention et un état de crise se développe. Il se produit soudain une véritable révolution scientifique qui permet à un nouveau paradigme de supplanter l'ancien; et le cycle recommence par une nouvelle période normale. Kuhn emploie le terme de révolution parce qu'il s'agit non seulement de la démolition du paradigme en place par un autre, incompatible avec l'ancien, mais aussi d'une réinterprétation des faits qui confirmaient l'ancien paradigme, et d'une incorporation de ceux qui faisaient problèmes.

Cette conception paradigmatique du progrès scientifique ne semble pas s'appliquer parfaitement au développement de la psychologie. Ainsi, pour Boring (1950), le développement de celle-ci s'est produit très graduellement, par l'enregistrement cumulatif de connaissances. Les progrès de la psychologie semblent avoir été influencés par le climat intellectuel ou *Zeitgeist* dominant d'une époque, ou encore par de «grands hommes». Bien que le climat intellectuel ou l'influence d'individus puissent être assimilés à l'idée de paradigme, il est toujours possible après coup de justifier une quelconque découverte par des éléments précurseurs, et par des personnages qui en ont été les promoteurs principaux. En réinterprétant sélectivement les faits passés, l'historien se trouve ainsi à amoindrir l'importance de certaines découvertes en les percevant dans une continuité qui était loin d'être apparente pour les contemporains de la découverte. Malgré cela, il ne semble pas que la psychologie ait été l'objet de révolutions paradigmatiques comparables à celles qu'a connues, par exemple, la physique. Plusieurs explications sont possibles. Une première relève du fait que la psychologie, comme discipline, n'a pas clairement défini son objet d'étude. Elle est constituée de plusieurs sciences. Les découvertes ou changements d'approche méthodologique qui alimentent les révolutions scientifiques ne peuvent se produire que dans les disciplines où la communauté des chercheurs, est relativement unanime quant à l'objet d'étude de leur discipline. L'absence d'unanimité donne lieu, en psychologie, à une *différenciation*, c'est-à-dire à l'apparition d'un paradigme additionnel, plutôt qu'à une révolution, soit l'extinction et le brusque remplacement du paradigme en place. Ainsi, le behaviorisme watsonien s'est différencié sans fracas de la psychologie comparative, le néobehaviorisme du behaviorisme, et le cognitivisme du néobehaviorisme. Une seconde explication est fournie par R.I. Watson (1967). Pour celui-ci, la psychologie serait une science préparadigmatique.

> La psychologie n'a connu rien de comparable à ce que la théorie atomique a été pour la chimie, au rôle qu'a joué le principe de l'évolution organique pour la biologie, ou à l'importance des lois du mouvement en physique. Soit que le premier paradigme de la psychologie n'a pas encore été découvert ou soit qu'il n'a pas été reconnu comme tel. Bien qu'il ne soit pas exclu qu'un paradigme puisse ne pas être reconnu, il demeure plausible d'admettre l'hypothèse selon laquelle la psychologie n'a effectivement pas encore été l'objet d'une première révolution paradigmatique. (p. 436)

Or, même les révolutions ne sont pas le fruit du hasard. Elles sont les conséquences d'une accumulation. Les découvertes importantes, même paradigmatiques, ne sont pas non plus toujours le fruit du hasard. Elles sont parfois la conséquence d'une longue incubation dans toute une discipline, incubation qui entretient un état particulier de vigilance et d'expectative.

THÉORIES

Les sciences les plus avancées attachent beaucoup d'importance aux théories. Elles y font appel quand l'étude antérieure d'une classe de phénomènes a mis en évidence plusieurs régularités qui semblent pouvoir contribuer à un même système descriptif ou explicatif. Nous employons le mot théorie dans son sens propre: une théorie est un ensemble cohérent de propositions capable d'assurer la description ou l'explication d'un ensemble de faits réguliers. Une théorie explicative rend compte de faits réguliers qui ont été constatés en ayant le plus souvent recours à des manifestations ou produits d'entités ou de processus situés «derrière» ou à l'arrière-plan des faits à expliquer.

Rôles des théories

Une théorie importante est celle qui intègre plusieurs relations entre des faits, relations demeurées indépendantes jusque-là. Mais toutes les théories n'ont pas cette prétention. Pourvu qu'elle contribue non seulement à améliorer la compréhension d'un ensemble de faits, mais également à engendrer de nouvelles hypothèses de recherche, une théorie, même très humble, remplit une fonction heuristique essentielle. Nous croyons, avec Bunge (1967a), que l'importance relative des théories ainsi que l'utilisation qui en est faite dans une discipline sont une mesure de l'avancement de cette discipline, un peu comme la présence plus ou moins élaborée d'un système nerveux est un indice du progrès biologique réalisé par une espèce. Les théories sont pour ainsi dire le système nerveux d'une science. Pour employer une expression empruntée à Bunge (1967b), les connaissances scientifiques sont constituées de faits «mijotés» à l'aide de théories. De même, les faits restent inutiles tant qu'aucune théorie ne les rassemble et ne les organise en un réseau cohérent. La théorie, qu'elle soit embryonnaire ou très articulée, permet à une discipline de synthétiser de façon économique plusieurs généralisations empiriques en en formulant les règles de production applicables à d'autres phénomènes de la même classe. Elle permet aussi de prédire et de contrôler et, par là même, d'expliquer.

La psychologie et la sociologie, malgré les quantités impressionnantes de données qu'elles ont accumulées, et les nombreuses généralisations empiriques qu'on en a dégagées, sont, au point de vue théorique, des sciences embryonnaires. Cela ne s'explique pas par l'absence de régularités de base pouvant être intégrées à des systèmes théoriques, mais par l'attitude des individus qui y font la science. Ainsi, pour certaines approches de la psychologie, malgré l'absence flagrante de théories directrices et unificatrices, faire de la théorie est encore considéré tout au plus comme un luxe, voire comme une activité inutile. La cueillette des données et la description y demeurent encore les activités les plus respectables, à un tel point que, dans ces domaines, plusieurs chercheurs opposent souvent l'accumulation de données à l'élaboration de théories que l'on considère comme pure spéculation. Cette attitude ignore le fait que les données ne prennent une signification que dans un contexte théorique et que l'accumulation chaotique de faits — même l'accumulation systématique de généralisations empiriques — est une perte de temps si elle n'est pas guidée par des théories (Bunge, 1967b). On trouvera chez les néobehavioristes américains Skinner (1972) et Sidman (1960) des prises de position contraires à celle qui est ici présentée.

En tant qu'instrument de synthèse des connaissances, une théorie est à la fois le produit de l'activité scientifique, et son point de départ. Étant constituée d'énoncés hypothétiques, elle est toujours au moins partiellement fausse a priori, puisqu'elle ne peut être qu'une simplification d'un réel beaucoup plus complexe. Elle ne doit pas non plus être considérée comme un point d'arrivée statique et cristallisé, mais bien comme un outil scientifique dynamique qui guide l'observation, se modifie pour s'accommoder aux faits nouveaux, tente de réduire les incohérences introduites, éclate lorsqu'on le confronte à des faits irréconciliables et qui, finalement, est condamné à la désuétude et à l'oubli dès qu'une autre théorie plus intéressante ou plus englobante voit le jour.

D'un point de vue méthodologique, la qualité essentielle d'une théorie scientifique est de pouvoir directement ou indirectement être confrontée à des données empiriques. Elle doit être en mesure d'engendrer des prédictions ou des hypothèses pouvant être mises à l'épreuve, c'est-à-dire corroborées ou infirmées par l'expérience. Une théorie qui ne se prête pas à une telle possibilité de réfutation n'est pas scientifique. «Ainsi, le marxisme et la psychanalyse sont hors de la science précisément en ce sens que et parce que, par nature, par la structure même de leurs théories, ils sont irréfutables.» (Monod, préface de Popper, 1978, p. 3)

Composantes d'une théorie

D'un point de vue syntaxique, une théorie bien formulée peut être décrite formellement par le trio $T = <H, \rightarrow, t>$ où **H** représente un ensemble de postulats de base (appelés aussi axiomes) et des hypothèses intermédiaires qui servent, avec les postulats de base, de prémisses; où → représente l'implication logique; et où t représente l'ensemble des théorèmes déductibles, ces dernières propositions étant des hypothèses résultantes ou des conclusions d'une déduction logique faite de façon valide, uniquement à partir de prémisses de la théorie ou à partir de ces dernières et d'autres théorèmes. Ces propositions constituent les hypothèses déduites du système théorique. Une théorie est donc un système hypothético-déductif comprenant au minimum deux postulats et une conséquence logique, soit le théorème déduit des deux postulats de départ. Les théories scientifiques dont les conséquences peuvent être directement mises à l'épreuve sont appelées modèles théoriques. Les nouvelles hypothèses t obtenues par déduction dans ces modèles théoriques, une fois traduites en propositions empiriques, constituent les hypothèses t*, appelées ici hypothèses de recherche. Ce sont ces dernières qui peuvent être confrontées à des données empiriques. Une théorie comprend donc deux sortes de principes théoriques. Les premiers sont intrinsèques et concernent les constituants eux-mêmes de la théorie: il s'agit d'abord des hypothèses de haut niveau comprenant des postulats de base et des axiomes, ensuite et de manière facultative des hypothèses et des théorèmes intermédiaires et, finalement, des théorèmes ou hypothèses de bas niveau, ces dernières étant les t. Les seconds principes théoriques, les t*, sont les traductions dans le langage de l'observable des t, et servent de liaison entre les premiers principes théoriques, décrits par la théorie, et les phénomènes empiriques connus ou à connaître. Les hypothèses de recherche t* constituent ainsi les canaux par lesquels la réfutation des premiers peut se faire. Le tout est représenté schématiquement à la figure 1.1.

Quelques précisions terminologiques s'avèrent ici nécessaires. Dans une théorie, une *hypothèse* est un énoncé qui anticipe l'existence de quelque entité; par exemple, on peut poser l'hypothèse *existentielle* stipulant que telle structure neurale existe. L'hypothèse peut concerner l'existence d'une propriété possédée par un objet; par exemple, cette structure présente telle fonction psychoneurale. L'hypothèse peut aussi anticiper la nature des relations pouvant exister entre deux ou plusieurs entités ou faits; par exemple, l'hypothèse peut proposer qu'une structure est connectée, et contrôlée par telle autre structure. L'hypothèse est toujours spéculative, conjecturée, provisoire. Tous les énoncés d'une théorie, postulats, axiomes, lois et théorèmes, sont donc des hypothèses. Les théories incorporent des hypothèses de haut et de bas niveaux. Les hypothèses de haut niveau sont formulées en des termes inobservables, abstraits. Ils comprennent les axiomes, ou points de départ hypothétiques indé-

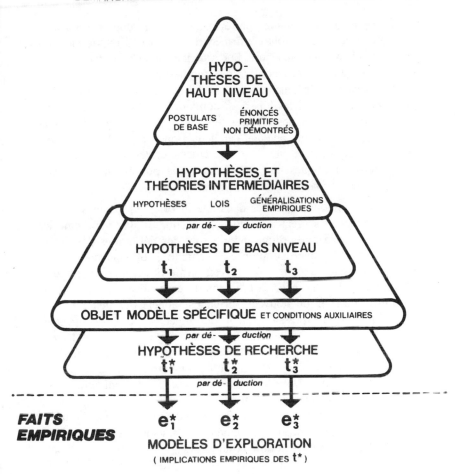

Figure 1.1 Éléments d'une théorie. L'adjonction d'un objet modèle spécifique permet de déduire des hypothèses qui peuvent être mises à l'épreuve.

montrables de la théorie, les postulats de base, les définitions, certains postulats accessoires nécessaires au bon fonctionnement de la théorie, ainsi que d'autres hypothèses déduites de la théorie (théorèmes de haut niveau). Les hypothèses de bas niveau sont celles qui, après une traduction appropriée, peuvent être directement mises à l'épreuve éventuellement ou l'avoir déjà été indépendamment. C'est le cas des théorèmes qui peuvent être traduits empiriquement. C'est le cas aussi des *généralisations empiriques* qui sont incorporées aux théories, de même que des *lois*. Les *généralisations empiriques* sont des régularités dont on postule l'existence (provisoirement) à un niveau général, bien que leur degré de généralité n'ait pas été démontré. Une *loi* factuelle est une hypothèse assez spéciale: elle décrit une relation régulière, uniforme, que l'on suppose objective, mais qui a été maintes fois confirmée. En science, l'importance des lois est fondamentale puisque le but principal de la recherche scientifique est justement de découvrir des régularités entre les faits. Les lois résument notre connaissance des relations présentes et possibles. Mais, le plus souvent, les lois d'un domaine ne sont pas uniquement des régularités empiriques maintes fois observées. Ce sont des énoncés théoriques à la fois obtenus par déduction dans une ou plusieurs théories (c'est-à-dire en tant que théorèmes), et des énoncés dont les implications empiriques ont été maintes fois posées en hypothèses de recherche, et maintes fois confirmées.

Les définitions contenues dans une théorie sont traitées comme des hypothèses et servent avec elles de prémisses. Parfois même les postulats et les axiomes d'une théorie sont des définitions déguisées. Une définition est une opération conceptuelle établissant une correspondance de signe à signe: un nouveau terme (à définir) est introduit formellement dans la théorie et le sens de ce nouveau terme est plus ou moins spécifié. Le nouveau terme est appelé *definiendum* — à être défini — et l'expression qui le définit constitue le *definiens*. Il existe plusieurs formes de définitions et nous renvoyons le lecteur à l'excellent exposé de Bunge (1967a) à ce sujet. En science, il est utopique de vouloir tout définir, tout démontrer. Par exemple, le concept d'adaptation (*fitness*) ne peut pas explicitement être défini (Williams, 1973). Darwin lui-même n'en a jamais fourni aucune définition. Pourtant, ce concept est un élément fondamental de la théorie de l'évolution néodarwinienne et de la sociobiologie moderne. De même, en tentant de définir la notion de renforcement, on aboutit à une tautologie ou à une situation de circularité (Postman, 1947; Ritchie, 1973; Thompson, 1981), sans pour autant faire s'écrouler toutes les théories de l'apprentissage. De tels termes, non explicitement définis, sont nécessaires dans toutes les théories scientifiques; ils en constituent des expressions primitives, à partir desquelles d'autres expressions peuvent être construites.

Les postulats de base ou centraux d'une théorie sont les hypothèses qui, tout en n'étant pas dérivées d'autres éléments de la théorie, en expriment les idées centrales, les fondements sémantiques, et lui confèrent son caractère particulier, distinctif. Les autres postulats (non déduits) sont accessoires ou secondaires et s'adjoignent aux premiers pour permettre la déduction des théorèmes.

Une théorie, pour être scientifique, doit être *testable* (Bunge, 1983), soit sur le plan théorique, soit sur le plan empirique (directement ou indirectement). On dit que les hypothèses de haut niveau, de même que l'ensemble du système théorique auquel elles participent, sont réfutables grâce à la possibilité de réfuter les hypothèses de bas niveau et à cause des implications empiriques de ces dernières. En effet, seules ces dernières hypothèses, c'est-à-dire celles qui sont déduites de la théorie tout en ayant des implications observables, peuvent servir à l'épreuve empirique. Les hypothèses t* fournissent des modèles d'exploration du réel (e*) et peuvent donc être confrontées aux données empiriques, ce qui rend les hypothèses de haut niveau réfutables. La possibilité de tester — c'est-à-dire de confirmer et de réfuter (Bunge, 1973) — les hypothèses de bas niveau constitue un indice de la réfutabilité des hypothèses de haut niveau et du système théorique qui les articule. En revanche, on dira d'une théorie qu'elle est théoriquement éprouvable s'il est possible de la comparer à des théories éprouvables sur le plan empirique (Bunge, 1983). Plus une théorie est générale, moins il est possible de la tester. Pour qu'une théorie soit considérée comme scientifique, il faut qu'elle soit testable, mais cette condition tout en étant nécessaire, n'est pas suffisante. Il faut de plus que cette théorie soit cohérente en soi, et compatible avec l'essentiel du savoir scientifique.

Divers types de théorie

La classification des systèmes hypothético-déductifs, c'est-à-dire des théories véritables, qui semble la plus appropriée est celle proposée par Bunge (1973). Elle repose sur le degré d'abstraction, depuis l'observable, des concepts incorporés. Une théorie qui ne dit rien de la réalité ne peut être ni confirmée, ni réfutée. Si, au contraire, elle porte sur le réel, mais d'une façon extrêmement générale, elle sera au mieux accommodante, c'est-à-dire qu'elle pourra tenir compte aussi bien de faits positifs que de faits négatifs. Un exemple classique d'hypothèse irréfutable est celui de la «loi» freudienne de l'Oedipe qui veut que tout être humain de sexe masculin soit affecté du complexe d'Oedipe. Cette «loi» se trouve confirmée si les hommes analysés manifestent les symptômes du complexe d'Oedipe. Cependant, l'absence de symptômes chez une partie d'entre eux confirme aussi la «loi», puisque le complexe peut alors être déclaré refoulé. On voit donc que cette «loi» est toujours confirmée quel que soit le résultat. Pour Popper, le critère de la réfutabilité empirique est la marque de la science: une théorie n'a aucune valeur scientifique si elle ne peut pas bénéficier de l'expérience, soit en absorbant elle-même des données, soit en s'appropriant d'autres théories pour établir un contact avec l'expérience du réel; par contre, une théorie qui porte sur le réel d'une façon précise sera sensible aux faits, pourra être mise à l'épreuve et donc éventuellement confirmée ou réfutée. De ce point de vue, les théories scientifiques peuvent, pour des fins d'analyse, être classées en trois grandes catégories situées sur un continuum.

Bunge (1973, 1974) distingue, en premier lieu, les *théories spécifiques* ou *modèles théoriques*. On parle de modèles théoriques par opposition aux schèmes ou objet-modèles, aux esquisses ou diagrammes, ainsi qu'aux modèles matériels. Le schème ou l'objet-modèle est une liste des caractéristiques les plus importantes d'un objet spécifique. *Exemple*: «un neurone type est une cellule présentant un haut degré d'irritabilité et de conductivité, assurant la transmission nerveuse et présentant deux types de prolongements (etc.)». L'esquisse ou le diagramme est une représentation graphique des composantes d'un objet spécifique, ou encore des relations ou fonctions des composantes. *Exemple:* un diagramme représentant les étapes de prise des décisions dans une entreprise. Les modèles matériels ou logiciels sont des prototypes matériels ou des programmes ayant des propriétés analogues à celles de systèmes qu'ils sont sensés simuler ou représenter. *Exemples*: un modèle hydraulique de la motivation, un modèle électronique ou informatique du cœur. Les *modèles théoriques* sont des systèmes hypothético-déductifs représentant certains aspects pertinents d'entités d'une espèce donnée. Voici quelques exemples de modèles théoriques: un modèle stochastique ou probabiliste de l'apprentissage, un modèle de l'organisation sociale chez les enfants. Tous les concepts de base dans de telles théories spécifiques ont un contenu présumé factuel. Il s'agit de flux d'ions, de neurones, de facteurs contribuant aux ordres de dominance. Ces concepts de base s'appliquent aussi à une classe de référence limitée et à une catégorie spécifique d'entités concrètes dont ils prétendent décrire au moins un aspect (les neurones de la rétine ou les comportements des enfants). D'un point de vue méthodologique, ces modèles peuvent être conceptuellement mis à l'épreuve, c'est-à-dire que leur validité et leur cohérence peuvent être éprouvées en comparant les prédictions qui en découlent aux connaissances antérieures; ils peuvent également être empiriquement mis à l'épreuve, et sont donc confirmables et réfutables, par confrontation avec des données acquises dans ce but. Les modèles théoriques peuvent être des applications de théories plus générales, par exemple, l'application de la théorie des jeux aux stratégies de combat chez les animaux (Maynard Smith, 1982); ils sont alors dits liés. Lorsqu'un tel modèle se trouve invalidé par les résultats d'un test, la théorie mère ne s'en trouve que très indirectement affectée. On dit alors que la théorie (plus générale) ne s'applique pas. Ce n'est qu'après avoir maintes fois constaté qu'elle ne s'appliquait pas aux objets d'un domaine ou après avoir découvert qu'une autre théorie mère s'appliquait bien mieux que la première, que la communauté scientifique se désintéressera de cette dernière. D'autres modèles sont inventés de toute pièce et ne résultent pas de l'application de théories mathématiques ou d'un formalisme déjà existants; ils sont alors dits libres. C'est le cas de notre modèle de la dominance chez *Xiphopho-rus* (Beaugrand et Zayan, 1986; Zayan et Beaugrand, 1986).

En second lieu, on distingue les *théories génériques interpré-tées*, comme la mécanique classique, la mécanique quantique, la théorie de la relativité, ou la théorie synthétique de l'évolution. Ce sont des théories plus générales. Leurs symboles de base conservent une interprétation factuelle; cependant, leur classe de référence est générique ou plus globale, et inclut un nombre arbitraire et indéter-miné d'espèces ou d'entités spécifiques, chacune pouvant être repré-sentée par une théorie de premier type. Du point de vue méthodolo-gique, une théorie de second type peut être conceptuellement mise à l'épreuve, sauf si on lui adjoint des cas particuliers d'une entité concrète, la transformant ainsi en un modèle théorique ou théorie de premier type.

En dernier lieu, viennent les *théories génériques semi-interpré-tées* ou *abstraites*, comme la théorie générale du champ, la théorie des jeux, la théorie de l'information, la théorie des réseaux ou la théorie des automates. A l'exception parfois du facteur temps, les éléments employés dans la formulation de ces théories n'ont aucune assignation factuelle, et la classe de référence comprend toute une famille de genres[5], chacune pouvant éventuellement être représentée par une théorie de second type. Ainsi, on peut très bien *appliquer* la théorie de l'information aux communications digitalisées, télépho-niques (multiplexées), aux transactions de la bourse, aux échanges agonistiques entre enfants, entre animaux, ou encore à l'analyse d'une chaîne de molécules d'ADN. De la même façon, on peut *interpréter* la théorie des jeux dans un nombre considérable de contextes. Par exemple, elle a été appliquée aux transactions bour-sières, aux combats entre animaux, aux conflits entre nations et aux négociations internationales. D'un point de vue méthodologique, ces théories ne peuvent être mises à l'épreuve que conceptuellement, en les spécifiant, pour en faire des théories de second type, puis en les transformant en modèles, pour en faire des théories de premier type. Ces théories formelles prennent un caractère scientifique non seulement à cause de leur cohérence interne, mais surtout à cause de leur utilité pour d'autres domaines scientifiques. En effet, elles peuvent être réalisées indirectement par des théories de second type et ensuite par des modèles liés. Ce sont donc, en fin de compte, les hypothèses déduites logiquement des modèles théoriques du premier type qui peuvent être réfutées, une fois leurs implications empiriques mises matériellement à l'épreuve.

---

5. Le genre représente dans la logique aristotélicienne une classification très générale recevant plusieurs sous-classes appelées espèces. En général, aucun de ces termes n'implique une classification biologique.

CYCLE DE LA RECHERCHE

Nous avons vu que la recherche scientifique progressait de façon itérative et qu'elle pouvait s'autocorriger par approximations successives. Mais quelles sont, dans la conduite d'une recherche particulière, les étapes à franchir?

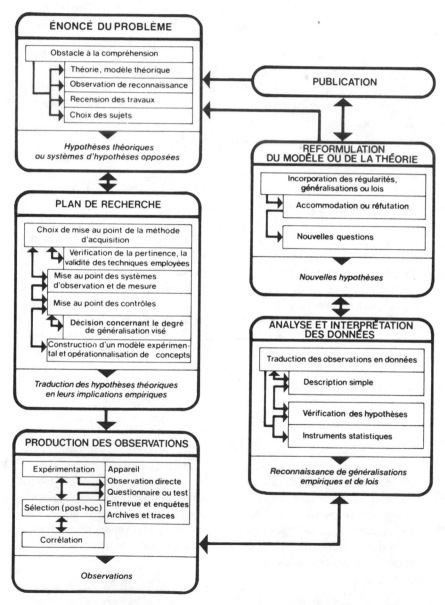

Figure 1.2 Cycle de la recherche.

Le cycle de la recherche scientifique est déclenché par une question que pose le chercheur. Une seconde opération décisive consiste à répondre à cette question en confrontant à des observations empiriques diverses propositions de réponses provisoires (les hypothèses), qui sont même parfois opposées les unes aux autres. Les conclusions découlant de ce premier mouvement sont suivies d'un retour au point de départ, qui permet de modifier la question initiale, ou d'en poser de nouvelles, et de déclencher ainsi un nouveau cycle. Le cycle complet est illustré en détail à la figure 1.2: chacun des blocs y représente une activité importante ou un point de décision important dans la démarche du chercheur. Les flèches allant d'un bloc vers un autre suggèrent des filiations possibles entre les différentes activités.

Les deux blocs supérieurs situés dans la partie gauche du diagramme forment un sous-cycle préparatoire à la production des observations et des mesures. Ce sous-cycle comprend toutes les activités qui se rapportent à la définition du problème, à la formulation des questions de recherche et à la mise au point des techniques et des instruments nécessaires pour répondre à ces questions. Le processus est lui-même itératif, c'est-à-dire qu'il peut être répété plusieurs fois avant que le chercheur soit prêt à prélever les observations et les mesures qu'il juge finales.

Le second sous-cycle concerne la production des observations et mesures à l'aide des techniques et des instruments mis au point à l'étape précédente. Une fois la seconde étape engagée, il n'est plus possible de revenir à l'étape précédente, pour modifier le problème ou l'approche méthodologique, sans invalider les données déjà produites. Au cours de cette étape, le chercheur applique intégralement le plan de recherche qu'il a défini et accumule observations et mesures tant qu'il n'a pas atteint le nombre requis, ou encore la puissance qu'il s'est fixée lui-même, compte tenu de la nature des données. Une fois parvenu à cet objectif, il passe à l'étape suivante: l'analyse des données définitives et l'interprétation des résultats. C'est au cours de cette troisième étape que le chercheur répond aux questions initiales et détermine dans quelles conditions les résultats s'appliquent et peuvent être généralisés. On peut alors formuler de nouvelles questions et les insérer à l'entrée du système que constitue le cycle de la recherche. Dans certains cas, la pertinence des résultats ou des interprétations justifie la publication d'une communication scientifique; sinon, le cycle est immédiatement repris avec de nouvelles questions.

Voyons un peu plus à fond ce que recouvre chacune des activités importantes. La première étape, qui sera exposée en détail au chapitre 3, débouche sur l'ÉNONCÉ DU PROBLÈME. Le chercheur admet l'existence d'un obstacle à sa compréhension, ce qui stimule sa curiosité. C'est ici que se formule de façon plus ou moins claire le problème à l'étude, lequel doit être suffisamment cerné pour suggérer au moins une grande ligne de recherche. La plupart du temps, il s'agit d'une première tentative de formulation qui progressivement, à la suite de plusieurs itérations successives, deviendra de plus en plus précise. Parfois, la question découle d'une recherche antérieure ou encore d'une théorie. Dans certains cas plutôt rares, la saisie du problème peut être très claire, au point de donner lieu immédiatement à la formulation d'une THÉORIE comportant un MODÈLE THÉORIQUE capable d'engendrer les prédictions qui serviront d'hypothèses à la recherche. Par contre, dans d'autres cas, particulièrement lorsqu'il s'agit d'un nouveau sujet d'étude, ou encore lorsque le chercheur est moins motivé par des préoccupations théoriques ou même humanitaires que par l'intérêt qu'éveillent chez lui les sujets à examiner (le nourrisson ou une espèce animale particulière, par exemple), la définition du problème est faite en même temps qu'une OBSERVATION DE RECONNAISSANCE. C'est ici que l'observation non structurée peut être extrêmement utile. Cette forme d'observation préliminaire permet de faire sans contrainte l'inventaire des questions qui peuvent se poser dans un secteur tout de même assez défini (par exemple, le développement de l'enfant ou le comportement maternel). L'observation de reconnaissance suggérera des questions plus précises, susceptibles d'alimenter plus systématiquement le processus de la recherche.

Cette forme de recherche informelle est extrêmement importante, bien que trop souvent négligée. Elle devrait constituer un préliminaire obligatoire à tout programme de recherche, au même titre que la recension des écrits, qui sera définie plus bas. Elle rend possible la sélection de questions pertinentes pour une espèce et la mise au point de méthodologies réalistes. Cette étape donne au chercheur l'occasion de se familiariser avec l'espèce qu'il désire étudier ou auprès de laquelle il désire résoudre un problème particulier. En plus d'être un préliminaire essentiel à l'inventaire systématique du répertoire comportemental de l'espèce, elle sert à l'identification des contraintes sociales, déontologiques, légales, environnementales ou autres qui pourraient déterminer la réalisation d'une recherche et son succès. Cette exploration peut être à l'origine de questions et d'hypothèses nouvelles et originales, contrastant avec celles qui sont parfois véhiculées dans les publications courantes d'un domaine de recherche devenu sclérosé.

Parallèlement à ces activités de réflexion et d'observation, le chercheur complète la RECENSION DES TRAVAUX qui touchent plus ou moins directement le sujet qu'il désire aborder. Cette activité importante sera traitée en détail au chapitre 3. C'est souvent en feuilletant un périodique scientifique que naît l'intérêt pour un thème de recherche. Le chercheur chevronné se tient au courant de ce qui se publie dans son domaine et il consacre une très grande partie de ses activités à l'étude de cette information.

Un inventaire complet des travaux de recherche effectués dans un domaine particulier peut exiger des années, et représente parfois une tâche impossible pour le néophyte. La prolifération des articles scientifiques résulte en grande partie de l'impératif «publie ou péris» qui encourage la publication de résultats n'apportant pas toujours une contribution importante au savoir. Il est donc dans l'intérêt du nouveau chercheur de limiter ses lectures à des travaux qui, avec un certain recul, paraissent importants.

Une fois achevée la recension des écrits pertinents, une fois le problème saisi et la question posée, on passe à la formulation des hypothèses (chapitre 3). Une HYPOTHÈSE théorique est une affirmation, une suggestion de réponse à la question théorique que pose la recherche. Cette hypothèse est une réponse conditionnelle. Dans certaines recherches, il est possible d'énoncer plusieurs hypothèses qui reposent respectivement sur des théories ou des modèles théoriques opposés. Ainsi, un type d'explication peut impliquer, par exemple, une augmentation de l'agressivité dans certaines conditions, alors qu'une seconde explication, opposée à la première, en suggérera une diminution dans les mêmes conditions. Il devient alors extrêmement intéressant de formuler simultanément les deux hypothèses sous une forme conditionnelle: si tel mécanisme intervient, tel effet devrait être attendu; par contre, si tel autre mécanisme est en cause, tel autre effet devrait être observé.

La formulation des hypothèses requiert la considération de leurs conséquences empiriques dans un plan de recherche qui sera défini ultérieurement. En effet, non seulement les hypothèses découlent logiquement des conclusions de travaux antérieurs ainsi que de théories, mais elles sont également formulées et ajustées de façon à ce que soit valable leur traduction en termes observables, ou encore mesurables. En même temps qu'il précise l'objet de sa recherche, élabore les hypothèses, analyse soigneusement la documentation pertinente et effectue des observations préliminaires, le chercheur met au point les moyens méthodologiques nécessaires à la confrontation de ses hypothèses avec le réel.

Le PLAN DE RECHERCHE doit permettre de transposer dans l'univers des variables empiriques, les concepts théoriques et les hypothèses générales qui s'en dégagent et qui spécifient l'existence de relations entre les variables. Il y a donc passage des concepts théoriques à des variables observables et mesurables. C'est l'étape que certains appellent l'opérationnalisation, c'est-à-dire la définition, en termes opérationnels ou opératoires, des variables qui représentent, dans l'univers factuel, les concepts théoriques.

Le chercheur doit aussi choisir une MÉTHODE D'ACQUISITION DES CONNAISSANCES. Comme nous le verrons au chapitre 2, ce choix doit satisfaire aux questions posées, aux théories en jeu, ainsi qu'aux convictions du chercheur. Le choix d'une méthode particulière découle de plusieurs considérations. En premier lieu, pour des raisons déontologiques ou même pour des motifs techniques ou historiques, certaines questions ne peuvent faire l'objet de recherches comportant une intervention expérimentale. En second lieu, d'autres sujets d'étude, tout en se prêtant à de telles manipulations plutôt envahissantes, pourraient en être dénaturés; il est alors préférable d'avoir recours à des méthodes, l'observation naturaliste par exemple, plus susceptibles de respecter l'authenticité du phénomène à l'étude. En troisième lieu, certaines méthodes garantissent mieux la mise en évidence de relations causales. Cette garantie semble par contre directement proportionnelle au degré d'intrusion et de contrôle inhérent à leur application. Finalement, à ces trois considérations s'ajoutent les questions suivantes: est-il possible de réaliser le projet (temps, argent, disponibilité des sujets)? Cette réalisation est-elle souhaitable, étant donné ses retombées théoriques, pratiques et sociales? On voit donc que le choix d'une méthode résulte d'un processus de décision dans lequel interviennent non seulement l'évaluation de la nature des questions posées et des contraintes physiques, pratiques, déontologiques et esthétiques (on parlera de l'élégance de la recherche), mais aussi l'importance que le chercheur accorde à la nécessité d'établir des relations causales, et le respect qu'il porte à l'intégrité du phénomène étudié. Cette dernière dimension, qui correspond à la validité externe — dont la validité écologique est un aspect particulier —, sera abordée aux chapitres 4 et 11. Le chercheur devra trouver un équilibre entre ces diverses contraintes. Dans certains cas, le choix de l'objet d'étude détermine le choix des méthodes et des techniques scientifiques auxquelles on pourra avoir recours. Une recherche sur le suicide, par exemple, peut difficilement faire l'objet d'une étude expérimentale et d'une observation directe. Par contre, d'autres problèmes peuvent se prêter à l'utilisation de plusieurs méthodes. En fait, comme on le démontrera au chapitre 2, il n'existe pas qu'une seule et unique méthode scientifique; il en existe plusieurs qui peuvent apporter des informations complémentaires, et il arrive parfois qu'on applique plusieurs méthodes à la résolution d'un même problème. Ainsi, les biais et les limites imposés par une méthode donnée se trouvent en principe corrigés par une autre.

Comme nous le verrons aux chapitres 4, 5, 6 et 7, le PLAN DE RECHERCHE doit servir à la production de données empiriques systématiques à haute validité interne, ainsi qu'à l'enregistrement du phénomène, de façon non biaisée. Comme le montreront les chapitres 8, 9 et 10, ce second aspect exige de recourir à une opération de mesure, dont la forme la plus simple consiste à noter les fréquences d'apparition de comportements se produisant de diverses façons. Il faut évidemment avoir établi d'abord ce qui doit être observé et dénombré. Ce sont les hypothèses de la recherche qui peuvent indiquer au chercheur ce qu'il doit regarder, reconnaître ou compter. Il choisit ses instruments, par exemple des listes de comportements à repérer (listes de contrôle ou *checklists*), des échelles, des appareils, des questionnaires ou des tests. Le PLAN DE RECHERCHE doit structurer une mise à l'épreuve valable des hypothèses formulées. Pour cela, il élimine systématiquement, par des procédés de contrôle, toutes les sources d'erreur, de contamination et de biais, y compris celles qui peuvent être introduites par l'opération même de mesure. Le chercheur vérifie, avant d'enregistrer des réponses et des comportements, que les techniques choisies et les conduites mesurées permettront vraiment d'invalider ou de confirmer les hypothèses de recherche. A cette étape, il est donc important d'effectuer une simulation de données, afin de prévoir au mieux les types d'observations susceptibles ou non d'appuyer ou d'infirmer les hypothèses, à la lumière des instruments statistiques choisis. Cette simulation assure, avant qu'il soit trop tard, la vérification des qualités heuristiques du plan de recherche. Elle pourra également entraîner la modification des hypothèses, des unités à enregistrer, ou des techniques de mesure, de façon à garantir la mise à l'épreuve des prédictions découlant des hypothèses.

Le chercheur est alors, en principe, prêt à passer à l'étape suivante, celle de la PRODUCTION DES OBSERVATIONS[6]. Cependant, il doit toujours garder à l'esprit la possibilité qu'un ennui imprévu survienne et le ramène en catastrophe à l'étape précédente, annulant ainsi toute une série d'observations qu'il avait pourtant crues définitives. C'est ce que traduit, chez les Anglo-Saxons, la loi de Murphy: «Si quelque défaillance est possible, elle se produira.»

Une fois l'observation et la mesure vraiment commencées, il n'est plus question de revenir à l'étape précédente. Le chercheur doit rigoureusement appliquer les consignes prescrites par son plan de recherche. Cela ne l'empêche pas d'évaluer continuellement ce

---

6. Nous préférons parler de la production des observations et des mesures plutôt que de leur cueillette, parce qu'il est évident que les observations et les mesures sont engendrées par l'instrument conceptuel ou théorique plus ou moins bien défini qui structure l'opération d'observation et de mesure.

plan et de réviser les questions posées; la modification immédiate du plan de recherche ou des hypothèses équivaut toutefois à la reprise de la recherche à ses débuts et à l'enregistrement de nouvelles observations et de nouvelles mesures.

Dans certains cas, le chercheur n'a aucune raison valable de fixer à priori le nombre des sujets ou celui des observations à faire. Au lieu de limiter ce nombre à une valeur arbitraire, très souvent bien en deçà du minimum requis sur le plan statistique, le chercheur détermine plutôt ses exigences concernant la puissance de sa recherche, c'est-à-dire sa capacité d'établir avec une grande certitude la confirmation ou l'infirmation des hypothèses. Cette puissance dépend de plusieurs facteurs, parmi lesquels on trouve les caractéristiques des observations et des mesures ainsi que celles des instruments qui les produisent; le chercheur peut donc accumuler des mesures tant qu'il n'a pas atteint le critère de puissance qu'il peut s'être fixé à priori (Kirk, 1968). C'est ce qu'indique, à la figure 1.2, la mention d'une possibilité de retour à l'étape de la PRODUCTION DES OBSERVATIONS, après celle de l'ANALYSE ET L'INTERPRÉTATION DES DONNÉES.

Une fois tous les enregistrements complétés, et donc toutes les mesures prises, commence l'opération de l'ANALYSE ET L'INTERPRÉTATION DES DONNÉES. Comme l'exposera le chapitre 11, le chercheur utilise alors des outils qui fournissent une image plus globale et synthétique de ses observations et mesures. Par exemple, il peut présenter des moyennes et des indices de variabilité. Il peut aussi construire de nouvelles mesures en appliquant aux mesures initiales des règles de transformation fournies par ses hypothèses et sa théorie. Les observations et les mesures sont ainsi transformées en données. En effet, il est rare que les observations et les mesures de base puissent être directement confrontées aux implications empiriques des hypothèses de la recherche. Les battements cardiaques doivent être transformés en accélérations cardiaques, ou en réponses cardiaques, et les morsures en interactions agonistiques. Ces données sont le plus souvent construites à l'aide d'autres théories, afin qu'elles soient exprimées dans le même langage que celui utilisé pour traduire les implications empiriques des hypothèses théoriques de bas niveau. Les données deviennent ainsi susceptibles d'être confrontées aux implications empiriques des hypothèses. L'utilisation de TESTS STATISTIQUES peut aider le chercheur à décider si ces données illustrent des effets systématiques, ou s'il les a obtenues par hasard. La phase d'interprétation consiste à confronter les relations obtenues entre les variables aux relations prévues par les hypothèses. Dans certains cas, ce travail d'analyse et de confrontation des implications empiriques avec les résultats empiriques, ou avec les données, sera remplacé par un travail de DESCRIPTION SIMPLE. Ainsi, il peut arriver qu'on ne puisse formuler des hypothèses que sur l'existence ou la non-existence de certains faits réguliers. Dans certaines autres situations, aucune hypothèse précise n'aura été formulée: le chercheur se limitera à décrire ce qui a été observé, et à faire un inventaire aussi complet que possible des conditions de l'environnement physique et social dans lesquelles, le cas échéant, certaines régularités se produisent. C'est ce que fait l'éthologie descriptive. Par ailleurs, si la plupart des sciences passent obligatoirement par une phase essentiellement descriptive au cours de leur évolution, la psychologie a grandement court-circuité ce passage. Certains prétendront qu'il peut aussi ne pas y avoir d'hypothèse dans une recherche expérimentale. On ne peut défendre cette opinion puisque, dans ce type de recherche, il est nécessaire de formuler des hypothèses implicites lors du choix des variables à manipuler, des variables à contrôler et des variables à mesurer. Le chercheur prédit inévitablement que la variable à manipuler exercera un impact sur la variable à mesurer, sinon il n'entreprendrait pas sa recherche. Ainsi, il neutralise certaines autres variables parce qu'il formule implicitement l'hypothèse qu'elles pourraient contaminer l'effet de la variable à manipuler. En choisissant de mesurer une variable particulière, le chercheur énonce nécessairement l'hypothèse de sa pertinence par rapport aux hypothèses de la recherche et par rapport à la variable à manipuler. Par contre, il est possible de faire une expérience sans formuler explicitement la direction des effets escomptés. Cependant, les hypothèses concernant l'existence de la relation de causalité elle-même sont au moins toujours implicites.

L'analyse et l'interprétation des données permettent de retourner aux hypothèses de départ, et d'établir si elles sont confirmées ou contredites par les observations et les mesures. La phase appelée REFORMULATION DU MODÈLE OU DE LA THÉORIE correspond au moment où le chercheur évalue l'ensemble du syllogisme constitué par l'application de la méthode scientifique aux questions à l'origine de la recherche. Les méthodes d'acquisition des connaissances exploitées et les techniques de contrôle et de mesure étaient-elles appropriées aux questions posées, aux faits à l'étude? Quelles sont les autres hypothèses et interprétations qu'on n'a pas éliminées? Quelles sont les sources d'erreur? A quelles situations s'appliquent ces résultats? Peuvent-ils être généralisés à d'autres espèces, à d'autres situations? Autrement dit, cette phase reconduit le chercheur à l'étape initiale, celle de la formulation d'un nouveau problème à la lumière des résultats obtenus. C'est aussi, dans certains cas, le moment de réviser un modèle ou de rajuster une théorie à l'aide des résultats empiriques, puis de soumettre cette théorie à un nouveau cycle de réfutation.

La PUBLICATION est une activité importante qui complète le cycle de la recherche scientifique. Ainsi que le montrera le chapitre 12, publier, c'est mettre à la disposition de la communauté scientifique des résultats que d'autres chercheurs pourront désormais reproduire ou, au contraire, contester et réfuter. Par conséquent, la publication de ces résultats remplit une autre des conditions essentielles associées aux fondements scientifiques de la recherche.

Ce cycle de la recherche est ainsi répété tant que le chercheur se sent prêt à adhérer aux règles de la recherche scientifique. Sinon, il doit abandonner à d'autres le soin de prendre la relève. Par ailleurs, tout au long du cycle de la recherche, le respect du code déontologique qui régit l'exercice de la recherche en psychologie et dans les autres sciences du comportement devra avoir été assuré. Les prescriptions de ce code seront présentées au chapitre 13.

RÉFÉRENCES

Beaugrand, J.P. & R.C. Zayan: *Outline of a model on aggressive dominance in green swordtail male fishes (Xiphophorus helleri, Pisces, Poeciliidae)*, in Quantitative models in Ethology. Colgan, P.W. & R.C. Zayan (Eds), 9-23, Privat, Toulouse, 1986.

Bernard, C. (1885): *Introduction à l'étude de la médecine expérimentale,* Hachette, Paris, 1943.

Boring, E.G.: *A history of experimental psychology* (2ᵉ éd.), Appleton-Century-Crofts, New York, 1950.

Bunge, M.: *Scientific research I. The search for system,* Springer-Verlag, New York, 1967a.

Bunge, M.: *Scientific research II. The search for truth,* Springer-Verlag, New York, 1967b.

Bunge, M.: *Testability today,* in Method, model and matter. Bunge, M. (Ed.), 27-43, D. Reidel, Dordrecht, 1973.

Bunge, M.: *Treatise on Basic Philosophy,* vol. 1, in Semantics I: Sense and reference. D. Reidel, Dordrecht, 1974.

Bunge, M.: *Épistémologie,* Maloine, Paris, 1983.

Carnap, R.: *Logical foundations of probability,* University of Chicago Press, Chicago, 1950.

Carnap, R.: *The continuum of inductive methods,* University of Chicago Press, Chicago, 1952.

Grünbaum, A.: *The philosophy of space and time,* A.A. Knopt, New York, 1963.

Hempel, C.G.: *Philosophy of natural science,* Prentice-Hall, Englewood Cliffs, 1966.

Hull, D.L.: Altruism in science: a sociobiological model of cooperative behaviour among scientists. *Animal Behaviour,* **26**:685-697, 1978.

Kirk, R.E.: *Experimental design: procedures for the behavioral sciences,* Brooks/Cole, Belmont, 1968.

Kuhn, T.S.: *La structure des révolutions scientifiques,* Flammarion, Paris, 1972.

Lakatos, I.: *The problem of inductive logic,* North-Holland, Amsterdam, 1968.

Lakatos, I. & A. Musgrave: *Criticism and the growth of knowledge,* Cambridge University Press, Cambridge, 1970.

Lorenz, K.Z.: *The foundations of ethology,* Springer-Verlag, New York, 1981.

Maynard Smith, J.: *Evolution and the theory of games*, Cambridge University Press, Cambridge, 1982.

Platt, J.R.: Strong inference. *Science*, **146**:347-353, 1966.

Popper, K.L.: *La logique de la découverte scientifique*, Payot, Paris, 1978.

Postman, L.: The history and present status of the law of effect. *Psychological bulletin*, **44**:489-563, 1947.

Ritchie, B.F.: *Theories of learning: a consumer report*, in Handbook of general psychology. Wolman, B.B. (Ed.), 451-461, Prentice-Hall, Englewood Cliffs, 1973.

Robert, S.: *La logique, son histoire, ses fondements*, Le Préambule, Longueuil, 1978.

Salmon, W.: *The foundations of scientific inference*, University of Pittsburg Press, Pittsburg, 1967.

Sidman, M.: *Tactics of scientific research: evaluating experimental data in psychology*, Basic Books, New York, 1960.

Skinner, B.F.: *A case history in scientific method*, in Cumulative record. Skinner, B.F. (Ed.), 101-124, Macmillan, New York, 1972.

Thompson, N.S.: *Towards a falsifiable theory of evolution*, in Perspectives in ethology. Bateson, P.P.G. & P.H. Klopfer (Eds), vol. **4**:51-73, Plenum, New York, 1981.

Watson, R.I.: Psychology: a prescriptive science. *American psychologist*, **22**:435-443, 1967.

Weimer, W.B.: *Notes on the methodology of scientific research*, Wiley, Toronto, 1979.

Williams, M.B.: *The logical status of the theory of natural selection and other evolutionary controversies*, in The methodological unity of science. Bunge, M. (Ed.), 84-102, D. Reidel, Dordrecht, 1973.

Zayan, R.C. & J. Beaugrand: *The deductive structure of an experimental model predicting aggressive dominance in pairs of Swordtails Xiphophorus helleri*, in Quantitative models in Ethology. Colgan, P.W. & R.C. Zayan (Eds), 25-45, Privat, Toulouse, 1986.

CHAPITRE 2

MÉTHODES D'ACQUISITION DES CONNAISSANCES

MICHEL SABOURIN

Aujourd'hui, la plupart des psychologues acceptent de définir la psychologie comme la *science du comportement*. Donc, l'objet d'étude de la psychologie, ou ce qu'elle cherche à comprendre, c'est le comportement, et, par conséquent, l'étude de la psychologie relève d'une approche scientifique. Par comportement, nous entendons toutes les formes d'activités *observables* d'un organisme, qu'elles soient facilement perceptibles à l'œil nu (par exemple, un sourire) ou qu'elles soient accessibles seulement à l'aide d'instruments perfectionnés (par exemple, la tension musculaire). Cependant, dans tous les cas on doit définir clairement le comportement à l'étude, pour en faire l'examen le plus facilement possible. Un comportement qu'on ne pourrait pas examiner rigoureusement par un moyen ou par un autre ne pourrait être étudié scientifiquement. Par ailleurs, la définition du comportement comme événement public observable ne doit pas sous-entendre l'exclusion des processus intérieurs prenant place chez les individus ni celle de leurs états de conscience — ces aspects étant assurément d'une importance capitale. En effet, le domaine de la psychologie recouvre également l'étude de processus intérieurs non directement observables, telles la mémoire, la motivation, la personnalité ou l'intelligence. Or, l'existence même de ces processus est justement inférée, comme nous le verrons au chapitre 4, à partir de l'étude de leurs manifestations observables. L'intelligence, par exemple, peut être inférée à partir des réponses produites à un test, alors que l'agressivité peut être déterminée à partir de l'observation d'un comportement d'attaque, qu'il soit verbal ou moteur.

Toutefois, bien qu'ils admettent en général l'existence d'un univers ordonné régi par des lois naturelles qu'on peut découvrir par la démarche scientifique, bien des gens affirment que les faits psychologiques échappent à ce déterminisme. Puisqu'ils pensent que le comportement est libre, donc non déterminé, ces gens doutent de la possibilité d'appréhender la merveilleuse spontanéité de l'être humain par le biais de simples lois objectives. Comment, en outre, pourrait-on envisager de mesurer avec précision, voire de prédire, des conduites ayant atteint un niveau de complexité si élevé? En étudiant maintenant les fondements de la méthode scientifique, il sera possible de comprendre pourquoi la psychologie peut, à juste titre, se définir comme une science.

FONDEMENTS DE LA MÉTHODE SCIENTIFIQUE

Comme nous l'avons vu au chapitre 1, la science peut globalement être définie comme une façon structurée de résoudre des problèmes, ou bien comme une méthode particulière d'investigation ou d'acquisition de connaissances. Pour la plupart des gens, il s'agit même de la méthode par excellence, qui permet d'obtenir une vérité presque irréfutable. Quoi qu'il en soit, on accorde habituellement une très grande crédibilité à ce qui est qualifié de scientifique. On peut donc facilement comprendre l'universalité de l'utilisation de la science.

Mais autrefois — et même récemment — le nom de «science» était réservé à certaines disciplines bien précises en nombre limité (par exemple, la physique et la chimie). Celles-ci étaient généralement considérées comme neutres et indépendantes de toute activité humaine; elles pouvaient également être définies ou caractérisées par la possibilité qu'elles offraient de mesurer avec grande précision, d'une façon dite exacte, les phénomènes qu'elles analysaient. A cette époque, il était donc relativement facile de distinguer le scientifique du non-scientifique, puisque l'objet d'étude constituait le principal, voire l'unique critère de définition.

Avec l'apparition et la prolifération des domaines d'investigation, conséquence directe de la révolution scientifique des XIXᵉ et XXᵉ siècles, il s'est avéré de plus en plus difficile de faire la distinction entre ce qui est scientifique et ce qui ne l'est pas, à partir du seul critère de l'objet d'étude. Il est donc devenu plus commode, et surtout plus rationnel, de définir la science, ou les sciences, par rapport à l'universalité de la méthode qu'elles utilisaient. Pour les besoins toujours présents de regroupement et de classification logique, on reconnaît généralement l'existence de trois principales catégories de sciences. On parle donc des sciences physiques, des sciences de la vie ou sciences biologiques, et des sciences humaines, dites aussi sciences du comportement.

On admet généralement que la science et les nombreux champs d'étude qu'elle englobe peuvent être définis par une méthode unique et universelle d'acquisition des connaissances; cependant, il est difficile de concevoir que les modalités de recherche utilisées en chimie, par exemple, puissent être les mêmes que celles employées en psychologie ou en science politique. Par conséquent, il importe dès maintenant de ne pas confondre la *méthode scientifique* — qui constitue, comme le souligne Christensen (1977), la logique fondamentale sous-jacente à toute activité de recherche — et divers *procédés de recherche*, qui, eux, définissent plutôt des techniques spécifiques concrétisant l'emploi de la méthode scientifique dans chaque recherche particulière. En fait, bien que la démarche scientifique ou la méthode générale de la science, abordée au chapitre précédent, s'appuient sur un certain nombre de postulats de base relativement immuables, les procédés de recherche peuvent varier en fonction de la nature de l'objet d'étude, de celle du problème étudié et du niveau d'avancement dans la réalisation d'une recherche donnée. Alors que l'astronome utilise de plus en plus des sondes interplanétaires pour recueillir des observations lui permettant de vérifier des hypothèses sur les origines de l'univers, et que le physiologiste peut stimuler électriquement l'écorce cérébrale pour mieux comprendre le fonctionnement du cerveau, le psychologue, dans sa propre discipline, peut avoir recours à diverses procédures aussi variées que l'administration d'un test, la mesure de l'augmentation d'une activité motrice à la suite de l'octroi d'un renforçateur, ou l'observation des interactions sociales à l'aide d'une caméra cachée. De plus, pour l'étude d'un problème donné, par exemple celui du fonctionnement cognitif, le chercheur en psychologie peut choisir, non seulement de tenir compte de la vitesse de résolution de problèmes arithmétiques de difficulté variable, mais aussi de mesurer les variations du rythme cardiaque en fonction de cette difficulté. Enfin, même à l'intérieur d'une seule recherche, il est également courant de varier les procédés employés en fonction de l'étape de la recherche qu'il s'agit de terminer; au début d'une recherche, il peut arriver qu'on doive utiliser des techniques d'observation (chapitre 10) afin de susciter ou de préciser des hypothèses à vérifier, alors qu'au moment de l'analyse des résultats, on choisisse plutôt la technique statistique la plus appropriée. Nonobstant les différences considérables entre les procédés utilisés par différentes disciplines, à l'intérieur d'une discipline donnée et parfois à certaines étapes d'une recherche particulière, c'est toujours la *même* méthode scientifique qui est appliquée.

Puisque les sciences humaines, dont la psychologie, sont des disciplines relativement jeunes, elles emploient, en plus de la méthode scientifique, et plus souvent que les sciences physiques par exemple, différentes méthodes préscientifiques d'acquisition des connaissances. Avant de préciser ce qui caractérise la méthode scientifique, il importe donc de distinguer celle-ci des autres méthodes contribuant également au développement du savoir.

MÉTHODES PRÉSCIENTIFIQUES D'ACQUISITION DES CONNAISSANCES

Reprenant les idées du philosophe Pierce (Buchler, 1955), Helmstadter (1970) proposa cinq méthodes non scientifiques fréquemment utilisées pour l'acquisition des connaissances. Il s'agit des méthodes dites: d'obstination, intuitive, d'autorité, du raisonnement et empirique. En fait, chaque méthode représente une façon de faire un peu plus acceptable que celle permise par la méthode précédente. La psychologie a occasionnellement recours aux deux dernières des méthodes énumérées ci-dessus.

Méthode d'obstination

Il arrive souvent que l'on croie avec entêtement en quelque chose tout simplement parce qu'on l'a toujours fait. Cette attitude découle, pour l'essentiel, du développement et de la persistance des superstitions. En réalité, une superstition représente une croyance à laquelle on accorde la valeur de fait, en oubliant, bien sûr, toutes les fois où la prédiction de l'apparition de ce fait ne s'est pas concrétisée. La croyance irraisonnée dans les pouvoirs magiques d'une amulette ou dans les sortilèges maléfiques des chats noirs sont des exemples populaires qui illustrent les conséquences de l'application de cette méthode. Dans le domaine psychologique, Skinner (1948) a fourni de très belles descriptions de la façon dont les pigeons avaient peu à peu mis au point des rituels superstitieux pour obtenir de la nourriture, alors qu'ils étaient placés dans des cages pourvues d'un mécanisme automatique d'alimentation enclenché à intervalles fixes. En effet, les animaux répétaient périodiquement les comportements qui avaient précédé l'arrivée automatique de la nourriture, croyant avoir décelé une relation de cause à effet entre ces comportements et l'obtention de la nourriture. Chez l'homme, ce type de fonctionnement assez primitif a rapidement mené à une situation de conflit insoluble, surtout lorsque les tenants de croyances opposées étaient confrontés, chacun étant convaincu qu'il était le seul à détenir la vérité. On a fini par comprendre que ce n'étaient pas les connaissances elles-mêmes qui étaient responsables de cet imbroglio, mais plutôt la manière dont elles avaient été acquises.

Méthode intuitive

Appelée également méthode du «bon sens populaire», la méthode intuitive est fondée sur la certitude que la plupart des vérités proviennent de l'intuition, et qu'elles relèvent de l'évidence. Par définition, l'intuition est l'acquisition d'une certitude sans utilisation du raisonnement ni inférence. Or, historiquement, il est arrivé très souvent que les «vérités» de la sagesse populaire n'aient pas résisté à un examen plus approfondi. Ainsi, on a longtemps cru que la terre était plate. Parallèlement, il existe dans le domaine du comportement humain un certain nombre de «vérités» du même genre. Henneman (1966) en mentionne quelques-unes, par exemple: les gens qui apprennent lentement retiennent davantage que ceux qui apprennent rapidement; l'étude des mathématiques est une gymnastique de l'esprit qui fait qu'une personne développe une pensée plus logique dans d'autres disciplines; il y a peu de relation entre les résultats scolaires et le succès ultérieur en affaires; et, finalement, le facteur de motivation le plus important pour le travail des employés est le salaire. Lorsqu'on en a fait une étude plus poussée, tous ces énoncés, basés sur l'intuition, se sont révélés partiellement ou totalement faux.

Méthode d'autorité

La méthode d'autorité consiste à faire appel à un spécialiste ou à une autorité dans le domaine concerné, et à accepter aveuglément ce que cette personne avance sur un sujet précis, sans y regarder de plus près. Cette méthode est à la base de bon nombre de religions, dans lesquelles certains textes sacrés, ou certaines personnes, sont reconnus infaillibles. Puisqu'on ne peut pas remettre en question l'avis d'un individu détenant l'autorité, ses énoncés deviennent inattaquables et ont valeur de vérité. Par exemple, dans la querelle opposant Galilée à la curie romaine à propos de la forme de la terre, le débat fut vite clos, la seule vérité étant celle de l'autorité. C'est une forme déguisée de cette méthode qui réapparaît quelquefois aujourd'hui lorsqu'on essaie de trancher une question en présentant l'opinion d'un expert comme si elle représentait la vérité absolue et définitive. Toutefois, il ne faut pas confondre la méthode d'autorité avec la dépendance croissante et normale que nous entretenons à l'égard des experts pour résoudre différents problèmes. En effet, il est de plus en plus fréquent de constater que certains experts fondent leur opinion sur la connaissance scientifique. Lorsque nous sommes libres d'accepter ou de rejeter le témoignage d'un expert, il est évident que la méthode d'autorité n'intervient pas.

Méthode du raisonnement

Une autre façon d'acquérir des connaissances est définie par l'approche syllogistique ou rationnelle. Cette méthode est employée lorsqu'on désire arriver à une nouvelle connaissance en raisonnant à partir de faits ou de principes connus. Elle postule que la connaissance ainsi acquise est valide, ou que la conclusion découlant de cette opération est vraie, dans la mesure où le processus de raisonnement est sans reproche.

Prenons l'exemple bien connu: «Tous les hommes sont mortels; Socrate est un homme; donc, Socrate est mortel.» Bien que la plupart des gens, à juste titre, trouvent cette conclusion acceptable, il ne faut pas oublier que toute sa valeur repose uniquement sur la validité des prémisses. Or, ces dernières sont souvent des postulats déguisés, dont on peut limiter la véracité à des événements ou à des circonstances précises. Examinons attentivement l'exemple suivant: la semaine dernière, au hockey, l'équipe A a triomphé de l'équipe B; cette semaine, l'équipe B a battu l'équipe C; donc, la semaine prochaine, l'équipe A battra l'équipe C. La conclusion qui découle de ce raisonnement pourrait être vraie et on a pu probablement la vérifier fréquemment; mais elle est loin d'être certaine, car elle repose sur le postulat de la constance des performances d'une équipe sportive. Or, une telle constance ne se retrouve pas dans les faits. Comme le mentionne Helmstadter (1970), en raisonnant à partir des principes d'aérodynamique qui ont permis de construire, entre autres, le supersonique Concorde, on pourrait démontrer qu'il est impossible à une guêpe de voler, ces principes ne s'appliquant vraiment pas au vol de cet insecte.

Cependant, tout ceci n'implique pas qu'il faille écarter l'emploi du raisonnement en science; au contraire, il est essentiel à la démarche scientifique. Toutefois, il ne faut pas confondre les deux approches. Le raisonnement peut être utilisé, par exemple, dans l'élaboration d'hypothèses, qui doivent, par ailleurs, être mises à l'épreuve par l'emploi de la méthode scientifique.

Méthode empirique

Essentiellement, la méthode empirique postule que faire l'expérience directe d'un fait ou d'un événement constitue le seul critère de vérité acceptable. La nature de cette méthode est véhiculée par le vieil adage «il faut le voir pour le croire». En d'autres termes, on ne devrait accorder confiance qu'à l'information acquise par le biais d'une expérience sensorielle. Bien que cette méthode soit attrayante, et jusqu'à un certain point recommandable, on doit être conscient des risques d'erreurs qu'elle recèle. Plusieurs recherches ont en effet démontré que certains facteurs — tels les souvenirs d'expériences passées et les motivations qui leur sont associées — influencent considérablement la nature des éléments de ces événements dont nous nous rappelons. Non seulement nous avons tendance à oublier des faits ou des événements, mais il arrive parfois que nous en modifions involontairement d'autres, ou même que nous en inventions. De plus, ce que nous expérimentons ne représente qu'un faible échantillon du nombre total des situations potentielles. Et il se peut que les situations ou les faits qui nous sont connus constituent un échantillon biaisé entraînant des conclusions fausses. Ainsi, si nous connaissons uniquement dix hommes qui sont tous très grands, nous conclurons probablement que tous les hommes sont très grands, ce qui risque de ne pas être totalement vrai! Par ailleurs, malgré ces divers risques d'erreur, il ne faut pas exclure la méthode empirique d'une démarche scientifique, car elle est un élément important de la méthode scientifique, comme nous l'avons vu au chapitre 1. Il faut bien reconnaître toutefois qu'elle n'en constitue pas l'unique composante.

Nous venons de décrire cinq façons non scientifiques d'acquérir des connaissances. De toutes ces méthodes, il va sans dire que la méthode empirique est la plus acceptable, puisqu'elle fait partie d'une démarche scientifique. Mais comment distinguer la méthode scientifique de toutes ces méthodes? Comme nous l'avons vu au chapitre 1, la méthode scientifique implique un certain nombre de principes ou postulats de base, ainsi qu'un certain nombre d'étapes successives qui structurent le cycle de la recherche. Les principes impliqués sont, par exemple, ceux relatifs à la nécessité d'opérationnaliser les concepts étudiés, de contrôler le cadre d'obtention des mesures et de répéter l'étude d'un phénomène et ceux concernant la possibilité de généraliser les résultats obtenus. Ainsi, la méthode scientifique est beaucoup plus exigeante que les méthodes non scientifiques et les connaissances qu'elle engendre en deviennent plus précises. Mais peut-être comprendrons-nous mieux la valeur de cette méthode après l'examen des objectifs qu'elle vise.

OBJECTIFS DE LA MÉTHODE SCIENTIFIQUE

Le but ultime de la démarche scientifique est la compréhension totale de l'univers dans lequel nous vivons. Il ne s'agit donc pas d'identifier seulement une partie des causes sous-jacentes à un phénomène, mais bien d'obtenir une description et une explication complète de ce phénomène, d'être capable d'en prédire l'apparition et, dans la plupart des cas, de la produire. En fait, les quatre objectifs de la science sont, comme le souligne Christensen (1977), la description, l'explication, la prédiction et la production.

Le premier de ces objectifs est de décrire avec grande précision le phénomène à l'étude. C'est là une première étape qu'il est indispensable de réaliser. En gros, décrire un phénomène consiste à en identifier les composantes et, si possible, leurs degrés respectifs d'importance. En second lieu, il s'agit d'expliquer l'apparition même du phénomène, ce qui implique qu'on a déterminé la cause de cette apparition. Il importe donc de connaître les conditions nécessaires à l'apparition d'un phénomène; mais puisque, dans la plupart des cas, plusieurs causes simultanées peuvent expliquer cette apparition, il faut être prudent et accepter de réviser l'explication donnée lorsque des faits nouveaux sont observés, ou lorsque de nouvelles conditions préalables sont mises en évidence. Un troisième objectif, atteint seulement grâce à une connaissance encore plus poussée du phénomène étudié, est orienté vers la possibilité d'anticiper son apparition ou de la prédire. Cette capacité s'appuie sur la connaissance exacte des conditions qui favorisent l'apparition d'un phénomène. Enfin, le quatrième et dernier objectif est celui de la production. Pour produire un phénomène donné, il faut pouvoir le créer à volonté en mettant en place les facteurs ou les conditions qui le font apparaître. La production opère donc une fois qu'on a dégagé les conditions d'apparition du phénomène concerné. Atteindre cet objectif nécessite ordinairement une connaissance très approfondie du phénomène.

L'exemple suivant, maintes fois rapporté dans différents ouvrages dont celui de Christensen (1977), illustre les objectifs de la science, et montre à quel point ils sont tous en relation. Haughton et Ayllon (1965) désiraient démontrer que l'apparition de certains comportements dépend du milieu dans lequel ils surviennent. Dans ce but, ils ont observé systématiquement, pendant plus d'un an, le comportement d'une malade internée en hôpital psychiatrique. Au terme de cette période, ils disposaient d'une description complète des comportements spontanés de la patiente. En résumé, ils ont constaté que, de façon caractéristique, les journées de cette femme comportaient les activités suivantes, dans les proportions suivantes: séjour au lit, 60%; marche et position assise, 20%; alimentation,

toilette et satisfaction de certains besoins physiologiques d'élimination, 20%. De plus, ils ont constaté que la malade fumait chaque
jour un nombre très élevé de cigarettes, et ce, depuis plusieurs
années, selon le personnel de l'hôpital. Pour établir la relation causale
entre certaines caractéristiques du milieu et un comportement donné,
les auteurs ont d'abord choisi une activité inexistante dans le répertoire de la patiente: maintien d'un balai en position debout. Pour
en accroître la fréquence d'apparition, ils ont ensuite octroyé une
cigarette à la patiente, chaque fois qu'elle entreprenait cette activité;
l'obtention de la cigarette jouait donc le rôle de renforçateur du
comportement cible, dont la fréquence augmenta considérablement.

Au départ, il s'est agi dans cette étude de décrire avec grande
précision le phénomène, c'est-à-dire les comportements spontanés
de la malade. Ensuite, il a fallu comprendre ce qui assurait la
persistance d'un comportement, ou en identifier les conditions antécé-
dentes; il a été démontré que c'était le fait de renforcer le comportement cible par la distribution de cigarettes qui maintenait l'émergence
de ce comportement. Les conditions d'apparition du comportement
étant connues, on a pu ensuite, à l'intérieur de cette étude, prédire
et produire cette apparition. Toutefois, il est relativement rare que
les quatre objectifs soient poursuivis à l'intérieur d'une même étude.
Puisque, contrairement à l'exemple décrit, la plupart des recherches
sont menées auprès de plusieurs sujets dans un milieu un peu moins
limité, il est plus habituel de ne poursuivre qu'un seul objectif.

MÉTHODES SCIENTIFIQUES D'ACQUISITION DES CONNAISSANCES

Il existe plusieurs façons de classifier les diverses méthodes
qui, en science, sont actuellement en vigueur. Mais il va de soi que
toute tentative de classification comporte indéniablement une part
d'arbitraire. Toutefois, le degré de contrôle exercé sur la situation
de recherche et sur les phénomènes qui s'y déroulent constitue un
des critères de classification auquel la plupart des chercheurs se
rallient. A un extrême du continuum défini par ce degré de contrôle,
se situent les méthodes historiques qui comportent l'observation
détaillée, mais pas toujours systématique, de certains comportements,
pendant une certaine période de temps. A l'autre extrême se trouve
la méthode expérimentale par laquelle le chercheur contrôle au
maximum la situation de recherche et met en place une ou plusieurs
variables en neutralisant toutes les autres. Entre ces deux extrêmes
s'insèrent les méthodes descriptives incluant, entre autres, l'observation systématique grâce à laquelle le chercheur enregistre divers
comportements habituellement dans le but d'obtenir des données

normatives. Au nombre des méthodes descriptives figure également la méthode corrélationnelle, par laquelle divers phénomènes sont mis en relation.

Méthodes historiques

Les méthodes historiques regroupent l'approche de la recherche historique et celle de l'étude de cas.

Recherche historique. Que le but du chercheur soit d'obtenir des données concernant des événements passés, ou d'étudier un problème actuel en examinant ses antécédents historiques, la méthode utilisée dans les deux cas est celle de la recherche historique.

En ce qui concerne l'étude proprement dite de problèmes historiques, il est possible, à partir de certains événements connus, de formuler des hypothèses et de tenter de les vérifier en se procurant des données supplémentaires. Par ailleurs, si la recherche de telles informations n'est pas fructueuse, le chercheur ne conclura pas nécessairement que l'hypothèse n'est pas vérifiée — comme il le ferait probablement dans le cadre d'autres méthodes — mais plutôt que les données permettant de mettre l'hypothèse à l'épreuve sont absentes ou perdues, et que, au cas où on les retrouverait, il serait possible de procéder à la vérification.

La recherche historique peut également aider à résoudre des problèmes actuels par l'examen de ce qui s'est produit dans le passé. En fait, l'utilisation la plus courante de cette approche est faite lors de la recension de l'information relative au problème abordé dans toute recherche, que cette dernière soit descriptive ou expérimentale. Comme nous le verrons au chapitre 3, le but poursuivi avant d'entreprendre la recherche consiste alors à vérifier que le problème cerné n'a pas déjà été résolu, ou encore, à susciter des hypothèses. Mais la méthode historique dépasse cette étape préliminaire à toute recherche. Elle peut être utilisée pour vérifier de quelle manière des événements présents peuvent se comparer à des événements passés, survenus dans des situations semblables. Ce type de recherche comporte cependant des limites sérieuses: en effet, il est habituellement impossible de certifier absolument que les deux ensembles comparés — les événements présents et passés — sont parfaitement semblables, et il est également difficile d'écarter la possibilité que des éléments qui les rendent au départ différents aient produit les effets observés.

Par rapport aux autres méthodes scientifiques, la recherche historique présente un certain nombre de particularités qu'il convient de mentionner. En premier lieu, il ne faut pas oublier que ce type de recherche est le seul à être effectué à partir d'observations qu'on ne peut pas reproduire. En second lieu, puisqu'il en est ainsi et parce qu'habituellement les observations n'ont pas été notées à l'origine en fonction d'une utilisation ultérieure, la recherche historique implique presque toujours la consultation fréquente de documents conservés en bibliothèque et donc une patience hors du commun. En troisième lieu, contrairement à la collaboration que peuvent susciter, par exemple, les études menées en laboratoire, une recherche historique est la plupart du temps le fait d'une seule personne. En quatrième lieu, puisqu'il est rare qu'on utilise cette méthode pour vérifier des hypothèses, la recherche historique se caractérise essentiellement par une dépendance accrue à l'égard du raisonnement inductif. Enfin, elle s'accompagne d'un style de communication scientifique beaucoup moins rigide et beaucoup plus narratif que le style dans lequel sont habituellement rédigés les rapports de recherche.

Au nombre des avantages importants qui accompagnent l'utilisation de cette méthode, on retrouve d'abord le fait que certains problèmes, reliés à des situations qu'il n'est plus possible de reproduire, ne pourraient pas être étudiés autrement. En outre, il est souvent inacceptable de tenter de recréer certaines situations afin de les étudier plus en détail; ainsi, personne ne songerait à produire une guerre afin d'en étudier les conséquences sur la cellule familiale. Enfin, la recherche historique peut quelquefois apporter de l'information sur une situation actuelle de conflit, et parfois même fournir des éléments de solution.

Par ailleurs, certains inconvénients de taille sont également inhérents à la réalisation d'une recherche historique. Il faut ainsi mentionner la difficulté d'apparier des événements présents et passés. Il s'ensuit que seuls des effets très prononcés peuvent être décelés grâce à cette méthode. Parce qu'on oublie généralement ces inconvénients, on peut avoir tendance à généraliser abusivement les résultats obtenus au-delà des limites acceptables. Finalement, le chercheur ne dispose d'aucun critère lui indiquant la quantité de données qu'il doit accumuler avant de pouvoir tirer des conclusions.

Étude de cas. Bien qu'on l'associe habituellement aux méthodes historiques, l'étude de cas peut être rapprochée des méthodes descriptives qui seront présentées plus loin. En fait, ce que recouvre ce type de recherche n'est pas toujours très clair. En effet, l'étude de cas consiste à étudier de façon intensive un seul sujet, mais souvent ce sujet unique peut ne pas correspondre à une seule personne. Sur un autre plan, l'étude de cas est considérée par certains comme inutile, lorsque comparée aux recherches impliquant des échantillons de sujets et un traitement statistique des données. A l'opposé, d'autres soutiennent que le recours à un nombre élevé de sujets et à l'analyse statistique nuit à l'obtention de résultats valables. Que faut-il retenir de ces opinions antagonistes? Avant de poser un jugement, examinons d'abord les caractéristiques de l'étude de cas.

Tout comme la recherche historique, l'étude de cas connaît deux applications. Elle peut servir à accroître la connaissance qu'on a d'un individu particulier, tout comme elle peut viser la production de changements chez cet individu. En ce qui concerne l'acquisition de connaissances, l'objectif le plus courant n'est pas l'obtention de conclusions solidement établies, mais plutôt l'élaboration d'hypothèses nouvelles. Ce qui caractérise avant tout l'étude de cas, c'est la souplesse et la liberté avec lesquelles le chercheur peut accumuler des données sur un cas particulier. Bien qu'habituellement les faits rapportés ne proviennent pas d'une étude systématique, ils le font quelquefois (d'où le rapprochement avec les méthodes descriptives); néanmoins, la plus grande prudence s'impose lorsque les faits sont issus de différentes études, puisqu'on retrouve parfois des différences notables dans les techniques utilisées, même dans les études qui se veulent comparables. Enfin, il convient de mentionner que l'étude de cas porte presque exclusivement sur des cas problèmes ou des cas cliniques. Par ailleurs, dans le domaine clinique, c'est souvent la seule méthode à laquelle il soit possible de recourir.

Toutefois, dans la réalisation d'une étude de cas, le chercheur ne jouit pas d'une latitude totale, puisque la démarche en question comporte généralement quatre étapes qu'il est souvent difficile de distinguer. En premier lieu, il s'agit ① d'obtenir la description la plus complète possible de l'état actuel du problème. En second lieu, le chercheur doit ② obtenir des renseignements sur les circonstances passées qui ont conduit à la situation présente. En d'autres termes, cette seconde étape guide le chercheur dans la formulation d'un certain nombre d'hypothèses concernant les ③ facteurs qui régissent la situation présente. En troisième lieu, il faut évaluer les hypothèses suggérées par les renseignements recueillis. Puisque la plupart des comportements ne sont pas déterminés par une cause unique, il s'agit d'éliminer certaines possibilités, et de réduire ainsi le nombre de facteurs ayant probablement entraîné ④ la situation. Dans la quatrième et dernière étape, il s'agit de mettre à l'épreuve une ou plusieurs des hypothèses retenues à l'étape antérieure, en instaurant une forme d'action thérapeutique, puis d'évaluer à nouveau l'état actuel du problème — pour tenter d'y constater ou non les effets du traitement. Si aucun changement ne survient, la nécessité de reprendre la troisième étape et, au besoin, la deuxième, s'impose.

Tout comme la recherche historique, l'étude de cas comporte des avantages et des inconvénients. Son plus grand avantage réside sans doute dans le fait qu'elle est une source d'idées et d'hypothèses à vérifier extrêmement féconde. Elle est, dans bon nombre de cas, la première méthode utilisée lorsqu'il s'agit d'explorer un domaine nouveau. Par ailleurs, son plus grand inconvénient découle de sa remarquable inefficacité lorsqu'il s'agit d'étudier un domaine bien structuré, dont les éléments pertinents sont déjà connus. Il importe également de vérifier que certains principes à la base de cette méthode sont respectés. Par exemple, un de ces principes stipule que toutes les expériences passées d'un individu ont contribué à la situation présente; or, très souvent, une partie des données recueillies ne sont pas vraiment pertinentes par rapport au problème étudié; elles doivent donc être éliminées. En outre, l'étude de cas utilise à l'occasion les versions de personnes qui ne sont pas directement impliquées dans la situation; il importe donc de ne pas perdre de vue la possibilité que certains renseignements amassés soient biaisés ou fortement teintés par les perceptions de tiers. Puisque l'étude de cas est en général consacrée à un cas problème, il peut également arriver qu'on mette trop d'accent sur des aspects négatifs de la situation, de façon à limiter la possibilité de généraliser les observations à des situations normales. Enfin, les données recueillies par l'étude de cas sont souvent incomplètes ou difficiles à comparer d'une étude à une autre. Toutefois, les inconvénients mentionnés ne surpassent pas les gains énormes que peut apporter l'emploi de cette méthode dans les recherches exploratoires; par ailleurs, quand on désire obtenir des conclusions inattaquables, il faut plutôt faire appel à d'autres méthodes.

Méthodes descriptives

Le trait essentiel qui caractérise l'approche descriptive est sa capacité de fournir une image précise d'un phénomène ou d'une situation particulière. On ne cherche donc pas à déceler des relations de cause à effet, ce qui sera le propre de la méthode expérimentale, mais on tente plutôt d'identifier les composantes d'une situation donnée et, parfois, de décrire la relation qui existe entre ces composantes. Cette approche d'une grande importance est largement exploitée; Helmstadter (1970) soutient même qu'il s'agit de la méthode de recherche la plus utilisée. Il semble que les quatre méthodes descriptives le plus couramment employées soient l'observation systématique, la méthode corrélationnelle, la méthode utilisée dans les études génétiques et celle employée dans les études *ex post facto*.

Observation systématique. La méthode d'observation systématique permet d'étudier le comportement tel qu'il se produit spontanément, que ce soit dans un milieu naturel ou en laboratoire. Le chercheur se contente alors d'enregistrer le comportement tel qu'il se manifeste, sans tenter de l'influencer. Lorsqu'elle est employée sur le terrain, la méthode d'observation comporte l'avantage de fournir une représentation fidèle d'une réalité quotidienne et d'éliminer l'artificialité de la situation de laboratoire. On peut utiliser cette méthode de façon exploratoire, afin de susciter des hypothèses qui seront vérifiées ultérieurement à l'aide d'autres méthodes. Cette méthode peut également permettre d'accumuler des données supplémentaires qui aideront à interpréter des données obtenues autrement. Or — et de là découle probablement son importance fondamentale — on peut la considérer comme la principale méthode d'acquisition de connaissances pour des études conçues dans le but de déboucher sur une *description* exacte de certaines situations. Lorsque des observations sont répétées plusieurs fois auprès d'un grand nombre d'individus, il est possible d'en arriver à définir des données normatives concernant une espèce ou un type de comportement. Un nouveau cas ou un nouvel individu devrait, en gros, se conformer à la norme établie. On peut donc ainsi parvenir à prédire le comportement avec assez d'exactitude. C'est à cette approche qu'ont recours les compagnies d'assurances, par exemple, lorsqu'elles veulent étudier la probabilité d'accident d'automobile pour un individu d'un âge donné. C'est aussi la méthode utilisée par Gesell et ses collaborateurs, vers 1940, pour la mise au point d'une échelle normative concernant le développement de certains comportements chez l'enfant américain. En général, l'observation systématique est utilisée en milieu naturel, ce qui explique l'appellation «d'observation naturaliste» qu'on lui octroie parfois. Cependant, comme on l'a mentionné précédemment, il arrive qu'elle soit appliquée en laboratoire. Par exemple, quand un chercheur veut observer le comportement d'un poisson donné, il est coûteux et pas toujours facile qu'il se transporte avec son matériel au fond de l'océan, même si l'équipe du commandant Cousteau le fait d'une façon remarquable. Le chercheur place alors les sujets dans un milieu contrôlé — un aquarium par exemple, où il essaie de recréer le mieux possible les conditions naturelles auxquelles ils sont habitués — et il enregistre à son gré leurs activités. Il en est de même à certains égards, pour l'étude du phénomène de la privation sensorielle chez des sujets humains: puisque ce phénomène se produit rarement de manière spontanée, il faut en faire l'analyse dans l'environnement artificiel et contrôlé du laboratoire.

L'observation systématique constitue la méthode de base à laquelle toute science fait appel lors des premières phases de son développement. En revanche, elle présente le désavantage de ne permettre que difficilement l'établissement de liens de causalité entre les événements. Par exemple, on peut, par observation naturaliste, établir le calendrier de migration des oiseaux; mais il sera pratique-

ment impossible par cette méthode de repérer le facteur spécifique
— ou la combinaison de facteurs spécifiques — qui, pour chaque
espèce, détermine le moment du départ. En effet, au début de la
migration, différents changements se produisent dans le milieu ambiant: il y a entre autres baisse de la température et diminution de
la longueur du jour. Il sera en conséquence impossible d'isoler le
facteur causal par simple observation, et sans intervenir directement
dans le processus.

L'observation systématique rend donc possible la description
exacte des comportements et leur prédiction, mais elle garantit rarement de pouvoir en dégager les facteurs de causalité. C'est pourquoi
elle est habituellement employée au début de l'étude d'un problème,
lorsqu'il s'agit de formuler des hypothèses qui seront ensuite vérifiées
par d'autres méthodes plus précises, telle la méthode expérimentale.
Cependant, lorsque le but du chercheur n'est pas d'établir des
relations de cause à effet entre les événements, mais simplement de
décrire avec la plus grande précision possible un comportement
donné, comme c'est habituellement le cas en éthologie, l'observation
systématique s'avère alors la méthode idéale et, en fait, la seule
pertinente.

Méthode corrélationnelle. Tandis que par l'observation systématique, le chercheur se contente de décrire en détail le comportement des sujets observés en établissant, par exemple, des statistiques
normatives, avec la méthode corrélationnelle, il va plus loin et essaie
d'analyser les *relations entre les différents événements* qu'il mesure.
L'approche corrélationnelle n'est donc qu'un raffinement de l'observation systématique, raffinement qui consiste à déterminer si deux
événements sont reliés, et à exprimer l'étendue de cette relation de
façon quantitative par divers estimés statistiques de la corrélation.
L'élément supplémentaire que comporte la recherche corrélationnelle,
par rapport à celle fondée sur l'observation systématique, réside
donc dans le fait qu'on se limite à deux aspects spécifiques du
phénomène à l'étude, et qu'on se demande dans quelle mesure
l'apparition de l'un s'accompagne de l'apparition de l'autre. C'est
ainsi, par exemple, qu'on a pu calculer qu'il existait une corrélation
entre le fait de fumer la cigarette et celui d'être atteint d'un cancer
du poumon, ou entre le quotient intellectuel et le succès scolaire.

Ici, comme dans le cas de l'observation systématique, le chercheur n'intervient pas directement dans la situation pour y provoquer
des changements. Il peut cependant faire en sorte de déclencher
l'apparition d'un événement donné qu'il veut mettre en corrélation
avec un autre. Par exemple, s'il veut étudier la relation entre le
quotient intellectuel et la réussite à un test de créativité, il détermine
d'abord les différents niveaux de quotient intellectuel auxquels il

s'intéresse. L'action qu'il exerce sur la situation consiste donc à sélectionner des événements et non à modifier un événement particulier, comme ce sera le cas avec la méthode expérimentale.

En apparence simple et précise, la méthode corrélationnelle présente cependant des *difficultés relatives à l'interprétation* ou à l'explication des résultats sur lesquels elle débouche. On doit considérer deux principaux problèmes: celui de la direction de l'interprétation et celui de l'intervention possible d'une troisième variable.

Examinons d'abord le problème de la direction de l'interprétation. L'existence d'une corrélation entre deux variables indique seulement que ces deux variables sont reliées ou qu'elles ont tendance à varier simultanément; toutefois, l'estimé de la corrélation n'indique pas si l'une des variables est responsable des variations manifestées par l'autre, ou inversement. Par exemple, il est possible qu'une corrélation positive existe entre les résultats scolaires et l'assiduité. Une interprétation hypothétique de cette relation peut consister à dire qu'une plus grande assiduité en classe accroît l'efficacité de l'apprentissage et entraîne donc l'obtention de notes élevées. Une deuxième hypothèse également plausible, mais inverse de la première, peut suggérer que les bons résultats scolaires poussent les étudiants qui les obtiennent à assister aux cours plus fréquemment. Or, ces deux conclusions sont injustifiées. Obtenir une corrélation entre deux variables A et B n'autorise pas à inférer un lien de causalité de quelque nature qu'il soit: A et B varient conjointement, mais on ne peut affirmer que A cause l'apparition de B, ni que B cause l'apparition de A. En cela, la méthode corrélationnelle ne permet pas de conclure à une explication causale. Toutefois, cette erreur d'interprétation est très répandue (dans les journaux, par exemple). Supposons qu'on mette en évidence une corrélation positive entre l'absorption de marijuana et l'absorption de drogues plus fortes telle l'héroïne; il serait injustifié de croire que l'absorption de marijuana est le facteur causal, celui responsable de l'absorption des autres drogues. Employée sans discernement et sans tenir compte de ses limites, la méthode corrélationnelle peut conduire à des conclusions aussi absurdes que celle qui voudrait, par exemple, que la pomme de terre pousse au crime, puisque l'étude des habitudes alimentaires des grands assassins révèle que plusieurs d'entre eux en consomment régulièrement. Il est par ailleurs possible qu'un véritable lien de causalité existe entre les deux variables étudiées; néanmoins une simple estimation de la corrélation ne peut que le suggérer. L'existence réelle de ce lien ne pourra être confirmée ou infirmée que par le recours à des techniques d'analyse statistique beaucoup plus raffinées, ou à la méthode expérimentale.

Le second problème lié à l'interprétation d'une corrélation est celui de l'intervention possible d'une troisième variable qui, elle, soit responsable des changements manifestés par les deux variables impliquées dans le calcul de l'estimation de la corrélation. Quand on reprend l'exemple d'une corrélation hypothétique entre l'absorption de marijuana et celle de drogues plus fortes, il se peut qu'un troisième facteur, exclu du calcul de la corrélation, soit l'élément causal et déterminant de l'absorption des deux catégories de produits; ce troisième facteur pourrait être constitué par des variables de personnalité ou des variables socio-économiques. Un second cas illustrant de manière encore plus nette l'intervention possible d'une troisième variable est le suivant: un chercheur obtient une corrélation positive élevée entre le nombre d'églises érigées dans une ville et le nombre de crimes commis dans cette ville. Il ne peut en conclure pour autant que la pratique religieuse conduit les gens à devenir des criminels; il ne peut conclure davantage que des activités criminelles poussent les gens à devenir religieux. La relation obtenue est tout simplement attribuable à une troisième variable, à savoir le nombre d'habitants d'une ville donnée. En effet, plus la population d'une ville est élevée, plus le nombre d'églises est élevé d'une part, et plus le nombre de crimes commis est élevé d'autre part.

La méthode corrélationnelle en soi ne permet donc pas d'établir avec certitude des relations de causalité. Comme nous le verrons, c'est sur l'emploi de la méthode expérimentale qu'il faut s'appuyer pour déterminer ces relations. Toutefois, il arrive que l'utilisation de la méthode corrélationnelle soit préférable à celle de la méthode expérimentale. Trois principaux types de situation sont alors en jeu.

En premier lieu, il est fréquent de constater qu'un certain nombre de variables ne se prêtent pas, de par leur nature, à une manipulation expérimentale. Parmi celles-ci, on note les variables dites «organismiques», comme le sexe, l'âge, la taille ou le rang qu'occupe un individu dans sa famille (aîné, cadet ou benjamin). D'autres phénomènes ne peuvent être délibérément produits par le chercheur à cause de considérations déontologiques; tel est le cas, entre autres, de la mort, du suicide et de la dépression.

En second lieu, il arrive que l'instauration directe de certaines variables n'est possible, pour des raisons déontologiques, que pour les niveaux inférieurs de ces variables; les niveaux plus élevés ne peuvent être observés que lorsqu'ils sont produits indépendamment de l'intervention du chercheur. Par exemple, infliger une douleur légère constitue une intervention expérimentale parfaitement légitime. Par contre, infliger une douleur intense ne l'est certainement pas. En revanche, il est relativement facile de repérer des individus qui ont fait, ou font, l'expérience d'une douleur intense. L'étude de la corrélation entre de telles expériences vécues et le comportement subséquent d'une personne peut fournir des données précieuses dont il serait impossible de disposer autrement.

En troisième lieu, la méthode corrélationnelle peut être préférée à la méthode expérimentale en tant que technique d'exploration garantissant une économie de temps, d'argent et d'effort. Lorsque dans un premier temps, les résultats suggèrent une corrélation importante entre deux variables, on peut raisonnablement songer à intervenir ensuite expérimentalement sur l'une des variables impliquées, dans le but de déterminer avec précision dans quelle mesure cette variable influence la seconde. Des études pilotes de type corrélationnel amènent souvent le chercheur à constater l'existence de relations qu'il aurait ignorées autrement, et l'autorisent ainsi à formuler des hypothèses qu'une expérimentation ultérieure mettra à l'épreuve.

Il arrive quelquefois que certaines utilisations de la méthode corrélationnelle permettent d'éviter, voire même de résoudre les problèmes d'interprétation des résultats obtenus. On a alors recours à des techniques statistiques, comme la corrélation partielle ou la corrélation répétée (*time-lagged*), qui constituent des raffinements du calcul de base d'une estimation de la corrélation. D'autre part, lorsqu'il s'agit d'établir la relation entre plusieurs variables, le chercheur dispose de procédés statistiques particuliers, tels la corrélation multiple, l'analyse multivariée ou l'analyse factorielle.

En résumé, la méthode corrélationnelle implique l'étude de la relation existant entre deux variables et ce, sans intervention du chercheur. Celui-ci n'est responsable d'aucune des variations de ces deux variables. Si on n'utilise pas de techniques statistiques complexes, cette méthode ne conduit pas à l'établissement d'un lien de causalité entre les deux variables mesurées.

Études génétiques. En psychologie, le propre des études génétiques est d'analyser le développement de la conduite à différents âges chez les mêmes sujets, selon une approche longitudinale, ou à un même âge chez différents sujets, selon une approche transversale. L'intérêt particulier de cette démarche provient du fait que la comparaison de sujets d'âges différents entraîne non seulement l'établissement d'une corrélation entre l'âge et un comportement quelconque (ce en quoi la méthode ne se distingue pas de la méthode corrélationnelle de base) mais, d'abord et avant tout, cette comparaison permet l'énoncé d'un verdict sur l'ordre d'apparition des comportements, sur leur éventuelle hiérarchisation et sur la transformation des conduites avec le temps. Les études génétiques analysent donc les formes les plus simples du comportement qui précèdent invariablement les formes les plus évoluées et les plus complexes, construites à partir des premières. L'âge sert aussi de point de repère à l'évolution des comportements du sujet: en quoi le comportement B est-il plus complexe que le comportement A génétiquement antérieur? Quels aspects du comportement A serviront à préparer l'apparition du comportement B? Ce sont là des questions auxquelles répondront les données issues des études génétiques.

Bien que ces dernières s'accommodent assez bien de la comparaison de sujets d'âges différents, l'observation continue d'un même groupe de sujets à différents âges — l'approche longitudinale — est certes la plus valable; si on l'emploie peu, c'est que son application est évidemment très longue. Le fait de pouvoir observer le même sujet à différents niveaux de la variable constituée par l'âge (un même groupe de sujets est examiné tous les ans sur une période de cinq ans, par exemple) permet par ailleurs d'accorder un statut privilégié à cette variable par opposition aux autres variables «organismiques», comme le sexe ou la race. Dans tous les autres cas, en effet, le sujet n'appartient qu'à une seule des catégories de la variable. Dans le cas de l'âge, au contraire, le sujet est engagé dans un processus de changement qui l'amène à passer nécessairement d'un niveau à l'autre de la variable. C'est ce processus de changement qui constitue l'objet propre d'une étude génétique. La part grandissante faite aux travaux portant sur le développement de conduites diverses dans la recherche contemporaine témoigne de l'importance de cette méthode descriptive. On n'a qu'à songer, par exemple, aux retombées considérables des travaux de psychologie génétique de l'école de Genève (Jean Piaget et ses collaborateurs). Par ailleurs, quand on compare les résultats obtenus à l'aide des approches longitudinale et transversale, il arrive quelquefois que les résultats soient contradictoires, ce qui a provoqué de nombreuses discussions sur leurs mérites relatifs. Toutefois, dans une étude classique dont Helmstadter (1970) a fait l'analyse, Schaie (1965) explique, à l'aide d'un modèle général du développement, les raisons sous-tendant ces contradictions apparentes.

***Études* ex post facto**. Dans une étude *ex post facto*, la (les) variable(s) qui intéresse(nt) le chercheur ne peut (peuvent) faire l'objet d'une intervention directe, mais elle(s) doit (doivent) être choisie(s) «après le fait». Habituellement, ce genre d'étude se déroule sur le terrain (Christensen, 1977), bien qu'on puisse également l'effectuer en laboratoire (Kerlinger, 1964; Robinson, 1976). En général, le chercheur sélectionne deux ou plusieurs groupes de sujets qui diffèrent déjà par rapport à une variable précise, sur laquelle aucune intervention n'est possible. Par exemple, le fait de choisir des garçons et des filles, ou des Noirs et des Blancs, c'est-à-dire de choisir des variables «organismiques», illustre bien le caractère «après le fait» de la sélection. Les différences initiales entre les sujets (ceux-ci sont des garçons ou des filles) déterminent d'emblée leur groupe d'appartenance; par conséquent, il aurait été impossible de répartir les sujets au hasard dans l'un ou l'autre des deux groupes rassemblant respectivement des garçons et des filles. En fait, le chercheur ne peut produire les variables en jeu dans une étude *ex post facto* parce que, très souvent, elles représentent des variables «organismiques». D'autre part, le fait de constituer «après le fait» des regroupements de sujets, à partir des résultats obtenus, constitue également une forme de recherche *ex post facto*. Par exemple, les sujets peuvent être répartis dans des groupes uniquement en fonction de leur performance, et le chercheur peut chercher à vérifier ensuite qu'ils ne diffèrent pas également par rapport à d'autres critères ou d'autres résultats. Et il pourrait alors arriver — tout comme cela se produit fréquemment avec l'emploi d'une méthode corrélationnelle — que des résultats différentiels soient faussement attribués d'une façon causale à la dichotomie artificielle créée par la situation «après le fait». Et c'est là un des risques de ce type de recherche. En fait, l'étude *ex post facto* possède trois limites principales: l'impossibilité de produire la (les) variable(s); la difficulté, dans certains cas, de répartir les sujets au hasard; et le risque d'une interprétation fausse. En d'autres termes, ce qui caractérise essentiellement ce type de recherche, c'est le manque de contrôle. Puisque des décisions importantes, comme celle relative à la sélection des groupes, sont prises après coup et ne sont habituellement pas exprimées ou orientées par des hypothèses, certaines conclusions hâtives concernant des relations causales sont peut-être trop facilement acceptées. Entreprendre ainsi des recherches, sans le support d'hypothèses découlant d'une étude approfondie de l'ensemble du problème étudié, peut maximiser l'obtention de différences attribuables au hasard et qui ne vont pas nécessairement se reproduire. Mais en dépit de ses faiblesses, la recherche *ex post facto* joue un rôle important. Plusieurs variables, en effet, ne se prêtent pas directement ou facilement à un traitement expérimental. Il est donc essentiel que des recherches visent à déterminer les effets de variables, comme le sexe, l'intelligence et le type d'éducation reçue. D'ailleurs puisque des problèmes sociaux et éducatifs importants ne conviennent pas à une étude expérimentale, un grand nombre d'études *ex post facto* ont déjà produit des résultats intéressants.

Méthode expérimentale

Contrairement aux méthodes descriptives, la méthode expérimentale a pour caractéristique essentielle de rendre possible l'établissement de relations de causalité entre les événements. C'est donc la méthode qui permet véritablement d'expliquer le phénomène à l'étude ou l'aspect qui en intéresse le chercheur. Une fois la relation de causalité clairement établie, c'est la méthode qui fonde également la prédiction de l'apparition des événements, ce qui constitue un objectif scientifique très important.

S'il est facile à comprendre, en revanche le principe de base de la méthode expérimentale n'est pas toujours facile à appliquer. D'une part, il s'agit pour le chercheur de faire varier un facteur ou une variable et de mesurer les effets de cette variation sur le comportement étudié. Il lui faut donc mettre en place les conditions de production d'un phénomène donné par l'intermédiaire de la *manipulation de certaines variables* déterminantes. D'autre part, il s'agit de manière parallèle, de *contrôler systématiquement tous les facteurs* — autres que les variables manipulées — susceptibles d'influencer, de fausser, voire de masquer le phénomène à l'étude. C'est ce que véhicule le principe: «toutes choses égales, par ailleurs». Si, à la suite de la manipulation, le chercheur enregistre un changement dans le comportement, ce changement ne pourra être dû qu'au facteur manipulé, puisque toutes les autres causes possibles de la modification auront été neutralisées. C'est donc cette double démarche d'intervention et de contrôle qui dote la méthode expérimentale d'une grande puissance empirique. Ainsi, dans la recherche de Haughton et Ayllon (1965) précédemment décrite, c'est l'intervention sur la distribution de cigarettes à la patiente lorsqu'elle était debout, un balai à la main, et la neutralisation de tous les autres facteurs relatifs à cette conduite, qui ont permis aux auteurs de conclure que l'obtention de cigarettes provoquait l'apparition du comportement cible.

La méthode expérimentale présente des avantages indéniables. Un premier avantage découle justement de cette capacité qu'a le chercheur de manipuler rigoureusement une ou plusieurs variables en spécifiant avec précision les conditions exactes de leur apparition, de façon à structurer une interprétation claire des résultats et à rendre possible la reprise intégrale de l'expérience pour vérifier l'exactitude des résultats obtenus. Le second avantage, et le plus important, est sans aucun doute le contrôle total de la situation de recherche. L'utilisation de la méthode expérimentale en laboratoire permet, la plupart du temps, d'éliminer presque complètement les facteurs qui pourraient être perturbants — tels le bruit ou la présence d'autrui — et de contrôler les conditions ambiantes — comme l'éclairage ou la température. Le contrôle entraîne donc un accroissement de la rigueur scientifique. Un troisième avantage est, lui, purement empirique ou pragmatique. Il s'agit tout simplement du fait que, dans le passé, la méthode expérimentale a été extrêmement féconde et utile. En effet, grâce à elle on a dégagé des résultats qui ont survécu et, surtout, des solutions concrètes à des problèmes généralement fort complexes.

Par ailleurs, le reproche le plus couramment formulé à l'égard de la méthode expérimentale est le suivant: les résultats, souvent obtenus en laboratoire dans des conditions de contrôle presque absolu, l'ont été dans des situations purement artificielles; il est donc impossible de les généraliser à des situations plus naturelles. Cette critique plutôt sévère repose sur l'erreur, commise fréquemment, qui consiste à généraliser trop rapidement. Puisque la méthode expérimentale conduit à identifier des variables causales avec précision, le problème de l'artificialité et de la généralisation abusive devient réel quand on omet l'étape intermédiaire extrêmement importante qui consiste à examiner directement la possibilité de généraliser. Il importe, en effet, de vérifier que les résultats observés en laboratoire sont sensiblement les mêmes que ce qu'ils auraient pu être dans une situation réelle ou naturelle, beaucoup plus complexe. La plupart des chercheurs sont conscients de ces limites et reconnaissent que les données issues du laboratoire ne sont qu'indicatives de ce qui pourrait se passer dans la vie quotidienne. D'autres désavantages inhérents à l'emploi de la méthode expérimentale résident dans la difficulté éventuelle de planifier et de réaliser toutes les étapes d'une expérience, et dans le fait que l'expérimentation peut entraîner des dépenses considérables d'énergie et de temps.

RÉFÉRENCES

Buchler, J. (Ed.): *Philosophical writings of Pierce,* Dover, New York, 1955.

Christensen, L.B.: *Experimental methodology,* Allyn & Bacon, Boston, 1977.

Haughton, E. & T. Ayllon: *Production and elimination of symptomatic behavior,* in Case studies in behavior modification. Ulman, L.P. & L. Krasner (Eds), 94-98, Holt, Rinehart & Winston, New York, 1965.

Helmstadter, G.C.: *Research concepts in human behavior: education, psychology, sociology,* Appleton-Century Crofts, New York, 1970.

Henneman, R.H.: *The nature and scope of psychology,* Brown, Dubuque, 1966.

Kerlinger, F.N.: *Foundations of behavioral research: educational and psychological inquiry,* Holt, Rinehart & Winston, New York, 1964.

Robinson, P.W.: *Foundamentals of experimental psychology: a comparative approach,* Prentice-Hall, Englewood Cliffs, 1976.

Schaie, K.: A general model for the study of developmental problem. *Psychological bulletin,* **64**:92-107, 1965.

Skinner, B.F.: "Superstition" in the pigeon. *Journal of experimental psychology,* **38**:168-172, 1948.

CHAPITRE 3

PROBLÉMATIQUE ET HYPOTHÈSES D'UNE RECHERCHE

CLAUDE CHARBONNEAU

Toute recherche a pour but de trouver une réponse à une question et, par conséquent, il ne saurait y avoir de recherche là où, au départ, aucun problème ne se pose. Cela peut paraître l'évidence même, et pourtant il n'est pas rare d'entendre certaines personnes peu familiarisées avec la recherche dire qu'elles voudraient, par exemple, «étudier la motivation» parce que, affirmeront-elles, «cela m'intéresse». Pareil intérêt peut suffire s'il s'agit de discuter avec des amis, de prononcer une allocution devant les membres d'un club social, ou même d'écrire un essai sur le sujet. Mais, pour prometteur que soit cet intérêt, il ne saura conduire à une observation systématique de la réalité ou à la recherche de relations entre des phénomènes (que ces entreprises se déroulent sur le terrain ou en laboratoire) que lorsque certaines questions significatives pourront être formulées: par exemple, «Quel genre de motivation faut-il pour occuper un emploi de travailleur manuel? La motivation à la réalisation de soi varie-t-elle selon la nature des conditions de vie?» et ainsi de suite.

On imagine facilement que, dans un domaine aussi complexe que celui de la psychologie, les questions qui se posent sont aussi abondantes que diversifiées. Pourtant, l'univers de la recherche n'est pas totalement anarchique, puisque les chercheurs font toujours en sorte de se maintenir à l'avant-garde de leur discipline. Telle question relative à la sensibilité cutanée par exemple, qui fut à l'origine de plusieurs recherches il y a quelques années, n'en suscite pratiquement plus aujourd'hui; par contre, tels nouveaux problèmes relatifs au traitement cognitif de l'information, par exemple, se trouvent au cœur de plusieurs programmes de recherche. Ou encore, telle théorie autrefois fort en vogue, comme la théorie de l'apprentissage de Guthrie (1935) n'intéresse plus que quelques chercheurs, tandis qu'ils sont très nombreux à vouloir vérifier, préciser ou étendre le champ explicatif de certaines théories plus récentes, comme les théories cybernétiques rendant compte des phénomènes d'apprentissage ou de mémorisation. Ainsi, bien que les problèmes de recherche restent très variés, et même si certaines questions acquièrent parfois une popularité étonnante qu'il n'est pas toujours facile d'interpréter, l'évolution de la psychologie comme corps de connaissances assure continuité et cohérence à l'ensemble des recherches effectuées.

SOURCES DE PROBLÈMES

Qu'il s'intéresse ou non à des sujets en vogue à une époque particulière, le chercheur doit lui-même identifier, préciser et définir les questions et les problèmes qui sont à l'origine de ses travaux; il n'existe aucun répertoire de questions toutes faites à l'usage de chercheurs en panne d'idées. Or, malheureusement, il n'est pas donné à tous d'arriver à cerner un problème intéressant, à reformuler une problématique qui semblait déboucher sur une impasse, à identifier l'information manquant à la compréhension d'un phénomène, ou à saisir l'étape à franchir pour faire progresser les connaissances. Cette aptitude fait appel tout à la fois aux connaissances du chercheur, à son intelligence, à sa perspicacité ou à son imagination créatrice et, bien sûr, à son expérience. Parce que cette activité repose sur tant de facteurs personnels, il est impossible d'imaginer une recette permettant d'aboutir à coup sûr à la formulation de questions pertinentes. On doit plutôt se rappeler que les découvertes fracassantes, comme les intuitions géniales, sont choses relativement rares, surtout chez ceux qui sont peu accoutumés à un sujet d'étude.

Plusieurs des questions ou des problèmes dont découleront des recherches proviennent de la simple observation des faits. Il peut s'agir d'événements de la vie quotidienne ou de faits divers rapportés par l'un ou l'autre des grands moyens de communication: par exemple, comment expliquer la mémoire phénoménale de tel artiste se produisant en spectacle? Il peut aussi s'agir d'observations effectuées pendant l'exercice d'une certaine pratique professionnelle: par exemple, quel genre d'événements conduit tel type de patients à déformer systématiquement certaines informations? Mais il s'agit la plupart du temps de faits liés à l'activité de recherche elle-même, consistant en résultats surprenants rapportés dans les périodiques scientifiques, transmis dans des communications lors de rencontres scientifiques ou directement identifiés en cours de réalisation d'une recherche: par exemple, comment se fait-il que certains enfants assimilent très vite tel concept, pourtant jugé au départ peu accessible, compte tenu de leur âge? Il arrive même que des questions de ce genre surgissent plus ou moins accidentellement alors même qu'un chercheur travaillait sur un problème tout autre.

Ainsi, il est fréquent d'observer des phénomènes dont on ne comprend pas les causes, ce qui entraîne le besoin d'expliquer certains aspects de la réalité. Il faut dire cependant que le phénomène qui pose un problème n'est pas nécessairement très mystérieux au premier abord. Avant Newton, par exemple, tout un chacun avait pu voir tomber une pomme du haut d'un pommier, mais personne ne s'était encore demandé pourquoi elle tombait effectivement. En psychologie, Piaget (1948) a soulevé des problèmes d'une portée analogue, après avoir regardé jouer ses enfants.

Une faille quelconque dans l'ensemble des connaissances peut aussi être source de questions pour les chercheurs. L'étude de la popularité de divers modes de vie révèle par exemple qu'une proportion de plus en plus importante d'adultes adoptent de nouvelles formules de vie intime (divorce, remariage, vie en groupe ou en couple non permanent), sans qu'on sache très bien quels effets ces formules peuvent avoir à long terme sur le développement affectif et social des enfants: il y a là des faits relativement récents dont l'observation engendre un certain nombre de questions à approfondir.

Plusieurs problèmes de recherche ont par ailleurs leur origine dans l'observation de faits en apparence contradictoires: le même phénomène étudié de diverses façons ou à différents moments, présente alors des caractéristiques apparemment opposées. Il y a quelques années, par exemple, on a constaté que la motivation, dans certains cas, augmentait le rendement, alors que dans d'autres cas elle le diminuait; les questions suscitées par ces contradictions ont pu trouver réponse grâce aux recherches (Bélanger et Feldman, 1962) qui ont montré que l'augmentation de la motivation produisait une amélioration du rendement, mais jusqu'à un certain point seulement; au-delà de ce point, la tension provoquée par une trop grande motivation s'accompagne d'une diminution du rendement.

Mais les recherches ne découlent pas toutes de questions soulevées par l'observation des faits. Bon nombre de problèmes scientifiques ont une origine purement théorique. C'est le cas lorsqu'on cherche à mettre à l'épreuve la validité d'une théorie. Tel auteur propose, par exemple, un modèle explicatif global du comportement perceptif, social ou intelligent. La vérification de chacune des implications concrètes du modèle peut donner lieu à autant de problèmes de recherche. Par exemple, la théorie de l'intelligence élaborée par Piaget (Piaget et Inhelder, 1966) prévoit qu'à un âge donné l'enfant devrait se comporter de telle façon dans telle situation précise. On peut alors se demander si l'enfant adopte effectivement ce comportement, et mettre au point une recherche pour le vérifier.

Certaines théories sont par ailleurs en pleine évolution et bon nombre de questions consistent simplement à tenter de vérifier si les explications qui se sont déjà avérées valables, en ce qui concerne les conduites de certains sujets dans certaines situations, s'appliquent à d'autres sujets en d'autres circonstances. La théorie de l'apprentissage social de Bandura (1969) a de la sorte suscité récemment quantité de recherches: ainsi, s'il est vrai qu'un adulte peut apprendre tel comportement en observant un autre adulte en train d'adopter ce comportement, un enfant peut-il y arriver? Peut-il y parvenir, même si les comportements sont complexes ou s'ils supposent la maîtrise de règles abstraites?

A cause de la diversité des courants de pensée, en psychologie comme dans les autres sciences, bon nombre de théoriciens tentent d'expliquer différemment les mêmes faits, ce qui entraîne maintes questions et les recherches qui en découlent. Les querelles d'école qui ont caractérisé les années 50 ont certes perdu de leur vigueur. Néanmoins, les divergences entre théories ou théoriciens donnent lieu à plusieurs études, à cause des questions qu'elles suscitent tant sur l'exactitude des connaissances accumulées que sur certaines applications pratiques. Ainsi, pour décider s'il faut donner aux enfants d'âge scolaire un environnement peu ou très structuré, on peut se demander, par exemple, si leur développement est davantage influencé par les facteurs externes du milieu environnant, comme le prétendent les behavioristes, ou réglé bien plus par des facteurs d'organisation interne, comme le pensent les tenants de certaines théories génétiques de l'intelligence.

BONS ET MAUVAIS PROBLÈMES DE RECHERCHE

Qu'il provienne de l'observation des faits ou d'une interrogation théorique, un problème de recherche doit posséder deux qualités principales: d'abord, on doit pouvoir le résoudre par des moyens scientifiques; ensuite, ce problème doit déboucher sur une réponse qui contribue de façon significative à l'avancement des connaissances.

Il peut paraître trivial de dire qu'un problème doit pouvoir se résoudre de manière scientifique; cependant, trois sortes de difficultés au moins peuvent rendre une question insoluble par ce type de démarche. La première difficulté surgit lorsqu'un problème est trop vague. Il peut être passionnant en soi de se demander comment fonctionne l'esprit ou si la folie est un phénomène naturel. Éventuellement, il sera intéressant pour certains d'entamer une longue réflexion sur ces questions, d'en discuter ou d'écrire à ce propos des essais plus ou moins fantaisistes ou impressionnistes. Bien que ces questions soient d'un grand intérêt, elles se prêtent mal à une recherche scientifique, puisque celle-ci implique qu'on se soumette à la sanction des faits et qu'on se livre par conséquent à certaines manipulations expérimentales ou, à tout le moins, à certaines observations empiriques. Or, pour réaliser ces manipulations ou ces observations, il faut procéder à certaines opérations concrètes. Ainsi, pour reprendre un des exemples cités plus haut, déterminer scientifiquement si la folie est naturelle requiert de prévoir d'abord des démarches permettant de distinguer les «fous» de ceux qui ne le sont pas (spontanément, on pensera à administrer des tests, mais on se demandera aussi si ces derniers existent et combien seraient nécessaires). Il faudra également envisager des moyens qui aideront à décider si ce qu'on observe chez les individus identifiés comme «fous» est naturel ou pas (spontanément, on pensera à un tableau exhaustif de tous les comportements respectivement naturels et non naturels auxquels on pourrait comparer les comportements observés: pareil tableau est-il concevable?). En conséquence, seuls les problèmes qui peuvent être formulés opérationnellement, c'est-à-dire en termes de démarches auxquelles il faudrait procéder pour y trouver réponse, se prêtent à une analyse scientifique. Bien sûr, un chercheur ingénieux pourrait en arriver à une formulation opérationnelle de la question «La folie est-elle naturelle?», grâce à un certain nombre de simplifications: ainsi, il pourrait ne plus parler de la folie en général, mais se limiter à certaines manifestations d'une personnalité atypique (à certaines formes de comportement hystérique très faciles à observer, par exemple); il pourrait également décider que ce qui est naturel est tout ce qui apparaît spontanément dans telle situation bien contrôlée. Il faut cependant se rendre compte que l'éventuelle réponse à la question opérationnelle «telle forme de comportement hystérique peut-il se produire spontanément dans telle situation?» ne pourrait s'appliquer que très indirectement au problème de départ, soit celui de savoir si la folie est naturelle.

Des questions trop générales peuvent aussi être insolubles sur le plan scientifique parce qu'elles risquent d'entraîner des recherches dont la durée et l'ampleur les rendent irréalisables. C'est ici la seconde des difficultés annoncées plus haut. Ainsi, on peut se demander, comme Piaget (Piaget et Inhelder, 1966) l'a fait, comment se produit le développement de l'intelligence. A cause de son caractère global, ce genre de question peut trouver réponse dans l'élaboration d'une théorie générale, comme celle de Piaget justement. Mais il serait utopique d'entreprendre une recherche sur ce sujet: c'est là une question d'ensemble qui a donné lieu à un très grand nombre de sous-questions particulières qui elles-mêmes ont orienté, non pas une étude, mais des programmes de recherches complets, mis sur pied par une multitude de chercheurs depuis fort longtemps.

La troisième difficulté qui rend une question insoluble réside dans l'impossibilité de recueillir l'information pertinente, soit pour des raisons technologiques, soit à cause de considérations déontologiques. Par exemple, il est inconcevable de demander à des individus qui ont une peur extrême des rats d'en tenir un, dans le but de mettre en parallèle leur fréquence cardiaque et les manifestations verbales de leur état d'anxiété. Si ce but ne peut être atteint autrement, mieux vaut renoncer.

Il est beaucoup plus difficile d'apprécier la seconde qualité d'une bonne question, à savoir la capacité de mettre en train une recherche dont les résultats apporteront une contribution importante à l'avancement des connaissances. En fait, l'évaluation de la pertinence d'une recherche est d'abord faite par le chercheur lui-même, puis éventuellement par les collègues de la communauté scientifique qui accepteront ou non de publier ses résultats; mais cette évaluation s'appuie sur des critères très variés et souvent difficiles à identifier. On comprendra facilement néanmoins qu'une recherche parfaite sur le plan méthodologique, mais qui porterait sur un sujet sans envergure et sans portée, pourrait constituer un bel exercice, mais serait tout compte fait complètement inutile. Par exemple, on pourrait se demander si les adeptes de la course à pied préfèrent que leurs chaussures soient bleues ou jaunes. Cette question très opérationnelle pourrait donner lieu à une recherche extrêmement bien planifiée et parfaitement exécutée, mais dont l'intérêt serait plus que limité.

RECENSION DES TRAVAUX ANTÉRIEURS ET PRÉPARATION DES HYPOTHÈSES

Il ne suffit pas de poser une question ou d'énoncer un problème pour entreprendre une recherche. En effet, à partir d'une même question, il y a toujours plusieurs entreprises possibles, plusieurs façons d'aborder le problème; d'habitude, on n'en choisit qu'une, et ce choix dépend en définitive des hypothèses qui orientent le chercheur, même s'il s'agit seulement d'hypothèses implicites. Ces hypothèses elles-mêmes s'appuient sur une certaine connaissance du sujet à l'étude, même s'il s'agit d'une connaissance plus ou moins articulée ou plus ou moins intuitive. Bref, comme on l'a décrit au chapitre 1 en exposant la nature du cycle de la recherche, on retrouve obligatoirement, au point de départ, les étapes suivantes: une question se pose au chercheur, celui-ci fait appel à ses connaissances sur le sujet et formule une certaine hypothèse; c'est cette hypothèse qui détermine le genre de manipulations ou d'observations qui seront effectuées dans le but de trouver effectivement une réponse. Cette série d'étapes n'est pas propre à la recherche scientifique: elle caractérise n'importe quelle démarche logique (ce qui exclut donc le tâtonnement au hasard) d'un humain adulte aux prises avec un problème à résoudre; pour le montrer, voici un exemple emprunté aux questions que posait Piaget (Inhelder et Piaget, 1955) aux jeunes adolescents précisément en train d'acquérir cette pensée formelle caractérisant l'intelligence systématique de l'adulte.

Devant les mouvements d'un pendule (en fait, un poids suspendu à une ficelle attachée à un support fixe), on peut se demander ce qui détermine la durée de l'oscillation observée. Une telle question peut être posée par un examinateur, mais l'adolescent pourrait également la formuler de lui-même en observant le phénomène. Pour trouver la réponse à cette question, plusieurs interventions sont possibles, elles consistent à faire varier le poids suspendu à la corde, la longueur de celle-ci, le point de départ du poids ou l'impulsion initiale donnée au poids. L'adolescent choisira vraisemblablement d'effectuer une de ces manipulations en premier. Pourquoi? Parce qu'il a déjà certaines connaissances sur le sujet. Dès que la question lui est posée ou dès qu'il se la pose, il fait plus ou moins systématiquement l'inventaire de ses connaissances, lesquelles ont été acquises grâce à des lectures, des enseignements de niveau secondaire ou des expériences vécues (par exemple, lors de l'utilisation d'une balançoire). Ce sont ces connaissances qui l'inviteront à écarter certaines hypothèses, et par conséquent à éliminer certaines manipulations parce qu'il est peu probable qu'elles aient un intérêt (par exemple, il ne fera pas varier la couleur de l'objet suspendu). En vertu de ces mêmes connaissances, l'adolescent pourra plutôt en arriver à l'hypothèse selon laquelle ce qui importe c'est la longueur de la ficelle; ceci l'amènera à choisir, comme première intervention, celle qui consiste à faire varier cette dimension, quitte à structurer ensuite d'autres expériences pour éliminer certaines hypothèses ou consolider davantage son premier choix. Par conséquent, lorsque l'adolescent est logique et ne procède pas au hasard, son cheminement suit bel et bien les étapes mentionnées, soit la formulation d'une question, la recension des connaissances sur le sujet, la sériation des hypothèses et la réalisation d'une expérience pour vérifier l'hypothèse retenue.

La conduite de la recherche scientifique en psychologie est tout à fait analogue à la démarche suivie par l'adolescent devant le problème du pendule: elle équivaut à une suite d'étapes logiques visant à trouver, à partir d'une question opérationnelle, une réponse basée sur l'observation des faits. Mais si la recherche scientifique et la démarche de l'adolescent sont analogues, elles ne sont pas identiques: tandis que l'adolescent cherche à retrouver pour lui-même, grâce à des manipulations très simples, une réponse par ailleurs bien connue à une question élucidée depuis longtemps par d'autres, celui ou celle qui entreprend une recherche scientifique s'attaque à des questions nouvelles, dans le but de faire progresser sa discipline, le plus souvent par l'intermédiaire de recherches longues, complexes et coûteuses. Par conséquent, si l'adolescent peut sans problème mettre à l'épreuve successivement plusieurs hypothèses plus ou moins valables parce qu'il utilise plus ou moins d'énergie à organiser ses connaissances sur le sujet, le chercheur doit consacrer le maximum d'efforts à formuler des hypothèses significatives, basées sur un *inventaire exhaustif des connaissances* déjà accumulées en la matière. Le contenu du chapitre 12 exposera la nature des diverses sources dans lesquelles le chercheur peut, en regard d'un problème donné, puiser pour avoir accès aux connaissances déjà acquises.

Cette première étape d'une recherche, qui consiste, d'une part, à prendre connaissance des informations déjà disponibles concernant le problème qu'on se propose d'étudier ou des sujets connexes et, d'autre part, à réfléchir sur le contenu de ces informations, est d'une importance primordiale à plusieurs points de vue. D'abord, une telle cueillette d'informations, si elle est bien faite, évitera de répéter inutilement une recherche déjà terminée ou de s'aventurer dans l'étude d'un problème qui mène à une impasse. Compte tenu du coût de la recherche, qui se mesure en outre en termes de temps et de sommes d'argent investis, c'est là un avantage non négligeable.

Ensuite, parce qu'elle s'accompagne nécessairement d'une période de réflexion intense, la cueillette d'information permet de faire le point sur le problème à l'étude et sur l'ensemble des connaissances s'y rapportant. C'est plus précisément l'occasion d'établir des rapports nouveaux entre diverses données empiriques, afin d'entrevoir des liens entre des phénomènes apparemment disparates et de leur donner ainsi une nouvelle signification. C'est aussi l'occasion de faire le point sur les théories existant dans le domaine, de juger comment elles rendent compte (ou non) des plus récentes découvertes, de déceler leurs lacunes ou les points qu'elles laissent encore dans l'ombre. Mais c'est surtout l'occasion de chercher les rapports entre la question posée et ces diverses données ou théories, cette réflexion conférant à la recherche prévue une signification et un impact véritables. Quelle sera la portée des résultats anticipés? Comment s'inséreront-ils dans le savoir actuel? Quelle dimension nouvelle ajouteront-ils aux faits connus? Quel apport fourniront-ils à telle ou telle théorie? Bref, prendre contact avec les connaissances empiriques et les théories déjà existantes, et réfléchir sur la place qu'y occupe la recherche à entreprendre conduisent à transformer une simple question en une problématique véritable, laissant entrevoir la portée et la pertinence des résultats à venir.

Une telle démarche destinée à établir une problématique s'avère d'ailleurs essentielle à l'*énoncé d'hypothèses cohérentes en regard du savoir existant*. En retour, c'est principalement parce que des hypothèses sont ainsi formulées que peuvent progresser les connaissances scientifiques. Un exemple emprunté à la météorologie permettra d'illustrer la différence entre des résultats expliqués après coup, et des résultats en quelque sorte expliqués d'avance, puisque prévus sous forme d'hypothèses logiques.

Quiconque observe le temps qu'il fait par un matin d'été pluvieux peut concevoir une diversité d'explications: s'il pleut ce matin, c'est parce qu'hier la pluie était dans l'air, ou parce qu'hier le soleil couchant était d'un rouge spécialement vif, ou parce qu'il faisait beau depuis trop longtemps, ou parce que telle voyante avait bien dit que l'été serait pluvieux, ou parce qu'une dépression a dû se former, et ainsi de suite. Parmi ces explications élaborées après coup, certaines sont peu plausibles, d'autres le sont davantage, mais il est fort difficile d'isoler l'explication vraiment pertinente, de trouver le ou les facteurs nécessaires et suffisants à l'explication de ce qui s'est passé. C'est que, parmi l'ensemble d'éléments dont on constate la présence après que le phénomène se soit produit, il est très difficile de distinguer ce qui est essentiel de ce qui est accessoire, surtout s'il s'agit de faits relativement inhabituels ou nouveaux (comment des gens ordinaires expliqueraient-ils une aurore boréale, par exemple?). En conséquence, la valeur scientifique des explications «après coup» reste toujours sujette à caution, d'où l'importance des hypothèses. En effet, pour trouver le ou les éléments importants, une bonne façon de procéder consiste à toujours énoncer des prédictions, puis à les vérifier; par exemple, si c'est la couleur du soleil couchant qu'on croit importante, on peut prédire qu'il pleuvra chaque fois qu'un coucher de soleil sera très rouge (encore faudra-t-il préciser ce que cela veut dire). Selon que cette hypothèse est confirmée ou non dans un bon nombre de cas, on saura que le facteur choisi est vraiment important ou non.

C'est un peu ce que font les météorologistes professionnels. Le fait qu'ils se risquent à énoncer une prédiction, ainsi que le niveau de précision de cette prédiction, dépendent de la connaissance et de la compréhension qu'ils ont de certains facteurs présents (chaîne de montagnes, anticyclone, courant marin, par exemple), et de l'importance qu'ils leur attribuent. S'ils prédisent qu'il pleuvra le lendemain, le temps qu'il fera effectivement, loin de pouvoir être expliqué de mille et une façons parmi lesquelles il serait difficile de choisir à coup sûr, prendra une signification particulière. Ainsi, si leur prédiction se confirme (non pas une seule fois bien sûr, mais un nombre significatif de fois), il y aura tout lieu de croire que les facteurs vraiment essentiels à l'explication du phénomène sont justement ceux qui ont servi à structurer la prédiction. Si au contraire la prédiction est infirmée, c'est qu'un facteur inconnu — ou un facteur connu dont l'influence diffère de celle prévue — est intervenu: les connaissances de départ sont alors remises en question. En somme, les résultats sont toujours interprétés en fonction des hypothèses posées, qu'il s'agisse de confirmer ou de mettre en doute les connaissances ayant conduit à ces hypothèses.

Il faut souligner toutefois que les hypothèses ne sont pas toutes d'utilité égale pour faire progresser les connaissances. Une hypothèse trop vague, s'appuyant sur un savoir trop fragmentaire ou mal cerné, sera de peu d'utilité. Si, par exemple, une personne prédit qu'il pleuvra le lendemain parce qu'elle en a l'impression, que faudra-t-il dire après coup? Qu'elle ait eu raison ou tort, l'attribuera-t-on à son intuition? Au fait qu'elle ait été ou non inconsciemment stimulée par des indices reliés au temps? Aux simples lois de la probabilité, voulant qu'il soit plus ou moins prévisible que tel ou tel temps soit observé à telle période de l'année? On voit que seule une hypothèse basée rigoureusement sur un savoir précis guidera efficacement l'interprétation des résultats anticipés.

Le processus de la recherche scientifique se déroule d'une façon tout à fait similaire à celui de la démarche du météorologiste. D'abord, c'est à partir de la possibilité ou de l'impossibilité de faire une hypothèse, et à partir du degré de précision de cette dernière qu'on peut apprécier la qualité des connaissances accumulées sur le sujet choisi. Ensuite, si une hypothèse est formulée, c'est en fonction de celle-ci que seront interprétés les résultats et, d'une certaine façon, c'est de la qualité de l'hypothèse que dépendra la valeur des explications qui seront fournies pour rendre compte de ces résultats. En effet, lorsqu'il procède à la recension des faits et des théories concernant le sujet à étudier, le chercheur fait des choix, établit des analogies, effectue des recoupements, se livre à des raisonnements, le tout formant un processus cognitif complexe qui le conduit à poser une ou des hypothèses. Lorsque, par la suite, les résultats de la recherche sont connus, non seulement viennent-ils ajouter une connaissance à la banque du savoir (quand on fait une recherche, c'est pour découvrir quelque chose de nouveau), mais également, ils confirment ou infirment les choix théoriques, les raisonnements et les analogies — bref, les explications que le chercheur prévoyait donner aux résultats s'ils venaient confirmer ses attentes énoncées sous forme d'hypothèses. Ainsi, quand l'hypothèse est confirmée, le nouveau savoir est expliqué avec d'autant plus de certitude qu'on l'avait prévu, c'est-à-dire qu'on l'avait déjà, en quelque sorte, compris à l'avance. Par contre, quand l'hypothèse est infirmée, cela entraîne une certaine remise en question, qui le plus souvent pourra déboucher sur de nouvelles hypothèses à la base de recherches ultérieures.

On voit donc toute l'importance qu'il y a à bien répertorier les connaissances déjà accumulées sur le problème à l'étude. C'est de ce processus que dépend la formulation d'hypothèses rigoureuses. Par conséquent, c'est de lui que dépend la portée qu'on pourra donner à la solution du problème.

FORMULATION DES HYPOTHÈSES: PROCESSUS EN TROIS ÉTAPES

Loin d'être servies toutes faites, les hypothèses ne sont que progressivement élaborées, selon un processus impliquant trois étapes principales. Une recherche de Bandura *et al.*, datant de 1963, permet d'illustrer ces trois étapes. Cette recherche visait à démontrer le fait suivant: que des enfants soient témoins du comportement agressif de certains modèles accroît la probabilité qu'ils manifestent à leur tour de l'agressivité lors de frustrations ultérieures. On demanda à un premier groupe de sujets d'observer des modèles se livrant sous leurs yeux à des comportements agressifs inhabituels, à un second groupe de regarder un film montrant les mêmes modèles s'adonnant aux mêmes comportements, et à un troisième groupe de visionner un film présentant l'adoption des mêmes conduites par un personnage de dessin animé. Les sujets subirent ensuite une frustration bénigne. Enfin, on mesura le degré de leur agressivité imitative et non imitative dans une situation de jeu. Dans l'ensemble, les résultats mirent en évidence l'influence «facilitatrice» exercée par la stimulation agressive que véhiculaient les conduites des modèles. Les données révélèrent également que l'ampleur de cette influence était dans une certaine mesure fonction des indices de réalité du modèle, de son sexe et de celui de l'enfant.

Étape I: hypothèses générales

Lorsque se pose un problème de recherche, il est possible, grâce aux connaissances générales qu'on possède, aux tendances théoriques auxquelles on adhère ou aux lectures qu'on peut faire, de déboucher assez rapidement sur une ou plusieurs hypothèses générales. Il s'agit d'hypothèses de travail qui serviront à guider une réflexion plus approndie, à orienter d'autres lectures et à procéder à certains choix concernant les objectifs précis que poursuivra la recherche et la méthode d'acquisition des connaissances qui assurera la réalisation de ces objectifs. C'est là la trame de fond, la ligne directrice que suivra le chercheur dans les premières étapes de son travail.

Ainsi, dans le cas de Bandura *et al.* (1963), les auteurs semblent s'être inspirés au départ de la question suivante: est-il exact, comme le prétend une conception basée sur le principe de la catharsis, que le fait d'imaginer ou d'observer un comportement agressif exécuté par une autre personne réduise le facteur de motivation *(drive)* déterminant l'apparition de comportements agressifs? A partir de cette question générale, les auteurs ont sans doute adopté rapidement une hypothèse générale ressemblant à ceci: le fait d'observer des comportements agressifs contribue à augmenter l'agressivité plutôt qu'à la diminuer. Cette hypothèse générale peut découler de l'option théorique prise par les chercheurs: Bandura (1969) est en effet l'auteur d'une théorie selon laquelle un observateur peut apprendre les comportements qu'il voit exécuter par d'autres; c'est peut-être même cette conception théorique qui a incité Bandura et ses collaborateurs à s'intéresser au problème de l'apprentissage de l'agressivité. Cette hypothèse générale peut aussi être attribuée au contenu d'un fait divers (des jeunes avaient adopté un comportement agressif après le visionnement d'un film violent) et à la connaissance de certaines données empiriques sur les comportements imitatifs.

En soi, l'hypothèse générale n'est pas directement vérifiable, ou plus exactement, elle pourrait être vérifiée par une diversité de stratégies: on pourrait de la sorte imaginer quantité de façons de montrer que l'observation de comportements agressifs augmente l'agressivité. A chacune d'elles correspondrait une recherche spécifique. Parmi toutes ces recherches, il faudrait en choisir une commandant une stratégie particulière; c'est à ce stade qu'il faut passer aux hypothèses de recherche.

Étape II: hypothèses de recherche

L'hypothèse de recherche équivaut à la concrétisation de l'hypothèse générale dans une recherche particulière. Plus précise et formellement énoncée, l'hypothèse de recherche évoque des manipulations ou observations empiriques effectivement réalisables.

Ainsi, l'hypothèse générale probablement sous-jacente aux travaux de Bandura *et al.* (1963) se concrétise en plusieurs hypothèses de recherche. Selon la première, des enfants confrontés à l'exemple d'un modèle agressif produisent, par la suite, davantage de comportements agressifs que d'autres qui ne l'ont pas été. Cette hypothèse va dans le même sens que l'hypothèse générale, mais correspond plus précisément à une situation concrète facile à envisager: des enfants observent (ou non) un modèle produisant des comportements agressifs nouveaux.

Les auteurs ont par ailleurs des informations leur permettant d'aller plus loin dans l'énoncé d'autres hypothèses de recherche compatibles avec l'hypothèse générale. Ainsi, dans les recherches portant sur les comportements imitatifs, on a le plus souvent recours à des modèles évoluant directement sous les yeux du sujet; un fait divers signale l'apparition de comportements agressifs à la suite du visionnement d'un film; il est connu que la présentation de dessins animés captive l'intérêt des enfants; enfin, un observateur tend à reproduire davantage les comportements de modèles qui sont plus près de lui ou qui lui ressemblent plus. L'examen approfondi de ces faits justifie une hypothèse de recherche: chez les témoins d'un comportement agressif, l'adoption d'un tel comportement est plus fréquente lorsque le modèle agit sous les yeux de l'observateur, et moins fréquente lorsqu'il est présenté dans un dessin animé. Pour mettre cette seconde hypothèse de recherche à l'épreuve en même temps que la première, il suffit d'imaginer la situation suivante: auprès de certains enfants, le modèle qui produit des comportements agressifs nouveaux se trouve devant eux, en personne; auprès d'autres sujets, il est présenté sur film, soit au naturel, soit déguisé en personnage de dessin animé.

La première qualité de ces hypothèses de recherche est évidente: elles sont *opérationnelles.* Ce terme, déjà introduit précédemment, exige à nouveau quelques commentaires. Dire de ces hypothèses qu'elles sont définies de façon opérationnelle signifie qu'elles se réfèrent aux opérations concrètes à mettre en place pour voir apparaître les événements auxquels on s'intéresse, et qu'on veut mesurer. Ainsi, on présente un modèle à certains enfants, mais on n'en présente pas à d'autres: cette opération de présentation est faite par le chercheur. Une autre opération consiste à présenter le modèle en personne, sur film ou sur film également, mais après l'avoir déguisé (en chat, de fait).

Dans une troisième opération, il s'agit d'établir le mode d'évaluation de la fréquence de manifestation des comportements agressifs: cela se fait grâce à l'attribution, par des juges, de six cotes d'agressivité différentes, respectivement reliées à certains aspects bien identifiés du comportement imitatif. Les hypothèses sont donc opérationnelles, parce qu'elles désignent les actions assurant le déclenchement des comportements imitatifs d'une part et leur enregistrement d'autre part. Il faut cependant préciser que, comme le montrera le chapitre 4, l'énoncé d'une hypothèse ne peut être tout à fait opérationnel que lorsque les variables sur lesquelles elle porte ont été clairement identifiées. L'avantage d'une hypothèse opérationnelle est clair: tous la comprennent de la même façon. En outre, la précision d'une telle hypothèse permet à tout chercheur de répéter l'expérience afin de soumettre la même prédiction à une nouvelle sanction des faits.

La seconde qualité d'une hypothèse de recherche est sa *rigueur*: la prédiction n'est valable que dans la mesure où elle est cohérente par rapport à l'ensemble des connaissances sur le sujet. Ainsi, dans l'étude de Bandura *et al.* (1963), il est logique de prévoir que les enfants témoins du comportement agressif d'un modèle seront plus agressifs: cela s'accorde bien avec le fait divers rapporté, avec la théorie de l'apprentissage par observation, et avec les faits connus sur les comportements imitatifs appris. Il est logique aussi de prévoir que le modèle présenté en personne aura plus d'impact que le modèle présenté sur film, et que le modèle présenté sous forme de dessin animé aura le moins d'effet: on sait, en effet, que les observateurs apprennent mieux les comportements des modèles qui leur ressemblent le plus. La rigueur intervient également en ce qui concerne le degré de précision de l'hypothèse, qui lui aussi doit être ajusté à ce qu'on sait. Pour revenir à la situation du météorologiste, on ne saurait prédire qu'il pleuvra entre 14:15 et 14:45 seulement, l'état d'avancement des connaissances ne permettant pas ce degré de précision; par contre, aucun météorologiste sérieux ne se contentera, par peur de se compromettre, de prédire qu'il pleuvra ou bien qu'il fera beau, si ce qu'il peut observer l'autorise à être plus précis. De la même façon, Bandura *et al.* (1963) se risquent, en vertu d'informations recueillies dans des expériences analogues, à prédire qu'il y aura une relation positive entre le degré de réalisme du modèle et la fréquence d'imitation. Toutefois, ils n'auraient pas pu prédire, de façon légitime, une fréquence d'apparition du comportement imitatif trois fois plus élevée chez les enfants faisant directement face à un modèle que chez ceux visionnant un film dans lequel le modèle était fictif: les informations disponibles n'autorisaient pas une telle précision.

Une troisième qualité de l'hypothèse de recherche est sa *fécondité théorique*. La prédiction étant le fruit logique d'un ensemble d'éléments théoriques et de données empiriques, elle doit absolument les prolonger. Ainsi, quand Bandura *et al.* (1963) prédisent que l'observation d'un modèle agressif provoquera plus d'agressivité chez les enfants, ils cherchent à ajouter une nouvelle dimension aux connaissances relatives aux phénomènes d'apprentissage par observation; en même temps, ils visent à mettre en doute la généralité de la théorie de la catharsis. Bref, leur hypothèse est compatible avec les connaissances antérieures, et elle découle logiquement de l'agencement que Bandura *et al.* (1963) font des connaissances théoriques, des résultats empiriques et des faits divers. En tant que telle, l'hypothèse prédit cependant un résultat qui n'a jamais été directement obtenu; pour peu qu'il soit effectivement enregistré chez leurs sujets, Bandura et ses collaborateurs pourront en tirer des conclusions qui contribueront à enrichir et à nuancer les théories de l'apprentissage et de la catharsis. Il faut toutefois noter que l'hypothèse de recherche elle-même n'inclut pas d'éléments théoriques; il n'est pas dit dans l'hypothèse (même si cela intervient dans le raisonnement qui conduit à l'hypothèse) que la théorie de la catharsis est partiellement erronée, ni que les sujets éprouvent une affinité marquée pour les modèles qui leur ressemblent; l'hypothèse repose sur des interprétations théoriques et conduit à d'autres interprétations théoriques, mais, par elle-même, elle ne fait que nommer des faits observables, ce qui la rend opérationnelle. D'ailleurs, aussi paradoxal que cela puisse paraître, plus une hypothèse est opérationnelle, plus elle risque de comporter de nombreuses incidences théoriques.

Enfin, la dernière, mais non la moindre, des qualités que doit posséder une hypothèse, va de soi: elle doit être *vérifiable*. Il est inutile en effet d'énoncer une hypothèse, aussi brillante soit-elle, s'il est impossible d'en éprouver la validité. Une hypothèse est vérifiée lorsqu'on peut dire, après l'avoir soumise à l'épreuve des faits, qu'elle est vraie ou fausse ou, si on préfère, qu'elle est confirmée ou infirmée. En d'autres mots, une hypothèse est vérifiée quand on peut tirer une conclusion à propos du contenu de la prédiction énoncée (par exemple, concernant la relation supposée entre le type de modèle et la fréquence des comportements imitatifs). Elle est vérifiée et confirmée lorsqu'on peut dire que son contenu correspond vraiment aux données recueillies; elle est vérifiée et infirmée lorsqu'il est clair, d'après ces mêmes données, que son contenu n'a pas été observé ou, ce qui est très différent, que les comportements mesurés sont à l'inverse de ce qu'on attendait.

D'autre part, l'hypothèse n'est pas vérifiée quand les résultats ne permettent pas de dire si elle est confirmée ou infirmée. Ce verdict peut être imputable à des erreurs de stratégie dans l'obtention des données, mais c'est alors cette stratégie qui doit être révisée et non l'hypothèse elle-même. L'hypothèse sera bien sûr déficiente sur le plan de la vérification si, par exemple, il n'existe aucun moyen technique adéquat pour en assurer la mise à l'épreuve. Il est alors préférable de ne pas la formuler du tout.

Étape III: hypothèses statistiques

Une fois formulée une hypothèse de recherche, il reste à prévoir comment on déterminera si les faits empiriquement observés la confirment ou l'infirment. Un tel jugement serait facile si la réalité se présentait simplement: par exemple, dans l'expérience de Bandura *et al.* (1963), si les enfants témoins des activités d'un modèle agressif n'avaient par la suite *que* des comportements agressifs, et si les autres ne manifestaient *aucun* comportement de ce type, il y aurait une relation parfaite entre l'observation d'un modèle et l'adoption de comportements imitatifs. Il y aurait donc confirmation parfaite de l'hypothèse de recherche. Mais la réalité ne sera vraisemblablement pas aussi simple; au lieu d'une relation parfaite, on observera probablement une relation mitigée, les enfants affichant tantôt un peu plus et tantôt un peu moins de comportements agressifs selon qu'ils ont été ou non témoins d'actions agressives. Il faudra alors décider si cette relation mitigée, effectivement observée, confirme ou non l'hypothèse posée.

Comme l'expliquera le chapitre 11, c'est ici qu'interviennent les outils d'analyse conçus par la statistique, dont la fonction est double: ces outils servent à quantifier les événements ou les relations qui existent entre eux, puis à déterminer si les mesures obtenues constituent une évaluation valable des phénomènes, ou simplement une évaluation accidentelle ne reflétant que l'effet du hasard. Beaucoup d'épreuves statistiques remplissent cette double fonction de la façon suivante: on suppose, par exemple, qu'ayant telle amplitude, la relation trouvée se situe dans la gamme des valeurs attribuables au seul effet du hasard. C'est ce qu'on appelle l'hypothèse nulle, puisqu'on postule alors que la relation observée n'est qu'accidentelle. Puis, grâce à des calculs de probabilités, on cherche à déterminer si l'hypothèse nulle peut ou non être rejetée. Si l'hypothèse nulle, qui est une hypothèse statistique formulée uniquement à des fins d'analyse, ne peut pas être rejetée, c'est qu'il est fort probable que la relation observée ne soit que le fait du hasard: il est alors impossible de confirmer l'hypothèse de recherche. Si, au contraire, l'hypothèse nulle peut être rejetée, c'est que la relation observée semble véritable; si la direction de cette relation est celle prévue, l'hypothèse de recherche est confirmée.

Ainsi, par exemple, dans l'expérience de Bandura *et al.* (1963), l'hypothèse de recherche prédit que les enfants confrontés à un modèle agressif auront plus de comportements agressifs que les autres. Imaginons les résultats suivants: les premiers enfants manifestent, en moyenne, 22 comportements jugés agressifs; les autres en adoptent 15, en moyenne. L'hypothèse nulle consisterait dans ce cas à supposer que la différence entre 22 et 15 est due au seul fait du hasard; si, grâce aux calculs statistiques, il s'avère qu'on ne peut pas écarter l'hypothèse nulle, il est impossible de conclure que l'observation d'un modèle agressif a eu l'effet prévu. L'hypothèse de recherche est infirmée. Si, au contraire, l'hypothèse nulle peut être rejetée, c'est que la différence entre 22 et 15 comportements agressifs n'est pas due au hasard, mais dépend bien de l'observation (ou non) de la conduite d'un modèle agressif: l'hypothèse de recherche est alors confirmée.

Comme on le voit, les hypothèses émises sont de plus en plus précises à mesure que progresse la recherche. Les hypothèses de recherche indiquent comment l'hypothèse générale peut être transposée et concrétisée dans le contexte d'une expérience particulière; quant aux hypothèses statistiques, elles servent à déterminer si l'hypothèse de recherche est confirmée ou infirmée par telles ou telles données effectivement obtenues.

DIVERS TYPES D'HYPOTHÈSES

La nature et la précision des hypothèses de recherche varient grandement selon le type de recherche réalisée, la nature des phénomènes à l'étude et le degré d'avancement des connaissances dans le domaine choisi.

Il est un autre facteur déterminant qui régit la forme que prendra l'hypothèse: il s'agit de la méthode d'acquisition des connaissances que le chercheur choisira d'exploiter. Ainsi, dans le cas de la méthode expérimentale, l'hypothèse est la prédiction d'une relation causale entre des variations extérieures au sujet et introduites par le chercheur, d'une part, et des variations mesurées ensuite chez ce sujet, d'autre part.

Dans l'étude de Bandura *et al.* (1963), la principale variable extérieure introduite par le chercheur est la nature du modèle observé. Quant aux variations mesurées chez les sujets, elles sont traduites par la fréquence d'apparition du comportement agressif de type imitatif. Les variations de cette fréquence sont présumées être fonction des variations de la nature du modèle observé.

Si on reprend la définition présentée plus haut, l'hypothèse répond à la question posée en prédisant l'obtention d'une relation précise entre des variations induites et des variations résultantes. Une des hypothèses énoncées par Bandura *et al.* (1963) se formule donc ainsi: plus la nature du modèle observé s'éloigne de la réalité (variation produite), moins les enfants tendent à imiter son comportement (variation résultante).

Il n'est pas toujours possible de prédire de la sorte l'obtention d'une relation causale entre des variations, entre autres, parce que certains facteurs ne se prêtent pas à des manipulations de la part du chercheur. Lorsque, par exemple, Bandura *et al.* (1963) prédisent que le comportement imitatif ne sera pas le même chez les garçons et chez les filles, ils émettent l'hypothèse d'une covariation entre le facteur défini par le sexe des enfants et l'imitation qu'ils peuvent manifester; mais, comme on ne peut vraiment agir sur le fait que les sujets sont de tel ou tel sexe, on ne saurait parler d'une relation causale réelle entre le sexe des observateurs et l'imitation mesurée chez eux. Bandura et ses collaborateurs font donc plutôt la prédiction suivante: une corrélation associera l'appartenance de l'enfant à un sexe donné et l'ampleur de leur imitation.

Par ailleurs, que l'hypothèse porte sur une relation causale ou sur une relation de covariation, son degré de précision est certes modulé, tel qu'on l'a mentionné, par l'état des connaissances mais, bien souvent aussi, par les prises de position personnelles du chercheur. Par exemple, constatant l'opposition entre la théorie de l'apprentissage par imitation et la théorie de la catharsis, d'autres auteurs que Bandura et ses collaborateurs auraient peut-être jugé que les données ne suffisaient pas à établir une prédiction certaine: ils auraient alors pu énoncer deux hypothèses opposées prédisant que si les résultats allaient dans un sens, il faudrait les interpréter selon la théorie de la catharsis, tandis que s'ils allaient dans l'autre sens, il faudrait les interpréter selon la théorie de l'apprentissage social.

Dans les cas où, recourant à l'observation systématique, le chercheur tente de décrire certains aspects d'un phénomène, sans mettre celui-ci en relation avec quelque variable que ce soit, l'hypothèse signalera simplement à quelle sorte de variation il s'attend (intensité, durée ou fréquence d'un comportement, par exemple).

Enfin, il arrive que les chercheurs s'attaquent à des secteurs nouveaux, où les acquis antérieurs sont bien minimes. Une question bien posée peut souvent suffire à orienter correctement des recherches de type exploratoire. De telles recherches, il faut bien le dire, ne font pas souvent l'objet de publications officielles. Si la plupart des travaux publiés comportent des hypothèses en bonne et due forme, ce qui se publie n'est que la partie visible de l'iceberg, et les recherches imprimées dans les périodiques s'appuient en réalité sur une foule de recherches exploratoires de grande qualité. L'utilité de ces études, qui s'attaquent à de nouveaux problèmes, est indiscutable et leur valeur tient à ce que, d'une étude à l'autre, les questions posées sont de plus en plus précises et favorisent la formulation d'hypothèses de plus en plus pertinentes.

RÉFÉRENCES

Bandura, A.: *Principles of behavior modification*, Holt, Rinehart & Winston, New York, 1969.

Bandura, A., D. Ross & S.A. Ross: Imitation of film-mediated aggressive models. *Journal of abnormal and social psychology*, **66**:3-11, 1963.

Bélanger, D. & S.M. Feldman: Effects of water deprivation upon heart rate and instrumental activity in the rat. *Journal of comparative and physiological psychology*, **55**:220-225, 1962.

Guthrie, E.R.: *The psychology of learning*, Harper & Row, New York, 1935.

Inhelder, B. & J. Piaget: *De la logique de l'enfant à la logique de l'adolescent*, Presses Universitaires de France, Paris, 1955.

Piaget, J.: *La naissance de l'intelligence*, Delachaux & Niestlé, Neuchâtel, 1948.

Piaget, J. & B. Inhelder: *La psychologie de l'intelligence*, Presses Universitaires de France, Paris, 1966.

CHAPITRE 4

VALIDITÉ, VARIABLES ET CONTROLE

MICHÈLE ROBERT

Si une recherche donnée pouvait être menée dans un contexte absolu ou idéal, un contexte de rêve qui soit hors d'atteinte de tous les déterminants concrets qui accompagnent la réalisation effective d'une démarche empirique, elle déboucherait sur l'obtention d'une réponse totalement valable à la question scientifique formulée, ou constituerait une vérification totalement valable de l'hypothèse énoncée. Cette recherche parfaite identifierait de manière tout à fait correcte la nature du comportement à décrire (méthode d'observation) ou la nature de la relation de covariation (méthode corrélationnelle) ou de causalité (méthode expérimentale) existant entre deux phénomènes. Le produit de cette recherche sans défaut serait jugé entièrement juste par rapport aux objectifs de départ: plus exactement, sa *validité interne* serait assurée sans restriction. A cause d'une telle validité et pourvu que certaines précautions indispensables aient été prises, le produit de la recherche pourrait également être généralisable, soit applicable au-delà de l'échantillon d'individus et de circonstances qui en ont défini le cadre d'obtention. Plus précisément, les conclusions de la recherche seraient alors dotées d'une forte *validité externe*, dans la mesure cependant où le chercheur souhaite une certaine généralisation de ces conclusions.

Toutefois, les conditions réelles de l'exercice d'une démarche empirique n'autorisent pas la mise sur pied d'une recherche absolument parfaite. Dans la conduite de chaque recherche particulière, on doit néanmoins tenter de s'approcher le plus possible de l'idéal et de la perfection. Par conséquent, tout doit être mis en œuvre pour maximiser le degré de validité interne des résultats ou, inversement, pour minimiser, voire même éliminer, le plus grand nombre possible de risques de non-validité.

Dans les cas où on cerne une relation de causalité, un événement mis en place par le chercheur, et dit *variable indépendante*, est considéré être vraiment responsable des variations identifiées à l'intérieur d'un certain comportement, dit *variable dépendante*. Cette conclusion n'est cependant légitime que si les dispositions garantissant la validité interne des données ont été prises. L'ensemble de ces dispositions permet que seul l'événement en cause puisse agir, l'intervention des autres événements étant complètement écartée ou leur effet étant neutralisé. Ces dispositions exercent donc une fonction de *contrôle* des facteurs extérieurs à ceux à l'étude. Dans les cas où c'est plutôt l'existence d'une corrélation qui est démontrée, sans qu'il soit possible de déterminer d'emblée à quoi elle est due, il y a concomitance de variation entre un événement choisi mais non créé par le chercheur, dit variable indépendante, et un comportement, dit variable dépendante; la relation peut également porter sur deux comportements différents, donc sur deux variables dépendantes. Les procédés de contrôle assurent que des éléments autres que les événements ou les comportements à l'étude ne puissent obscurcir ou embrouiller la relation dégagée. Ces mêmes procédés permettent, dans les cas où il s'agit de la seule description d'un phénomène — lequel n'est pas rattaché à des événements ou à des comportements covariants ou à des événements déclencheurs —, que les données recueillies correspondent véritablement au(x) comportement(s) visé(s) et dit(s) variable(s) dépendante(s).

VALIDITÉ INTERNE

La validité interne d'une recherche donnée concerne uniquement sa valeur face aux diverses facettes contenues à l'intérieur de son propre cadre et de ses propres objectifs. Il s'agit donc d'une validité qui ne déborde pas le problème, très spécifique, délimité dans la recherche en question.

A cet égard, on considère valide la recherche qui débouche sur des conclusions auxquelles il est possible d'accorder crédit, avec une confiance raisonnable, parce qu'elles donnent une image authentique du problème analysé, compte tenu du type de méthode d'acquisition des connaissances adopté ou du type d'interrogation du chercheur. Pour parvenir à un haut degré de validité interne, celui-ci doit, dans la planification et la conduite effective de sa recherche, avoir interdit l'intervention de tout élément permettant d'aboutir à une interprétation différente de celle initialement prévue, laquelle ne repose que sur les variables qu'il a définies. Conséquemment, le chercheur aura empêché que ces éléments étrangers ou parasites ne contaminent la mise à l'épreuve de son hypothèse ou l'élaboration d'une réponse à la question qu'il a posée. Par exemple, une recherche démontre, tel que le prévoyait son auteur, que les parents, entraînés à adopter une attitude interrogative et exploratoire dans leurs comportements quotidiens pendant une période de six mois, voient s'accroître la curiosité intellectuelle de leurs enfants inscrits en classe maternelle. Mais cette conclusion serait dépourvue de toute légitimité, ou elle serait sans validité interne, si le chercheur n'avait pas pris les mesures nécessaires au rejet de deux autres interprétations par ailleurs tout à fait plausibles. Ces interprétations concurrentes attribueraient plutôt l'augmentation de la curiosité intellectuelle respectivement à l'évolution normale des enfants et à la nature «facilitatrice» de leurs activités préscolaires.

Tout effort entraînant l'identification d'un problème important et l'énoncé d'une hypothèse productive peut donc être annulé par l'existence d'une faille sur le plan de la validité interne. De plus, pour qu'il y ait nullité ou absence de valeur des conclusions d'une recherche, il suffit qu'à un strict plan logique l'analyse des conditions de réalisation de cette recherche parvienne à établir comme simplement possible ou plausible la présence d'une ou de plus d'une faille. Il n'est pas nécessaire que la présence réelle soit empiriquement démontrée. Il est donc clair que le chercheur doit procéder avec grand soin à l'analyse de la démarche selon laquelle il compte mener son travail, de manière à y traquer toute possibilité d'invalidité et à y appliquer les correctifs nécessaires avant la cueillette des données. C'est en effet le contenu scientifique de ces données qui est en jeu. Soulignons qu'à une époque où le coût élevé de la recherche scientifique est assumé par des subsides surtout gouvernementaux, les chercheurs ont la responsabilité sociale de ne pas gaspiller l'avoir collectif en laissant leur négligence les entraîner à la réalisation de travaux déficients ou franchement nuls.

Plusieurs agents peuvent compromettre grandement ou supprimer totalement la validité interne d'une recherche (Campbell et Stanley, 1963; Cook et Campbell, 1979; McGuigan, 1978; Neale et Liebert, 1973). Les principaux, ou ceux dont l'impact est le plus critique et le plus probable, sont généralement identifiés de la façon suivante: il s'agit des *attentes du chercheur*, des *attentes des sujets*, des *fluctuations de l'instrumentation* utilisée dans l'évaluation des conduites, des procédés de *sélection* des sujets, de l'*administration de plus d'une évaluation* aux mêmes sujets, de la *régression statisti-que* des mesures obtenues, de tous les facteurs concourant à la *maturation* des sujets, de tous les *facteurs dits historiques* qui s'ajoutent à ceux étudiés dans une recherche donnée. de la *perte* ou de l'abandon de certains sujets, de la *perte différentielle* de sujets ou d'un abandon différant selon les divers groupes de sujets, de l'*interaction* ou de l'action combinée de deux ou plusieurs de ces agents et, finalement, de la *contamination* de l'effet d'une variable par les effets cachés d'une autre.

La nature des agents de non-validité ainsi désignés sera exposée en détail, plus loin dans ce chapitre ainsi que dans les trois chapitres suivants, à l'occasion de la présentation des aspects particuliers d'une recherche auxquels ils sont respectivement associés. Les façons de les éliminer ou de restreindre leur action dans divers contextes seront alors considérées. Cet examen pourrait être avantageusement complété par l'étude de la centaine d'illustrations de diverses atteintes à la validité interne qu'ont répertoriées Huck et Sandler (1979) dans de nombreux domaines de la psychologie.

Toutefois, il est dès maintenant utile de présenter à quelle réalité générale renvoient les 12 agents qui viennent d'être énumérés. Il importe de bien saisir que chacun est susceptible d'amoindrir la validité interne de la recherche particulière dans laquelle il intervient: en effet, son influence peut s'ajouter à celle des conditions définies par le chercheur sans qu'il soit possible d'évaluer jusqu'à quel point. C'est donc la possibilité même de vérifier l'hypothèse qui est en jeu.

Attentes du chercheur

Le chercheur souhaite dans la plupart des cas pouvoir conclure que l'hypothèse qu'il a posée est confirmée par les faits. Il désire donc que le sujet produise les comportements attendus ou annoncés par la prédiction à vérifier. Par exemple, comme le lui suggère l'analyse logique de la documentation pertinente, le chercheur espère que ses dauphins pourront imiter certains sons émis par la voix humaine. Or, il arrive que le sujet soit informé de la nature des réponses escomptées, ou de certains de leurs éléments, par divers aspects (regards, mimiques, gestes, paroles, etc.) de la conduite du chercheur. Cette transmission d'information peut ne pas être intentionnelle de la part de ce dernier. Cependant, exercée volontairement ou non, elle permet la communication plus ou moins explicite des réponses que le chercheur aimerait que le sujet fournisse en conformité avec ces attentes.

Attentes du sujet

L'individu qui a conscience de participer à une recherche, parce qu'il a accepté l'invitation du chercheur à le faire, se présente dans la situation de recherche en entretenant à son tour certaines attentes à l'endroit de ce qu'il vient faire dans cette situation. Son attitude est généralement caractérisée par l'adoption du rôle de sujet et par une certaine appréhension face à l'évaluation qui sera faite de son comportement. En conséquence, il peut croire qu'il doit afficher le comportement qu'il pense être celui qui intéresse le chercheur, plutôt que de produire les réponses qu'il émettrait naturellement s'il ne se savait pas participer à une recherche. Qu'elles soient justes ou erronées, ces idées préconçues peuvent fausser les réponses effectivement fournies. De manière plus ou moins délibérée, le sujet souhaite aussi retirer de sa participation une image de lui-même qui le satisfasse et ce, indépendamment du registre comportemental (cognitif, affectif ou moteur, par exemple) que sollicite cette participation. Il craint souvent de ne pas être jugé positivement à la fois par le chercheur et par lui-même; il s'efforcera donc de produire des réponses qu'il juge être de bonnes réponses. Par exemple, un sujet que le chercheur interroge à deux reprises en trois mois sur ses réactions à un divorce récent pourra se révéler moins perturbé à la seconde entrevue, non pas parce qu'il a effectivement surmonté certaines de ses difficultés, mais plutôt parce qu'il croit que le chercheur compte alors observer une amélioration et parce qu'il ne voudrait pas paraître peu capable de s'adapter.

Fluctuations de l'instrument de mesure

Les instruments de mesure auxquels le chercheur a recours peuvent, au fil de l'enregistrement des données et indépendamment des caractéristiques des réponses en cause, se dérégler. Ils procurent alors des mesures fausses ou inexactes, qui ne donnent pas une image véridique du comportement des sujets. Cette image est ainsi composée en partie d'une erreur non constante, dont l'ampleur varie mais croît en général avec le temps. Ces changements dans la lecture des réponses peuvent être occasionnés par l'usure ou la dégradation de l'instrument. Par exemple, le ressort d'une balance peut s'étirer et donc perdre son calibrage. Ou encore, le juge ou l'observateur humain peut, à cause de l'ennui ou de la fatigue qu'entraîne la répétition de son activité, fonctionner avec une capacité d'observation qui s'émousse progressivement (perte de vitesse, non-enregistrement de variations mineures, etc.). Dans d'autres cas faisant aussi appel à un observateur humain, il pourrait par contre y avoir apprentissage chez ce dernier, ce qui se traduirait par une amélioration graduelle dans la justesse des mesures. En effet, si au départ l'observateur n'était pas au faîte de sa compétence, celle-ci pourrait augmenter avec l'expérience et la vitesse et l'exactitude qu'elle apporte.

Sélection des sujets

Lorsque le chercheur constitue son échantillon de sujets ou répartit ensuite les sujets retenus à l'intérieur de différents groupes, il arrive que, délibérément ou non, sa démarche ne soit pas complètement uniforme ou standardisée à l'égard de chaque sujet ou de chaque groupe de sujets. Plus précisément, il y a déficience lorsque d'une part le chercheur n'applique pas toujours rigoureusement la même liste de critères (relatifs à diverses caractéristiques des sujets) devant chacun des sujets à recruter. Par exemple, s'il est théoriquement pertinent de ne sélectionner que des droitiers, il faudra s'assurer de ce que chaque sujet choisi manifeste véritablement cette particularité. D'autre part, il se peut qu'une fois les sujets recrutés, ou une fois constitué l'échantillon à examiner, le chercheur n'applique pas toujours rigoureusement les mêmes règles (qui doivent avoir été fixées à priori) pour affecter les sujets choisis à des groupes différents selon les conditions à subir. Ces erreurs étant commises avant la cueillette des données, les groupes de sujets ne seront initialement pas comparables ou équivalents. Il en sera de même de leur conduite ultérieure respective sans qu'il soit alors possible d'y dissocier la portion attribuable aux différences de départ et la portion associée aux conditions comparées. Ainsi, s'il s'agit de connaître la performance de droitiers et de gauchers devant mémoriser le contenu d'un long récit ou celui d'un dessin complexe, il faudra veiller à ce que le groupe qui complète respectivement chaque tâche compte autant de gauchers que de droitiers. A coup sûr, il serait inadmissible que, ayant prédit une prédominance verbale chez les droitiers et une prédominance graphique chez les gauchers, le chercheur fasse mémoriser le récit par une majorité de droitiers et le dessin par une majorité de gauchers.

Administration de plus d'une mesure

Dans une recherche où les mêmes sujets subissent plus d'une situation de mesure, il est possible que le fait d'émettre une réponse dans une situation donnée modifie, à un degré variable, le comportement que manifesteront ces sujets lors d'une autre situation de mesure à laquelle ils seront soumis ultérieurement. Par exemple, un chercheur veut procéder à une étude expérimentale sur l'alcoolisme et prive d'eau, pendant 48 heures, un certain nombre de chats domestiques. Ensuite, placés dans un situation avec accès à de l'eau alcoolisée, ces animaux ne réagiront probablement pas comme le feront des congénères qui n'auront pas été privés. L'effet résiduel associé à une situation antérieure empêche donc d'évaluer avec exactitude l'effet propre aux situations subséquemment mises en place.

Cet effet transforme, aux plans quantitatif ou qualitatif, la manière dont les sujets font l'expérience des situations postérieures à une situation donnée. Il consiste souvent en une *sensibilisation* à ces situations: les sujets sont alors plus réceptifs au contenu de ces nouvelles situations précisément parce qu'ils ont déjà connu une autre situation. Par exemple, le sujet qui traverse différentes situations faisant appel à la production d'images mentales risque d'être ensuite plus efficace dans la détection de passages métaphoriques dans un texte. Si la possibilité est dans cet exemple relativement évidente même pour un chercheur novice, sa présence est souvent beaucoup plus difficilement repérable. Par ailleurs, le problème inverse survient lorsqu'il y a effet d'*inoculation*, la passation de situations antérieures ayant rendu le sujet plus réfractaire ou moins vulnérable au contenu des situations subséquentes. Par exemple, le sujet qui, en quelque sorte, a été vacciné par sa résistance à un premier argument visant à lui faire changer ses convictions politiques risque de pouvoir plus tard contrer un second argument plus puissant; il n'aurait peut-être pas pu le faire s'il avait été d'emblée confronté au second argument.

Régression statistique

Lorsque les sujets sont soumis à plusieurs situations de mesure, il se peut qu'au fil de la passation de ces situations leur performance se rapproche de la performance moyenne de l'échantillon auquel ils appartiennent, et parfois aussi de la performance moyenne de la population dont cet échantillon a été extrait. Ce déplacement consécutif à la répétition de la mesure pourrait être attribué à tort — parce qu'il en est indépendant — à l'effet des variables auxquelles s'intéresse le chercheur. Le phénomène de resserrement ou de migration des mesures en direction de la moyenne se produit chez tous les sujets, mais il est nettement plus marqué chez ceux qui, au départ, ont produit des réponses se situant à l'une ou l'autre des extrémités de la distribution caractérisant l'ensemble des sujets. Ces sujets extrêmes affichent, par exemple, un temps de réaction motrice respectivement très bas ou très élevé, ou se révèlent respectivement très ou très peu enclins à la colère. L'apparition du phénomène de régression est inhérente aux fondements mêmes du modèle statistique auquel se rallient la majorité des chercheurs; elle découle aussi de l'imperfection de plusieurs instruments de mesure qui donnent lieu à des estimés d'autant moins fiables ou fidèles qu'ils sont extrêmes. Les mesures extrêmes sont donc davantage susceptibles d'être entachées d'erreur.

Maturation

Chez l'organisme animal ou humain prend place un processus naturel qui entraîne des changements systématiques, et généralement durables, au plan biologique comme au plan psychologique. Ces changements surviennent en fonction du temps comme tel, plutôt qu'à cause du contenu des événements spécifiques meublant le temps qui s'écoule. Le processus de maturation est donc associé aux phénomènes de développement, qu'ils concernent les phases de croissance, de maturité ou de sénescence. Ces effets peuvent se traduire par un élargissement du répertoire comportemental (par exemple, chez le jeune enfant qui passe de la marche à quatre pattes à la marche en station debout), mais aussi par un rétrécissement (par exemple, chez l'octogénaire qui n'arrive plus à fixer les événements en mémoire à court terme). Des modifications plus qualitatives sont également possibles. Quoi qu'il en soit, la probabilité d'un effet de maturation sur le comportement est en général d'autant plus élevée que les sujets examinés dans une recherche donnée le sont à différents moments distribués sur une longue période de temps. Cet effet est indépendant du contenu de la recherche mais il en détermine à divers degrés les résultats.

D'autres changements imputables à la maturation peuvent en outre être transitoires et se situer sur une échelle temporelle plus modeste que celle, occupant plusieurs mois, années ou décennies, relative aux grandes phases du développement. L'échelle en question peut, par exemple, être presque mensuelle si on se réfère au cycle menstruel chez la femme. Ainsi, le déroulement de ce cycle est associé à des variations psychophysiologiques non négligeables en ce qui a trait entre autres aux rythmes respiratoire et cardiaque, à la température corporelle et à la résistance électrodermale (Bell *et al.*, 1975). Par ailleurs, l'échelle temporelle concernée peut même renvoyer à l'intervalle occupé par une seule journée: la qualité de l'exécution de tâches à contenu mental accuse par exemple une baisse après le repas du midi (Colquhoun, 1971). Il faut donc éviter de confondre diverses fluctuations, qu'elles soient mensuelles ou circadiennes, avec les effets des variables à l'étude.

Facteurs historiques

La manifestation de l'impact des facteurs historiques se fait selon le même scénario temporel que celui de la maturation. Toutefois, l'agent de non-validité ici concerné consiste dans tous les événements qui s'inscrivent dans l'existence des sujets et qui, même s'ils sont tout à fait extérieurs à la participation à une recherche donnée, n'en modifient pas moins le comportement des sujets dans le cadre même de cette participation. Par exemple, un chercheur a mis au point un programme visant à accroître la résistance au stress en milieu de travail. Cependant, il obtiendra des mesures reflétant en partie le poids d'autres variables que la teneur de son programme si, entre l'implantation du programme et sa fin deux mois plus tard, un sujet a appris qu'il était atteint d'une maladie incurable et un autre a gagné une forte somme au tirage de la loterie.

Perte de sujets

Lorsqu'un chercheur soumet un seul groupe de sujets à plusieurs situations de mesure, surtout si elles sont assez éloignées les unes des autres dans le temps, il peut se retrouver avec un échantillon dont l'effectif diminue à mesure que se poursuit la cueillette des données. En effet, même si les sujets ont été au départ fortement incités à compléter leur participation, certains d'entre eux décident de l'interrompre en cours de route ou sont forcés de le faire à cause de diverses circonstances indépendantes de leur volonté. Or, comme l'exposera le chapitre 13, les prescriptions du code déontologique auquel doivent se conformer les chercheurs stipulent clairement que le consentement accordé initialement par chaque sujet peut être retiré en tout temps et qu'aucune coercition ne doit être pratiquée pour empêcher ou limiter l'exercice de ce droit. Pendant la cueillette, un sujet peut, par exemple, voir son intérêt pour une quatrième tâche d'attention visuelle s'évanouir et ne pas vouloir poursuivre la séance; ou il peut devenir non disponible pour une sixième séance à venir parce que son travail d'infirmier ou de policière vient d'être réaffecté au service de nuit. Par conséquent, le chercheur qui avait pris soin de constituer un échantillon répondant à des exigences données d'équilibre ou de représentativité, ne dispose plus, par suite de la perte de certains sujets, que d'un échantillon ne présentant que plus ou moins la même composition relative et donc les caractéristiques initiales. Comme le phénomène de perte (en anglais, *attrition* ou *mortality*) ne se produit pas au hasard, mais est attribuable à des variables qui ne sont pas connues à priori, il n'est pas possible de prédire, lors de la sélection des sujets, lesquels d'entre eux sont susceptibles de se retirer de l'échantillon avant la fin de la cueillette des données, non plus que laquelle des situations de mesure occasionnera le retrait.

La perte de sujets peut également résulter d'une décision à laquelle en vient le chercheur lui-même s'il ne parvient pas à obtenir de certains sujets l'information qui lui est nécessaire. A titre d'exemple de sujet à éliminer, on peut penser au nouveau-né âgé de quelques heures et dont on veut mesurer la capacité de reconnaître le visage humain, mais qui persiste à dormir à poings fermés tout au long de la présentation des stimuli. Il en va de même de l'adulte qui, après que l'examinateur ait répété à plusieurs reprises les très claires directives lui exposant la première d'une série de tâches de classification qu'il a à exécuter, n'a toujours pas compris ce qui lui est demandé. Dans certains cas, ces sujets écartés peuvent aisément être remplacés par d'autres relativement équivalents, mais plus coopératifs; dans d'autres cas, la substitution est difficile ou impossible, les sujets requis devant présenter une configuration de caractéristiques bien particulières et peu courantes.

Perte différentielle de sujets

Le phénomène de la perte de sujets peut également se produire dans une recherche qui comporte, cette fois, la constitution de groupes différents d'individus, que ceux-ci participent à une seule séance d'examen ou qu'ils soient soumis à plusieurs situations de mesure. La perte intervient alors en opérant un double dérangement. Comme dans le cas de la simple perte, la composition de chacun des groupes pris isolément peut ne plus être à la fin de la cueillette des données ce qu'elle était au début. Mais, au surplus, l'ampleur de la perte et son contenu sont susceptibles de varier d'un groupe à l'autre. Encore ici, la modification ne se fait pas au hasard, mais résulte de l'action de variables qui peuvent être difficilement identifiables à priori. Par conséquent, si les divers groupes de sujets étaient à l'origine équivalents ou comparables, ils ne le sont que plus ou moins au terme de la cueillette. L'équilibre qui avait été construit lors de l'affectation des sujets dans les différents groupes est ainsi rompu. Par exemple, un chercheur s'intéresse au contenu et à la structure des rêves selon que les sujets dorment à leur domicile ou dans une chambre qu'il a aménagée dans son laboratoire. Au cours d'une nuit, il enregistre l'activité cérébrale des sujets et, dès que celle-ci lui signale la fin d'un rêve, il réveille le dormeur pour obtenir le récit du rêve. Or, il se peut bien qu'un certain nombre d'individus interrogés à domicile refusent de poursuivre parce que, placés dans leur habitat naturel, ils y tolèrent moins bien la perturbation occasionnée à leurs habitudes de sommeil continu. Il se peut qu'au contraire ce soit plutôt les personnes dormant au laboratoire qui se retirent de l'échantillon, supportant mal l'interruption de leur sommeil après avoir déjà fait l'effort de se rendre au laboratoire pour y passer la nuit. Par exemple encore, si un chercheur étudie la productivité professionnelle chez deux groupes de 30 fonctionnaires que, pendant six mois, il a structurés respectivement en équipes ou non, il est possible que 3 sujets préférant le travail solitaire abandonnent dans le premier groupe et que 15 sujets privilégiant les contacts interpersonnels en fassent autant dans le second groupe.

Interaction de l'effet de certains agents

Les différents agents de non-validité exposés plus haut peuvent, en plus d'exercer leur effet spécifique d'annulation ou de réduction de la validité interne d'une recherche donnée, jouer de manière combinée dans la mesure où plus d'un d'entre eux intervient en même temps dans cette recherche. Par exemple, on peut imaginer qu'une sélection non uniforme des sujets puisse entraîner que le ou les groupes constitués rassemblent finalement des individus dont la maturation respective n'évolue pas au même rythme. Ou encore, il est possible qu'à l'insu du chercheur l'instrument de mesure qu'il utilise ne perde de son exactitude qu'au moment de la troisième séance (dont le contenu est bien particulier) à laquelle sont convoqués des sujets à qui sont administrées plus d'une situation de mesure. De toute façon, s'il y a interaction, il y a superposition inextricable des effets propres aux divers agents en cause, quelle que soit la nature de ces agents.

Contamination

Lorsqu'un chercheur vise à identifier une relation de causalité ou de covariation en regard d'un phénomène donné, il ne peut y parvenir qu'en comparant des manifestations de ce phénomène qui ne se distinguent entre elles qu'en ce qui a trait au facteur présumé causal ou corrélé. Cependant, il peut arriver que, par ignorance, dans le cas d'un domaine peu exploré, ou par négligence ou incompétence, dans le cas d'un problème abondamment étudié, le chercheur laisse se glisser dans la comparaison une autre différence que celle qui l'intéresse. Le résultat d'une telle infiltration est que les termes de la comparaison diffèrent sur plus d'un plan à la fois. La contamination (en anglais, *confounded variables*) engendrée par l'introduction de la seconde différence invalide les résultats de la recherche parce qu'il n'est pas possible d'y départager la contribution respective à chacune des différences. Par exemple, un chercheur veut déterminer si la consommation d'une certaine quantité de caféine influence l'impression subjective de fatigue. Avant de mesurer cette impression, il demande donc à certains sujets de boire deux tasses de café régulier et à d'autres de boire deux tasses de café décaféiné; toutefois, les premiers sujets ont accès à du sucre et à du lait à volonté, tandis que les autres doivent consommer leur café noir. Que la fatigue éprouvée se révèle supérieure dans l'un ou l'autre groupe, le résultat n'est pas interprétable puisqu'il reflète simultanément la différence relative à la consommation de caféine et la différence relative à la consommation de sucre et de lait.

La communauté de chercheurs qui adoptent la démarche scientifique n'a pas la prétention d'ainsi parvenir à dégager la vérité absolue en regard de ce qu'est un phénomène comportemental donné, tout comme en regard de ce que sont les facteurs qui lui sont concomitants ou qui en sont les déterminants. Par contre, la plupart des membres de cette communauté adhèrent à une même règle de conduite. Celle-ci veut qu'en écartant au maximum l'intervention ou la présence de facteurs qui, dans une recherche donnée, ne sont pas ceux qui y sont centraux — ces facteurs pouvant alimenter ou appuyer des interprétations du phénomène analysé qui sont autres que celle mise à l'épreuve —, on établisse une approximation satisfaisante du vrai en le démarquant du faux (Cook et Campbell, 1979). Cette règle consiste donc à maximiser la validité interne associée aux résultats d'une recherche ou, en contrepartie, à minimiser leur non-validité.

VALIDITÉ EXTERNE

Il n'est pertinent d'estimer la validité externe d'une recherche donnée que si sa validité interne a d'abord été jugée suffisante. En effet, si cette condition n'est pas satisfaite, à l'intérieur même du cadre des objectifs de la recherche, il est impossible, à cause de l'intervention d'un ou de plusieurs des agents d'invalidité définis plus haut, de conclure légitimement que les résultats livrent une image juste et claire du phénomène à l'étude. Il est alors superflu et inapproprié, si ces résultats sont ambigus et donc sans valeur en eux-mêmes, de s'interroger sur leur validité externe, c'est-à-dire sur leur valeur en dehors des conditions particulières de la réalisation de la recherche. L'évaluation de la validité externe d'une étude n'est ainsi légitime que lorsque sa validité interne, laquelle est nettement prioritaire, a d'abord été établie sans équivoque (Cook et Campbell, 1979).

Si elle est jugée adéquate, la validité externe d'une recherche assure de pouvoir, de manière justifiée, en appliquer les conclusions, d'une part, à d'autres personnes que les seuls participants à cette recherche et, d'autre part, à d'autres situations que celles qui y sont mises en place ou repérées (Bracht et Glass, 1968). En d'autres termes, cette composante extérieure de la validité globale d'une recherche consiste à pouvoir généraliser les résultats ou les conclusions d'une recherche donnée surtout à d'autres individus et à d'autres contextes que ceux que le chercheur a considérés.

Des informations plus précises sur la notion et l'opération de généralisation seront présentées au chapitre 11 en rapport avec celle des étapes du cycle de la recherche où le chercheur se trouve devant des résultats déjà recueillis. Cependant, comme la possibilité de généraliser les conclusions d'une recherche commande certains choix et certaines actions avant même la cueillette des données, il importe d'en exposer ici les principaux aspects.

L'objectif scientifique est en effet de procéder à l'examen d'un problème dans un cadre inévitablement limité, mais dont les caractéristiques quant à leur représentativité par rapport à d'autres cadres possibles, sont telles que les résultats ou les éléments d'information auxquels l'examen donne lieu s'appliquent aussi à ces autres cadres. La démarche scientifique serait assurément peu profitable et peu économique si les connaissances qu'elle mettait à jour dans une recherche particulière ne permettaient aucunement de comprendre le comportement d'autres personnes que celles spécifiquement étudiées, comportement aussi produit dans d'autres milieux que ceux spécifiquement étudiés. Par contre, il faut bien souligner que plusieurs recherches sont menées sans aucune visée de généralisation et que leurs auteurs s'y limitent, en toute légitimité, à maximiser la validité interne (Mook, 1983).

Les personnes étudiées de même que d'autres individus qui leur sont relativement semblables constituent une population donnée. Il en va de même des milieux étudiés et des autres. Ainsi, une population consiste, de manière générale, en un ensemble dont les éléments comportent une ou plusieurs caractéristiques communes; par conséquent, chaque élément appartenant à cette population est porteur de la ou des caractéristiques en question.

Validité échantillonnale

La première menace à la validité externe provient donc de certaines déficiences dans la représentativité de l'échantillon de sujets recrutés par rapport à la population d'individus à laquelle s'intéresse le chercheur et à laquelle il souhaite ultimement pouvoir étendre ses conclusions. La notion de population cible est ici capitale. Ayant circonscrit le problème à élucider, le chercheur doit en effet définir quel est l'ensemble ou le bassin d'individus auxquels il voudra, une fois le travail complété, appliquer les résultats obtenus. Les populations visées par la recherche psychologique ne sont donc pas automatiquement et nécessairement assimilables au genre humain dans sa totalité, ou au monde animal au grand complet. Compte tenu de sa grande diversité, il serait même utopique d'envisager une telle population cible. Certes, une population cible peut être très vaste et constituée de millions d'individus: il en serait ainsi dans une recherche, ou plutôt dans un programme de recherche, portant sur l'ensemble des Occidentaux d'âge mûr. Mais la population cible peut être d'ampleur plus modeste, comme dans le cas de l'ensemble des citoyens belges ou suisses parlant et écrivant à la fois le français et le chinois. Elle peut encore être très réduite s'il s'agit, par exemple, du tout petit ensemble des parents nord-américains qui élèvent des quintuplés.

Par ailleurs, à l'intérieur de la population cible, il faut considérer le sous-ensemble que constitue la population accessible, c'est-à-dire cette portion de la population cible qui est disponible au chercheur. Il s'agit donc de situer les individus qui pourraient être étudiés par le chercheur, soit parce que ce dernier peut se rendre auprès d'eux, soit parce qu'eux peuvent se déplacer jusqu'au chercheur. Idéalement, un tel sous-ensemble devrait pouvoir être tiré au hasard parmi la population cible. Enfin, l'échantillon de sujets consiste dans le sous-ensemble de la population accessible qui est celui que le chercheur examinera de fait. Idéalement aussi à tirer au hasard, cette fois à partir de la population accessible, l'échantillon doit avoir la taille requise pour fonder la solidité des conclusions à venir.

La représentativité des individus retenus au terme de chacune des deux étapes de la définition de la population accessible et de la définition de l'échantillon repose donc sur un procédé de tirage au hasard. L'application de ce procédé assure la constitution d'un échantillon dit probabiliste (Chein, 1977; Cochran, 1953): dans un tel cas, à chaque élément de la population cible est associée une probabilité non nulle et égale de faire partie de l'échantillon et, par conséquent, des inférences statistiques à très haute certitude pourront être faites à partir des résultats dégagés.

Toutefois, la recherche psychologique, comme celle menée dans plusieurs autres disciplines scientifiques d'ailleurs, ne table que très rarement sur des échantillons probabilistes. Une des causes de cet état de chose réside dans le fait que la recherche auprès de sujets humains ne peut être entreprise qu'avec des individus volontaires ou consentants. Comme nous le verrons au chapitre 13, les prescriptions du code déontologique régissant l'exercice de la recherche empêchent cependant que des personnes soient, contre leur gré, forcées de participer à quelque étude que ce soit. Or, cet impératif d'ordre éthique réduit à divers degrés la possibilité d'un tirage au hasard des individus qui seront effectivement examinés. Il a en effet été démontré que les individus acceptant l'invitation du chercheur présentent une configuration de caractéristiques qui les distinguent des individus déclinant la même invitation. Les sujets volontaires seraient entre autres plus intelligents, plus instruits, plus sociables, moins conventionnels et moins autoritaires que les personnes qui refusent de participer à une recherche (Rosnow et Rosenthal, 1976). Les contraintes déontologiques entraînent ainsi très souvent la constitution d'échantillons dits non probabilistes (Chein, 1977; Cochran, 1953), parce que chaque élément de la population cible n'y a pas la même probabilité de faire partie de l'échantillon. Ceci limitera et handicapera par voie de conséquence la possibilité de fortes inférences statistiques au moment de l'analyse des données. Il peut donc y avoir antagonisme entre le respect obligatoire des droits des sujets desquels proviennent les renseignements garantissant l'atteinte des objectifs scientifiques et cette atteinte même. Quoi qu'il en soit, les considérations pertinentes aussi bien à la constitution d'échantillons probabilistes ou non qu'à la formulation des conclusions que chaque type d'échantillonnage autorise relèvent du domaine de la statistique.

Validité écologique

La seconde menace à la validité externe découle de déficiences dans l'échantillon des situations d'obtention des données, comparativement à la population de contextes à laquelle le chercheur désire appliquer ses conclusions. Il s'agit donc ici de toutes les facettes du contexte dans lequel se déroule la recherche, y compris les tâches que les sujets effectueront. La représentativité en cause ne renvoie pas nécessairement et exclusivement à l'isomorphisme qui pourrait exister entre les caractéristiques matérielles ou la facture de surface de l'échantillon de situations d'une part et les caractéristiques homologues de la population cible d'autre part. Par exemple, une recherche portant sur les réponses produites en situation de jeux de hasard n'est pas automatiquement dotée d'une forte validité écologique pour la seule raison que les sujets y sont observés dans un décor physique et social en tout point semblable à celui d'un casino. La similitude est plutôt recherchée au plan psychologique ou phénoménologique, soit en ce qui a trait à la *signification* que confère le sujet à la situation dans laquelle le chercheur le place ou l'étudie. La validité écologique d'une recherche donnée est jugée adéquate dans la mesure où les sujets perçoivent l'environnement dans lequel ils sont examinés comme ayant les propriétés que le chercheur présume y être présentes (Bronfenbrenner, 1979). En d'autres termes, une stratégie de recherche est écologiquement valide si elle capte ou met en relation avec exactitude les caractéristiques sociophysiques de la situation dans laquelle se trouve le sujet et les conduites qu'il produit dans cette situation (Winkel, 1985).

Par exemple, il semble bien que les nombreux travaux de Milgram (1974) sur l'obéissance ont livré des renseignements hautement valides au plan écologique. Les sujets y recevaient pourtant en laboratoire des ordres de la bouche d'un expérimentateur qu'ils ne connaissaient pas, et non d'une figure naturelle et reconnue d'autorité; ces ordres les enjoignaient d'administrer des chocs électriques de plus en plus intenses et douloureux à un individu qui commettait des erreurs en tentant de mémoriser des couples aléatoires de mots. Or, la plupart de ces sujets ont réagi en s'engageant assez loin dans l'application stricte de la consigne. Si leur comportement a paru traduire un fort degré de réalisme, ou de non-artificialité, ils ont aussi été eux-mêmes conscients de ce réalisme, comme le corrobore le fait que plusieurs ont déclaré, lors d'entrevues menées une fois la recherche terminée, avoir appris beaucoup sur leur propre fonctionnement à partir de leur participation à une situation conflictuelle où s'opposaient l'exigence de respecter les directives de l'expérimentateur et la répugnance à faire souffrir quelqu'un.

Il faut par contre reconnaître les difficultés que posent la mesure de la validité écologique et, surtout, son estimé à priori: il n'est pas aisé d'accéder, avec rigueur et justesse, aux perceptions des sujets. A cet égard, des renseignements partiels peuvent être extraits de réflexions (orales ou écrites) que font spontanément certains sujets, ou de mesures physiologiques (par exemple, de fréquence cardiaque ou de tension musculaire) indicatrices de leur niveau d'activation ou du degré d'engagement qu'entraîne leur évaluation de la situation. Dans d'autres cas, on pourra concevoir un ou des questionnaires sollicitant l'expression des perceptions recherchées. En fait, la mesure de la validité écologique constitue en elle-même un domaine de recherche encore peu défriché. On y remarque divers efforts, tel celui de Bem et Funder (1978) qui tentent d'évaluer la personnalité que possèdent, en quelque sorte, différentes situations de recherche — même les plus dénuées de réalisme apparent — selon que les comportements qu'elles font apparaître chez les individus qui s'y retrouvent sont plus ou moins typiques de leur répertoire habituel.

Dans une telle perspective, il devient factice de vouloir ériger une démarcation systématique entre les situations propres au milieu dit naturel des sujets et celles construites en laboratoire par le chercheur. Une situation naturelle donnée n'a pas plus de validité écologique intrinsèque qu'une situation de laboratoire, ou, en d'autres termes, toute situation de laboratoire, quelle qu'elle soit, n'est pas plus faible en validité écologique que toute situation naturelle, quelle qu'elle soit: tout dépend de la signification qu'attachent les sujets examinés à chaque situation, ou de la mobilisation que chacune suscite chez eux. Par exemple, la situation naturelle définie par les quelques heures qui précèdent la soutenance de thèse d'un échantillon de candidats au doctorat ne déclenche pas un stress d'emblée plus valide au plan écologique que le fait une situation de laboratoire très dépouillée où, les yeux fermés, des parachutistes débutants doivent simplement s'imaginer sur le point de faire leur premier saut, pendant que quantité d'appareils plus ou moins ésotériques enregistrent leurs réactions psychophysiologiques.

Les situations naturelles sont évidemment très précieuses au chercheur qui envisage de décrire, de manière plus ou moins exhaustive, les phénomènes psychologiques tels qu'ils se produisent spontanément, qu'il s'agisse du comportement filial ou du développement des capacités de représentation mentale. Ces situations peuvent également servir de théâtre à des manipulations expérimentales portant sur des phénomènes — psychosociaux entre autres — trop complexes pour être miniaturisés en laboratoire (Deconchy, 1983). Par ailleurs, le laboratoire, ou cet espace aménagé par le chercheur en dehors du milieu naturel, constitue bien souvent le seul cadre possible pour procéder à la mise à l'épreuve stricte d'une hypothèse causale: il permet effectivement l'exclusion d'éléments perturbateurs parce qu'extérieurs aux variables concernées (Berkowitz et Donnerstein, 1982). C'est aussi fréquemment en laboratoire que se fait la découverte ou la production de nouveaux phénomènes (Henshel, 1980b), comme l'ont été ceux de la rétroaction biologique et de l'existence de certaines formes de langage chez les singes supérieurs (Henshel, 1980a). A l'occasion, ces nouveaux phénomènes pourront, moyennant une ingénierie psychologique imaginative, être ensuite intégrés à l'évolution quotidienne des individus dans leur milieu naturel. A titre d'exemple, on peut penser au traitement comportemental de certaines déformations de la colonne vertébrale chez les adolescentes (Miller, 1985). Ce traitement est maintenant possible grâce à des travaux de conditionnement instrumental menés, en laboratoire, auprès de sujets animaux durant de nombreuses années. Il a ensuite fallu mettre au point, en laboratoire aussi, un petit appareil qui détecte toute déviation par rapport à la posture idéale et en avertit le sujet par l'émission de divers signaux sonores. Les jeunes filles portent actuellement l'appareil tout en vaquant à leurs occupations quotidiennes. Petit à petit, l'appareil s'avère superflu puisque les adolescentes parviennent à développer l'habileté et la force musculaire nécessaires pour se redresser et que ce contrôle devient intériorisé et, finalement, automatique. Cette intrusion momentanée du laboratoire dans le milieu naturel empêche donc que s'installe une scoliose tout aussi malsaine que disgracieuse. Par ailleurs, il peut, dans d'autres cas, être inutile ou inapproprié de structurer une situation de laboratoire qui soit un calque d'une situation naturelle donnée. La technologie marine en offre incidemment un exemple éloquent, les principes hydrodynamiques qui régissent le comportement des sous-marins n'ayant rien à voir avec ceux gouvernant les déplacements des cétacés, même ceux des plus gros.

Milieu naturel et laboratoire visent donc des objectifs différents; ils offrent des possibilités différentes et présentent des limites différentes. Il est plus fructueux de les concevoir comme complémentaires que comme rivaux.

En plus de l'être en regard de la représentativité des populations de sujets et de contextes ou situations de recherche, la validité externe est également tributaire de la représentativité d'autres populations, que ce soit celle des examinateurs qui enregistreront les réponses des sujets ou celle des lieux géographiques ou culturels de production de ces réponses. Signalons à cet égard que Neale et Liebert (1973) formulent plusieurs suggestions pertinentes concernant la possibilité de généraliser les résultats d'une recherche au-delà de la personne du chercheur lui-même et de son mode particulier d'opérationnalisation des variables indépendante et dépendante.

Enfin, quelle que soit la population concernée, il importe de bien saisir que les choix à poser en vue de maximiser la validité externe doivent être davantage jugés en référence à la démarche sous-jacente à la réalisation de la totalité d'un programme de recherche, comportant plusieurs études particulières qui éclairent un problème donné, qu'en référence à la réalisation de n'importe laquelle de ces études prise isolément. C'est en effet à l'accumulation de recherches, dont l'ensemble des caractéristiques s'approchent de celles des populations cibles en cause, qu'il faut procéder. Il est bien peu réaliste de tenter de concevoir une recherche qui, à elle toute seule, garantirait le même degré d'approximation.

VARIABLES INDÉPENDANTE, DÉPENDANTE ET INTERMÉDIAIRE

Avant d'expliciter ce que recouvrent les notions de variables indépendante et dépendante, il est nécessaire de définir en quoi consiste une *variable*, quel que soit le statut qui lui est dévolu dans une recherche donnée.

Dans un contexte psychologique, constitue une variable toute caractéristique de l'environnement physique ou social de l'organisme étudié ou toute caractéristique de cet organisme, y compris les comportements qu'il produit, dont les manifestations peuvent être comprises dans une classification comportant au moins deux catégories. On peut songer aux caractéristiques définies, par exemple, par la température de la pièce où se déroulent les délibérations d'un jury, par le nombre de membres de ce jury, par le sexe de ces membres, par l'ordre dans lequel ils se sont présentés à la séance et par leur tension artérielle.

Comme nous le verrons plus en détail au chapitre 8, la classification en question correspond par ailleurs à l'échelle de mesure sous-jacente à la caractéristique concernée. Si l'échelle est de *type nominal*, les diverses valeurs que peut prendre la variable ne peuvent être désignées en référence à un continuum de classes. Ces valeurs sont chacune indiquées par une simple étiquette verbale qui n'en permet que l'identification absolue. Dans l'exemple présenté plus haut, il en est ainsi du sexe des membres du jury. On dira alors que la variable assume des *variations qualitatives*, chaque valeur de la variable étant différente des autres sans leur être supérieure ou inférieure en référence à une quelconque dimension numérique. Par contre, si l'échelle est de *type ordinal*, les valeurs possibles, désignées par un rang, sont comprises à l'intérieur de classes ordonnées: il en est ainsi de l'ordre dans lequel les membres du jury se présentent à la séance de délibération. Si, par ailleurs, l'échelle est à *intervalles*, ou à *proportions*, un nombre donné peut être associé à chacune des valeurs de la variable, et des unités séparées entre elles par des distances égales constituent le continuum: il en est ainsi de la température de la pièce où délibèrent les membres du jury, de leur nombre et de leur tension artérielle. Ce nombre et cette tension sont de plus mesurés sur une échelle à proportions, laquelle comporte un zéro absolu qui signale que la valeur zéro correspond effectivement à l'absence totale de la variable en question. Dans le cas des échelles ordinales, à intervalles ou à proportions, on dira donc que la variable se manifeste selon des *variations quantitatives*, soit des variations qu'il est possible de décrire de manière numérique et sur lesquelles il est possible d'effectuer des opérations arithmétiques et, parfois, mathématiques.

Il est enfin bien entendu que toute variable devra être définie de façon opérationnelle, afin que soit explicité ce que recouvre le terme ou le concept par lequel le chercheur la désigne. L'importance de ce caractère opérationnel, principalement en ce qui a trait à la formulation des hypothèses, a déjà été exposée au chapitre précédent. L'énoncé précis et définitif des prédictions n'est en effet possible qu'une fois complètement définies les variables indépendante et dépendante au centre d'une recherche donnée.

Variable indépendante

A la lumière de ces notions générales, il faut donc maintenant s'attacher à comprendre la nature propre d'une variable indépendante.

Définition. Au sens strict, une variable indépendante est une caractéristique de l'environnement physique ou social qui, par suite d'une intervention ou d'une manipulation pratiquée par le chercheur, prend certaines valeurs, afin que son impact sur certains comportements soit évalué. Cette variable est dite indépendante parce que c'est le chercheur seul qui procède à sa définition et à sa mise en place; elle est par conséquent indépendante du sujet ou de tout autre élément extérieur au sujet, élément qui pourrait déterminer le comportement de ce sujet. Construites ou créées par le chercheur, les diverses valeurs de la variable indépendante sont appelées les *niveaux* de cette variable. Si, dans une recherche particulière, une variable indépendante prend quatre valeurs, on dira ainsi qu'il s'agit d'une variable indépendante à quatre niveaux. Toujours au sens strict, une recherche ne comporte l'étude d'une variable indépendante que si son auteur a recours à la méthode expérimentale: il s'ensuit que la variable indépendante est une cause possible ou présumée de certains comportements. Par exemple, le nombre de mots (5, 10, 15, 20 ou 25) de la langue française que le chercheur demande à des anglophones de mémoriser en un court laps de temps peut déterminer à la fois le nombre de rappels corrects produits par ces sujets et leur degré d'anxiété face à l'épreuve de rappel. Dans un système de coordonnées cartésiennes, la variable indépendante, en l'occurrence ici le nombre de mots à retenir (à cinq niveaux), se situe toujours en abscisse.

Selon une acception plus large, on peut aussi considérer comme variables indépendantes des caractéristiques de l'environnement physique ou social que le chercheur ne manipule pas, que ce soit parce qu'il ne peut le faire pour des motifs technologiques ou déontologiques ou parce qu'il choisit de ne pas le faire. Ces caractéristiques existent donc en dehors de l'action possible ou effective du chercheur. A titre d'exemples, on peut citer le nombre de jours d'ensoleillement dans une région donnée, le degré de pollution chimique d'une pièce, la législation fiscale en vigueur ou encore la compétence du partenaire de travail avec lequel les sujets réaliseront une tâche donnée. Par ailleurs, des caractéristiques des sujets eux-mêmes peuvent, dans ce contexte moins strict, être également conçues comme des variables indépendantes. Celles-ci prennent certaines valeurs, présentes d'emblée chez les sujets, indépendamment de l'intervention du chercheur. En effet, dans ce cas, celui-ci ne détermine pas quels sont les sujets qu'il soumettra à tel ou tel niveau de la variable indépendante; à l'inverse, ce sont plutôt les niveaux déjà existants ou déjà établis chez les sujets qui déterminent lesquels d'entre eux participeront à la recherche. Le sexe et l'âge des sujets appartiennent de toute évidence à cette catégorie de variable indépendante. Mais il en est de même, par exemple, de leurs croyances religieuses, de leur état de santé ou de leur dextérité motrice. Ces variables indépendantes au sens large sont donc présentes lorsque le chercheur emploie la méthode corrélationnelle. Il est par conséquent clair que la plus grande réserve s'impose quand il s'agit éventuellement de conclure, au terme d'analyses souvent complexes (Kenny, 1979), que ces variables indépendantes, non manipulées, sont causes des conduites avec lesquelles on les a mises en relation.

Il n'est pas superflu de rappeler que déjà Claude Bernard (1885) rattachait les méthodes expérimentale et corrélationnelle à l'étude de variables indépendantes que cet auteur désignait comme respectivement provoquées et invoquées. Toutefois, quel que soit le statut explicatif de la variable indépendante étudiée dans une recherche, le chercheur doit toujours fournir une définition opérationnelle de sa nature et des niveaux qu'elle assumera. De plus, cette définition doit être suffisamment explicite pour permettre, au besoin, une évaluation de la validité externe des résultats à venir (Bracht et Glass, 1968).

Variations qualitatives et quantitatives. Les dimensions qualitatives ou quantitatives d'une variable ayant déjà été exposées, il suffira ici de les illustrer en donnant un bref aperçu des mêmes considérations métriques appliquées toutefois à la variable indépendante.

Cette dernière varie qualitativement si le chercheur s'intéresse, par exemple, à l'influence d'une stimulation auditive ou visuelle sur l'activité cardiaque du nourrisson. Le même genre de variation sera en jeu si on évalue la capacité de mener à terme certains raisonnements logiques en fonction de la consommation ou de la non-consommation antérieure d'une substance pharmacologique quelconque, ou encore en fonction de la nature de la substance en question.

Les variations quantitatives selon lesquelles une variable indépendante peut être définie se retrouvent lorsqu'il s'agit, par exemple, de mettre en relation le rang (aîné, cadet ou benjamin) qu'occupe un individu dans sa famille et son degré de conformisme. La recherche peut alors également porter sur la rapidité d'assemblage d'un matériel mécanique en fonction du nombre de séances d'entraînement dont des fillettes ont pu profiter.

Types de variables indépendantes. On peut distinguer deux types de variables indépendantes. Le premier se prête à des études expérimentales ou corrélationnelles; de façon très large, il a plutôt trait aux variations de l'environnement, physique ou social, ou aux événements qui y prennent place. Au sujet de l'environnement physique, ce sont évidemment des domaines comme ceux de la perception, de l'apprentissage ou de la psychologie cognitive qui sont les plus fréquemment concernés. A titre d'exemple, il suffit de citer les nombreux travaux illustrant l'impact néfaste de la privation de toute stimulation sensorielle sur le fonctionnement intellectuel (Heron, 1957). Le domaine de la psychophysiologie est également inclus puisque l'environnement interne de l'organisme détermine lui aussi la conduite de l'individu. Pour preuve, on peut invoquer les expériences démontrant la puissance des renforçateurs intracrâniens en tant que régulateurs du comportement (Olds, 1956). Si les variations sont associées à l'environnement social, elles relèvent plus spécifiquement de domaines comme ceux de la psychologie sociale ou de la psychologie de la personnalité et du développement. Le chercheur peut en effet analyser les activités ludiques chez des groupes de jeunes enfants, en fonction de la présence ou de l'absence d'un leader dans ces groupes; le problème peut aussi consister à mettre en rapport le niveau d'aspiration professionnelle de jeunes adolescents et le fait qu'ils fréquentent un établissement scolaire public ou privé. Par ailleurs, il arrive fréquemment en psychologie que la mise en place de la variable indépendante se fasse par l'intermédiaire de directives que le chercheur transmet aux sujets: ces directives demandent que telle ou telle tâche soit exécutée, dans telle ou telle condition. C'est alors la teneur exacte de ces directives qui leur confère une prédominance soit sociale, soit physique.

Le second type de variables indépendantes est défini par les variations de caractéristiques présentes chez les sujets eux-mêmes, soit des variations que traduit plus ou moins directement la personne même de ces sujets. Dans ce cas, les études corrélationnelles sont les seules possibles: divers comportements y sont mis en relation avec, par exemple, l'origine ethnique des sujets, leur quotient intellectuel, leur sens esthétique, le fait qu'ils aient été élevés ou non par leurs deux parents ou l'importance du handicap visuel qui les afflige.

Nombre de variables indépendantes et nombre de leurs niveaux. Il n'existe pas de règle absolue ou de formule magique sur laquelle le chercheur puisse s'appuyer pour décider à la fois du nombre de variables indépendantes autour desquelles s'articulera une recherche particulière et du nombre de niveaux que prendra chacune de ces variables. Il est cependant incontestable que les comportements quotidiens et naturels, aussi bien ceux des humains que ceux des animaux, relèvent d'influences multiples; il peut donc être souhaitable de considérer plus d'une variable indépendante dans une recherche donnée. En contrepartie, l'étude simultanée de plusieurs variables indépendantes à l'intérieur d'une même recherche pose un certain nombre de problèmes pratiques parfois insolubles, qui, par le fait même, peuvent annuler le potentiel d'information à priori contenu dans cette recherche. Le chapitre 5 reviendra sur cette importante question. Pour l'instant, il suffit de mentionner que le fait de soumettre des sujets à un trop grand nombre de variables et de niveaux pourra provoquer chez eux fatigue ou ennui, ce qui modifiera leur comportement, par rapport à ce qu'il aurait été sans l'intrusion de ces effets secondaires ou parasites. Si, par ailleurs, des individus différents sont respectivement soumis à chacune des variables indépendantes et à chacun de leurs niveaux, le nombre de sujets à recruter peut s'élever considérablement; cet inconvénient sera d'autant plus contraignant qu'il s'agira de sujets rares ou présentant des caractéristiques peu fréquentes. Le grand nombre de variables indépendantes peut également créer au chercheur lui-même des difficultés d'organisation matérielle et de coordination, ou rendre ses résultats presque impossibles à interpréter.

Il existe toutefois une règle concrète et pragmatique qui devrait guider le chercheur dans son choix. Cette règle veut que le nombre de variables indépendantes à l'étude dans une recherche et le nombre de leurs niveaux correspondent au nombre qu'exige l'émergence d'une réponse claire et adéquate à la question génératrice de la recherche ou la vérification appropriée des hypothèses de cette recherche. Il s'agit donc, avant tout, d'évaluer le nombre à partir duquel la validité interne de la recherche est assurée.

Nature des variables indépendantes. C'est toujours et uniquement le contenu du problème spécifique à étudier qui dicte la nature des variables indépendantes à établir dans une recherche donnée. Si ce problème a déjà été abordé dans des études antérieures, le chercheur pourra s'inspirer plus ou moins complètement des choix effectués dans ces études. Mais, que le problème ait été plus ou moins bien exploré, la perspicacité et le jugement du chercheur doivent toujours intervenir dans la prise de décision. En effet, s'il est clair que l'apport des compétences personnelles du chercheur est capital dans le cas d'un problème peu exploré, cet apport peut aussi être à l'origine de percées fructueuses s'il débouche sur une façon relativement nouvelle de concevoir des problèmes abondamment analysés. A ce titre, on peut citer la contribution des travaux qui, surtout menés à partir de 1965 (Rosenthal et Zimmerman, 1978), ont établi l'impact de diverses facettes de l'environnement social sur le développement cognitif de l'enfant, les travaux antérieurs n'ayant souvent considéré que l'influence de l'environnement physique ou le poids des caractéristiques intellectuelles des sujets eux-mêmes.

Variable dépendante

Une fois situés les éléments antécédents ou concomitants du comportement, il faut considérer le comportement lui-même.

Définition. C'est en effet sur le comportement que le chercheur compte mesurer l'influence de la variable indépendante. Ce comportement reflète donc l'action de la variable indépendante: il consiste en la conduite résultant de cette action. C'est pourquoi le comportement constitue la variable dépendante d'une recherche donnée. Ainsi, le fait que les variations du comportement dépendent des variations de la variable indépendante, et donc qu'elles en soient fonction, est clairement illustré lorsque le chercheur procède à une représentation graphique de ses résultats sur des coordonnées cartésiennes. Dans ce contexte, la variable dépendante se situe toujours en ordonnée.

Comme la variable indépendante, la variable dépendante doit être définie en termes opérationnels, de manière à éviter toute ambiguïté. Par exemple, le chercheur ne mesurera pas l'anxiété des sujets, ce concept étant trop vague; il enregistrera plutôt, dans telle ou telle situation, leur rythme cardiaque, leurs gestes ou leurs écrits. Cependant, la définition de la variable dépendante n'est pas assortie, par commodité conventionnelle, de l'identification des niveaux de cette variable. Certes, une telle identification serait possible et même facile dans certains cas où la réponse du sujet ne se manifeste que selon un nombre d'éventualités qui est petit et connu à l'avance: par exemple, on pourrait concevoir une situation d'invasion de son espace personnel où le sujet ne peut que rester sur place ou reculer. En revanche, il existe des cas où le nombre de réponses que le sujet peut produire est très élevé et où il serait à toutes fins utiles impensable d'en dresser à priori la liste exhaustive. Il en serait ainsi, par exemple, si on voulait établir, à la suite d'une hausse notable des budgets gouvernementaux consacrés à la recherche scientifique, comment se réorganisent toutes les facettes de l'activité quotidienne de recherche à laquelle s'adonnent les psychologues en milieu universitaire.

C'est la notion de variable dépendante qui fait directement intervenir la notion de sujet. Danzinger (1985) a d'ailleurs retracé l'évolution de cette dernière depuis les origines de la psychologie scientifique. De manière générale, le sujet est l'individu, animal ou humain, dont proviennent les données que traite ensuite le chercheur: c'est donc invariablement le sujet qui produit les comportements, ou la variable dépendante, qu'enregistre le chercheur.

Variations qualitatives et quantitatives. Les diverses valeurs assumées par la variable dépendante sont associées à des variations qualitatives lorsque, par exemple, le comportement enregistré consiste, pour un enfant de 10 mois, à pleurer, à grimacer ou à rire devant un adulte étranger. Le même ordre de variations est en cause lorque le sujet tente de retrouver un mot qu'il a sur le bout de la langue et que, pour y parvenir, il adopte l'une des trois stratégies suivantes: il procède par associations phonétiques, il a recours à des associations sémantiques ou il tente de se souvenir du nombre de syllabes comprises dans le mot.

Sur le plan quantitatif, la variable dépendante pourrait, par exemple, résider dans l'ordre selon lequel le sujet emploie les diverses stratégies de recouvrement énumérées précédemment, advenant qu'il ne se limite pas à une seule d'entre elles. On peut également songer à la cote que le sujet obtient dans un test d'intérêt, à la vitesse à laquelle il assemble des blocs pour reproduire un dessin quelconque, à la durée du contact visuel qu'il entretient avec les écoliers dont il a la charge, ou au nombre de jours durant lesquels il est absent de son travail. D'autres mesures quantitatives des comportements peuvent porter, entre autres, sur leur intensité et leur latence.

Mesure de la variable dépendante. Lorsque la variable dépendante est clairement définie, ainsi que la nature des variations à observer, il reste à identifier les instruments qui en permettront une mesure adéquate, c'est-à-dire une mesure valide, objective et fidèle. Ces caractéristiques essentielles des mesures à recueillir seront explicitées aux chapitres 8, 9 et 10. Il s'agit en outre à ce stade de choisir un instrument qui fournisse des données traduisant vraiment les comportements recherchés, compte tenu des définitions opérationnelles adoptées et de l'hypothèse ou de la question génératrice du travail. Il est également essentiel que la mesure dépende le moins possible des décisions ou de l'interprétation personnelle de l'individu qui procède à l'enregistrement. Enfin, il est nécessaire de s'assurer, tel que mentionné au début du présent chapitre, de l'absence de *fluctuations dans le fonctionnement de l'instrument*, donc de vérifier qu'il fournit bien toujours les mêmes évaluations lorsqu'il mesure les mêmes conduites. La fidélité ou la stabilité d'un instrument de mesure est généralement assez élevée si l'enregistrement se fait par l'intermédiaire d'un appareil quelconque — pourvu que son calibrage ne subisse aucune variation au cours de la prise d'une mesure, ou d'une prise de mesure à une autre — ou s'il s'appuie sur l'emploi d'un test ou d'un questionnaire adéquatement construit. La même constance est cependant plus difficile à obtenir si c'est un observateur qui enregistre les comportements. Il est alors possible qu'une certaine variabilité s'installe dans les critères auxquels il se réfère pour noter ou non un comportement et pour le classifier dans telle ou telle catégorie. Bref, à condition que l'instrument soit valide et fidèle, toute possibilité d'automatisation du processus de mesure contribue à accroître la validité interne des données recueillies. Ce gain pourrait toutefois s'accompagner d'une perte concernant la validité externe si la situation automatisée altérait trop considérablement la signification que lui accordent les sujets et affaiblissait ainsi la probabilité qu'ils y déploient vraiment les conduites que le chercheur vise à enregistrer.

Toujours en ce qui concerne la validité interne, d'autres dangers ou sources possibles d'erreurs sont reliés, comme nous l'avons vu précédemment, aux attentes respectives qui habitent le sujet et le chercheur dans la situation de mesure. Les *attentes du sujet* n'interviennent évidemment que lorsque celui-ci participe consciemment à une recherche et non pas, comme dans le cas de certaines études menées en milieu naturel, quand le sujet ne sait pas que ses comportements sont enregistrés à la dérobée (alors que, par exemple, il termine des mots croisés pendant un long trajet en train, engage une conversation avec les passagers qui l'entourent ou sommeille durant quelques minutes), cette observation s'effectuant évidemment en conformité avec les préceptes du code déontologique. Cependant, lorsque le sujet participe sciemment à une recherche, peu importe qu'elle vise à établir l'impact de la publicité sur les habitudes alimentaires ou celui de directives particulières sur la suggestibilité hypnotique, sa participation comporte certaines attentes face à ce qu'il peut retirer et face à ce que le chercheur conclura sur la valeur de ses réponses. Le sujet élaborera donc ses propres hypothèses concernant les objectifs de la recherche, en se basant sur l'information véhiculée par la situation dans laquelle il se trouve. Selon les sujets, ces objectifs présumés correspondront avec plus ou moins d'exactitude aux objectifs réels. Quoi qu'il en soit, les motivations des sujets peuvent prendre différentes colorations qui varient d'un individu à l'autre et, même, d'un moment à l'autre chez un même individu. Ces différences sont à l'origine de ce que Weber et Cook (1972) identifient comme étant les différents rôles qu'adoptent les participants à une étude. Le plus fréquent de ces rôles repose sur l'appréhension qu'éprouvent les sujets dans un contexte où ils se savent évalués sans trop bien pouvoir repérer quels aspects de leur comportement sont la cible de l'évaluation. Une telle inquiétude les conduit souvent à tenter de se présenter sous un jour qu'ils croient être favorable aux yeux du chercheur. Ils adopteront alors, à divers degrés, une attitude de complaisance (en anglais, *social desirability*) les amenant à répondre dans la direction qu'ils jugeront la plus acceptable en référence à des normes sociales, même si une telle réponse n'est pas un indicateur juste de leur comportement ou de leur point de vue (Edwards, 1970). De plus, les sujets souhaitent souvent garder de leur participation une image ou une impression d'eux-mêmes qui les satisfasse (Christensen, 1980). Il est presque impossible de supprimer totalement de tels biais, les sujets n'étant précisément pas de simples objets minéraux ou végétaux soumis à l'examen du chercheur en s'abstenant d'interpréter les fins de cet examen. En revanche, il est toujours nécessaire de faire en sorte que le sujet ignore à la fois la nature de la variable indépendante dont il subit l'action et le niveau de cette variable auquel il est soumis: on dira donc que la variable indépendante est manipulée à son insu. Dans certains cas, il sera même opportun d'avoir recours à une certaine forme de déguisement des objectifs poursuivis. Le recours à cette pratique doit évidemment être subordonné à l'application des principes déontologiques, ceux-ci garantissant que le sujet n'en subit aucun dommage sérieux.

Les *attentes du chercheur* sont plus spécifiques car elles se concentrent autour du fait que ce chercheur souhaite obtenir des résultats conformes aux hypothèses posées. Or, il arrive qu'il transmette aux sujets (même animaux), de manière non délibérée ou non intentionnelle, des renseignements qui orientent les réponses produites dans la direction des résultats souhaités. Ces renseignements peuvent être communiqués par les dimensions verbales (paroles, débit, intonation, etc.) et non verbales (regard, sourire, posture, etc.) des actes qu'il pose. Chaque fois que les conduites à enregistrer pourraient être affectées par de tels renseignements, le chercheur devrait plutôt confier la cueillette des données à un assistant à qui il explicitera en détail la marche à suivre sans, cependant, lui révéler le contenu des hypothèses à vérifier ou des objectifs de fond. Lorsque, par ailleurs, l'assistant risque de parvenir à inférer la nature des hypothèses, ou lorsque le chercheur procède lui-même à la cueillette des données parce qu'il ne dispose pas des ressources lui permettant de s'adjoindre de l'aide, certaines précautions dites de double insu (en anglais, *double blind procedure*) doivent être mises en place dans le but d'assurer une neutralité maximale. Si, par exemple, le sujet doit bien sûr ignorer qu'il est soumis à celui, parmi trois entraînements à la relaxation, que l'hypothèse prévoit être le plus efficace, la personne qui évalue l'impact de l'entraînement ne doit pas être celle qui a administré cet entraînement. Puisqu'elle ne connaît pas qui sont les sujets ayant subi tel ou tel entraînement, elle ne pourra donc diriger inconsciemment leur comportement afin qu'il s'ajuste au contenu de la prédiction. Sujet et examinateur étant ainsi relativement neutres en regard de ce qu'ils doivent respectivement produire et mesurer, leurs attentes propres devraient être réduites.

Par ailleurs, d'autres caractéristiques physiques (par exemple, le sexe ou la couleur de la peau), psychologiques (par exemple, l'anxiété ou l'estime de soi) et sociales (par exemple, le statut professionnel ou l'expérience) de la personne qui recueille les données sont susceptibles d'agir de manière différentielle sur le comportement des sujets. Ainsi, dans une recherche sur la production de termes hostiles après un conditionnement verbal, les sujets s'exprimant devant une expérimentatrice toute menue ont émis davantage de mots traduisant de l'hostilité que l'ont fait ceux examinés par un expérimentateur grand et costaud (Binder *et al.*, 1957). Les différentes caractéristiques de l'examinateur peuvent donc porter atteinte à la validité interne des résultats, en brouillant l'effet propre à la variable indépendante par l'ajout d'un effet en général impossible à évaluer et qui pourrait être variable selon les sujets. C'est l'ensemble de toutes ces facettes de l'impact qu'exercent les caractéristiques de la personne recueillant les données et sa connaissance de l'hypothèse qu'elle met à l'épreuve que désigne l'expression «effet de l'expérimentateur» (Rosenthal, 1976).

Au total, la configuration d'informations que livrent la personne du chercheur et son comportement, de même que la globalité de la situation de recherche par le biais de laquelle le sujet est en contact avec le chercheur, définissent une classe d'indices, distincts de la variable indépendante, qui peuvent dévoiler au sujet la nature au moins partielle des attentes du chercheur et guider en conséquence son comportement. C'est à cette réalité que renvoie la notion d'exigences implicites (en anglais, *demand characteristics*) de la situation de recherche (Orne, 1962).

En bref, les divers problèmes que soulève l'activité de mesure de la variable dépendante souligne bien le fait que les participants d'une recherche sont confrontés à une sorte d'interaction sociale, minimale quant à sa forme il faut en convenir, mais qui met bien en présence deux protagonistes, soit le chercheur, ou son représentant, et l'individu qui manifeste des comportements en convergence ou non avec les résultats anticipés par le chercheur. Rosenthal (1976) a examiné en détail les conséquences de cet état de choses et les correctifs à y apporter, le plus sûr étant l'automatisation maximale du processus de cueillette des données.

Il importe finalement de mentionner que les instruments de mesure de la variable dépendante se regroupent en trois grandes classes. Il s'agit d'abord des *appareils*, ceux-ci allant de la simple règle à mesurer jusqu'à l'ordinateur le plus complexe. De nouveaux appareils étant constamment conçus et fabriqués, que ce soit pour la réalisation d'une recherche particulière ou en vue d'une exploitation commerciale, il est impossible de dresser la liste complète des outils qui s'offrent au chercheur sur ce plan. Celui-ci peut toutefois consulter des sources générales d'information, comme l'ouvrage de Sidowski (1966) ou les périodiques *Behavior research methods and instrumentation* (publié de 1968 à 1983) ou *Behavior research methods, instruments, and computers* (publié depuis 1984). Viennent ensuite les *tests* (évaluant par exemple les traits de personnalité, les aptitudes et les habiletés de tout type) et les *questionnaires*; si l'élaboration des premiers comporte l'utilisation d'un grand échantillon pour parvenir à une normalisation des réponses mesurées, celle des seconds est souvent faite uniquement en fonction des besoins d'une étude particulière. Le domaine de l'élaboration de nouveaux tests et de l'évaluation de la qualité des tests existants est celui propre à la psychométrie. Le chapitre 9 exposera par ailleurs les éléments à considérer dans la construction et l'utilisation des questionnaires. Il y a enfin les *techniques d'observation* dans le cadre desquelles ce sont les organes sensoriels (visuels et auditifs) mêmes de la personne qui recueille les données (que ceci se fasse directement ou par l'intermédiaire d'un enregistrement cinématographique ou magnétique) qui jouent le rôle d'instrument de mesure. Cette dernière grande classe d'instruments sera présentée plus en détail au chapitre 10.

Il faut bien comprendre que la validité de la mesure et celle de l'ensemble de la recherche ne dépendent assurément pas de façon absolue de la complexité technique, de la taille ou du coût de l'instrument de mesure utilisé. La validité tient plutôt à la pertinence de l'instrument choisi: celui-ci doit convenir le mieux possible aux comportements et aux sujets en cause, ainsi qu'aux contextes dans lesquels ces sujets ont à produire ces comportements. Ainsi, l'ordinateur le plus perfectionné ne conviendrait pas à l'étude du comportement parental, que ce soit chez certaines espèces d'oiseaux ou chez les couples humains. A l'opposé, le questionnaire ou la grille d'observation les plus raffinés s'appliqueraient mal à la mesure des rythmes électroencéphalographiques ou de la capacité de discrimination auditive. Par ailleurs, il n'y a aucune relation entre la classe d'instruments de mesure et la méthode d'acquisition des connaissances utilisée. Cette dissociation des deux ordres de considération entraîne que toutes les combinaisons sont possibles; toute recherche basée sur la

Tableau 4.1

Exemples de thèmes de recherche utilisant chacune des trois catégories d'instruments de mesure lorsque chacune des trois principales méthodes d'acquisition des connaissances est exploitée

Instrument de mesure / Méthode d'acquisition des connaissances	Appareils	Tests et questionnaires	Techniques d'observation
Observation	1. mouvement des yeux durant le rêve 2. production d'adrénaline chez les délinquants	1. capacité de raisonnement logique des octogénaires 2. profil de réponses de paranoïaques lors de la passation du Rorschach.	1. comportement de coopération chez les prisonniers 2. sourire chez l'enfant de 8 à 12 mois
Corrélationnelle	1. activité cardiaque et niveau de phobie 2.*temps de latence du réflexe palpébral et tension musculaire	1. intérêts professionnels et rang dans la famille 2.*anxiété et conformité sociale	1. comportement de recherche de la nourriture pour les petits et âge des geais parents 2.*comportement de dépendance et capacité de communication non verbale
Expérimentale	1. seuil différentiel auditif en fonction du nombre d'heures de privation sensorielle 2. activité électroencéphalographique en fonction de la durée d'une séance d'hypnose	1. capacité de raisonnement mathématique en fonction de directives plus ou moins stressantes 2. valeurs sociales prédominantes en fonction de la présence ou de l'absence d'un entraînement à l'empathie	1. imitation de l'agressivité en fonction du nombre de modèles 2. résolution de problèmes spatiaux en fonction du contenu de la règle transmise à des adolescents

* Les *deux* variables mises en relation sont alors mesurées avec le même type d'instrument.

méthode expérimentale, ou sur toute autre méthode, peut donc comporter l'utilisation des appareils, des tests ou des questionnaires, ou encore des techniques d'observation. Il n'existe aucun lien intrinsèquement nécessaire entre l'emploi de telle méthode et celui de telle classe d'instruments. C'est cette complète indépendance entre méthode et instrument qu'illustre le tableau 4.1.

Nombre de variables dépendantes. Une même recherche peut exiger la mesure de plusieurs variables dépendantes. Celles-ci peuvent être respectivement associées à des comportements différents. Par exemple, il arrivera que l'effet d'un programme de conditionnement physique soit évalué à partir de l'image corporelle développée par les individus qui l'ont complété, à partir également de la quantité d'alcool qu'ils consomment ensuite et de leur désintoxication tabagique éventuelle, à partir enfin de leur capacité à faire face au stress et de leur sensibilité olfactive.

Les diverses variables dépendantes peuvent aussi être constituées par des mesures différentes d'un même comportement. Par exemple, l'empathie que ressent le sujet — lorsqu'il est témoin de l'administration d'une punition à un second individu — peut être estimée par l'enregistrement de sa résistance électrodermale, de ses commentaires oraux spontanés, de ses réponses écrites à des questions, de sa contenance et de sa posture. Cette mesure multidimensionnelle ou multivariée d'un comportement en permet une évaluation plus riche. C'est précisément le fait que chaque type de mesure capte un aspect donné de la réalité empirique à l'étude que véhicule la notion de triangulation de la mesure (Denzin, 1970). L'intégration de l'information issue d'un faisceau de sources diverses donne donc du comportement en cause une évaluation plus complète que celle basée sur n'importe laquelle de ces sources isolées.

C'est évidemment la nature du problème à l'étude et la nature des objectifs poursuivis qui dictent au chercheur le nombre de variables dépendantes qu'il doit considérer.

Nature des variables dépendantes. Il en est également ainsi en ce qui concerne la nature des variables dépendantes, celles-ci devant fournir le reflet le plus authentique possible du phénomène étudié. Il s'agira en outre de celles qui, selon toute probabilité, sont les plus sensibles à l'action des variables indépendantes et assurent donc qu'on puisse en détecter réellement les effets.

Sur un plan plus pratique, le chercheur optera ensuite pour celles qui garantissent la meilleure protection morale des sujets examinés, et celles qu'il peut le plus facilement obtenir, compte tenu du contexte dans lequel ces sujets évolueront. Il pourra enfin désirer ajuster son choix aux ressources financières dont il dispose, certains comportements étant plus coûteux à enregistrer que d'autres, à cause de l'équipement ou du personnel technique requis.

Variable intermédiaire

Les notions de variables indépendante et dépendante suffisent, selon certaines écoles de pensée, à la description et à la compréhension des comportements animaux et humains. Ainsi, se ralliant à la position skinnérienne, certains chercheurs s'appuient sur un schéma explicatif dit S-R où une stimulation (S) provenant de l'environnement du sujet — ou une variable indépendante — est responsable de la réponse (R) de ce sujet — ou de la variable dépendante.

D'autres chercheurs, dont le premier fut Tolman (1938), ne rejettent pas totalement ce point de vue, mais le jugent incomplet: ils préconisent plutôt un schéma dit S-O-R où la composante ajoutée représente l'organisme (O) ou le sujet lui-même. Entre les variables indépendante et dépendante, ils insèrent l'intervention d'une ou de plusieurs variables appelées *intermédiaires*. Celles-ci ont la particularité de prendre des valeurs présumées qui ne sont pas directement observables. Ces valeurs sont tributaires de l'action des variables indépendantes; elles exercent ensuite leur propre impact sur les valeurs des variables dépendantes. En général, les variables intermédiaires correspondent à des processus psychologiques ou à des activités intérieures des sujets, processus et activités déclenchés par les variables indépendantes et dont la présence et les caractéristiques sont révélées par une inférence effectuée à partir des variations des comportements manifestes.

A titre d'exemple, on peut penser à la motivation d'un sujet à résoudre des problèmes. Ainsi, cette motivation peut être conçue comme d'abord déterminée par le nombre d'heures écoulées depuis la dernière ingestion de nourriture par un babouin; c'est cette motivation qui, ensuite, détermine la vitesse avec laquelle l'animal empile un certain nombre de boîtes pour avoir accès à des aliments suspendus au plafond. La motivation peut également être éveillée par la compétence et l'enthousiasme d'un professeur; c'est elle qui, ensuite, régit le nombre de problèmes de mécanique quantique auxquels des apprentis physiciens décident de s'attaquer.

Ces variables intermédiaires, qui font office d'agents de médiation entre l'environnement et le comportement, doivent cependant être rattachées à leurs déterminants et à leurs conséquences empiriques. Comme l'indiquent MacCorquodale et Meehl (1948), leur définition ne doit recouvrir ou receler aucun élément qui ne soit réductible aux référents empiriques antécédents et conséquents. Selon ces auteurs, si cette condition n'est pas remplie, c'est plutôt un construit hypothétique que le chercheur utilise, se référant à un concept dont une partie au moins ne peut être étudiée scientifiquement. Certains concepts psychanalytiques, comme ceux de la libido ou du sur-moi, en sont des exemples.

Les variables intermédiaires ont donc un statut différent de celui des variables indépendantes et dépendantes. Y faire appel constitue une option qui dépasse les seules considérations méthodologiques. Se situant à l'extérieur de la démarche méthodologique en tant que telle, elles n'affectent pas le degré de validité interne ou externe d'une recherche donnée.

CONTROLE

La définition des variables indépendante et dépendante à étudier dans une recherche donnée équivaut à l'identification des termes de départ et d'arrivée concernant la relation de causalité à démontrer. Si l'objectif est plutôt corrélationnel, les deux termes à mettre en parallèle sur le plan de leur concomitance sont connus. Enfin, quand on choisit une optique d'observation, la nature et l'extension des comportements à décrire sont établies.

Objectifs du contrôle

Dans les trois cas, il reste à franchir une étape capitale qui, selon qu'elle est exécutée ou non avec le plus grand soin, peut garantir ou, au contraire, mettre en péril le succès de toutes les phases antérieures. Cette étape déterminante consiste à prévoir toutes celles des dispositions de contrôle qui sont nécessaires à la maximisation de la validité interne et qui n'ont pas déjà été arrêtées. Ces dispositions empêcheront l'intervention différentielle d'autres variables que celles au cœur de la recherche.

Au sens strict, les moyens de contrôle visent donc à neutraliser l'effet possible des autres variables, de manière à ce que l'effet de la variable indépendante puisse être isolé, ou de manière à ce qu'il ne soit pas contaminé par le jeu de variables qui ne sont pas à l'étude. Autrement, il sera impossible d'affirmer que les variations de la variable dépendante ne sont dues qu'aux variations de la variable indépendante manipulée, et non pas également — et à un degré impossible à évaluer parce que non défini — à l'action de variables extérieures non contrôlées. Le rôle éventuel de ces dernières, appelées aussi variables parasites, pourrait alors servir de base à une interprétation du phénomène étudié qui soit différente de celle proposée, sans qu'il soit empiriquement possible de la rejeter. Il s'agit donc d'appliquer le principe contenu dans l'expression «toutes choses égales par ailleurs», laquelle signifie que, toutes les variables autres que la variable indépendante étant contrôlées, la variable indépendante peut être déclarée la seule vraiment à l'origine des manifestations de la variable dépendante. Compte tenu des adaptations requises par les méthodes corrélationnelle et d'observation, le même principe s'applique à leur utilisation respective.

Dans certains cas où le chercheur fait face à des obstacles sérieux dans l'application de ce principe — obstacles qu'il ne peut contourner — il sera amené à renoncer à poursuivre la recherche prévue puisqu'elle débouchera sur des résultats ambigus ou impossibles à interpréter, donc des résultats non valides. Il pourra arriver qu'entre autres des progrès technologiques à survenir dans des domaines plus ou moins voisins du sien lui permettront ultérieurement de procéder à la recherche qu'il aura été forcé de mettre de côté. A titre d'exemple, on peut penser à l'essor relativement récent de l'étude des phénomènes de rétroaction biologique: même si cette étude avait déjà été envisagée vers 1930, le déblocage ne fut possible que vers 1960, lorsqu'on put utiliser le curare pour empêcher ou neutraliser toute activité musculaire et démontrer ainsi en laboratoire que divers paramètres de l'environnement physique pouvaient régir les variations des réponses végétatives (Miller, 1969).

Types de variables à contrôler

Puisque certaines variables autres que la variable indépendante sont, comme elle, susceptibles d'influencer les comportements mesurés, la nature des caractéristiques qui les définissent est évidemment identique à celle des caractéristiques qu'on peut manipuler au titre de variable indépendante. Il existe donc deux types de variables à contrôler: ces variables se retrouvent dans l'environnement physique et social, ou bien elles relèvent des caractéristiques des sujets eux-mêmes. Selon les objectifs de son travail et la nature des réponses qu'il compte y obtenir, le chercheur devra éliminer ou neutraliser, par exemple, les stimulations sonores pouvant distraire les sujets et diminuer leur concentration, la présence d'observateurs pouvant les inciter à censurer l'exposé oral de leurs problèmes sentimentaux, ou le degré de familiarisation qu'ils possèdent à l'endroit d'une tâche d'orientation spatiale. C'est bien parce que ces variables ne servent pas de référence à l'analyse des comportements ou des variables dépendantes — mais qu'elles pourraient au contraire brouiller cette analyse — qu'elles doivent être contrôlées afin que puisse être dégagé l'impact des variables indépendantes.

Dans une recherche particulière, l'identification des variables à contrôler doit reposer sur une maîtrise approfondie du domaine concerné. C'est en prenant connaissance à fond des résultats des recherches antérieures qu'il est possible d'accéder à cette maîtrise. Par exemple, on a montré que, lorsqu'un sujet tente d'acquérir un nouveau comportement moteur en observant la démonstration d'un modèle compétent, le taux d'apprentissage est moins élevé si le modèle fait face à l'observateur — qui doit donc, avant de la traiter, inverser l'image en miroir des gestes à réaliser — que si ce modèle lui tourne le dos — et effectue donc les réponses en occupant dans l'espace la même position que l'observateur — (Roshal, 1961). Dans une recherche ultérieure, prévoyant que l'apprentissage par observation sera plus marqué si la démonstration du modèle porte plutôt sur le maniement du fleuret que sur l'exécution du saut à la perche, il sera donc nécessaire de contrôler la position du modèle par rapport à celle de l'observateur. Par contre, le chercheur s'étant renseigné sur l'influence possible de certaines variables et ayant conclu que cette influence était nulle ou négligeable, il décidera en conséquence d'ignorer ces variables dans la préparation de sa recherche.

En plus de tenir compte du résultat des recherches antérieures, le chercheur ne doit évidemment pas négliger celui de ses propres réflexions, lesquelles peuvent parfois se limiter à de simples références au sens commun. Ainsi, dans une étude dont l'objectif est d'établir si les introvertis réagissent de manière plus rapide et plus appropriée lors de la simulation d'un dérapage automobile, il est certes nécessaire de vérifier avant tout que les sujets ont déjà piloté une automobile.

Modalités de contrôle

Le contrôle des variables non pertinentes aux objectifs d'une recherche donnée, mais pouvant être à l'origine des variations du comportement évalué, peut s'effectuer selon trois modalités qui ont toutes pour conséquence d'accroître la validité interne d'une recherche, tout en satisfaisant à divers degrés aux exigences de la validité externe. Ce dernier ordre de considérations n'intervient toutefois que si le chercheur envisage la généralisation de ses conclusions.

Maintien des variables à un niveau constant. Le chercheur peut d'abord procéder à l'annulation de l'effet d'une variable parasite sur la variable dépendante en permettant à la première de ne prendre qu'une seule valeur ou de n'avoir qu'un seul niveau, quels que soient les niveaux de la variable indépendante. Étant donné que la variable contrôlée agira ainsi de la même façon, ou dans la même proportion, pour tous les niveaux de la variable indépendante, les différences qui apparaîtront dans la mesure des comportements ne pourront être attribuées à l'action de la variable contrôlée. Cette action aura été constante et invariante. Les variations de la variable dépendante pourront donc être légitimement interprétées comme les effets de la variable indépendante.

Par exemple, le chercheur sait que, dans la situation d'étude de la logique verbale qui l'intéresse, les adolescentes obtiennent de meilleurs résultats que les adolescents. Or il cherche à déterminer si le rendement dans la tâche logique varie selon que les sujets ont au préalable acquis ou non certaines notions mathématiques. Il pourra donc neutraliser la contamination qui pourrait être associée au sexe des sujets en ne recrutant que des sujets féminins, ou que des sujets masculins.

Le niveau auquel on maintient constante la variable contrôlée peut également correspondre à son absence totale. L'effet potentiel de cette variable est alors carrément éliminé. Par exemple, s'il est connu que la durée de l'intervalle temporel séparant deux événements affecte le souvenir qu'on en garde, alors que le chercheur s'intéresse plutôt à l'influence du degré de similitude entre les deux événements, le recours à un intervalle de durée à toutes fins utiles nulle supprimera l'effet indésirable.

Si cette première modalité de contrôle est tout à fait efficace concernant la validité interne, elle est toutefois très restrictive sur le plan de la validité externe. Les conclusions tirées ne vaudront en effet que pour le niveau particulier auquel on aura contrôlé la variable. Elles ne pourront être généralisées sans risque d'erreur aux autres niveaux de cette variable. Ainsi, dans les exemples mentionnés plus haut, les résultats ne concerneront pas les adolescents indépendamment de leur sexe; ils ne pourront pas être considérés valables quand les deux événements auront été séparés par des intervalles de 5, 30 ou 90 minutes.

Variation systématique. En second lieu, le contrôle peut s'effectuer par l'établissement d'une variation systématique de la variable à neutraliser. Il s'agit donc de sélectionner une gamme précise de valeurs que peut prendre la variable en question, en faisant en sorte que toutes ces valeurs se retrouvent respectivement à tous les niveaux de la variable indépendante. L'amplitude des variations de la variable à contrôler et la nature de ses niveaux étant les mêmes pour tous les niveaux de la variable indépendante, les comportements enregistrés ne seront donc pas entachés de l'action différentielle de la variable contrôlée; ils ne refléteront par conséquent que l'impact de la variable indépendante.

Par exemple, dans une étude concernant les effets de l'apprentissage d'une langue seconde sur la facilité à faire des associations à partir de mots appartenant au répertoire de la langue maternelle, il serait pertinent de contrôler le degré d'abstraction ou d'imagerie de ces mots. On pourrait donc déterminer cinq degrés d'abstraction et choisir pour chacun d'eux 10 mots. Que le sujet ait été soumis ou non à l'apprentissage, on lui présenterait les 50 mots. Par conséquent, si la présence ou l'absence de l'apprentissage entraîne des différences sur le plan de la facilité à former des associations, ces différences ne pourront être imputées au degré d'abstraction des mots présentés. D'autre part, les résultats seront plus généralisables que si un seul degré d'abstraction avait été considéré.

Le contrôle par variation systématique autorise donc une meilleure validité externe que celui qui comporte le choix d'un seul niveau de la variable non pertinente.

Variation au hasard. Finalement, il est possible de laisser varier au hasard la variable à contrôler, c'est-à-dire de lui accorder la possibilité de jouer librement, ou comme elle le fait dans la production normale des comportements à l'étude, quand le chercheur ne les mesure pas. On postule alors que les valeurs prises par la variable non pertinente se répartiront selon la même distribution que celle qui opère quotidiennement — en dehors de tout contexte de recherche — et qu'elles ne dénatureront donc pas l'effet de la variable indépendante. Ce postulat n'est toutefois respecté que lorsque le nombre de manifestations de la variable est élevé, ce qui permet idéalement à toutes les valeurs d'apparaître comme elles le feraient naturellement. La similitude entre la distribution à l'intérieur de l'échantillon de sujets — ou de situations — et la distribution de la population globale de sujets — ou de l'ensemble de situations — ne peut en effet être admise que dans les cas où l'échantillon est de grande taille. La distribution des variables sera souvent normale, c'est-à-dire que grosso modo les valeurs centrales ou modérées de la variable seront plus fréquentes que les valeurs extrêmes.

Par exemple, intéressé par les effets de l'isolement social du jeune gorille sur le nombre d'interactions que l'animal amorce une fois replacé dans son habitat, le chercheur offrira à l'animal la possibilité de contacts sociaux dans le cadre desquels il laissera varier au hasard le nombre de partenaires. En milieu naturel, les gorilles sont plus fréquemment en compagnie de 10 autres gorilles qu'en compagnie d'un seul ou de 100; le chercheur pourra donc compter — à condition qu'il enregistre un nombre suffisant de mesures — sur le fait que les comportements des jeunes animaux traduisent bien un effet de l'isolement social, un tel effet n'étant pas contaminé par celui du nombre de partenaires. En effet, ce dernier nombre aura pu assumer le même ensemble de valeurs que celui

qu'il pourrait prendre en dehors de tout contexte d'analyse scientifique.

Même si cette troisième modalité est celle qui favorise le mieux
la validité externe puisqu'elle assure une représentativité maximale,
elle est relativement peu employée en psychologie, probablement
parce qu'elle exige un grand nombre de mesures, de sujets ou de
situations, et que cette contrainte s'avère souvent assez lourde dans
la réalisation pratique d'une recherche requérant un long examen
individuel des sujets au cours de plusieurs séances.

En conséquence, on doit toujours choisir une modalité de
contrôle en fonction à la fois de l'ampleur de la généralisation qu'on
souhaite associer aux conclusions de la recherche et du nombre total
de mesures possibles.

En conclusion, le chercheur ayant pris un certain nombre de
décisions au sujet de la définition des variables indépendantes et
dépendantes qui l'intéressent et au sujet de l'identification des autres
variables dont il doit neutraliser l'influence, il lui reste à articuler
les uns avec les autres, de façon finale et complète, les produits de
ces décisions. L'étape suivante de la préparation de sa recherche
consiste donc à élaborer un plan de recherche, lequel peut prendre
différentes formes comme le démontrera le contenu des trois prochains chapitres. Il faut signaler que l'étape de contrôle ici entamée
se poursuit assurément au moment de la construction du plan de
recherche, l'objectif de ce plan étant aussi de maximiser à la fois
la possibilité ultérieure d'inférences à haute validité interne et l'obtention des données les plus précises possible.

RÉFÉRENCES

Bell, B., M.J. Christie & D.H. Venables: *Psychophysiology of the menstrual cycle,*
in Research in psychophysiology. Venables, D.H. & M.J. Christie (Eds),
(pp.181-207), Wiley, New York, 1975.

Bem, D.J. & D.C. Funder: Predicting more of the people more of the time: Assessing
the personality of situations. *Psychological review, 85*:485-501, 1978.

Berkowitz, L. & E. Donnerstein: External validity is more than skin deep: Some
answers to criticisms of laboratory experiments. *American psychologist, 37*:245-
257, 1982.

Bernard, C. (1885): *Introduction à l'étude de la médecine expérimentale*, Flammarion,
Paris, 1952.

Binder, A., D. McConnell & N.A. Sjoholm: Verbal conditioning as a function of
experimenter characteristics. *Journal of abnormal and social psychology,
55*:309-314, 1957.

Bracht, G.H. & G.V. Glass: The external validity of experiments. *American educational research journal, 5*:437-474, 1968.

Bronfenbrenner, U.: *The ecology of human development*, Harvard University Press,
Cambridge, 1979.

Campbell, D.T. & S.C. Stanley: *Experimental and quasi-experimental designs for research*, Rand McNally, Chicago, 1963.

Chein, I.: *Une introduction à l'échantillonnage,* in Les Méthodes de recherche en sciences sociales. Selltiz, C., L.S. Wrightsman & S.W. Cook (Eds), (pp.501-531), HRW, Montréal, 1977.

Christensen, L.B.: *Experimental methodology* (2e éd. rév.), Allyn and Bacon, Boston, 1980.

Cochran, W.G.: *Sampling techniques,* Wiley, New York, 1953.

Colquhoun, W.P.: *Circadian variations in mental efficiency,* in Biological rythms and human performance. Colquhoun, W.P. (Ed.), (pp.39-107), Academic Press, New York, 1971.

Cook, T.D. & D.T. Campbell: *Quasi-experimentation: design and analysis issues for field settings,* Houghton Mifflin, Boston, 1979.

Danzinger, K.: The origins of the psychological experiment as a social institution. *American psychologist,* **40**:133-140, 1985.

Deconchy, J.P.: Laboratory experimentation and social field experimentation: An ambiguous distinction. *European journal of social psychology,* **11**:323-347, 1983.

Denzin, N.K.: *The research act: A theoretical introduction to sociological methods,* Aldine, Chicago, 1970.

Edwards, A.L.: *The measurement of personality traits by scales and inventories,* Holt, Rinehart & Winston, New York, 1970.

Henshel, R.L.: The purpose of laboratory experimentation and the virtues of deliberate artificiality. *Journal of experimental social psychology,* **16**:466-478, 1980a.

Henshel, R.L.: *Seeking inoperative laws: Toward the deliberate use of unnatural experimentation,* in Theoretical methods in sociology, seven essays. Freese, L. (Ed.), (pp.175-199), University of Pittsburgh Press, Pittsburgh, 1980b.

Heron, W.: The pathology of boredom. *Scientific american,* (janvier) **196**:52-56, 1957.

Huck, S.W. & H.M. Sandler: *Rival hypotheses: Alternative interpretations of data based conclusions,* Harper & Row, New York, 1979.

Kenny, D.A.: *Correlation and causality,* Wiley, New York, 1979.

MacCorquodale, K. & P.E. Meehl: On a distinction between hypothetical constructs and intervening variables. *Psychological review,* **55**:95-107, 1948.

McGuigan, F.J.: *Experimental psychology: A methodological approach,* Prentice-Hall, Englewoods Cliffs, 1978.

Milgram, S.: *Soumission à l'autorité: un point de vue expérimental,* Calmann-Lévy, Paris, 1974.

Miller, N.E.: Learning of visceral and glandular responses. *Science,* **148**:328-338, 1969.

Miller, N.E.: Rx: Biofeedback. *Psychology today,* (numéro 2) **19**:54-59, 1985.

Mook, D.G.: In defense of external invalidity. *American psychologist,* **38**:379-387, 1983.

Neale, J.M. & R.M. Liebert: *Science and behavior: An introduction to methods of research,* Prentice-Hall, Englewood Cliffs, 1973.

Olds, J.: Pleasure centers in the brain. *Scientific american,* (octobre) **195**:105-116, 1956.

Orne, M.T.: On the social psychology of the psychological experiment: With particular reference to demand characteristics and their implications. *American psychologist,* **17**:776-783, 1962.

Rosenthal, R.: *Experimenter effects in behavioral research* (2e éd. rév.), Wiley, New York, 1976.

Rosenthal, T.L. & B.J. Zimmerman: *Social learning and cognition,* Academic Press, New York, 1978.

Roshal, S.M.: *Film-mediated learning with varying representation of the task: Viewing angle, portrayal of demonstration, motion, and student participation,* in Student responses in programmed instruction. Lumsdaine, A.A. (Ed.), (pp.155-175), Academy of Sciences - National Research Council, Washington, 1961.

Rosnow, R.L. & R. Rosenthal: The volunteer subject revisited. *Australian journal of psychology,* **28**:97-108, 1976.

Sidowski, J.B.: *Experimental methods and instrumentation in psychology,* McGraw-Hill, New York, 1966.

Tolman, E.C.: The determiners of behavior at a choice point. *Psychological review,* **45**:1-41, 1938.

Weber, S.J. & T.D. Cook: Subject effects in laboratory research: An examination of subject roles, demand characteristics, and valid inference. *Psychological bulletin,* **77**:273-295, 1972.

Winkel, G.H.: *Ecological validity issues in field research settings,* in Advances in environmental psychology. Baum, A. & J.E. Singer (Eds), Vol. 5 (pp.1-41), Lawrence Erlbaum, Hillsdale, 1985.

CHAPITRE 5

PLANS DE RECHERCHE CLASSIQUES

MICHÈLE ROBERT

Construire le plan qui régira la réalisation effective d'une recherche équivaut à mettre au point un ensemble de dispositions dont découlera une réponse valable à la question explorée, ou une vérification valable des prédictions formulées. Est considérée valable l'information qui donne du phénomène à l'étude une image claire et non équivoque et qui, en conséquence, autorisera à tirer des conclusions légitimes à partir des résultats recueillis. Plus précisément, la stratégie en jeu dans l'élaboration du plan vise à *maximiser la validité interne* des résultats ou, en d'autres mots, à maximiser la probabilité de détection des effets réels des variables qui intéressent le chercheur. En corollaire, l'objectif est de minimiser la probabilité que des interprétations autres que celle envisagée puissent s'appuyer à juste titre sur l'intrusion de variables autres que celles à l'étude, mais que le chercheur a omis de contrôler. Ce dernier peut ne pas être absolument certain de l'intervention de ces autres variables. Cependant, le seul fait que leur action soit plausible, ou simplement possible, suffit à discréditer les résultats — en les rendant ambigus — et à affaiblir la position explicative du chercheur. Il faut donc concevoir un plan qui exclut l'intervention, ne serait-ce que potentielle, de variables non contrôlées. La fonction essentielle d'un plan de recherche en est ainsi une de contrôle des variables dont l'intervention doit être annulée; en conséquence, le plan garantit la manipulation optimale de la variable indépendante présumée causale ou l'identification optimale de la relation de covariation entre deux variables.

Le plan de recherche constitue sans conteste l'*ossature même de toute entreprise empirique*. C'est sur sa valeur que repose celle des résultats. S'il introduit lui-même des sources d'invalidité ou s'il en laisse s'infiltrer, les conclusions de la recherche seront irrémédiablement nulles, même si l'analyse statistique des données s'avère ultérieurement hautement puissante et raffinée. Seule une reprise de la recherche, cette fois à l'aide d'un plan révisé incluant les précautions nécessaires, permettrait de sortir de l'impasse en résorbant l'ambiguïté.

Une analogie tirée du domaine de l'architecture peut contribuer à concrétiser le rôle capital que joue le plan de recherche. Dans la réalisation d'une recherche, le plan équivaut en effet au devis de l'architecte (ou de l'équipe d'architectes) qui conçoit et supervise la construction d'un édifice. Pour que l'édifice ne s'écroule pas ou ne soit pas rapidement en mauvais état, l'architecte doit tenir compte de multiples facteurs qui sont autant de menaces ou d'entraves à l'exécution durable de son projet. Extérieurs à ce projet, ces facteurs résident, entre autres, dans la composition du sol au site d'érection, dans le profil climatique (écarts de température, vélocité des vents, etc.) et sismologique de ce site et dans les propriétés physiques des matériaux envisagés. Ne pas tenir compte de ces facteurs pourrait entraîner une situation capable d'incommoder à divers degrés les occupants de l'édifice terminé; ceux-ci pourraient même y être engloutis et exterminés, si tant est que l'immeuble résiste assez longtemps pour recevoir des occupants. Les spécialistes de tous ordres (plombiers, électriciens, plâtriers, décorateurs, etc.) qui, une fois l'édifice construit, interviennent en conformité avec le devis ne pourront guère combler les déficiences ou corriger les erreurs structurales ayant entaché le travail de l'architecte.

Le plan de recherche définit essentiellement de quelle manière les sujets seront mis en présence des différents niveaux de la (des) variable(s) indépendante(s), afin qu'on puisse ensuite statuer sans équivoque sur l'impact de cette (ces) variable(s). Le plan correspond donc à une stratégie portant, d'une part, sur la manipulation de ce dont on cherche à mesurer l'effet et, d'autre part, sur la neutralisation de toute autre variable pertinente et donc sur le contrôle de toute variation non voulue. Si l'optique est plutôt corrélationnelle, l'équivalent s'applique à peu près directement. Il est toutefois bien entendu que la notion de plan n'intervient pas à proprement parler dans l'exploitation d'une méthode d'observation, le chercheur ne se préoccupant alors que de définir les variables dépendantes et d'en obtenir une mesure qui soit la plus adéquate possible.

Quelle que soit la méthode d'acquisition des connaissances qu'il applique, le chercheur doit tenter de construire un plan de recherche qui soit optimal. En ce qui a trait à la validité interne, ce plan fera échec à l'action de variables parasites ou extérieures à la recherche; ou encore il permettra de soustraire ou de retrancher cette action de l'ensemble des variations enregistrées, de manière à dégager la contribution des variables à l'étude. L'interprétation à donner aux résultats obtenus en sera clarifiée. En ce qui a trait à la validité externe, dans la mesure où le chercheur désire généraliser ses conclusions à d'autres sujets et à d'autres contextes que ceux examinés, la préparation du plan devra avoir été assortie, comme l'a indiqué le chapitre 4, d'une opération de choix de ces deux classes d'éléments qui soit telle qu'elle autorise ensuite l'extrapolation recherchée.

Il importe de souligner que l'élaboration du plan optimal suppose, en plus de la maîtrise de notions méthodologiques fondamentales, une bonne dose de familiarité avec le phénomène étudié. Seules des connaissances poussées assurent l'identification des variables qui sont susceptibles d'agir sur ce phénomène et qu'il est donc pertinent de manipuler ou, au contraire, de contrôler. Par bonheur, cette familiarité ne résulte pas nécessairement et uniquement d'un long investissement individuel. L'accessibilité de l'information pertinente, en outre par l'intermédiaire des publications scientifiques — dont les caractéristiques seront exposées au chapitre 12 —, permet en effet que la connaissance d'un phénomène provienne de la mise en commun des efforts et des conclusions de plusieurs auteurs. Par conséquent, être bien au fait des recherches déjà complétées assure de ne pas répéter les erreurs de conception que d'autres ont pu antérieurement commettre dans la construction de leurs plans, tout comme de profiter des améliorations progressives qu'ils sont parvenus à mettre au point.

Enfin, il arrive que le plan de recherche optimal ne soit pas un plan absolument parfait, à tout le moins quant à sa validité interne. Il n'est pas toujours possible de faire en sorte que toutes les sources d'invalidité soient totalement empêchées de s'immiscer dans les mesures recueillies. Si un plan donné obstrue complètement l'entrée à l'action de certaines sources, il peut survenir qu'il s'ouvre par le fait même à celle d'autres sources. Après avoir soupesé les avantages et les inconvénients de divers plans de recherche, le chercheur doit arrêter son choix sur celui auquel sont associés *les gains les plus importants en validité interne* ou, à l'opposé, les pertes les plus négligeables.

MODES DE COMPARAISON DES MESURES

La confrontation des sujets aux variables manipulées peut s'effectuer selon deux modes, tout à fait exclusifs l'un de l'autre en ce qui concerne une variable indépendante donnée dans une recherche donnée. Le chercheur-architecte, ayant défini sa variable indépendante, dispose de l'une de deux approches pour construire son plan de recherche ou pour ériger l'édifice où évolueront plus tard les sujets. Ainsi, le nombre de niveaux que comporte chaque variable indépendante ayant été fixé, il est d'une part possible de *soumettre des individus différents* respectivement à chacun des niveaux. Il s'ensuit qu'une partie de l'échantillon global de sujets est soumise au premier niveau, qu'une autre partie est soumise au second et ainsi de suite, compte tenu du nombre total de niveaux et de variables indépendantes. Le chercheur fait donc en quelque sorte éclater son échantillon de sujets en autant de sous-ensembles que sa ou ses variables indépendantes comptent de niveaux: il répartit l'effectif de son échantillon en autant de groupes différents que le requiert le nombre de niveaux établis. Puisque la comparaison des résultats associés respectivement à chacun des niveaux porte sur des performances produites par des sujets distincts, cette comparaison est dite *comparaison intersujets*.

Par exemple, à l'aide de ce mode de comparaison, un chercheur tente de déterminer si, dans l'instauration d'un conditionnement classique ou pavlovien, l'acquisition d'une réponse conditionnelle de peur est modulée par la ressemblance entre le stimulus conditionnel et des stimuli pouvant constituer des dangers réels. Il dispose d'un échantillon de 90 sujets. A 30 de ces sujets, il présente la photo d'un serpent comme stimulus conditionnel, à 30 autres, une photo montrant un lacet de chaussure, et, aux 30 derniers, une photo montrant le tracé d'une ligne droite. C'est donc la comparaison de la performance respective des trois groupes de 30 sujets qui dégagera l'influence de la variable indépendante. Sont alors disponibles trois ensembles de 30 mesures chacun, soit un nombre total de mesures égal au nombre de sujets.

Il est d'autre part possible de *soumettre les mêmes individus* à chacun des niveaux de la ou des variables indépendantes. Il s'ensuit que tout l'échantillon de sujets est soumis à un niveau, puis à un autre et, ainsi de suite, compte tenu du nombre total de niveaux et de variables indépendantes. Le chercheur maintient donc l'unité de son échantillon de sujets et en déplace tout l'effectif d'une situation à une autre, à autant de reprises que sa ou ses variables indépendantes comptent de niveaux. Puisque la comparaison des résultats associés respectivement à chacun des niveaux porte toujours sur des performances produites par les mêmes sujets, cette comparaison est dite *comparaison intrasujets*.

Par exemple, en exploitant ce mode de comparaison, on pourrait se demander si, chez des vieillards, la capacité de mémorisation varie selon que le matériel à retenir est constitué par une série de photos montrant le visage de gens inconnus ou par la liste des noms de ces inconnus. Si l'échantillon compte 75 personnes, chacune d'elles serait par conséquent placée, successivement ou plus ou moins en alternance, dans chacune de deux situations se distinguant à partir du type d'éléments à mémoriser. On disposerait alors de deux ensembles de 75 mesures chacun, soit un nombre total de mesures correspondant au produit du nombre de sujets par le nombre de situations.

En principe, le chercheur devrait plutôt choisir un plan permettant des comparaisons intrasujets. Ce plan entraîne en effet un contrôle parfait de l'équivalence des sujets, avant que ceux-ci soient soumis à chacun des niveaux d'une variable indépendante, puisqu'il s'agit chaque fois des mêmes individus. Il s'ensuit que les différences que manifeste la variable dépendante mesurée à chaque niveau ne peuvent être mises au compte des différences initiales entre les sujets eux-mêmes, puisque celles-ci sont généralement constantes d'un niveau à l'autre. Le plan en cause ne donne pas prise à la source d'invalidité qu'introduit la sélection des sujets quant à l'opération de répartition de ces sujets dans divers groupes, opération que la sélection peut entraîner. C'est pourquoi ce plan s'avère plus sensible, ou plus puissant. Il détecte donc avec plus d'efficacité l'impact de la variable indépendante.

Il arrive toutefois que le plan à comparaisons intrasujets ne puisse être appliqué ou ne soit pas approprié parce qu'il risque de conduire à des conclusions erronées. Un plan recourant à des comparaisons intersujets doit alors lui être substitué, même s'il s'accompagne d'un contrôle moins précis de l'équivalence initiale des sujets destinés à n'être respectivement soumis qu'à un seul niveau. Deux types de contexte de recherche obligent à renoncer aux comparaisons intrasujets.

En premier lieu, il est clair que l'emploi du plan à comparaisons intrasujets est exclu lorsque la variable indépendante, non manipulable, doit être abordée de manière corrélationnelle. Ainsi, imaginons une recherche visant à mettre en relation le degré de créativité verbale d'un échantillon d'adultes et le fait qu'ils sont de sexe masculin ou féminin. Les sujets différeront quant à leur sexe avant même de participer à toute recherche. A moins de laborieuses interventions médicales (qui enfreindraient tout probablement au code déontologique présenté au chapitre 13), le chercheur ne pourra d'abord recruter des adultes asexués et mesurer ensuite leur créativité dans deux situations où il les rendra respectivement de sexes féminin et masculin. Les sujets appartiendront donc au départ à des groupes différents ou indépendants, ce qui commandera d'emblée l'emploi de comparaisons intersujets. Une exception existe toutefois parmi les recherches d'orientation corrélationnelle. Elle concerne les cas où l'âge des sujets constitue la variable indépendante et où la méthode corrélationnelle est appliquée de manière longitudinale: les mêmes sujets sont alors examinés à différents moments de leur évolution (par exemple, des nouveau-nés, tous les jours durant un mois; ou des adultes, tous les 5 ans sur une période de 30 ans) et leurs conduites reflètent successivement tous les niveaux de la variable indépendante que l'âge définit. Par extension, il en va de même pour toutes les variables qui recoupent d'une certaine façon l'âge des sujets. Ces variables consistent, par exemple, dans le nombre d'années passées à exercer le métier de mineur ou dans le nombre de semaines écoulées depuis que des macaques ont subi telle intervention neurochirurgicale.

En second lieu, le plan à comparaisons intrasujets doit être écarté chaque fois que la confrontation à tous les niveaux risque de modifier les réponses du sujet à un niveau donné, par rapport à ce que seraient ces réponses si le sujet n'avait pas été antérieurement soumis à un ou plusieurs autres niveaux. Ce danger laisse planer la possibilité d'un effet résiduel ou d'un effet de persistance de *l'administration antérieure d'autres niveaux que celui dont on mesure l'impact à un moment donné.* Exposé au chapitre 4, il compromet la validité interne de la recherche puisqu'on ne peut alors départager, à l'intérieur des comportements enregistrés, ce qui est imputable à la variable manipulée de ce qui relève de l'administration successive des diverses situations correspondant à chacun de ses niveaux.

Il importe d'examiner plus en détail l'accroc à la validité interne que peut provoquer l'administration de plus d'une mesure aux mêmes sujets. Dans certains cas, le rejet des comparaisons intrasujets est très nettement exigé par le fait que la confrontation à un niveau donné de la variable indépendante a un impact irréversible, tout au moins à l'intérieur d'un laps de temps raisonnable. Par exemple, si, soumis à une condition donnée, le sujet a l'occasion d'apprendre comment résoudre avec facilité et rapidité une tâche quelconque, il ne pourra, lorsque ensuite confronté à une tâche similaire, agir comme s'il ignorait le mode de résolution qu'il a acquis. Cette connaissance antérieure pourra l'aider ou lui nuire selon le degré de ressemblance entre les deux conditions; néanmoins, le sujet, même le mieux disposé et le plus coopératif qui soit, pourra difficilement jouer l'amnésique et s'engager dans la seconde condition à la manière d'un sujet qui n'a pas participé à la première. De façon encore plus nette, il y a lieu de s'attendre à ce que le jeune animal qui, pendant 12 semaines, a été privé de toute stimulation visuelle ne réussisse ensuite pas à fuir un prédateur aussi efficacement que le fait son congénère qui n'a pas d'abord traversé une telle période de privation.

Dans d'autres cas, la passation d'un niveau donné n'a pas d'effet irréversible. Toutefois, les effets temporels résultant des différents niveaux ne sont pas uniformes, de telle sorte que les comportements résiduels associés à un niveau donné diffèrent de ceux associés aux niveaux subis avant et après. Il en découle un transfert différentiel, ou asymétrique, d'une condition à l'autre (Poulton, 1982; Poulton et Freeman, 1966). Ainsi peut-il en être si des enfants d'âge préscolaire sont soumis successivement à trois situations au cours desquelles un film leur présente les aventures d'un autre enfant amené à exprimer respectivement de la joie, de la tristesse et de la colère. Il est probable que les réactions empathiques suscitées par la tristesse du pair seront composées, dans des proportions impossibles à déterminer, des deux éléments suivants: les réponses directement tributaires de cette tristesse et les réponses, ou fragments de réponse, qui persistent de la confrontation antérieure à la joie du pair. De plus, ces ensembles d'ingrédients se combineront ensuite à leur tour à l'effet propre à la colère du pair. En conséquence, devant l'insertion non mesurable de tels biais temporels, une position radicale (Poulton, 1973) va jusqu'à recommander de bannir complètement le recours aux comparaisons intrasujets. Signalons toutefois que certains procédés, présentés plus loin, permettent de réduire les dommages occasionnés par ces biais.

Si le chercheur est amené à renoncer aux comparaisons intrasujets, parce que l'impact de la variable indépendante est irréversible ou comporte des effets résiduels dont la résorption pose des difficultés, deux issues s'offrent à lui. En dernière extrémité, il peut se résoudre à mettre carrément fin à son projet et abandonner la réalisation de la recherche. Heureusement, il peut aussi, dans certains cas, opter pour un plan équivalent à celui envisagé au départ mais basé sur des comparaisons intersujets. Ce plan équivalent requerrait autant de groupes distincts que le plan initial prévoyait de situations distinctes.

Il arrive également que la comparaison intrasujets comporte des risques affectant la validité externe si, le chercheur souhaitant étendre ses conclusions aux conditions naturelles ou quotidiennes où évolue le sujet, il est inhabituel que, dans ces conditions, le sujet soit confronté à plus d'un niveau de la variable indépendante (Green-wald, 1976).

Il y a finalement lieu de mentionner que la nature exacte des informations scientifiques obtenues — donc celle des lois empiriques dont elles sous-tendent l'énoncé — sont jusqu'à un certain point tributaires du mode de comparaison (intersujets ou intrasujets) qui a permis leur obtention (Grice, 1966; Underwood et Shaughnessy, 1975). Il convient donc d'être vigilant en ce qui concerne la possibi-lité qu'un phénomène ne se présente pas de la même façon en fonction du mode utilisé. En effet, l'aspect de ce phénomène pourrait différer selon que les mesures ont été recueillies chez des groupes de sujets distincts — confrontés respectivement à un seul des niveaux de la variable indépendante — ou chez un seul groupe de sujets — pour qui la confrontation à tous les niveaux en succession a pu créer un contexte temporel inexistant dans le cas des groupes distincts. A condition de veiller à maximiser la validité interne (et, au besoin, la validité externe), en ne faisant appel aux comparaisons intrasujets que lorsqu'elles sont sans risque, la double approche d'un phénomène donné pourra s'avérer riche et fructueuse.

Si comparaisons intersujets et intrasujets débouchent sur un même profil de résultats, il est pertinent de conclure à l'efficacité des variables indépendantes mises en place, puisque leurs effets sont univoques. Par exemple, Bond et Titus (1983) entreprennent une recension très rigoureuse des recherches ayant porté sur le phéno-mène de la facilitation sociale, lequel entraîne, en général, une meilleure performance si une certaine activité est exécutée en pré-sence d'un auditoire, ou à tout le moins en présence de témoins, que si l'individu exécute seul la même activité. Or, ces auteurs concluent que l'effet de facilitation sociale est mis en évidence de façon également nette par des comparaisons intersujets — deux groupes d'individus différents s'exécutant respectivement en présence et en l'absence d'un auditoire — et par des comparaisons intrasujets — un seul groupe d'individus s'exécutant tous en présence et en l'absence d'un auditoire.

Cependant, si les résultats diffèrent selon le type de comparai-sons, il faut plutôt admettre la complexité du phénomène étudié et chercher à identifier les causes de la disparité. Par exemple, Ells-worth et Cartwright (1973) s'intéressent à la capacité qu'a le contact visuel entre deux individus d'inhiber l'agressivité de l'un d'entre eux. Ils mettent dont des sujets en colère et ceux-ci ont la possibilité, pour libérer leur agressivité, de donner un choc électrique à une victime, évidemment complice des chercheurs. Dans la portion de leur recherche qui repose sur des comparaisons intersujets, deux groupes de sujets sont constitués: dans un groupe, au moment où un signal lui annonce l'imminence du choc, la victime regarde toujours le sujet dans les yeux; dans l'autre groupe, la victime baisse alors les yeux. Les résultats indiquent que la victime qui baisse les yeux reçoit plus de chocs. Par contre, dans la portion de la recherche qui repose sur des comparaisons intrasujets, un seul groupe de sujets est constitué: au moment de recevoir certains chocs (50%, selon une distribution aléatoire), la victime regarde le sujet; au moment de recevoir les autres chocs, elle baisse les yeux. Les résultats révèlent que c'est plutôt lorsque la victime regarde le sujet qu'elle reçoit le plus de chocs. Il y a donc divergence nette selon que les deux niveaux de la variable indépendante — soit la présence et l'absence du contact visuel — sont appliqués à des sujets différents ou aux mêmes sujets. Les auteurs concluent de cet écart dans les deux séries de résultats que le contact visuel entre agresseur et victime n'est inhibiteur de l'agressivité que dans la mesure où il est stable. Ce contact stable revêtirait un caractère aversif et il est en conséquence évité par le fait de dispenser moins de chocs; la comparaison du comportement des deux premiers groupes le montre. En revanche, quand le contact visuel n'est pas stable, le sujet croit probablement qu'il peut le réduire en punissant la victime par un choc et il distribue plus de chocs quand celle-ci le regarde; la comparaison des résultats dégagés des deux conditions imposées au troisième groupe le montre aussi.

Quel que soit le comportement étudié chez eux, les sujets qui sont soumis à plus d'un niveau de la variable indépendante ne font pas l'expérience de chaque niveau de manière isolée: ils perçoivent, à tort ou à raison, des relations entre les divers niveaux et s'y présentent différemment selon les niveaux antérieurement subis. Cet enchaînement temporel et phénoménologique n'existe évidemment pas lorsque les sujets ne sont soumis qu'à un seul niveau de la variable indépendante. Le fait de procéder à des comparaisons intra-sujets ou intersujets peut, en conséquence, peser lourdement sur la nature des résultats. Zeskind et Huntingdon (1984) en rapportent une autre illustration. Ils ont demandé à des adultes de poser des jugements entre autres sur les dimensions d'urgence ou de détresse que véhiculent des pleurs de nourrissons; or ces jugements diffèrent nettement selon qu'ils proviennent de comparaisons intersujets ou intrasujets. Prudence et relativisme sont donc de rigueur avant de formuler des conclusions par trop radicales et définitives après le recours à un seul type de comparaison.

Parmi les plans de recherche les plus couramment utilisés en psychologie, certains ne comportent que des comparaisons intersujets et d'autres que des comparaisons intrasujets; d'autres encore combinent les deux modes de comparaison. Respectivement, on désigne ces plans comme étant des *plans à groupes indépendants*, des *plans à mesures répétées* et des *plans combinés*. Ils sont tous dits classiques pour deux raisons. Ce sont d'abord les plus anciens ou les premiers à avoir été élaborés afin de répondre aux besoins de la recherche fondamentale, se déroulant le plus souvent en laboratoire. Ce sont également les plus puissants et c'est à partir d'eux qu'ont ensuite été dérivés des plans s'harmonisant mieux aux multiples contraintes avec lesquelles doit composer la recherche de type appliqué ou orienté. Tout aussi importants que les plans classiques, ces autres plans permettent de contourner les obstacles associés à la réalisation de recherches se déroulant le plus souvent dans le milieu naturel des sujets, milieu que le chercheur ne peut aménager comme il le voudrait. Les caractéristiques de ces plans spéciaux, s'inspirant à divers degrés des plans classiques, seront exposées aux chapitres 6 et 7.

Mais quel que soit le type de plan adopté dans une recherche donnée, ce plan doit incorporer le plus grand nombre possible de précautions ou de modalités de contrôle en vue de maximiser la validité interne. Or cet exercice de structuration est à reprendre face aux particularités de chaque nouveau problème que se pose le chercheur, tout comme dans la situation de l'architecte qui doit élaborer un nouveau devis s'adaptant sur mesure aux exigences de la commande passée par chaque nouveau client. Dans la mesure où le problème à l'étude présente certaines similitudes avec d'autres déjà explorés, le chercheur peut bien sûr s'inspirer des caractéristiques des plans exploités dans ses propres travaux antérieurs ou dans ceux d'autres auteurs. Cependant, il n'existe aucun catalogue de prêt-à-porter en cette matière et chaque plan doit être conçu et taillé aux fins du problème particulier auquel s'attaque le chercheur.

PLANS A GROUPES INDÉPENDANTS

Lorsqu'on met en place un plan à groupes indépendants, des groupes différents de sujets sont donc respectivement soumis à des valeurs ou à des niveaux différents d'une variable indépendante. En découle une absence de relation ou d'interdépendance, les unes par rapport aux autres, des mesures recueillies à chacun des niveaux; cette indépendance établit la validité interne d'une recherche dans la mesure où l'administration de plus d'une évaluation aux mêmes sujets serait un handicap. Cet avantage capital se révèle en contrepartie coûteux en regard de la constitution de l'échantillon de sujets puisqu'il ne peut se matérialiser que si un nombre relativement grand de sujets sont disponibles.

Avant d'aborder l'exposé proprement dit des plans à groupes indépendants — par l'étude respective de l'effet d'une seule variable indépendante ou de l'effet simultané de deux ou de plusieurs variables indépendantes —, il importe d'examiner les différents procédés garantissant l'équivalence des sujets répartis dans les divers groupes, et de présenter l'important concept de *groupe de contrôle*.

Il est clair que toutes les notions concernant ce premier type de plan s'appliquent à la fois aux recherches expérimentales et aux recherches corrélationnelles, compte tenu, bien sûr, de la présence ou de l'absence d'une intervention du chercheur dans l'établissement des variables indépendantes. En effet, les mesures obtenues chez les divers groupes de sujets seront rendues différentes dans une recherche expérimentale, tandis que ces mesures seront d'emblée différentes dans une recherche corrélationnelle. D'autre part, une recherche — ou plus exactement le plan sur lequel elle s'appuie — sera dite *mixte* si, deux ou plusieurs variables indépendantes étant en jeu, une de ces variables est mise en place de façon expérimentale et l'autre de façon corrélationnelle. Dans ce dernier cas, il est possible, tel que mentionné au chapitre 2, d'avoir recours à des plans corrélationnels complexes (Kenny, 1979) qui ne seront pas abordés ici, mais à l'aide desquels le chercheur peut dépasser la simple constatation d'une relation de covariation et s'approcher de l'identification d'une certaine relation de causalité certes sujette à caution.

Contrôle de l'équivalence des sujets

Si des groupes distincts de sujets sont confrontés aux différents niveaux d'une variable indépendante, une double question se pose en ce qui concerne la validité interne: les différences que mettra en évidence la variable dépendante seront-elles vraiment dues au seul impact de la variable manipulée, ou ne résulteront-elles pas plutôt, ou au surplus (dans une proportion indéterminée), de différences existant déjà, avant même l'intervention du chercheur, au sein des divers groupes constitués?

Par exemple, un chercheur a privé de sommeil des étudiants (consentants et manifestement voués à l'avancement de la science) qui doivent se préparer à un examen. La nuit précédant l'examen, un premier groupe a pu dormir comme il le fait d'habitude; un second groupe a passé la nuit blanche (sans pouvoir étudier pour autant); deux autres groupes ont dormi respectivement 2 et 5 heures. Le chercheur rapporte que la performance à l'examen est meilleure si les étudiants ont pu disposer de leur période normale de sommeil avant l'examen. Toutefois, comment peut-il affirmer, avec une assurance raisonnable, que ce rendement différentiel est bien causé par le nombre d'heures de sommeil? Plus exactement, comment peut-il exclure de manière convaincante la possibilité que les sujets du premier groupe aient été les plus intelligents, les mieux préparés, les plus motivés de son échantillon, et donc la possibilité que ce soient ces caractéristiques personnelles des sujets, plutôt que le nombre d'heures de sommeil auxquelles ils ont eu droit, qui expliquent les résultats obtenus?

Conséquemment, pour pouvoir réellement attribuer les résultats à la variable indépendante, et donc isoler son effet avec un maximum de certitude, il faut, *avant la manipulation de la variable indépendante*, former des groupes qui soient le plus possible semblables les uns aux autres. Pour réduire l'impact des différences initiales entre les groupes de sujets, les trois modalités de contrôle exposées au chapitre précédent sont pertinentes. Elles s'appliquent ici aux caractéristiques des sujets qui sont corrélées à la variable dépendante.

Contrôle par constance. Le chercheur peut donc contrôler la variabilité des sujets en l'éliminant complètement. Il sélectionne alors une seule valeur d'une ou plusieurs de leurs caractéristiques et s'assure que, dans tous les groupes, tous les individus retenus affichent cette valeur. Il doit cependant être conscient que cette constance limitera ensuite la portée de ses conclusions aux seules populations possédant ces mêmes caractéristiques. Par exemple, dans l'étude de certains phénomènes de perception visuelle en fonction de divers paramètres physiques, le chercheur peut constituer des groupes de sujets manifestant tous une forte tendance à situer dans leur environnement externe la cause des événements qui influencent leur vie. Ce contrôle est pertinent puisque le chercheur sait que les réponses perceptives peuvent varier selon le degré avec lequel les sujets attribuent à leur milieu, ou s'attribuent à eux-mêmes, la responsabilité de leurs actions. Certes, une caractéristique importante des sujets ne pourra déformer les résultats; ceux-ci ne vaudront par contre que pour un type d'individus très homogènes.

Contrôle par variation au hasard. A l'opposé, celles des caractéristiques des sujets qui sont susceptibles de contaminer les mesures à enregistrer peuvent être neutralisées si elles ont la possibilité de varier au hasard. Ainsi, moyennant le recrutement d'un grand nombre de sujets, la sélection et la répartition dans les divers groupes se font de manière complètement aléatoire. Le chercheur postule alors que, spontanément, les caractéristiques des sujets se répartissent à l'intérieur de chacun des groupes selon la même distribution (normale ou non) que celle opérant dans la population globale, et qu'elles ne pourront donc pas être responsables des différences ultérieurement observées entre les groupes. Ces différences illustreront ainsi l'effet spécifique de la variable indépendante. Par exemple, concernant toujours l'étude de la perception visuelle, le chercheur peut répartir au hasard les sujets dans les divers groupes, sans tenir compte de leurs traits de personnalité. A condition que le nombre de sujets soit élevé, il est probable que la loi de la distribution normale jouera; chaque groupe comprendra de la sorte peu de sujets attribuant exclusivement le contrôle de leur vie soit à leur environnement, soit à eux-mêmes, et une majorité de sujets plus modérés qui, selon le contexte, l'imputent à l'une ou l'autre cause. Il peut même se produire que la sélection d'un grand nombre de sujets entraîne une équivalence de ceux-ci quant à des variables dont le chercheur ne soupçonne pas la pertinence. Le recrutement d'échantillons de grande taille comporte donc des avantages certains. Par contre, l'examen d'une centaine de sujets par groupe peut être très lourd, ou carrément impraticable, si, par exemple, la chose se déroule lors d'une séance individuelle d'une durée de plusieurs heures et requiert en plus les services d'un personnel technique coûteux.

Contrôle par variation systématique avec appariement. Enfin, les sujets peuvent être répartis dans les divers groupes selon une variation systématique de leurs caractéristiques. Cette opération se traduit par la constitution de groupes indépendants avec *sujets appariés*, ou par la constitution de *blocs appariés*; elle s'effectue évidemment par rapport à une caractéristique reliée au comportement à l'étude. De manière optimale, l'appariement se fait à partir d'une mesure même de la variable dépendante, mesure enregistrée avant la manipulation de la variable indépendante. Par exemple, dans une recherche portant sur l'identification de l'auteur de cambriolages en fonction du degré d'illumination de la scène du vol, il serait précieux de pouvoir apparier les sujets selon leur capacité à mémoriser correctement des visages.

Le principe à la base de l'appariement est relativement simple. Il s'agit de répartir systématiquement les sujets dans les groupes de façon à ce qu'un sujet affichant le niveau n de la caractéristique pertinente se retrouve dans chaque groupe, qu'un sujet présentant le niveau $n + 1$ de la même caractéristique se retrouve dans chaque groupe et, ainsi de suite, pour tous les échelons de la distribution retenus. Par exemple, si le comportement à l'étude l'exige, tous les groupes comprendront un sujet âgé de 7 ans, un de 8 ans et ainsi de suite, ou un sujet dont le quotient intellectuel est de 100, un dont le quotient est de 110 et ainsi de suite.

La démarche est similaire lorsque le chercheur ne procède pas à un appariement individu par individu, ou n'établit pas une correspondance sujet par sujet, mais construit des blocs de sujets, blocs qui sont ensuite appariés en tant qu'entités. Chaque bloc regroupe un ensemble de sujets qui sont homogènes en ce qui concerne la caractéristique pertinente à la variable dépendante. Par exemple, un premier bloc peut rassembler 15 sujets dont la taille se situe entre

1,50 m et 1,59 m, un second rassemblera 15 sujets dont la taille se situe entre 1,60 m et 1,69 m, et ainsi de suite; un premier bloc peut également comprendre 20 sujets très anxieux, un second 20 sujets modérément anxieux, et ainsi de suite. Chaque groupe de sujets, respectivement associé à un niveau de la variable indépendante, comporte alors un même nombre de blocs constitués d'un certain nombre de sujets très semblables, relativement à une caractéristique choisie parce qu'elle entretient une certaine relation avec la variable dépendante. On aboutit ainsi à une répartition des sujets selon un hasard stratifié: le chercheur a classifié les sujets en référence à leur appartenance à un bloc ou à une strate donnée de l'échantillon, mais chacun de ces sujets a été tiré au hasard à l'intérieur de la population des individus qui manifestent le niveau recherché de la caractéristique pertinente.

Par conséquent, chaque strate ou catégorie de sujets, à l'intérieur de chaque groupe, peut être constituée d'un seul sujet (cas des sujets appariés) ou de deux sujets ou plus qui sont semblables sur le plan d'une dimension définie (cas des blocs appariés).

Il existe une autre possibilité advenant que l'appariement terme à terme, par sujets ou par blocs, ne soit pas réalisable à cause des particularités du réservoir de sujets disponibles. Il s'agit de procéder à l'appariement des divers groupes à constituer en s'assurant que la valeur moyenne (ou médiane) de la variable d'appariement de même que sa dispersion sont comparables dans ces groupes. Il y a alors appariement global des divers groupes (cas des groupes appariés). Par exemple, s'il est pertinent de neutraliser la capacité d'observation fine des sujets, le chercheur peut équilibrer la distribution de ces sujets de manière à ce que, dans chaque groupe, le nombre de détails visuels identifiés au préalable dans une scène filmée ait été en moyenne de 15 ou 16, avec un écart type variant entre 3 et 4. Il se peut que le sujet qui, placé dans un groupe donné, a retenu 8 détails n'ait son pendant exact dans aucun autre groupe. Quoi qu'il en soit, l'ensemble du rendement des sujets de chaque groupe s'équivaut, ce qui peut suffire à la neutralisation visée.

Il faut ajouter que, dans le cadre d'une même recherche, il est évidemment possible de contrôler l'équivalence de départ des sujets par rapport à plusieurs de leurs caractéristiques en même temps. Il faut alors exploiter la combinaison des modalités de contrôle la plus réaliste et la plus appropriée à une manipulation concluante de la variable indépendante.

Quelles que soient les modalités retenues, on doit veiller finalement à ne pas compromettre la validité interne des résultats en recourant à des *modalités de sélection et de répartition des sujets qui varieraient d'un groupe à l'autre.* Tel que mentionné au chapitre précédent, les procédés de recrutement des sujets doivent être les mêmes pour tous les sujets et pour tous les groupes. Si d'aventure les sujets du groupe expérimental ont été recrutés par téléphone, de manière personnalisée et insistante, tandis que ceux d'un groupe de contrôle ont répondu à une invitation générale affichée dans certains lieux publics, il est vraisemblable que ces deux types de volontaires différeront quant à plusieurs de leurs caractéristiques. Dans la mesure où ces différences sont reliées aux conduites à l'étude, on aura alors introduit une variation indésirable et affaibli la validité interne. Principalement dans les cas où le recrutement doit rejoindre un grand nombre de sujets, le recours à plus d'une modalité de sollicitation peut s'imposer, qu'il s'agisse du face à face direct ou par personne interposée, du contact téléphonique ou par courrier, ou d'un appel diffusé plus ou moins largement par divers médias. Dans ces cas, le chercheur devra s'assurer de ce que les différences quant au mode d'accès aux sujets sont distribuées de manière équilibrée à travers les divers groupes qu'il constitue.

Quant à la sélection proprement dite des sujets, une fois fixés les critères qui y président, elle doit s'effectuer de la même façon pour tous les groupes et pour tous les sujets. Par exemple, le chercheur voulant établir si la capacité de concentration varie selon que les sujets sont docteurs en mathématiques ou en histoire et ayant, en conséquence, choisi de neutraliser l'influence de leur quotient intellectuel, il ne doit certes pas ensuite sélectionner davantage de sujets brillants dans l'une des deux populations qu'il n'en retient en provenance de l'autre. Chaque sujet dont le profil se conforme aux critères de sélection doit au surplus avoir une chance égale d'être retenu. A cet égard, le chercheur procédera sensiblement comme dans le cas expérimental qui suit.

Ainsi, lorsque la constitution de l'échantillon est complétée et que le chercheur a alors procédé au contrôle de toutes les caractéristiques pertinentes chez les sujets, il lui reste à répartir son effectif à l'intérieur des différents groupes correspondant aux différents niveaux de la variable indépendante. Cette opération doit s'effectuer selon un tirage au hasard. Chaque sujet manifestant la configuration de caractéristiques recherchées doit donc avoir une chance égale de se voir placé dans tel ou tel groupe. La répartition aléatoire à l'intérieur des groupes peut se faire de façon relativement artisanale, le numéro assigné à chaque sujet étant tiré d'un chapeau plus ou moins symbolique. Le chercheur peut aussi se servir de certaines tables de nombres au hasard (Edwards, 1968). Il est par exemple clair que, manipulant le degré de persuasion véhiculé dans un message télévisé, le chercheur ne doit pas placer dans le groupe confronté au degré minimal les sujets qui, à l'œil, lui ont semblé les plus récalcitrants, et au degré maximal ceux qui lui ont paru les plus malléables, ou l'inverse. Que le chercheur ait du flair ou non, une telle pratique compromettrait la validité interne du travail.

Le danger que les différences obtenues reflètent plutôt les différents procédés de sélection que l'influence de la variable indépendante est certainement plus grand dans le cas de caractéristiques présentées par des populations restreintes (par exemple, des funambules, des ténors hautes-contre ou des adolescents ayant subi une transplantation cardiaque) ou d'autres dont la disponibilité fluctue (par exemple, des analphabètes d'un type particulier ou des chômeurs saisonniers).

Si les procédés de sélection des sujets peuvent créer un biais avant même l'enregistrement de leurs comportements, un deuxième biais dont les manifestations sont tout à fait analogues à celles du premier peut s'installer au cours même de l'enregistrement. Une fois enclenchée l'opération de la cueillette des données, le chercheur peut en conséquence avoir à faire face à l'épineux problème que pose la *perte différentielle* de sujets. Certains sujets, pouvant appartenir surtout à certains groupes, cesseront ainsi de participer à l'étude en cours. Tel qu'expliqué au chapitre 4, le chercheur aura peut-être dû décider de les exclure de l'échantillon, devant, par exemple, l'impossibilité d'en tirer quelque performance que ce soit. Peut-être les sujets eux-mêmes auront-ils décidé à toutes fins utiles de se retirer de l'échantillon, préférant tout simplement ne plus poursuivre, par exemple, ou s'étant brusquement rappelés un rendez-vous important. Quelle qu'en soit la source, la perte de sujets peut compromettre la validité interne des résultats. Effectivement, la probabilité de quitter l'échantillon varie d'un sujet à l'autre selon que les individus sont, par exemple, plus ou moins compétents ou motivés en regard de la tâche à exécuter. En outre, cette perte peut différer d'un groupe à l'autre selon que la tâche proposée est, par exemple, plus ou moins captivante ou difficile. Cette perte, dont l'ampleur peut ne pas être constante à travers les divers groupes menace donc l'équilibre que le chercheur avait initialement établi en constituant ces groupes et, par ricochet, elle portera atteinte à la justesse de ses conclusions. Bien que le chercheur n'ait pas le droit de contraindre les sujets à achever leur participation, il peut dans certains cas les remplacer en recrutant d'autres individus qui leur sont comparables. Advenant que le remplacement soit impossible, le problème est négligeable si la perte est faible. Devant une perte plus marquée et, surtout, différente selon les groupes, il faudra avoir recours à des procédés d'ajustement statistique. Enfin, si le problème est encore plus prononcé, il risque fort d'être carrément sans solution.

Groupe de contrôle

Comme on l'a déjà mentionné, le plan à groupes indépendants comporte l'administration d'un seul niveau de la variable indépendante à un seul des groupes examinés. Dans plusieurs recherches, un des niveaux de la variable indépendante correspond à une sorte de point de référence, de comparaison ou de contraste, qui permet d'évaluer l'effet propre aux autres niveaux. Le groupe de sujets associé à ce niveau de référence est appelé *groupe de contrôle*. En effet, la caractéristique de ce groupe, aussi dit groupe témoin, est la suivante: les sujets qui en font partie sont soumis à tous les éléments qui, dans une recherche donnée, influent sur les conduites étudiées, *sans être soumis à la variable dont l'impact est mesuré*. C'est par rapport à cette performance, obtenue auprès d'un groupe examiné en l'absence de la variable indépendante, que sont évaluées les performances des autres groupes associés aux autres niveaux de la variable indépendante.

Par exemple, si le chercheur évalue l'influence de directives motivantes donnant une signification à l'exécution d'une tâche monotone, il formera deux groupes de sujets équivalents: le premier recevra les directives et constituera le groupe expérimental; le second ne les recevra pas et constituera le groupe de contrôle. Ce dernier groupe est absolument essentiel à l'évaluation de l'effet de la variable indépendante et son absence interdit toute conclusion, même si tous les autres aspects de la recherche sont irréprochables. La réalisation d'une étude corrélationnelle n'exempte par ailleurs pas le chercheur de la nécessité de prévoir un groupe de contrôle, soit un groupe qui, d'emblée, ne présente pas la caractéristique dont on veut estimer le degré de covariation avec un phénomène comportemental donné. Ainsi, désirant établir, par exemple, si le fait d'avoir de bonnes capacités de représentation spatiale peut prédire la réussite dans les sciences physiques, le chercheur devra ne pas omettre de recruter des sujets non ou peu doués de telles capacités (groupe de contrôle) mais néanmoins comparables à d'autres égards à ceux qui les manifestent à un haut degré (groupe en quelque sorte expérimental).

Dans l'isolement de l'effet de la variable indépendante, le degré de raffinement peut être accru si un groupe de contrôle par couplage (en anglais, *yoked control*) est constitué. Chaque sujet de ce groupe est alors jumelé à un sujet du groupe expérimental et traité exactement comme lui, sauf en ce qui concerne la variable indépendante elle-même. Ce type de contrôle est particulièrement indiqué lorsque la manipulation de la variable indépendante introduit elle-même l'action d'une autre variable à contrôler. La responsabilité spécifique de chacune des deux variables dans l'apparition de certains comportements ne pourrait alors être jaugée sans la possibilité du contrôle par couplage.

Par exemple, Held (1965) désirait mesurer l'impact des stimulations kinesthésiques ou motrices de type actif (variable indépendante) sur le développement du contrôle visuel (variable dépendante) chez de jeunes chats. Cependant, cet auteur savait qu'en faisant varier la quantité de stimulations kinesthésiques actives, il ferait inévitablement varier en même temps la quantité de stimulations visuelles (autre variable à neutraliser). En effet, plus le chaton se déplacerait, plus il verrait de choses. A quoi alors attribuer les conduites reflétant son contrôle visuel, aux stimulations kinesthésiques ou aux stimulations visuelles préalables? La seule réponse possible aurait été la suivante: aux deux types de stimulation inextricablement emmêlés. Pour éviter l'impasse prévisible, Held permit à chaque animal du groupe expérimental de se déplacer dans un espace donné (présence de la variable indépendante) et d'explorer visuellement le décor ambiant (présence de l'autre variable à neutraliser). Toutefois, chaque animal du groupe de contrôle occupait une nacelle d'où lui aussi pouvait voir le même décor (présence de l'autre variable à neutraliser), mais qu'il ne pouvait mouvoir lui-même et à l'intérieur de laquelle il ne pouvait marcher (absence de la variable indépendante). Grâce au harnais que l'animal expérimental portait et qu'une tige reliait à la nacelle du chaton de contrôle, les déplacements du chaton expérimental étaient directement transmis à la nacelle, entraînant pour l'animal transporté les mêmes stimulations visuelles (identiques quant à leur nature, leur nombre et leur vitesse de présentation) que pour l'animal en mouvement. Par conséquent, les deux animaux jumelés étaient rigoureusement soumis au même intrant visuel, ce qui annulait l'influence de la variation parasite inhérente à la manipulation expérimentale elle-même. Le fait que le propre système moteur du chaton de contrôle n'était pas sollicité constituait donc le seul aspect par lequel l'expérience de cet animal différait de celle de son homologue expérimental. Les effets de la variable indépendante, ou du mouvement actif, sur le contrôle visuel ont ainsi pu être dégagés de manière concluante: entre autres, seuls les chatons qui avaient pu exercer une activité motrice clignaient ensuite des yeux devant un objet qui s'approchait trop d'eux, ou évitaient de se placer devant le vide.

Cependant, certaines recherches ne nécessitent pas de groupe de contrôle à proprement parler, à cause de la nature de la variable indépendante qui y est étudiée. Il en est ainsi, pour des raisons logiques, par exemple, d'une recherche qui s'intéresse à l'effet du nombre de membres d'un groupe de discussion sur le degré de mobilisation émotive de chaque membre: les groupes comptant trois, six ou neuf participants sont tous des groupes expérimentaux. Il est forcément exclu de constituer un groupe ne comptant aucun participant, ou n'en comptant qu'un, parce que la discussion y serait impossible. Il en va de même dans une recherche corrélationnelle s'interrogeant sur la relation entre la tension artérielle des individus et le degré d'équilibre qu'ils établissent entre leur travail et leurs loisirs: les groupes constitués de sujets hypotendus, normotendus et hypertendus seraient tous des groupes expérimentaux. Il serait impossible de recruter des sujets — vivants à tout le moins — sans tension artérielle aucune.

En revanche, d'autres recherches comportent, à cause de leurs objectifs mêmes, plus d'un groupe de contrôle. Par exemple, supposons qu'il s'agisse de mesurer l'effet de l'ingestion d'une drogue donnée sur l'adoption de comportements de soumission ou de dépendance. Le groupe expérimental consommera la drogue en question. Un premier groupe de contrôle ne la consommera pas. Mais il faudra prévoir un second groupe de contrôle qui croira consommer la drogue mais qui, en fait, absorbera une substance inactive ou inerte, appelée *placebo*. Ce second groupe de contrôle permet d'établir si la performance du groupe expérimental s'explique par les propriétés spécifiques de la drogue administrée, ou plutôt par la simple absorption d'une substance quelconque laquelle est bien souvent assortie, chez les sujets humains à tout le moins, de l'attente plus ou moins consciente d'un certain effet consécutif. De manière plus générale, la constitution d'un groupe placebo est requise chaque fois que, non soumis à la variable indépendante, le sujet croit cependant l'être à cause des conditions particulières dans lesquelles il se trouve, subit les effets de l'attente ou de la suggestion et modifie son comportement en conséquence, et que de tels changements comportementaux peuvent être confondus avec les effets de la variable indépendante. Il n'est pas toujours facile de soupçonner la présence de ce type d'attente et de parvenir à la dissocier de celle de la variable indépendante. Encore une fois, une connaissance perspicace et avisée du problème à l'étude doit guider le chercheur dans la détection d'un tel artefact. Néanmoins, dans le cas de traitements proprement psychologiques, la démarche de contrôle devient parfois très complexe et la conception d'un traitement placebo commande beaucoup de perspicacité, de rigueur et d'adresse (Critelli et Neumann, 1984). Empruntée à la recherche pharmacologique ou médicale, la notion de contrôle par placebo pourrait même requérir une révision de fond afin de mieux prendre en compte les particularités de la recherche sociopsychologique (Wilkins, 1986).

La constitution d'un, de deux ou de plusieurs groupes de contrôle dans une recherche donnée vise toujours à bloquer l'intervention possible de la ou des variables qui fonderaient une explication des résultats faisant concurrence à celle qui repose sur le rôle des variables manipulées ou mises en relation. Il n'existe donc pas de liste ou d'inventaire des divers types de groupe de contrôle qui sont à priori à envisager. Le chercheur doit procéder à l'analyse du cas particulier que constitue chaque recherche et, ensuite, mettre en place tous les groupes de contrôle pertinents. Il est vrai qu'avec l'expérience que le chercheur acquiert progressivement, s'accroît l'aisance avec laquelle il peut statuer sur le nombre et le type de groupes de contrôle requis dans un cas spécifique.

Plans à une variable indépendante

Les plans à groupes indépendants les plus simples sont ceux où n'intervient qu'une seule variable indépendante, laquelle comporte évidemment au moins deux niveaux. Le recours à ces plans entraîne donc la constitution d'autant de groupes de sujets que la variable comporte de niveaux, un seul niveau étant administré respectivement à chacun des groupes; ces groupes incluent tous les groupes de contrôle nécessaires à l'isolement complet de l'effet spécifique de la variable indépendante. Ce type de plan est illustré au tableau 5.1.

Tableau 5.1

Plan à groupes indépendants: étude d'une variable indépendante

Niveau 1	Niveau 2	....	Niveau k
Groupe 1 (n_1 sujets)	Groupe 2 (n_2 sujets)	....	Groupe k (n_k sujets)

Ce plan serait en vigueur, par exemple, dans l'étude de la tolérance à des stimuli douloureux, en fonction de cinq degrés d'intensité de la frustration préalablement induite; le plan requerrait donc cinq groupes distincts, dont chacun ne subirait qu'un seul niveau de frustration. Ou encore, le chercheur pourrait s'intéresser à l'effet de la présence d'un congénère femelle sur l'agressivité d'un animal mâle à l'égard des autres mâles: les conduites agressives seraient alors mesurées respectivement chez un groupe de mâles mis en présence d'une femelle, et chez un autre groupe sans femelle.

Plans à plus d'une variable indépendante

Dans un contexte naturel ou quotidien, l'action conjointe et concomitante de plusieurs variables indépendantes s'exerce souvent sur le comportement humain ou animal. Si les ressources méthodologiques ne permettaient d'étudier que l'effet d'une seule variable à la fois, l'information scientifique résultante ne rendrait compte des phénomènes à expliquer que de façon très segmentée. Ces ressources sont heureusement plus étendues et plus raffinées: elles autorisent l'analyse de l'effet simultané de plusieurs variables indépendantes, et donc la vérification de plusieurs hypothèses à l'intérieur d'une même recherche. Cette étude se fait alors à l'aide d'un plan dit *factoriel*, caractérisé par la présence d'au moins deux variables indépendantes. En principe, plusieurs variables peuvent être considérées, mais en pratique leur nombre dépasse rarement quatre ou cinq. Il en est ainsi à cause des limites inhérentes aux techniques d'analyse statistique existantes et à cause des problèmes d'interprétation que pose l'effet combiné d'un nombre élevé de variables. Chacune de ces variables peut par ailleurs être abordée selon une approche expérimentale ou corrélationnelle.

A titre d'exemple, on peut penser à l'étude de la mémorisation en fonction de deux variables indépendantes. Celles-ci pourraient consister d'une part dans le type de matériel à mémoriser — ce matériel étant verbal ou imagé — et, d'autre part, dans la durée d'une tâche distrayante que le sujet exécute entre la présentation du matériel et la mesure de sa rétention — cette durée étant de 3, 10 ou 12 minutes. Chacune des deux variables indépendantes comportant respectivement deux et trois niveaux, le plan en cause est dit *plan factoriel 2 × 3 à six groupes indépendants*. Chaque groupe y est soumis à une seule combinaison des niveaux des deux variables indépendantes, le nombre de combinaisons étant fixé par le produit du nombre de niveaux respectifs de chaque variable indépendante. Par conséquent, trois groupes distincts mémorisent un matériel verbal; l'un d'eux effectue la tâche distrayante pendant 3 minutes, le second le fait pendant 10 minutes et le troisième pendant 12 minutes. Pour les trois autres groupes, le matériel à mémoriser est imagé et la durée de la tâche distrayante est respectivement de 3, 10 et 12 minutes. Ainsi chacun des six groupes tente de ne retenir qu'un seul type de matériel, et l'exécution de la tâche distrayante n'a pour lui qu'une seule durée.

Le principe régissant le nombre de groupes requis peut être appliqué, sur une plus large échelle, au cas d'un plan à quatre variables indépendantes (A, B, C et D), comportant respectivement 3, 3, 2 et 5 niveaux. Ce plan factoriel 3 × 3 × 2 × 5 à 90 groupes indépendants est illustré au tableau 5.2. Chaque groupe y est soumis à une seule combinaison des variables A, B, C et D, et toutes les combinaisons sont présentes. Plus concrètement, ce plan pourrait convenir à l'étude de l'apparition de préjugés en fonction de trois

Tableau 5.2

Plan factoriel $3 \times 3 \times 2 \times 5$ à 90 groupes indépendants

		a_1			a_2			a_3		
		b_1	b_2	b_3	b_1	b_2	b_3	b_1	b_2	b_3
c_1	d_1	Groupe 1 (n_1 sujets)	Groupe 2 (n_2 sujets)	...	...	...	...	...	...	Groupe 9 (n_9 sujets)
	d_2	Groupe 10 (n_{10} sujets)	...	...	...	...	...	...	...	...
	d_3	Groupe 19 (n_{19} sujets)	...	...	...	...	...	...	...	...
	d_4	Groupe 28 (n_{28} sujets)	...	...	...	...	...	...	...	...
	d_5	Groupe 37 (n_{37} sujets)	...	...	...	...	...	...	...	...
c_2	d_1	Groupe 46 (n_{46} sujets)	...	...	...	...	...	...	...	...
	d_2	Groupe 55 (n_{55} sujets)	...	...	...	...	...	...	...	...
	d_3	Groupe 64 (n_{64} sujets)	...	...	...	...	...	...	...	...
	d_4	Groupe 73 (n_{73} sujets)	...	...	...	...	...	...	...	...
	d_5	Groupe 82 (n_{82} sujets)	...	...	...	...	...	...	...	Groupe 90 (n_{90} sujets)

types d'individus cibles (variable A) et de trois degrés de contact avec ces cibles (variable B), chez des sujets des deux sexes (variable C) et se déclarant de l'une de cinq allégeances religieuses (variable D).

L'efficacité du plan factoriel et son intérêt tiennent à deux de ses caractéristiques: *dans une même recherche*, il permet de déterminer l'*effet spécifique* à chacune des variables indépendantes étudiées, et l'*effet conjoint* de toutes ces variables. Les deux ordres d'effet sont mesurés au moment de l'analyse statistique des données.

Concernant la première caractéristique du plan factoriel, on parlera de l'*effet principal* d'une variable indépendante, c'est-à-dire de son effet propre, quels que soient la nature et les niveaux des autres variables indépendantes. Par exemple, dans l'étude de la rétention, mentionnée plus haut, deux variables indépendantes sont mises en place et, en conséquence, deux effets principaux sont évalués. Il s'agit d'abord de s'interroger sur l'effet spécifique au type de matériel à retenir, indépendamment de la durée de la tâche distrayante intercalée entre la présentation du matériel et l'évaluation de la rétention. Donc, quelle que soit cette durée, le matériel verbal est-il mieux retenu que le matériel imagé? Il s'agit aussi de s'enquérir de l'effet spécifique à la durée de la tâche distrayante, indépendamment du type de matériel à mémoriser. Donc, quel que soit ce matériel, la rétention diffère-t-elle selon que la tâche distrayante dure 3, 10 ou 12 minutes?

Une fois achevée l'analyse statistique, il faudrait conclure à un effet principal de la première variable et à une absence d'effet principal de la seconde s'il advenait que la rétention du matériel verbal est toujours supérieure à celle du matériel imagé, mais qu'elle n'est aucunement influencée par la durée de la tâche distrayante. Ce type de résultat est illustré à la figure 5.1a. Par contre, il faudrait conclure à une absence d'effet principal de la première variable et à un effet principal de la deuxième si les résultats indiquaient plutôt que la rétention du matériel verbal équivaut à celle du matériel imagé, mais qu'elle est d'autant plus faible que la durée de la tâche distrayante a été élevée. Ce type de résultat est illustré à la figure 5.1b. Enfin, il y aurait lieu de conclure à deux effets principaux, respectivement attribuables à chacune des deux variables, si la rétention du matériel verbal surpassait toujours celle du matériel imagé et qu'elle était d'autant moins bonne que la durée de la tâche distrayante a été élevée. Ce type de résultat est illustré à la figure 5.1c. La même conclusion prévaudrait si la rétention du matériel verbal surpassait toujours celle du matériel imagé et qu'elle était plus élevée lorsque la tâche distrayante ne dure que 3 minutes que lorsqu'elle occupe 10 ou 12 minutes. Ce dernier type de résultat est illustré à la figure 5.1d. En plus de celles ici citées à titre d'exemples, d'autres configurations d'effets principaux sont évidemment possibles.

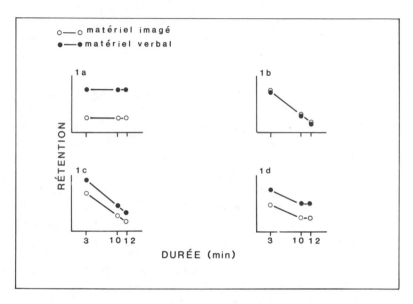

Figure 5.1 Rétention en fonction du type de matériel à retenir et de la durée d'une tâche distrayante exécutée entre la présentation du matériel et la mesure de la rétention: effet principal de la première variable (1a), de la seconde (1b) et de chacune des deux variables (1c et 1d).

Dans l'exemple illustré au tableau 5.2, quatre effets principaux sont possibles: il s'agit de l'effet spécifique de A, indépendamment de B, C et D, et ainsi de suite, jusqu'à l'effet spécifique de D, indépendamment de A, B et C. Pour établir l'effet spécifique de A, l'analyse statistique comparera trois ensembles de mesures: l'ensemble des mesures obtenues chez les 30 groupes de la case a_1 (soit tous les groupes relatifs au premier niveau de A, quels que soient les niveaux particuliers de B, C et D); l'ensemble des mesures obtenues chez les 30 groupes de la case a_2 (soit tous les groupes relatifs au second niveau de A); et l'ensemble des mesures obtenues chez les 30 groupes de la case a_3 (soit tous les groupes relatifs au troisième et dernier niveau de A). L'évaluation de l'effet principal de chacune des trois autres variables se fait selon le même principe de regroupement.

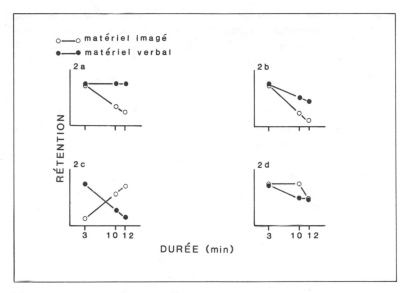

Figure 5.2 Rétention en fonction du type de matériel à retenir et de la durée d'une tâche distrayante exécutée entre la présentation du matériel et la mesure de la rétention: effets d'interaction entre les deux variables (2a à 2d).

Quant à la seconde caractéristique du plan factoriel, on parlera de l'*effet d'interaction* des variables indépendantes étudiées, c'est-à-dire de l'effet découlant de leur intervention combinée ou conjuguée. Il y a interaction chaque fois que l'effet d'une variable indépendante diffère selon qu'elle est associée à tel ou tel niveau particulier d'une autre variable. Dans ce cas, l'effet d'une des variables indépendantes n'est pas indépendant de celui des autres. Il est alors impossible de se prononcer sur l'effet d'une variable isolément, ou sans référence aux niveaux des autres. Dans la mesure de la rétention, citée plus haut, l'analyse statistique détecterait une interaction entre les deux variables indépendantes dans le cas suivant, par exemple. Que le matériel à mémoriser soit verbal ou imagé, la rétention est la même si la tâche distrayante dure 3 minutes; toutefois, le matériel étant verbal, l'augmentation de la durée de cette tâche a un effet nul; par contre, l'effet dommageable est croissant avec un matériel imagé. Ce type de résultat est illustré à la figure 5.2a. Par conséquent, l'effet du type de matériel ne serait pas indépendant de celui de la durée de la tâche distrayante, ou il ne pourrait en être dissocié.

D'autres formes d'interaction sont, bien sûr, possibles; elles associeraient alors différemment l'un à l'autre les effets de chacune des deux variables. Toutes mettraient néanmoins en évidence l'inter-dépendance des variables en jeu et l'imbrication de leurs effets. A titre illustratif, il se peut, comme à la figure 5.2b, que, lorsque la tâche distrayante ne dure que 3 minutes, les matériels verbal et imagé soient également bien retenus; de plus, l'allongement de la durée de cette tâche devient nuisible à la rétention des deux types de matériel, mais il l'est davantage si le matériel est imagé. Ou encore, comme à la figure 5.2c, l'allongement de la durée de la tâche améliorerait la rétention avec un matériel imagé, tandis qu'il aurait un effet perturbateur avec un matériel verbal. Enfin, comme à la figure 5.2d, il se pourrait que la durée de la tâche distrayante ne réduise la mémorisation du matériel imagé que si elle dure 12 minutes, mais que, dans le cas du matériel verbal, l'effet inhibiteur se manifeste dès que la tâche dure 10 minutes. Dans tous les cas, c'est la décomposition statistique de l'interaction en ses effets dits simples qui livre l'information caractérisant l'allure de cette interaction.

D'autre part, et c'est évident, le nombre d'interactions possibles croît en fonction du nombre de variables indépendantes insérées dans le plan factoriel. Ainsi, si les variables A, B, C et D sont étudiées, l'analyse évaluera d'abord l'interaction de troisième ordre pouvant exister entre les quatre variables A, B, C et D. Puis il faudra aussi considérer les interactions de second ordre qui sont possibles dans chaque trio de variables, soit entre A, B et C, entre A, B et D, entre A, C et D et entre B, C et D. Finalement, seront estimées les interactions de premier ordre dans chaque couple de variables, soit entre A et B, A et C, A et D, B et C, B et D et C et D. On imagine aisément la complexité de l'interprétation à donner à une interaction traduisant l'effet simultané et différentiel de plus de trois variables.

PLANS A MESURES RÉPÉTÉES

A la différence des précédents, les plans à mesures répétées ont la particularité de confronter un seul et même groupe de sujets à tous les niveaux de la ou des variables indépendantes étudiées. A nombre de mesures égal, le nombre de sujets requis pour réaliser une recherche peut donc être sensiblement réduit par rapport à celui qu'exigerait la constitution de groupes indépendants. Cet aspect pratique n'est pas sans importance, principalement dans les cas où des populations à faible effectif et d'accessibilité limitée doivent être étudiées, par exemple, une population d'aphasiques d'un type spécial, d'escrimeurs de calibre olympique ou de sujets dotés de très grandes capacités de calcul mental.

L'exposé des deux catégories de plans à mesures répétées fera suite à l'analyse des considérations relatives au contrôle de l'équivalence des sujets et à la notion de contrôle.

Contrôle de l'équivalence des sujets

Les plans à mesures répétées entraînent la formation d'un seul groupe de sujets, soit tout l'échantillon recruté. Ils évitent par conséquent d'avoir à constituer des groupes au départ aussi comparables que possible, afin d'isoler l'effet des variables indépendantes étudiées. Les procédures d'appariement (par sujet, par bloc de sujets ou par groupe entier) d'un groupe à l'autre n'interviennent donc pas lors du recours à ces plans. Ceux-ci assurent un contrôle plus rigoureux des différences individuelles que celui fourni par les plans à groupes indépendants, parce que chaque niveau de la variable indépendante s'y applique effectivement aux différences individuelles, présumées constantes, qu'un même sujet affiche. C'est ce contrôle qui est en bonne partie responsable de l'attrait qu'exercent les plans à mesures répétées: le chercheur en attend en principe l'obtention de données statistiquement plus puissantes, ou plus sensibles, que celles livrées par les plans à groupes indépendants.

Par contre, à l'intérieur de l'unique groupe de sujets — surtout s'il est de petite taille — il est préférable, pour bien dégager l'impact des variables indépendantes, que les participants ne soient pas trop disparates, en ce qui concerne certaines de leurs caractéristiques reliées à la variable dépendante. Cet objectif peut être atteint, comme dans le cas des groupes indépendants, par le choix de sujets présentant tous une ou des caractéristiques identiques, lesquelles seraient donc constantes d'un sujet à l'autre: les sujets pourraient être, par exemple, tous bilingues ou tous modérément conformistes. Le même objectif peut être atteint par l'établissement d'une variation systématique des caractéristiques contrôlées: l'échantillon retenu comprendra alors, par exemple, 125 alcooliques, dont 25 ingèrent respectivement chaque jour une de cinq quantités d'alcool déterminées avec précision; ou encore, l'échantillon rassemblera 60 nourrissons âgés de 24 heures, dont 30 sont nés par césarienne et 30 par voie vaginale.

Enfin, si l'échantillon est de grande taille, le hasard peut entraîner une répartition des caractéristiques à contrôler qui soit équivalente à leur distribution naturelle et qui, par conséquent, n'altère pas l'effet de la variable indépendante. Par exemple, après avoir recruté 300 adolescents en vue d'étudier leur créativité musicale, on postulera que le nombre de gauchers et de droitiers composant l'échantillon est représentatif de la répartition à laquelle donne lieu la distribution spontanée de ce trait dans la population globale des adolescents d'une région donnée.

Là encore, toutes les combinaisons de modalités sont possibles lorsque le contrôle s'applique à plus d'une caractéristique des sujets.

Les modalités retenues doivent également maximiser la validité interne des résultats: elles doivent ainsi garantir que ces résultats ne traduisent que l'influence des variables indépendantes. Si le chercheur souhaite élargir ses conclusions à d'autres sujets que ceux composant son échantillon, et désire donc garantir une certaine validité externe, il doit s'assurer que ces résultats sont généralisables à l'ensemble de la population visée. Un échantillon représentatif de la population cible doit alors avoir été constitué.

Il existe toutefois une forme de sélection des sujets qui, lorsque ceux-ci sont examinés plus d'une fois, peut altérer la validité interne d'une recherche, en favorisant l'apparition du phénomène de la *régression statistique*. Présentée au chapitre précédent, cette forme de sélection consiste à ne retenir qu'un type très particulier de sujets, à savoir ceux qui occupent une position relativement extrême dans la distribution propre à la variable dépendante ou dans la distribution d'une ou de plusieurs caractéristiques (par exemple, un degré de conservatisme très accusé ou la capacité d'exécuter avec très grande rapidité une tâche faisant appel à la motricité fine) reliées à la variable dépendante. Rappelons que le phénomène de la régression se traduit, avec la répétition de la mesure, par le resserrement des performances, à l'origine surtout extrêmes, autour de la moyenne de la distribution en cause. Il y a donc danger que ce mouvement de rapprochement s'enchevêtre dans l'effet de la variable indépendante et qu'il ne soit ensuite plus possible de l'en distinguer et donc de conclure sans équivoque sur l'effet réel de la manipulation. Le contrôle de cette source d'invalidité, lorsque le recours aux sujets extrêmes est essentiel, sera exposé plus loin lorsqu'il sera question des plans combinés.

Situation de contrôle

Comme pour les plans à groupes indépendants, plusieurs recherches basées sur un plan à mesures répétées étudient l'effet d'une variable indépendante dont un des niveaux correspond à un point de comparaison, par rapport auquel on fait l'évaluation des effets propres aux autres niveaux. Lorsque le plan comporte des mesures répétées, tous les sujets subissent tous les niveaux de la variable indépendante. Chacun des niveaux étant administré par l'intermédiaire d'une situation particulière, la situation qui équivaut au point de référence, de comparaison ou de contraste est appelée *situation de contrôle*, ou situation témoin. Ainsi, si le chercheur étudie l'effet de la présence de la mère ou du père sur la complexité syntaxique des échanges verbaux entre un aîné et un cadet, il soumettra tous les couples d'enfants à deux situations: dans l'une, l'adulte sera présent (situation expérimentale) et dans l'autre, il sera absent (situation de contrôle).

Certaines recherches ne requièrent pas de situation de contrôle, compte tenu de la nature de la variable indépendante. Par exemple, la mesure du degré de curiosité du jeune chimpanzé à l'endroit de son environnement physique, en fonction de la superficie de cet environnement, nécessite autant de situations expérimentales que la variable indépendante comporte de niveaux, mais elle n'exige logiquement aucune situation de contrôle, laquelle serait de superficie nulle. Les jeunes primates ont beau avoir la réputation méritée d'être fureteurs et inventifs, il est peu probable qu'ils réussiraient à explorer une étendue inexistante.

Dans l'étude de certains autres phénomènes, il faut par contre prévoir plus d'une situation de contrôle. Ainsi, chaque fois qu'un effet de suggestion ou d'attente est possible — les comportements pouvant être modifiés simplement parce que les sujets croient être soumis à la variable indépendante, alors qu'ils ne le sont pas — on doit mettre en place une situation placebo. Par exemple, si le chercheur veut établir l'influence d'une stimulation subliminale sur la facilité à résoudre des anagrammes, il placera tout l'échantillon dans trois situations. Dans l'une, les sujets seront soumis à la stimulation subliminale (situation expérimentale où les sujets portent des écouteurs via lesquels leur sera transmis le message subliminal); dans une autre, ils ne seront pas soumis à la stimulation (situation de contrôle où les sujets ne portent pas les écouteurs); et, dans la dernière, ils n'y seront pas soumis non plus, mais croiront l'être (situation placebo où les sujets portent les écouteurs qui ne leur feront, bien sûr, rien entendre).

Ici encore, la nature et le nombre des situations de contrôle requises sont déterminés par le problème analysé. C'est une fois de plus le jugement éclairé du chercheur qui doit le guider dans la création la plus judicieuse possible de ces situations.

Plans à une variable indépendante

Lorsque le plan à mesures répétées ne compte qu'une seule variable indépendante, le chercheur doit mettre au point deux ou plusieurs situations, selon que la variable comporte deux ou plusieurs niveaux — chacune de ces situations étant respectivement associée à un niveau particulier de la variable étudiée. Tous les sujets de l'échantillon sont alors soumis à toutes les situations mises en place, y compris la ou les situations de contrôle répondant aux exigences de validité interne. Ce type de plan est illustré au tableau 5.3.

Tableau 5.3

Plan à mesures répétées: étude d'une variable indépendante

Niveau 1	Niveau 2	....	Niveau k
Situation 1 (n$_1$ mesures)	Situation 2 (n$_2$ mesures)	....	Situation k (n$_k$ mesures)

Un tel plan pourrait servir, par exemple, à estimer l'effet d'un entraînement intensif au contrôle volontaire du rythme cardiaque sur la capacité des sujets à provoquer une décélération de ce rythme face à des stimulations anxiogènes. Chez tous les participants, des mesures physiologiques et psychologiques seraient donc enregistrées à deux reprises, soit avant et après l'entraînement.

Lorsque, comme dans cet exemple, des mesures de la variable dépendante sont prises avant et après l'intervention expérimentale, on nomme en général ces moments respectivement *prétest* et *post-test*. Le fait de procéder à un prétest, et donc à une mesure de la variable dépendante préalablement à toute manipulation de la variable indépendante, permet de connaître en quelque sorte la position initiale de chaque sujet en regard des conduites à l'étude. Ceci constitue un atout précieux pour juger de la comparabilité des différents sujets et pour opérer, au besoin, la sélection du type d'individus recherchés. L'étape du prétest peut même faire gagner du temps au chercheur en l'invitant à modifier plus ou moins radicalement son projet. En effet, supposons que l'objectif en est d'accroître la performance, mais que, lors du prétest, cette performance est déjà élevée. Même après avoir été soumise à l'action de la variable indépendante, la performance risquerait de plafonner parce que l'amplitude existant entre la performance initiale et la performance maximale est faible. Devant cette information, le chercheur devra envisager les issues suivantes: recruter des sujets à rendement initial moindre, concevoir une manipulation expérimentale beaucoup plus puissante ou renoncer carrément à l'étude projetée. Le problème inverse surgit certes si la performance initiale des sujets est déjà faible et que l'objectif est de la réduire.

Dans tous les cas, la principale raison d'être d'un prétest est d'assurer l'évaluation de l'influence de la variable indépendante par le biais de la comparaison des données qu'on y recueille avec celles obtenues plus tard lors du post-test. Cependant, il faut signaler que certains auteurs (Oliver et Berger, 1980) ne croient pas toujours valable — spécialement quand les attitudes et les opinions des sujets sont en jeu — d'enregistrer la variable dépendante lors d'un prétest. Ils optent plutôt pour un plan à groupes indépendants équivalent, pour éviter que l'administration du prétest n'accroisse la capacité du sujet à réagir ensuite au traitement expérimental en le rendant plus disposé à changer ses réponses antérieures, ou, au contraire, qu'elle ne diminue cette capacité en ancrant davantage le sujet dans ces mêmes réponses. Tel qu'indiqué au chapitre précédent, il y a alors une contamination inhérente à l'administration de plus d'une mesure aux mêmes sujets et, plus précisément, un effet de sensibilisation ou d'inoculation dû à la passation du prétest (Lana, 1969; Wilson et Putnam, 1982). D'autres auteurs (Bracht et Glass, 1968; Ncale et Liebert, 1973) s'interrogent par contre sur la validité externe des comportements provenant d'un prétest lorsqu'en dehors de toute analyse scientifique, ces comportements n'y sont à peu près jamais soumis et que l'objectif du chercheur est de généraliser ses conclusions à ces contextes quotidiens.

Par ailleurs, si la variable indépendante comportait plus de deux niveaux, le but visé pourrait être, par exemple, de déterminer la durabilité de l'impact de l'entraînement au contrôle cardiaque en enregistrant des mesures lors de trois post-tests, soit dès la fin de l'entraînement ainsi qu'un mois et six mois plus tard. Ou encore, un chercheur pourrait s'intéresser à l'étude du degré de rétention et de compréhension en fonction du nombre de propositions contenues dans des phrases à mémoriser, ce nombre variant entre un et cinq. Il présenterait donc à chaque sujet des phrases contenant respectivement une, deux, trois, quatre et cinq propositions.

Plans à plus d'une variable indépendante

Le chercheur a recours à un plan *factoriel* à mesures répétées lorsqu'il soumet un seul groupe de sujets à un ensemble de situations, ensemble défini par les diverses combinaisons des niveaux d'au moins deux variables indépendantes. La limite du nombre de ces variables est fixée conformément aux mêmes considérations que celles intervenant pour les plans factoriels à groupes indépendants. A ces considérations s'ajoute par contre la nécessité de ne pas fatiguer les sujets de façon excessive. Quel que soit l'intérêt scientifique du problème à l'étude, il y a en effet peu à attendre d'un échantillon épuisé ou ennuyé par la passation antérieure d'une série de situations totalisant plusieurs heures et à qui l'expérimentateur en présente une autre qui sollicite, par exemple, un haut degré de vigilance intellectuelle ou une grande vivacité des réflexes.

Le plan factoriel à mesures répétées peut ne comporter que deux variables indépendantes. Par exemple, chez des enfants autistes qui pratiquent l'automutilation, on peut chercher à savoir si l'intensité (faible, moyenne ou forte) du choc électrique punissant ce comportement et le nombre (un ou deux) de chocs administrés après chaque manifestation dudit comportement en diminuent la fréquence d'apparition. Les deux variables comportant respectivement trois et deux niveaux, le plan est désigné comme étant factoriel 3 × 2 avec mesures répétées sur les deux variables. Chaque enfant est alors soumis à chacune des six situations, définie respectivement par une seule intensité et un seul nombre de chocs, et donc définie par un niveau spécifique de chacune des variables.

Le principe peut être généralisé à un plan comptant quatre variables (A, B, C et D) qui comporterait respectivement 3, 2, 2 et 2 niveaux. Un tel plan est donc un plan factoriel 3 × 2 × 2 × 2 avec mesures répétées sur toutes les variables; il donne lieu à 24 situations distinctes, comme l'illustre le tableau 5.4. Plus concrètement, la capacité de détecter un signal visuel pourrait être mesurée chez des contrôleurs aériens en fonction de trois nombres de cadrans à surveiller (variable A), de deux tailles de ces cadrans (variable B), de deux degrés de température ambiante (variable C) et de deux degrés de bruit ambiant (variable D).

Comme le plan factoriel à groupes indépendants, le plan factoriel à mesures répétées permet, lors de l'analyse statistique des données, l'évaluation de l'*effet principal* ou spécifique à chaque variable indépendante, et celle des divers *effets d'interaction* pouvant exister entre deux ou plusieurs variables. En ce qui concerne ces deux types d'effets, toutes les considérations exposées dans la partie traitant des plans à groupes indépendants sont pertinentes.

Quel que soit le nombre de variables indépendantes qu'il compte manipuler à l'intérieur d'un plan à mesures répétées, le chercheur risque, au fur et à mesure que se déroulent les situations qu'il a conçues, de voir certains sujets se retirer de l'échantillon parce qu'ils décident, pour diverses raisons, de mettre fin à leur participation, ou sont contraints de le faire. Ce risque de *perte de sujets* est d'autant plus élevé que les situations se distribuent à l'intérieur d'une longue période: à l'extrême, on peut penser aux études longitudinales s'étendant sur plusieurs décennies. Il est bien sûr possible que l'abandon de la part des sujets résulte, non pas d'un coup de tête plus ou moins capricieux ou même d'une mûre réflexion, mais de circonstances franchement incontrôlables (déménagement, maladie, mort, etc.). Le chercheur lui-même peut aussi être amené à rejeter des sujets qui ne lui livrent pas les renseignements dont il a besoin. Peu en importe l'origine, la perte de sujets est ennuyeuse: elle peut porter préjudice à la validité interne, tel que nous l'avons vu au chapitre 4. En effet, la probabilité d'abandon

Tableau 5.4

Plan factoriel 3 × 2 × 2 × 2 avec mesures répétées sur toutes les variables

		a_1		a_2		a_3	
		b_1	b_2	b_1	b_2	b_1	b_2
c_1	d_1	Situation 1 (n_1 mesures)	....	....	....	....	Situation 6 (n_6 mesures)
	d_2	Situation 7 (n_7 mesures)	....	....	....	....	Situation 12 (n_{12} mesures)
c_2	d_1	Situation 13 (n_{13} mesures)	....	....	....	....	Situation 18 (n_{18} mesures)
	d_2	Situation 19 (n_{19} mesures)	....	....	....	....	Situation 24 (n_{24} mesures)

n'est pas la même d'une situation à l'autre et d'un sujet à l'autre, certains individus étant, par exemple, moins persistants ou moins disponibles que d'autres. La perte fait ainsi qu'ayant démarré avec un échantillon dont il comptait déplacer tout l'effectif d'une situation à l'autre, le chercheur ne compare plus exactement les mêmes personnes de la première à la dernière situation. Il introduit donc dans ses mesures une variation impossible à évaluer et qui se fusionne à l'effet de la variable indépendante. Quand le remplacement des sujets n'est pas réalisable ou quand les désistements sont trop nombreux, le problème posé par la perte n'est pas complètement soluble par un ajustement statistique lors de l'analyse des résultats. Mais comme il se présente avec encore plus d'acuité dans le cas des plans combinés, nous verrons plus loin quelle ligne de conduite peut en amoindrir l'ampleur.

De façon encore plus cruciale, le concepteur d'un plan à mesures répétées fait toujours face à un problème de validité interne, intrinsèque ou structural, qu'on peut énoncer de la manière suivante. Les différences détectées dans la variable dépendante traduiront-elles l'action de la variable indépendante, ou refléteront-elles également ou plutôt le fait que les sujets, ayant été soumis aux divers niveaux de cette variable à des moments eux-mêmes différents, auront pu ne pas réagir à chaque niveau isolément, c'est-à-dire sans qu'intervienne à chaque fois une influence quelconque des conduites manifestées aux niveaux antérieurs? En d'autres mots, les résultats seraient-ils les mêmes si les sujets subissaient un niveau donné de la variable indépendante sans en avoir précédemment connu d'autres?

Tel que spécifié au début du chapitre, l'exploitation des plans à mesures répétées est impossible dans les cas où l'effet de la variable indépendante est irréversible. Dans les cas où cet effet est réversible, une des solutions pour faire échec à l'objection d'invalidité énoncée plus haut consiste à administrer les diverses situations de mesure à intervalles suffisamment espacés, afin que les modifications suscitées par une situation donnée aient déjà été résorbées au moment où le sujet passe à une autre (Greenwald, 1976). Selon la nature des phénomènes étudiés, cet intervalle sera, par exemple, d'une ou deux secondes, de quelques jours ou de plusieurs mois.

Une autre solution réside à l'occasion dans le fait d'administrer les diverses situations en en modifiant, selon les sujets, l'ordre de présentation. Ce procédé est dit de *contrebalancement*. En y recourant, on pourra annuler la part des résultats attribuables à un effet d'ordre ou de séquence. Entre autres, les effets dits de fatigue ou d'apprentissage (ou d'exercice) sont des effets d'ordre tout à fait classique. Dans le premier cas, le rendement du sujet se détériore au fil des situations, non pas à cause de la nature même de ces situations, mais parce que, l'examen durant trop longtemps, le sujet devient, par exemple, moins attentif ou moins adroit. Dans le deuxième cas, le rendement se bonifie au fil des situations, indépendamment de leur nature, parce que le sujet devient, par exemple, plus vigilant ou plus habile. La réalisation du contrebalancement requiert que chaque situation soit présentée un même nombre de fois à chaque sujet, et dans le cadre de chaque séance; de plus, chaque situation doit précéder et suivre les autres un même nombre de fois (McGuigan, 1978). Plus fondamentalement, ce procédé postule l'uniformité des comportements résiduels transférés d'une situation à l'autre (Poulton et Freeman, 1966).

Par exemple, supposons que la variable indépendante soit définie par la vitesse de visionnement d'un document audiovisuel et que, pour diverses raisons, le chercheur ait opté pour un plan à mesures répétées en vue d'établir l'effet de cette variable sur l'identification de certains événements clés. Il constitue donc un seul groupe de sujets: la moitié d'entre eux visionnent d'abord en vitesse ralentie, puis en vitesse normale, tandis que l'autre moitié des sujets effectueront le visionnement dans l'ordre inverse. La variable indépendante ne comportant que deux niveaux, l'opération est simple. Une variable indépendante en comptant trois entraînerait toutefois la mise en place de six ordres différents de passation, chacun étant associé à un sujet différent ou à un sous-groupe différent de sujets. En effet, le nombre d'ordres différents correspond au nombre de permutations des niveaux de la variable indépendante: si cinq niveaux sont en cause, il faudra prévoir 120 ordres de passation. Sur le plan pratique, il n'est donc pas réaliste d'effectuer un contrebalancement complet quand le nombre de situations en jeu est élevé. Enfin, le recours au contrebalancement fait lui-même parfois surgir certaines difficultés au moment de l'analyse statistique des données (Gaito, 1961). La recherche scientifique n'est décidément pas une sinécure et les solutions miracles garantissant de contourner simultanément tous les obstacles n'y existent pas.

La dimension temporelle des plans à mesures répétées est finalement susceptible d'engendrer l'intervention de deux autres agents d'invalidité interne, sans que ces plans eux-mêmes ne puissent en bloquer l'action. En même temps qu'ils traversent les diverses situations de mesure, les sujets ne peuvent en effet échapper à l'influence des *processus de maturation* se déroulant dans leur organisme et à celle des *événements dits historiques* qui prennent place dans leur existence. Seul le recours aux plans qui suivent assure la neutralisation de ces éléments perturbateurs.

PLANS COMBINÉS

Élaborer un plan combiné consiste à mettre en place un plan dont une partie comporte des groupes indépendants, et une autre des mesures répétées. Comme ils font nécessairement appel à au moins deux variables indépendantes, les plans combinés appartiennent inévitablement à la catégorie des *plans factoriels*. Leur caractéristique de base est la suivante: au moins une des variables étudiées repose sur la constitution de groupes indépendants, et au moins une autre de ces variables entraîne que chacun des groupes inclus dans la comparaison intersujets est soumis à des mesures répétées. Les notions précédemment exposées, concernant respectivement les plans à groupes indépendants et les plans à mesures répétées, doivent donc être considérées ici conjointement.

Par conséquent, les approches corrélationnelle et expérimentale peuvent être exploitées en ce qui concerne la variable rattachée aux groupes indépendants, tandis que seule l'approche expérimentale convient à l'établissement de la variable rattachée aux mesures répétées (à moins que cette variable ne soit définie par l'âge des sujets et étudiée longitudinalement). Donc, un plan combiné est dit *mixte* lorsque les approches corrélationnelle et expérimentale y président à la mise en place respective de deux variables indépendantes.

Contrôle de l'équivalence des sujets

Les groupes indépendants utilisés doivent être évidemment, les uns par rapport aux autres, constitués de sujets les plus comparables possible. En conséquence, les modalités de contrôle et les procédures d'appariement précédemment décrites dans la section sur les plans à groupes indépendants sont ici appliquées à la constitution des divers groupes requis.

Groupe de contrôle et situation de contrôle

Dans une recherche recourant à un plan combiné, la nature des variables indépendantes peut être telle que certains groupes n'y sont pas expérimentaux ou que certaines situations n'y sont pas expérimentales. A ce moment, un certain nombre de groupes — ceux qui ne sont pas soumis aux variables indépendantes requérant des groupes indépendants — constituent les groupes de comparaison ou groupes de contrôle. De plus, tous les groupes étant soumis à un certain nombre de situations qui ne font pas intervenir les variables indépendantes entraînant des mesures répétées, ces situations constituent les situations de comparaison ou situations de contrôle.

Ici encore la nature des variables peut engendrer soit l'absence complète de ces contrôles — pour des raisons logiques — soit la nécessité d'en instaurer un ou plus d'un — de manière à pouvoir ensuite écarter toute interprétation concurrente de celle axée sur les variables indépendantes choisies.

Plans à deux ou plusieurs variables indépendantes

Les plans combinés nécessitent autant de groupes différents que les variables indépendantes associées aux groupes indépendants comportent de niveaux; ils exigent aussi autant de situations différentes que les variables indépendantes associées aux mesures répétées comportent de niveaux.

Dans le cas où deux variables seulement sont en jeu, le type de plan correspond à celui illustré au tableau 5.5. Dans les cas où plus de deux variables sont en jeu, le même principe prévaut. Ainsi, tous les groupes sont soumis à toutes les situations. Le nombre de groupes est celui requis par l'ensemble des variables indépendantes comportant des groupes indépendants, et le nombre de situations est celui requis par l'ensemble des variables indépendantes comportant des mesures répétées.

Tableau 5.5

Plan combiné à deux variables indépendantes

a_1 Groupe 1 (n_1 sujets)	a_2 Groupe 2 (n_2 sujets)	....:.... ....:....	a_j Groupe j (n_j sujets)
b_1 Situation 1 (n_1 mesures)	b_1 Situation 1 (n_1 mesures)	....:.... ....:....	b_1 Situation 1 (n_1 mesures)
b_2 Situation 2 (n_2 mesures)	b_2 Situation 2 (n_2 mesures)	....:.... ....:....	b_2 Situation 2 (n_2 mesures)
....:.... ....:....	....:.... ....:....	....:.... ....:....	....:.... ....:....
b_k Situation k (n_k mesures)	b_k Situation k (n_k mesures)	....:.... ....:....	b_k Situation k (n_k mesures)

L'exemple suivant est celui d'un plan combiné 5 × 2 × 4 à 10 groupes indépendants et à mesures répétées sur la dernière variable. Il concerne une étude destinée à évaluer l'effet de trois méthodes d'apprentissage de la notion de conservation du poids chez des enfants de 4 et 8 ans. L'impact de chaque méthode d'apprentissage est évalué à quatre reprises, au cours de quatre situations de contrôle: lors d'un prétest se déroulant avant l'administration de toute méthode d'apprentissage et lors de trois post-tests se déroulant respectivement dès la fin de la séance d'apprentissage, une semaine après et huit semaines plus tard. Deux groupes de contrôle sont constitués: dans les deux cas, les enfants ne sont soumis à aucune méthode d'apprentissage, mais dans le second cas, les enfants exécutent, à la place des tâches d'apprentissage, une tâche sans relation avec la notion de conservation. Ce second contrôle neutralise l'action «facilitatrice» que pourrait avoir le simple contact avec la personne administrant la méthode d'apprentissage aux groupes expérimentaux. Le plan en question est illustré au tableau 5.6. Le chercheur y détermine les effets principaux respectivement attribuables à la méthode d'apprentissage (variable A), à l'âge des enfants (variable B) et au moment de l'enregistrement de leur performance (variable C); il lui est en outre possible d'évaluer les effets d'interaction existant, d'une part, pour l'ensemble des trois variables indépendantes et, d'autre part, pour chaque couple de ces variables.

Les plans combinés sont fréquemment utilisés pour l'analyse des conduites animales et humaines, parce qu'ils accroissent souvent la validité interne d'une recherche. Comme on l'a vu précédemment, en ce qui concerne cette validité, l'emploi d'un plan à mesures répétées pose un certain nombre de problèmes, le plus complexe découlant d'un éventuel effet de l'ordre d'apparition des diverses situations commandées par la manipulation d'une variable à mesures répétées. Or le recours à un plan combiné particulier peut à l'occasion remédier à ce problème.

Bien qu'il satisfasse aussi à d'autres objectifs, celui des plans combinés qui s'avère alors pertinent est appelé *plan en carré latin*. Conçu à l'origine pour la recherche agricole — comme plusieurs autres plans —, ce plan est rarement exploité dans la recherche psychologique et seules ses principales caractéristiques sont ici présentées. Il s'agit d'un plan basé sur une opération de contrebalancement incomplet des situations définies par les niveaux de la variable indépendante. Ce ne sont donc pas tous les ordres de passation qui sont respectivement administrés à des sujets différents. Seuls certains ordres sont retenus. Le plan tire son nom, d'une part, de l'organisation spatiale — celle d'un carré — qui préside au contrebalancement et au choix des ordres à respecter et, d'autre part, du fait que des

Tableau 5.6

Plan combiné 5 × 2 × 4 à 10 groupes indépendants
et à mesures répétées sur la dernière variable

Méthode d'appren-tissage	Age des sujets	Prétest (avant l'appren-tissage)	Post-test 1 (immédiatement après l'apprentissage)	Post-test 2 (une semaine après)	Post-test 3 (huit semaines après)
Aucune	4 ans Groupe (de contrôle) 1	Situation (de contrôle) 1	Situation (de contrôle) 2	Situation (de contrôle) 3	Situation (de contrôle) 4
	8 ans Groupe (de contrôle) 2	,,	,,	,,	,,
Aucune (Tâche non pertinente à la notion de conservation)	4 ans Groupe (de contrôle) 3	,,	,,	,,	,,
	8 ans Groupe (de contrôle) 4	,,	,,	,,	,,
Méthode X	4 ans Groupe (expérimental) 5	,,	,,	,,	,,
	8 ans Groupe (expérimental) 6	,,	,,	,,	,,
Méthode Y	4 ans Groupe (expérimental) 7	,,	,,	,,	,,
	8 ans Groupe (expérimental) 8	,,	,,	,,	,,
Méthode Z	4 ans Groupe (expérimental) 9	,,	,,	,,	,,
	8 ans Groupe (expérimental) 10	Situation (de contrôle) 1	Situation (de contrôle) 2	Situation (de contrôle) 3	Situation (de contrôle) 4

lettres latines y désignent traditionnellement les niveaux de la variable indépendante à contrebalancer — d'autres plans analogues, mais plus complexes, requérant une lettre latine et une lettre grecque pour désigner respectivement chacune de deux variables à contrebalancer (Fraisse, 1963) —. Le chercheur doit tenir compte d'un certain nombre de considérations dans la sélection des ordres de passation à mettre en place (Winer, 1962). Cette étape est décisive dans la construction du plan. Ce qui fait du carré latin un plan combiné — et non un plan à mesures répétées avec contrebalancement — c'est que des groupes formellement différents de sujets seront respectivement soumis à des ordres différents de passation. On trouve un exemple de l'utilisation de ce plan dans la première expérience de Wilson et Nisbett (1978) où les sujets devaient fournir des associations verbales à différentes catégories de mots, sans l'aide d'aucun indice ou avec l'aide d'indices verbaux ou d'indices imagés.

En ce qui concerne les écueils relatifs à la validité interne que dresse une autre facette capitale de la dimension temporelle des plans à mesures répétées, il est précieux de pouvoir structurer des plans combinés parce que l'impact des facteurs de *maturation* peut y être évalué; la portée de ces facteurs est ainsi neutralisée. Dans le contexte d'un plan à mesures répétées, la probabilité que des changements d'ordre biopsychologique surviennent est évidemment d'autant plus élevée que les diverses situations de mesure sont temporellement éloignées les unes des autres. Il en est de même pour les *facteurs dits historiques*, soit tous les événements, distincts de la variable indépendante et des variables contrôlées, mais qui se produisent dans la vie quotidienne des sujets. L'administration des divers niveaux de la variable indépendante coïncidant avec le développement des facteurs de maturation et des facteurs historiques, il est impossible, lorsque le plan est à mesures répétées, de départager, dans les données obtenues, les variations imputables à la variable indépendante et celles imputables aux deux autres ensembles de facteurs qui constituent autant de sources d'invalidité interne.

La dissociation est cependant réalisable si le plan est élargi et transformé en plan combiné. Un tel plan rassemble tous les aspects du plan à mesures répétées: un même groupe expérimental est donc soumis à toutes les situations de mesure distribuées dans le temps, ainsi qu'au traitement lui-même. Le plan ajoute cependant à cette caractéristique la constitution d'un second groupe (de contrôle) équivalent au premier, et également soumis à toutes les situations de mesure, ainsi qu'à la maturation et aux facteurs historiques que leur distribution permet; mais ce groupe ne subit pas le traitement. C'est cette dissociation, par exemple, qui est effectuée dans le cas du plan combiné présenté au tableau 5.6, en ce qui concerne les groupes expérimentaux 5 à 10 (par opposition aux groupes de contrôle 1 et 2). Ce type de plan est couramment utilisé pour l'analyse des influences de variables indépendantes dont l'implantation est relativement longue ou peut engendrer des effets à long terme (ce qui est le cas pour certaines méthodes d'apprentissage et certaines interventions thérapeutiques).

Quant au phénomène de *régression statistique*, auquel peut donner lieu l'utilisation d'un plan à mesures répétées auprès de sujets extrêmes (à propos d'une de leurs caractéristiques reliées à la variable indépendante), il ne peut être contré en soi. Cependant, il est possible d'en évaluer l'effet à l'aide d'un plan combiné, comme on l'a mentionné antérieurement. Le plan concerné nécessite la sélection de deux groupes équivalents de sujets extrêmes: les deux groupes sont soumis aux diverses situations de mesure, mais un seul d'entre eux reçoit le traitement à l'étude. Si cette nécessité de doubler le nombre de sujets à recruter et à examiner peut paraître coûteuse, c'est pourtant à ce seul prix que pourront être distinguées, d'une part, les variations uniquement dues à la régression que suscite la répétition des situations de mesure et, d'autre part, les variations traduisant l'effet de la variable indépendante.

Enfin, la menace à la validité interne, que constitue la *perte différentielle* de sujets, peut surgir avec encore plus d'intensité dans le cadre des plans combinés. Tel que vu précédemment au cours de l'enregistrement des mesures, certains sujets présentent des caractéristiques particulières et non identifiées, se retirent de l'échantillon et cessent ainsi de participer à la recherche. Or, le problème provoque ici un double handicap: en effet, les attributs personnels des sujets qui se désistent et le nombre de ces sujets ne sont pas nécessairement les mêmes d'abord d'un groupe à l'autre, mais aussi d'une situation de mesure à l'autre. Ces sujets peuvent se retrouver plus fréquemment dans certains groupes soumis à certaines situations, dont l'identité respective relève entre autres de la nature des variables indépendantes en cause. Par conséquent, il y a abandon par certains sujets à profil particulier dans certains groupes à profil particulier subissant certaines situations à profil particulier. Cette perte, qui ne s'effectue donc ni au hasard des sujets, ni au hasard des groupes et ni au hasard des situations de mesure, détruit l'équilibre initial de l'échantillon et laisse au chercheur des ensembles de données qui ne sont plus comparables en ce qui regarde les sujets dont elles proviennent. Il peut, par exemple, en être ainsi dans une recherche comparant divers entraînements à l'affirmation de soi, et dans laquelle un premier groupe de contrôle ne reçoit aucun entraînement et un second reçoit un entraînement de type placebo. Si l'administration de ce traitement s'étend sur plusieurs semaines, il se peut que certains sujets de ces deux groupes de contrôle, jugeant que leur participation mobilise plusieurs heures par semaine et leur apporte peu, décident d'y mettre fin dès la troisième semaine. Or ces sujets, sur le plan même de l'affirmation de soi, sont peut-être moins inhibés que ceux qui poursuivent parce qu'ils n'osent affronter les foudres qu'ils présument devoir subir de la part de l'expérimentateur. Ce dernier ne doit bien sûr exercer aucune pression auprès du sujet qui choisit de se retirer et ne doit lui adresser aucun reproche. Il peut tout au plus signaler au sujet que son départ rendrait difficile la réalisation de l'ensemble de la recherche; cette simple mention pourrait abaisser la probabilité d'une décision inconsidérée de la part du sujet. Telle attitude non contraignante est dictée par le code déontologique.

Les inconvénients inhérents au problème de la perte différentielle peuvent certes être atténués par certains procédés d'ajustement statistique, mais ils ne peuvent souvent être tout à fait éliminés de manière proprement méthodologique ou statistique. La probabilité de leur apparition croît en fonction de l'intervalle séparant les première et dernière séances de mesure et, jusqu'à un certain point, en fonction de nombre de séances. En conséquence, la seule ligne de conduite que peut adopter le chercheur consiste à établir au départ un bon contact avec chaque sujet et à installer chez lui, sans pression indue, une forte motivation à compléter toutes les séances. Cette invitation à la persistance peut, dans bon nombre de cas, réduire l'ampleur de la perte différentielle. Toute convaincante qu'elle soit, elle ne peut par ailleurs réussir à persuader un sujet de renoncer à un emploi intéressant dans un endroit éloigné, de ne pas participer à une fête improvisée ou de ne pas passer de vie à trépas. Finalement, il faut souligner qu'à l'occasion le chercheur pourra tirer partie de la présence d'une perte différentielle de sujets en choisissant de traiter l'événement comme une variable dépendante riche d'information. Il pourra ainsi établir si le taux d'abandon varie, par exemple, selon le revenu des sujets, selon le traitement antitabagisme auquel ils sont soumis ou selon qu'ils doivent se presser ou non pour exécuter une tâche de sériation.

PLANS CLASSIQUES ET VALIDITÉ INTERNE

Le chapitre précédent a présenté les sources d'invalidité interne que le chercheur, devenant fin limier par la force des choses, doit principalement traquer en vue d'en empêcher le plus possible l'ingérence dans son travail. Le présent chapitre a déjà mis en garde contre l'action potentielle de certaines de ces sources lors de l'emploi de plans particuliers. Il est maintenant utile d'exposer, de façon plus schématique, à quelles sources d'invalidité donnent respectivement prise les plans à groupes indépendants, les plans à mesures répétées et les plans combinés.

Il faut d'abord signaler qu'aucune des trois catégories de plans n'offre en elle-même de garantie pour contrer l'intervention du facteur d'invalidité que constitue la fluctuation de l'instrument de mesure. En effet, que la mesure soit enregistrée auprès de sujets différents à une seule reprise ou auprès des mêmes sujets à plus d'une reprise, si l'instrument qui la procure ne donne pas toujours une même lecture du phénomène à l'étude lorsque celui-ci est stable, les données recueillies seront sans valeur. Le même verdict s'applique en regard des facteurs d'invalidité que définissent les attentes du chercheur et celles du sujet. Ces facteurs risquent d'agir indépendamment du type de plan structuré et il faut plutôt s'efforcer d'en atténuer la portée à l'aide de l'ensemble de précautions explicitées au chapitre 4. Globalement, ces précautions ont trait à la prise en charge par des personnes différentes des deux volets distincts d'une recherche que sont la conception de cette recherche — et donc la formulation des objectifs et des hypothèses — et la cueillette des données. Ces précautions commandent également que le comportement aussi bien verbal que non verbal que doit afficher le responsable de la cueillette soit, en présence des sujets, le plus neutre et le plus uniforme possible d'un sujet à l'autre.

A proprement parler, les plans à groupes indépendants permettent l'intervention de deux facteurs d'invalidité interne. Il s'agit d'abord des procédés appliqués dans la sélection des sujets et dans leur répartition à l'intérieur des divers groupes avant la manipulation de la variable indépendante. Même si la démarche suggérée précédemment doit s'approcher au maximum de celle qu'adopterait le hasard, il reste possible — et cela est davantage probable avec de petits échantillons — que la répartition des sujets dans les divers groupes rende ces groupes d'emblée non équivalents et que cet artefact modifie donc l'impact ultérieur de la variable indépendante, par exemple, en l'amplifiant, en le limitant ou même en l'éclipsant. Le second facteur d'invalidité possible consiste en la perte différentielle de sujets, laquelle introduit en quelque sorte un biais de sélection concurrent ou postérieur à la manipulation de la variable indépendante. C'est en rapport avec cet agent d'ambiguïté que le chercheur se trouve le plus démuni, étant souvent réduit à exercer auprès des sujets ses seuls talents d'incitation à la persévérance.

Quant aux plans à mesures répétées, à cause de la succession temporelle des réponses qu'on y obtient, ils prêtent flanc à l'intrusion des cinq facteurs d'invalidité interne qui sont précisément de nature, avec le temps, à se manifester ou à être plus dommageables. Il s'agit d'abord, et de manière intrinsèque, de l'administration de plus d'une mesure aux mêmes sujets. Il s'agit aussi de la régression statistique, de la perte de sujets, de la maturation s'opérant chez eux et des facteurs historiques qui entourent leur existence. Les correctifs disponibles atteignent différents degrés d'efficacité, comme nous l'avons vu.

Finalement, dans les plans combinés peuvent loger tous les facteurs tout juste énumérés, selon que l'on considère la variable indépendante associée aux groupes indépendants ou celle associée aux mesures répétées. De plus, ces plans sont doublement vulnérables à la perte différentielle de sujets puisqu'ils entraînent l'examen de différents groupes de sujets à différentes reprises.

CONCLUSION

Qu'ils livrent des mesures recueillies auprès de groupes indépendants de sujets, des mesures obtenues de manière répétée auprès d'un même groupe de sujets ou une combinaison des deux modes de mesure, les plans factoriels semblent, parmi les plans classiques, être les plus fréquemment utilisés en psychologie. Cette popularité tient sans doute à la fois à la plus grande précision et à la plus grande extension de l'information dégagée par ces plans à plus d'une variable indépendante.

Il importe de signaler que, s'il est parfois lourd d'effectuer l'ensemble des mesures associées au croisement exhaustif de tous les niveaux respectifs de chacune des variables indépendantes, ce croisement n'est pas toujours indispensable. La construction de plans factoriels dits *incomplets* peut en effet être envisagée: de tels plans comportent un croisement exhaustif des niveaux respectifs de seulement certaines des variables. En contrepartie, les plans incomplets — auxquels se rattachent le plan en carré latin et d'autres, comme les plans hiérarchiques (Winer, 1962), — n'autorisent pas l'étude de toutes les interactions possibles entre toutes les variables indépendantes; on ne peut alors évaluer que celles définies par les variables avec croisement exhaustif. Dans la structuration d'un plan incomplet, le chercheur doit par conséquent faire preuve de circonspection et mettre à contribution toutes les connaissances qu'il a acquises dans le domaine concerné; ainsi, il n'écartera que l'étude d'interactions qui, selon toute probabilité, n'existent pas ou sont de faible portée.

La mise en place d'un plan factoriel est donc associée à l'analyse de l'effet simultané et conjoint d'au moins deux variables indépendantes; ces dernières sont clairement identifiées, quant à leur nature et aux niveaux qui concrétisent leurs variations. Ce contexte doit ainsi être distingué de celui dans lequel les divers ensembles de mesures obtenues diffèrent entre eux à cause, bien sûr, des variables indépendantes délibérément introduites ou repérées et dont ils sont le reflet, mais également parce qu'ils ont été en quelque sorte contaminés par une ou plusieurs variables parasites dont l'intervention ou l'existence a échappé au chercheur. Cette *contamination* annule la validité interne des résultats parce que, s'il est vrai que la présence de ces variables peut parfois être localisée même après la cueillette des données, cette présence n'étant pas systématique puisque non planifiée, son impact ne peut être déterminé. Constituant le douzième et dernier agent courant d'invalidité présenté au chapitre 4, la contamination peut se glisser à l'intérieur de n'importe lequel des types de plan que le chercheur structure.

Un tel danger de confusion des effets prévus existe en effet lorsque le plan exploité ne comporte, par exemple, qu'une variable indépendante, dont les deux niveaux diffèrent simultanément à plus d'un égard. Ainsi, un chercheur se propose de déterminer si la communication non verbale, qui s'établit dans une situation de jeu entre un adulte et un jeune enfant, varie selon que l'adulte est le père de l'enfant ou un autre homme. Pour constituer le second groupe de sujets, il recrute donc des hommes qui n'ont pas d'enfant. Toutefois, il se trouve que ces derniers fréquentent rarement les enfants et ne connaissent pas celui avec lequel ils entreront en contact. Les résultats révèlent que les pères ne se comportent pas comme les étrangers. Mais il est impossible d'interpréter cette différence: elle ne peut en tout cas être attribuée légitimement à la présence ou à l'absence du lien de paternité. En effet, la différence reflète le fait que les deux groupes comparés sont différents sur plus d'un plan et ce, d'une manière indissociable: ces hommes diffèrent à la fois quant au lien biosocial qui les unit à l'enfant, quant à l'habitude du contact général avec des enfants et quant à l'habitude du contact avec l'enfant particulier auquel on les a confrontés. Les deux groupes auraient dû ne différer que sur le plan du lien biosocial avec l'enfant. Par conséquent, il aurait été plus approprié de recruter des pères de famille (contrôle de l'habitude du contact général avec les enfants), connaissant l'enfant avec lequel ils devront jouer (contrôle de l'habitude du contact avec un enfant donné), mais qui n'en sont pas le père (repérage de la variable indépendante).

Le seul cas où la présence d'une contamination n'invalide pas une recherche est celui où, les conditions étudiées différant simultanément sur plus d'un plan, le chercheur, conscient de cet état de choses, ne s'autorise pas à attribuer les différences observées à une seule des variables en cause — soit la variable indépendante prévue ou l'une des variables non contrôlées — ou à une partie seulement de ces variables. Il impute donc ces différences à la totalité des variables. La conclusion tirée est alors légitime, mais elle est globale et ne permet pas de localiser l'origine des différences. Il en serait ainsi plus haut si le chercheur concluait à bon droit que, sur le plan de la communication non verbale avec des enfants, les pères de ces enfants ne se comportent pas comme les hommes qui n'en sont pas les pères, n'ont pas d'enfant ou n'en fréquentent pas et ne connaissent pas celui en présence duquel ils sont placés. Le chercheur n'irait donc pas jusqu'à privilégier l'une des trois variables entourant la production du phénomène puisqu'il ne dispose pas des données empiriques l'habilitant à le faire.

La contamination peut, en revanche, être voulue dans les cas où, un domaine étant peu exploré, une approche massive — comportant le cumul respectif de la présence de certaines variables d'une part et celui de leur absence d'autre part — est exploitée pour déblayer le terrain. Cependant, cette approche non analytique n'autorisera pas à attribuer les résultats à une seule des variables. Si toutefois elle met en évidence des différences globales, le chercheur en déduira que son coup de sonde, assez large et composite, a été justifié; il pourra ultérieurement mettre au point des plans factoriels, à l'intérieur desquels il procédera à une manipulation (ou à un repérage systématique) des variables indépendantes en jeu. Ce n'est que sur cette manipulation qu'il pourra fonder l'identification précise de l'impact spécifique ou interactif de ces variables.

RÉFÉRENCES

Bond, C.F. & L.J. Titus: Social facilitation: A meta-analysis of 241 studies. *Psychological bulletin,* **94**:265-292, 1983.

Bracht, G.H. & G.V. Glass: The external validity of experiments. *American educational research journal,* **5**:437-474, 1968.

Critelli, J.W. & K.F. Neumann: The placebo: Conceptual analysis of a construct in transition. *American psychologist,* **39**:32-39, 1984.

Edwards, A.E.: *Experimental design in psychological research,* Holt, Rinehart & Winston, New York, 1968.

Ellsworth, P. & J.M. Cartwright: Eye contact and gaze aversion in an aggressive encounter. *Journal of personality and social psychology,* **28**:280-292, 1973.

Fraisse, P.: *La méthode expérimentale,* in Traité de psychologie expérimentale. Piaget, J., P. Fraisse & M. Reuchlin (Eds), Vol. 1 (pp.71-120), Presses Universitaires de France, Paris, 1963.

Gaito, J.: Repeated measurements designs and counterbalancing. *Psychological bulletin,* **58**:46-54, 1961.

Greenwald, A.G.: Within-subjects designs: To use or not to use. *Psychological bulletin,* **83**:314-320, 1976.

Grice, G.R.: Dependance of empirical laws upon the source of experimental variation. *Psychological bulletin,* **66**:488-499, 1966.

Held, R.: Plasticity in sensori-motor systems. *Scientific american,* (novembre) **213**:84-94, 1965.

Kenny, D.A.: *Correlation and causality,* Wiley, New York, 1979.

Lana, R.E.: *Pretest sensitization,* **in** Artifact in behavioral research. Rosenthal, R. & R.L. Rosnow (Eds), (pp.119-141), Academic Press, New York, 1969.

McGuigan, F.J.: *Experimental psychology: A methodological approach,* Prentice-Hall, Englewood Cliffs, 1978.

Neale, J.M. & R.M. Liebert: *Science and behavior: An introduction to methods of research,* Prentice-Hall, Englewood Cliffs, 1973.

Oliver, R.L. & P.K. Berger: Advisability of pretest designs in psychological research. *Perceptual and motor skills,* **51**:463-471, 1980.

Poulton, E.C.: Unwanted range effects from using within-subjects experimental designs. *Psychological bulletin,* **80**:113-121, 1973.

Poulton, E.C.: Influential companions: Effects of one strategy on another in the within subjects designs of cognitive psychology. *Psychological bulletin,* **91**:673-690, 1982.

Poulton, E.C. & P.R. Freeman: Unwanted asymetrical transfer effects with balanced experimental designs. *Psychological bulletin,* **66**:1-8, 1966.

Underwood, B.J. & J.J. Shaughnessy: *Experimentation in psychology,* Wiley, New York, 1975.

Wilkins, W.: Placebo problems in psychotherapy research: Social-psychological alternatives to chemotherapy concepts. *American psychologist,* **41**:551-556, 1986.

Wilson, T.D. & R.E. Nisbett: The accuracy of verbal reports about the effects of stimuli on evaluations and behavior. *Social psychology,* **41**:118-131, 1978.

Wilson, V.L. & R.R. Putnam: A meta analysis of pretest desensitization effects in experimental design. *American educational research journal,* **19**:249-258, 1982.

Winer, B.J.: *Statistical principles in experimental design,* McGraw-Hill, New York, 1962.

Zeskind, P.S. & L. Huntingdon: The effects of within-group and between-group methodologies in the study of perceptions of infant crying. *Child development,* **55**:1658-1665, 1984.

CHAPITRE 6

PLANS DE RECHERCHE QUASI EXPÉRIMENTAUX

MARC-ANDRÉ BOUCHARD
CHRISTOPHER EARLS
ET
ANDRÉE FORTIN

Le but de ce chapitre est d'expliciter les principes à la base des plans quasi expérimentaux et d'en illustrer l'application. Même si ces plans ne peuvent pas satisfaire, comme le font certains plans classiques, aux exigences d'une «vraie» expérimentation, ils permettent néanmoins d'inférer que les effets observés sont bien dus à la variable indépendante en cause. Considérons par exemple le très haut degré de contrôle qui existe lorsque le chercheur réalise une expérience en laboratoire, où l'intensité lumineuse, la température et la présentation des stimuli, entre autres choses, sont entièrement déterminés et contrôlés et où les apprentissages antérieurs et même le bagage génétique des sujets peuvent être connus, comme c'est le cas avec certaines espèces d'animaux. Un tel contexte se prête de manière idéale à l'exploitation des plans classiques expérimentaux et assure ainsi de réaliser une «vraie» expérimentation. Comparons maintenant cette situation à celle des recherches qui tentent de déterminer l'impact d'une campagne publicitaire d'intérêt public (par exemple, une campagne s'appuyant sur le slogan «l'alcool au volant, c'est criminel»), où «l'expérimentateur» n'a d'autre possibilité que celle d'observer systématiquement les effets de la campagne sur divers indices du problème concerné (par exemple, le nombre d'accidents mortels ou le nombre d'arrestations pour conduite en état d'ébriété). Dans ce cas, le chercheur ne contrôle aucunement le moment du lancement de la campagne, ni sa durée. Cette dernière peut ainsi être lancée peu de temps avant l'adoption d'une nouvelle loi qui prévoit des peines plus sévères pour différentes infractions, cette adoption rendant impossible toute inférence valide en ce qui a trait à l'identification du facteur responsable des changements mesurés.

Pensons encore à la situation du clinicien qui s'intéresse à l'agoraphobie. Il veut démontrer qu'un traitement dit d'intention paradoxale, qui vise à rechercher et à augmenter la «peur de la peur», au lieu de l'éviter, offre de meilleures chances de succès que le traitement conventionnel, qui cherche plutôt à réduire l'angoisse en demandant aux patients de faire à nouveau face, graduellement, aux situations angoissantes. Combien de patients ce clinicien devra-t-il voir avant de pouvoir former deux ou plusieurs groupes indépendants de 25 patients chacun et qui soient suffisamment homogènes quant à l'âge, aux habiletés intellectuelles, au milieu social, au niveau de psychopathologie, à l'usage de médicaments, aux expériences thérapeutiques antérieures, etc.? Il est même possible qu'il n'y parvienne jamais.

Pour des raisons d'ordre pratique, il devra donc opter pour une tout autre manière de poser son problème de recherche. Cette autre manière s'incarne dans les plans quasi expérimentaux. La présentation de ces plans sera précédée d'un bref retour sur le concept de validité interne et suivie de l'exposé d'une application pratique.

VALIDITÉ INTERNE

Le fait de se conformer aux exigences de la validité interne fonde la démarche expérimentale, qui est de construire une recherche de manière à faire varier un seul facteur (ou quelques-uns, dans le cas des plans factoriels) et d'observer les effets de cette manipulation. La validité interne est respectée lorsqu'il y a assurance qu'aucun autre facteur n'entre en jeu, ou que les autres facteurs sont tous neutralisés. Dans toute démarche expérimentale, il est donc essentiel d'obtenir le maximum de garanties que les résultats sont dus à la seule variable d'intérêt, soit la variable indépendante, et non pas à l'effet d'autres variables cachées. Or, c'est précisément la façon de composer avec les problèmes soulevés par la validité interne qui distingue les plans quasi expérimentaux des plans classiques expérimentaux (en anglais, *true experimental designs* : voir Campbell et Stanley, 1966). Pour tenter de mieux comprendre ces différences, imaginons une situation fictive de recherche.

Un chercheur veut évaluer les effets d'un traitement de groupe, de type cognitivo-comportemental, sur le niveau d'habiletés hétérosociales de jeunes adultes éprouvant des difficultés à rencontrer des personnes du sexe opposé. Il sait que de tels programmes sont offerts dans différents collèges. Les psychologues consultants qui œuvrent auprès de la clientèle étudiante sont de plus convaincus que des déficiences importantes quant à ces habiletés sociales conduisent plusieurs jeunes à vivre un isolement social néfaste, qui s'accompagne d'angoisse, de sentiments dépressifs et d'une faible estime de soi.

Pour débuter, il faudra que le chercheur définisse de façon opérationnelle tous ces phénomènes, et en particulier celui que désigne l'appellation d'habiletés hétérosociales. Ceci le conduira à utiliser différentes mesures, telles les réponses à des questionnaires de type papier-crayon et des évaluations comportementales directes obtenues à partir de mises en situations par jeux de rôles. Dans le cas de ces dernières mesures, les sujets pourraient par exemple tenter d'engager une conversation avec une personne étrangère pendant cinq minutes. Cette interaction serait enregistrée sur magnétoscope et ensuite visionnée et cotée par des juges indépendants (chapitre 10), entraînés à l'identification des habiletés manifestées dans de telles situations. Le chercheur disposerait alors d'un matériel brut à partir duquel il pourrait évaluer les effets directs du traitement.

Ces mesures diverses pourraient ainsi être enregistrées avant et après la participation des sujets au programme d'entraînement, d'une durée de huit semaines. A l'aide de techniques statistiques appropriées, le chercheur pourrait constater, chez la majorité des participants, une nette amélioration pour l'ensemble des mesures. S'interroger sur la validité interne de cette étude consisterait alors à poser la question suivante: est-il possible d'attribuer les changements observés au programme d'entraînement? La réponse serait la suivante: oui peut-être, mais à condition d'éliminer l'influence possible de tous les agents ou facteurs qui peuvent menacer la validité interne de toute étude, ainsi que l'a exposé le chapitre 4.

Ainsi, la *sélection* renvoie à la manière dont les sujets sont choisis pour participer à l'étude et répartis ensuite dans les groupes. Par exemple, si le chercheur a affecté au groupe expérimental les 20 premiers volontaires pour la recherche sur les habiletés hétérosociales, et les 20 suivants au groupe de contrôle, un biais systématique dans la *sélection* pourrait être directement créé. En effet, les premiers arrivés sont peut-être les plus motivés, ou les plus pressés de trouver de l'aide. Ou bien au contraire, ils sont peut-être davantage capables de reconnaître leur problème de timidité.

Divers *facteurs historiques* peuvent aussi expliquer l'amélioration observée. Par exemple, si la plupart des sujets suivent un cours sur les relations humaines, dans lequel il se vit de nombreuses expériences interpersonnelles de groupe, il est évident que ce cours peut tout aussi bien rendre compte des améliorations que le programme à l'étude lui-même. Ou encore s'il arrivait qu'un sujet rencontrât l'âme sœur, au début du programme, les effets bénéfiques de cette relation nouvelle viendraient se confondre avec ceux du programme. A l'inverse, une séparation douloureuse pourrait mettre en échec les effets bénéfiques du programme.

La *maturation* peut également avoir un impact sur les résultats. Par exemple, les conclusions de l'étude n'auraient sans doute pas la même force selon que l'on démontre l'effet bénéfique du programme chez des collégiens qui en sont au trimestre d'automne de leur première année et qui ne connaissent personne, ou chez des étudiants finissants qui en sont au trimestre d'hiver de la seconde année. Il est en effet possible de supposer que les tendances à l'isolement social seraient dans l'ensemble plus fortes au début des études collégiales qu'à la fin.

L'*administration de plus d'une mesure* produit parfois chez les sujets des réactions qui influencent leurs réponses. Par exemple, le fait d'être plus familier avec la situation de jeu de rôles et avec le conseiller du collège, qui est devenu un confident, peut contribuer à de meilleures évaluations du fait que la procédure n'est plus tout autant étrangère. A l'inverse, le fait d'avoir déjà subi une première évaluation désagréable au prétest peut créer une série de réactions négatives lors du post-test.

Les *fluctuations de l'instrument de mesure* concernent les changements de calibration ou de sensibilité des mesures. Par exemple, si les juges cotent toutes les interactions du jeu de rôle provenant du prétest avant celles du post-test, cela peut introduire un biais systématique. Ils peuvent en effet être moins habiles, ou au contraire plus motivés, à faire cette tâche au début qu'à la fin.

La *régression statistique* est la tendance pour toute cote d'une distribution donnée de régresser vers la moyenne de cette distribution. Supposons que la cote moyenne des individus extrêmes choisis pour l'étude soit de 23 (par rapport à une cote maximale de 25) à l'échelle d'anxiété sociale. Le phénomène de *régression statistique* suppose que la cote effective (en anglais, *true score*) de ces sujets se situe plus près de la cote moyenne de la population (qui est de 13), et qu'en réalité cet échantillon d'étudiants anxieux obtiendrait plutôt une cote moyenne de 21. Si, après le programme, la cote moyenne est réduite à 18, la baisse réelle, ou celle attribuable au programme, n'est alors que de 3 (21-18), et non de 5 (23-18). Une part des gains faussement attribués au traitement n'est en fait due qu'à la *régression statistique*.

La *perte différentielle de sujets* pose également parfois un problème de validité interne. Par exemple, si plus de sujets malhabiles au plan social interrompent le traitement qu'il n'y en a qui quittent le groupe de contrôle en raison du fait qu'ils sont trop timides pour continuer, les chances d'obtenir des résultats favorisant le groupe expérimental sont augmentées du fait que les sujets qui y restent sont déjà parmi les plus habiles. A l'inverse, si les sujets modérément habiles (ou ceux qui apprennent relativement vite) mettent fin à leur traitement précisément parce qu'ils se sont trouvés un(e) ami(e) et ne voient pas l'intérêt de poursuivre, il y a un risque de ne pas observer un effet du traitement alors que celui-ci est efficace. En effet, les sujets encore présents dans le groupe sont ceux qui éprouvent peut-être les problèmes les plus importants et ils représentent donc les personnes les plus difficiles à aider.

Tout effet que le chercheur voudrait attribuer au traitement serait alors confondu avec l'une ou l'autre de ces influences, qu'elles agissent seules ou en interaction avec le traitement.

PLANS PRÉEXPÉRIMENTAUX ET EXPÉRIMENTATION VÉRITABLE

Il est possible de classifier les diverses approches expérimentales en fonction de leur capacité à fournir des résultats interprétables, les plans quasi expérimentaux se situant à mi-chemin entre les plans préexpérimentaux et les plans expérimentaux classiques.

Dans la recherche fictive sur les habiletés hétérosociales exposée plus haut, le chercheur, évaluant un groupe de sujets avant et après le traitement, a recours à un plan préexpérimental, appelé le plan à un groupe, avec prétest et post-test. Ce plan est illustré au tableau 6.1.

Tableau 6.1

Plan à un groupe avec prétest et post-test

Prétest	Traitement	Post-test
a_1	B	a_2

Ce plan est nettement moins puissant qu'un plan vraiment expérimental, ou même qu'un plan quasi expérimental, parce que l'un ou plusieurs des facteurs d'invalidité mentionnés plus haut pourraient tout aussi bien rendre compte des résultats que le traitement lui-même.

Les études de cas publiées dans divers articles et ouvrages portant sur la psychopathologie et la psychothérapie sont souvent de cette nature. La présentation de ces études de cas adopte très souvent une formule typique: le patient est venu consulter alors qu'il se trouvait dans tel état (par exemple, il était angoissé, déprimé et peu conscient de lui-même); telle ou telle intervention a été offerte; maintenant le patient est plus heureux et il fonctionne mieux (par exemple, il manifeste moins de symptômes, est plus productif et est engagé dans ses réalisations personnelles). Leurs auteurs en infèrent souvent qu'il faut nécessairement attribuer ces changements à la nature de l'intervention décrite dans l'article. De telles conclusions ne sont toutefois pas justifiées au plan de la stricte rigueur expérimentale, aussi convaincante qu'apparaisse la transformation rapportée dans l'étude de cas. Une approche expérimentale plus appropriée est présentée au chapitre 7 et consiste dans l'utilisation des plans à cas uniques.

La façon peut-être la plus répandue de recourir à un plan préexpérimental se rencontre dans la publicité vantant, par exemple, les mérites de tel produit de diète, avec photographies «avant» et «après» à l'appui et avec comme titre accrocheur: «J'ai perdu 20 kilos grâce à…». La faiblesse de ce plan est donc toujours très nette, peu importe qu'il soit mis en application par des chercheurs rigoureux ou par des personnes extérieures à la communauté scientifique. En fait, dans la mesure où il est difficile de rejeter la possibilité que le simple passage du temps (*maturation*) puisse expliquer à lui seul les changements observés entre a_1 et a_2, l'étude est clairement de nature préexpérimentale et ses conclusions sont au mieux provisoires. Il reviendra à un autre type de plan d'établir l'efficacité du traitement en cause.

Par ailleurs, la majorité des problèmes posés par une approche préexpérimentale peuvent être grandement réduits par l'utilisation d'un groupe de contrôle: celui-ci est soumis au prétest et au post-test, mais ne reçoit aucun traitement entre les deux moments de mesure. Il faut toutefois être ici très prudent en invoquant la notion de groupe de contrôle. En effet, une des différences fondamentales entre une vraie expérience et une quasi-expérience réside dans la manière dont les sujets sont répartis entre les différents groupes.

Dans le cadre d'une vraie expérience, basée sur un plan à deux groupes indépendants, chaque sujet de l'échantillon dispose du même nombre de chances de se retrouver dans le groupe expérimental que dans le groupe de contrôle. C'est donc le hasard qui détermine l'affectation des sujets aux groupes. Dans la mesure où il peut être démontré que la distribution aléatoire d'un nombre suffisamment grand de sujets produit des groupes équivalents, il est relativement certain que les groupes expérimental et de contrôle ne diffèrent pas avant l'administration du traitement. En conséquence, toute différence observée au post-test pourra être attribuée à quelque chose dans la nature même du traitement. Le plan à la base d'une pareille vraie expérimentation est représenté au tableau 6.2.

Tableau 6.2

Plan d'une expérimentation véritable

Groupe	Prétest	Traitement	Post-test
Expérimental	H a_1	B	a_2
Contrôle	H a_1		a_2

Cette illustration, où H signifie une distribution aléatoire des sujets dans les groupes, montre bien comment l'emploi d'un plan expérimental protège les résultats de l'atteinte de certaines menaces à la validité interne. En effet, les problèmes liés, entre autres, aux *facteurs historiques*, à la *maturation* et à l'*administration de plus d'une mesure* devraient se manifester de manière semblable et non différentielle dans les deux groupes constitués. Par conséquent, toute différence observée entre les groupes au post-test ne peut leur être attribuée. Les problèmes associés à la validité externe demeurent cependant; ils relèvent de considérations régissant les limites de généralisation de toute étude, expérimentale ou autre, ainsi que l'exposent les chapitres 4 et 11.

PLANS QUASI EXPÉRIMENTAUX

En recherche appliquée, il existe relativement peu de situations franchement expérimentales où la distribution aléatoire des sujets serait donc possible. De plus, la mise en place des traitements n'est pas toujours sous le contrôle du chercheur. Par exemple, s'il s'agit d'évaluer les effets d'un programme d'entraînement aux habiletés sociales dans un hôpital psychiatrique, où des groupes homogènes de patients (délinquants sexuels, psychotiques, ou délinquants juvéniles) sont respectivement hébergés dans de petites unités fermées, il est assez difficile de tenter de distribuer au hasard les patients d'une même unité dans des groupes expérimental et de contrôle. Une telle répartition créerait une interférence, par le biais des contacts quotidiens, inévitables, entre les sujets appartenant aux deux groupes.

On peut imaginer aussi quelles seraient les réactions soulevées dans un cours si, choisis au hasard, la moitié des étudiants pouvaient déterminer leur note finale à partir d'une auto-évaluation, alors que les autres verraient leur note basée sur leur rendement à un examen final de trois heures. L'impact de nouvelles politiques administratives ne peut non plus être évalué, dans une entreprise ou un ministère, en faisant en sorte que la moitié du personnel de l'institution concernée sera traitée différemment de l'autre moitié.

Deux catégories de solutions, qui tiennent des plans quasi expérimentaux (Campbell et Stanley, 1966; Cook et Campbell, 1979), s'offrent pour contourner ces difficultés. La première consiste à utiliser les plans à groupes non équivalents; la seconde est donnée par les plans à séries temporelles.

Plans à groupes non équivalents

La première catégorie de solutions consiste à recruter deux ou plusieurs groupes préformés, ou déjà constitués comme tels. Ainsi les sujets ne sont pas répartis au hasard, à l'initiative du chercheur. Ces sujets appartiennent déjà à un groupe donné avant et en dehors de tout contexte de recherche. Ce type de plan est habituellement représenté comme le plan à deux groupes illustré au tableau 6.3.

Tableau 6.3

Plan à groupes non équivalents

Groupe	Prétest	Traitement	Post-test
Expérimental	a_1	B	a_2
Contrôle	a_1		a_2

La ligne pointillée qui sépare les deux groupes symbolise la distribution non aléatoire des sujets. C'est donc cette caractéristique de la distribution qui distingue ce plan du plan expérimental classique illustré au tableau 6.2. Ici les groupes existent à priori et l'expérimentateur exerce un contrôle faible, voire nul, sur leur composition. En fait, il peut tenter de tirer profit de l'existence de groupes *relativement* équivalents.

Ainsi, un chercheur pourrait décider de faire bénéficier un groupe de patients d'un entraînement aux habiletés hétérosociales dans un hôpital psychiatrique et de recruter un autre ensemble de patients comme groupe de contrôle. Le premier problème qu'il doit résoudre consiste à choisir deux groupes qui soient les plus équivalents possible ou qui soient les moins non équivalents possible. C'est du reste de cette dernière formulation que provient l'appellation de ce type de plan. Ainsi les groupes ne seraient pas équivalents si le chercheur décidait, par exemple, de comparer un groupe expérimental constitué de délinquants sexuels à un groupe de contrôle rassemblant des patients psychotiques, dans la mesure où la psychose est associée à une réalité psychique spécifique et à des comportements symptomatiques très particuliers (hallucinations, délires, paranoïa, autisme, etc.). La comparaison de n'importe lequel autre groupe avec celui des délinquants juvéniles pourrait aussi poser des problèmes dus à la différence d'âge, les *facteurs de maturation* ayant un rôle plus déterminant chez un échantillon de jeunes dans le cadre d'un traitement qui durerait, par exemple, deux ans.

Supposons maintenant, pour simplifier, que le chercheur se trouve dans un milieu clinique hospitalier où logent deux unités de délinquants sexuels. Ces unités pourraient constituer respectivement les deux groupes requis. Ces deux groupes pourraient être évalués une première fois; le traitement serait ensuite administré aux seuls sujets du groupe expérimental, tandis qu'aucun traitement particulier en dehors de la routine hospitalière ne serait offert aux patients du groupe de contrôle; les deux groupes seraient enfin réévalués après la fin du traitement. Comme le chercheur n'a pas été en mesure de répartir aléatoirement les sujets à l'intérieur des deux groupes, il devra examiner avec prudence l'équivalence de ces deux groupes pour s'assurer de ce qu'aucune autre hypothèse ne puisse être avancée pour expliquer les résultats. Par exemple, comme les diverses facettes de la vie quotidienne des deux groupes ne peuvent avoir été tout à fait identiques durant le traitement, le chercheur devra pouvoir vérifier que les groupes n'ont pas connu un ensemble de variables historiques différentes. Certes, des événements différents ont pu se produire dans les deux groupes puisqu'ils sont rattachés à des unités différentes. Toutefois, une confrontation différente à des événements directement reliés aux habiletés sociales (par exemple, la participation à un atelier sur les stéréotypes sexuels) peut avoir des effets non négligeables sur les résultats. Il serait par contre peu probable que les variables reliées à la *maturation* aient une influence différentielle si, bien entendu, les sujets sont d'âge relativement équivalent.

En principe, ni les problèmes dus à l'*administration de plus d'une mesure*, ni les *fluctuations des instruments de mesure* ne devraient compromettre la validité interne de cette expérience, puisque les deux groupes subissent au même degré l'influence possible de ces deux sources d'invalidité. De plus, les deux groupes étant équivalents au moment du prétest, la *régression statistique* ne devrait pas non plus jouer de manière différentielle.

Malgré la mise en échec de l'influence des diverses menaces à la validité interne, il est cependant clair qu'il faut davantage s'inquiéter ici que si le chercheur avait pu construire un plan expérimental classique, où les sujets auraient été affectés aléatoirement dans les divers groupes. En fait, l'une des inquiétudes majeures vient du fait qu'il est impossible d'identifier avec certitude toutes les variables qui peuvent influencer les résultats. En d'autres termes, dans une telle situation, on ne peut pas savoir avec précision de quoi il faut s'inquiéter, tout en sachant qu'il y a de bonnes raisons d'être inquiet. On peut supposer toutefois que certaines variables auraient trait aux différences initiales entre les groupes, ces différences pouvant elles-mêmes interagir avec l'effet du traitement.

Mais de tels plans à groupes non équivalents peuvent quand même garantir l'obtention de résultats interprétables. Comme le soulignent Campbell et Stanley (1966):

> L'addition d'un [...] groupe non apparié ou non équivalent réduit grandement l'équivoque de l'interprétation par rapport à ce que permet le plan à un seul groupe avec prétest et post-test. Plus les sujets des groupes expérimental et de contrôle sont semblables, plus cette similitude est confirmée par le prétest, et plus efficace devient l'ajout du groupe de contrôle. (p.47)

Il existe malheureusement plusieurs contextes de recherche où le chercheur ne peut identifier de groupe de contrôle qui puisse, même de loin, ressembler au groupe expérimental. A titre d'exemple, on peut penser au cas, cité au début de ce chapitre, de l'étude portant sur l'efficacité d'une campagne publicitaire, menée par le gouvernement québécois, sur la consommation d'alcool et la conduite automobile. Toute la population québécoise ayant été soumise à cette campagne, il ne peut exister de véritable groupe de contrôle. Par ailleurs il n'est pas inhabituel, dans la pratique clinique, de trouver un petit nombre de personnes souffrant d'un problème particulier (par exemple, la kleptomanie); la population en jeu est donc trop restreinte pour qu'y soit formé un groupe de contrôle. Parfois, la gravité du problème est telle qu'il serait inadmissible, au plan déontologique, de ne pas administrer un traitement aux sujets du groupe de contrôle; c'est le cas, par exemple, dans certaines formes extrêmes d'anorexie, où la vie du patient est en danger s'il ne reçoit aucun traitement.

Face à une telle impasse méthodologique, d'autres plans quasi expérimentaux offrent un ensemble de solutions très intéressantes. Ils appartiennent à la catégorie des plans à séries temporelles.

Plans à séries temporelles

Selon Campbell et Stanley (1966), les plans à séries temporelles illustrent bien la démarche expérimentale classique de la biologie et des sciences physiques du XIXe siècle. Considérés comme valides dans les disciplines scientifiques les plus couronnées de succès, ils étaient cependant rarement présentés comme acceptables dans les manuels de méthodologie en sciences sociales publiés jusque vers 1965. Mais l'ouvrage marquant de Campbell et Stanley (1966), l'apparition de méthodes d'analyses pertinentes (McDowall *et al.*, 1980) et l'intérêt accru pour les plans à cas uniques (Barlow et Hersen, 1984; voir également le chapitre 7) ont contribué à redonner aux séries temporelles la place importante qui leur revient.

Dans leur forme la plus simple, les plans à séries temporelles reposent d'une part sur une suite de mesures enregistrées auprès d'un seul groupe ou d'un seul individu et, d'autre part, sur l'application d'une intervention expérimentale, à un moment précis, à l'intérieur de cette suite. Les effets de la variable indépendante sont donc avant tout estimés ici par l'observation d'une discontinuité dans la suite ou dans la série, plutôt que par la comparaison avec un autre groupe. Un plan à série temporelle simple est ainsi illustré au tableau 6.4.

Tableau 6.4

Plan à série temporelle simple

a_1	a_2	a_3	a_4	a_5	B	a_6	a_7	a_8	a_9	a_{10}

L'évaluation de l'effet du traitement peut se faire en recourant, sous réserve du respect de certaines conditions, aux modèles autorégressifs (McDowall *et al.*, 1980). On ne peut traiter ici en détail de ces modèles, mais il est toutefois possible d'en reprendre la logique, qui tient en trois étapes: celles-ci visent respectivement l'évaluation des caractéristiques de la série avant le traitement (de a_1 à a_5), l'évaluation de la discontinuité et de ses caractéristiques (de a_6 à a_{10}) et l'élimination des interprétations concurrentes, en particulier celles invoquant les *facteurs historiques*.

Caractéristiques de la série avant le traitement. La figure 6.1 présente trois séries temporelles fictives. Chacune d'elles pourrait tout aussi bien illustrer l'évolution de phénomènes de très courte durée, telles des variations de tension musculaire observées dans les quelques secondes qui précèdent l'apparition d'un stimulus, que des phénomènes de longue durée, telles les fluctuations du taux de pollution de l'air, pendant les 20 années ayant précédé l'adoption de lois antipollution.

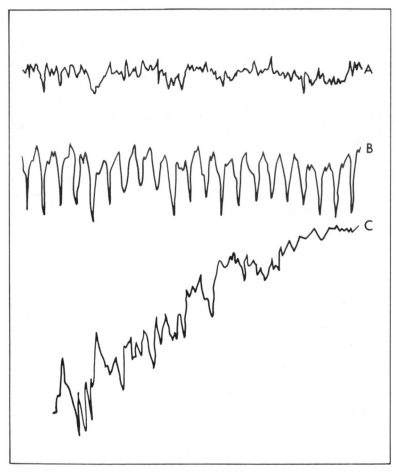

Figure 6.1 Trois exemples de séries temporelles de comportements fictifs, observées avant toute intervention.

En examinant attentivement le contenu de la figure 6.1, on constate des différences importantes dans les caractéristiques des trois séries. La série A est stable, en ce sens que la moyenne des données ne semble pas varier avec le temps. De plus, aucun cycle régulier n'y est décelable. Cette situation est idéale pour évaluer la présence de l'impact d'un traitement ultérieur. La série B est également stable, mais on y constate la présence d'un cycle régulier ou stationnaire. Ce cycle peut correspondre, entre autres, à une variation saisonnière (par exemple, le taux d'emploi n'est pas le même en hiver et en été) ou à une variation psychologique (par exemple, des cycles de manie et de dépression, ou des cycles de vigilance). Dans une telle situation, il est souvent fort intéressant d'examiner, plus tard, l'impact du traitement sur les moyennes séquentielles[1] de la

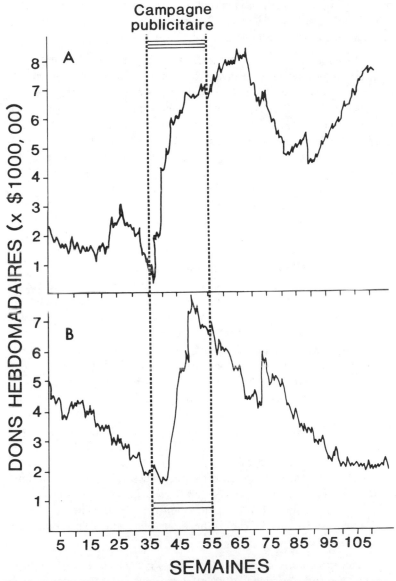

Figure 6.2 Illustration de deux effets différents d'une campagne de souscription sur les dons hebdomadaires offerts à un organisme d'aide au tiers-monde.

1. Le pluriel réfère au fait que la méthode statistique employée dans un tel cas, dite du *integrated moving average*, exige d'évaluer l'évolution de la moyenne pour chaque unité de temps de la série (McDowall *et al.*, 1980).

série tout aussi bien que sur le cycle répétitif lui-même, lequel pourrait en être affecté ou aboli. Enfin, la série C n'est pas stable, ce qui peut poser un problème dans l'interprétation des résultats si, par exemple, la tendance à la hausse, déjà ici présente, ne faisait que se poursuivre après l'intervention. Par contre, si cette tendance s'inversait alors de manière systématique, il serait possible de conclure à l'effet expérimental.

Discontinuité et ses caractéristiques. Après avoir établi les caractéristiques de la série avant toute intervention, il faut ensuite évaluer l'impact de l'intervention en déterminant d'abord s'il y a présence ou non d'une discontinuité dans la série et, ensuite, en dégageant, le cas échéant, les caractéristiques de cette discontinuité. L'effet de discontinuité peut être abrupt ou graduel, immédiat ou différé, permanent ou temporaire; il peut affecter la moyenne des données ou la pente de la courbe; enfin, il peut modifier la variabilité, laquelle passerait de stable à variable ou l'inverse. La figure 6.2 illustre deux scénarios d'évaluation d'une même situation de base. Ces scénarios ont trait à une recherche portant sur l'effet d'une campagne intensive de souscription, d'une durée de 20 semaines, diffusée à travers les divers médias, sur les dons offerts à un organisme d'aide au tiers-monde. Selon le scénario A, on constate tout d'abord que la série est presque toujours stable et exempte de cyclicité avant la campagne (semaines 1 à 34). On note ensuite, au cours de la campagne (semaines 35 à 55), une très nette augmentation des dons hebdomadaires. Après la campagne (semaines 56 à 105), cet effet se maintient un certain temps, puis semble s'atténuer mais reprend plus tard, les dons étant au moins aussi abondants au cours des dernières semaines que durant les semaines précédant la fin de la campagne. Le traitement exerce donc un effet abrupt et permanent, quoique légèrement instable. Le scénario B est tout autre. La série n'y est pas stable avant l'intervention, présentant plutôt une nette tendance à la baisse. Mais comme l'effet escompté de la campagne est d'augmenter les dons, il est justifié d'introduire l'intervention à la semaine 35. On constate en effet une hausse importante et immédiate des dons au cours de la campagne, hausse qui renverse la tendance précédente. Un examen attentif de l'effet à long terme révèle par contre que la campagne n'aura eu cette fois qu'un effet temporaire.

Interprétations concurrentes. Après qu'ont été établies la présence et les caractéristiques d'un effet réel du traitement sur la série, il reste à s'assurer de ce qu'aucun autre facteur ne puisse rendre compte de ce même effet. La troisième étape de l'évaluation du traitement dans un plan à séries temporelles consiste donc à scruter les conditions particulières de l'étude pour y déceler des circonstances ou des événements qui constitueraient autant d'explications de l'existence de la discontinuité dans la série qui soient plausibles, mais différentes de celles l'attribuant au traitement. La source principale d'invalidité est ici liée au rôle des *facteurs historiques*. Dans le scénario B de la figure 6.2, il serait possible de constater, après coup, que les événements internationaux ont fait en sorte qu'au cours d'une période qui coïncide approximativement avec la durée de la campagne de souscription, les médias ont rapporté plus que d'habitude des images d'enfants affamés. Une telle constatation n'invaliderait pas la présence d'un effet de cette campagne, mais elle conduirait les chercheurs à supposer l'existence d'une interaction entre la mise en place de la campagne et la présentation des images dans les médias, ou à envisager un effet éphémère de la seule compassion spontanée, comme le suggère la chute des dons à compter de la semaine 75.

Par contre, en général avec les plans à séries temporelles, les facteurs tels la *maturation* sont peu à craindre, car pourquoi devrait-on penser que ses effets se manifesteraient précisément entre a_5 et a_6? Le facteur de la *sélection* des sujets ne joue pas dans la mesure où les mêmes personnes sont présentes et observées tout au long de l'étude. Les effets de la *régression statistique*, de même que ceux qui sont attribuables à l'*administration de plus d'une mesure*, s'observeraient dès la première étape, lors de l'évaluation des caractéristiques de la série, entre a_1 et a_5. Il faut par contre être attentif aux effets de la *fluctuation des instruments de mesure* afin de s'assurer de ce qu'ils ne coïncident pas avec l'introduction du traitement. Enfin, la *perte des sujets* ne devrait pas constituer une menace particulière, à moins de survenir à la suite de l'introduction du traitement, ce qu'il est toujours possible de déceler.

Avant d'illustrer l'application de l'approche quasi expérimentale à un problème concret de recherche clinique, il reste à présenter le plan à séries temporelles multiples, puisqu'il interviendra dans cette illustration. Dans le cadre de ce plan, il s'agit d'étudier, dans la même recherche, deux groupes ou conditions donnant lieu à des séries temporelles indépendantes; l'un des groupes est soumis au traitement, tandis que, pendant la même période, l'autre est seulement observé. Le principe des groupes non équivalents, discuté plus haut, est donc repris et appliqué cette fois à un plan avec séries temporelles, ce qui en améliore la robustesse. Un tel plan serait en jeu dans le cas d'une étude de l'impact d'un programme de réforme administrative: ce programme serait mis en place dans une institution A, alors qu'une institution B, qui lui est très semblable, ne subirait aucun changement administratif, les deux institutions étant évaluées sur une période de 48 semaines dont 24 avant la réforme et 24 après. Ce plan est illustré au tableau 6.5.

Tableau 6.5

Plan à séries temporelles multiples

a_1	a_2	a_3	a_4	a_5	B	a_6	a_7	a_8	a_9	a_{10}
a_1	a_2	a_3	a_4	a_5		a_6	a_7	a_8	a_9	a_{10}

Le trait pointillé indique simplement que les deux séries s'appliquent respectivement à des groupes constitués avant l'étude. Ce plan permet un meilleur contrôle des *facteurs historiques*, dans la mesure exacte où les institutions sont semblables. De plus, il fournit en quelque sorte une double preuve de l'effet du traitement via sa présence dans la série avec traitement et son absence dans l'autre série. C'est cette même logique qui sert de justification aux plans à niveaux de base multiples, habituellement présentés dans le contexte des plans de recherche à cas unique (chapitre 7), mais qui peuvent tout aussi bien convenir auprès de groupes, comme il sera maintenant possible de le constater.

APPLICATION AU PROBLÈME DES CÉPHALÉES CHRONIQUES

Une équipe de chercheurs et de cliniciens (Meloche *et al.*, 1987), s'est récemment penchée sur le problème très complexe que posent les céphalées chroniques. Pour remédier aux insuffisances de la classification, de la terminologie et du traitement en ce domaine, ces auteurs ont proposé de reclassifier les maux de tête en fonction du fait qu'ils ont trois étiologies probables: les céphalées vasculaires (migraines), les céphalées d'origine psychologique (où interviennent l'angoisse, l'hypocondrie ou la dépression) et les céphalées d'origine cervicale (dues à un trouble mineur entre les vertèbres cervicales). L'équipe a constaté que parmi les personnes qui se présentent en consultation et pour lesquelles aucune autre étiologie organique n'a pu être établie, près de 40% souffrent de maux de tête dus à la combinaison des facteurs d'ordre vasculaire, psychologique et cervical. En conséquence, le traitement optimal pour ces personnes serait un traitement multidisciplinaire, en ce qu'il combinerait une approche conventionnelle de type neurologique (traitement de la composante vasculaire au moyen d'analgésiques et de prophylactiques) à une approche psychosomatique (relaxation, rétroaction biologique et thérapie cognitive) et à une approche physiatrique (traitement de la composante cervicale par médication, physiothérapie, manipulations vertébrales, infiltrations de cortisone, etc.). Bref, l'hypothèse principale formulée par ces auteurs veut qu'une approche multidisciplinaire, offrant un traitement optimal, contribue à une plus grande réduction de la fréquence et de la durée des céphalées, que ne le fait le seul traitement neurologique, par ailleurs de pratique courante.

Dans cette recherche, les plans à séries temporelles pourraient être mis à profit de différentes manières. Nous en proposons quatre, chacune comportant une rigueur croissante. Dans un premier essai passablement improvisé et problématique, le neurologue pourrait commencer par constituer, à partir de ses dossiers d'il y a cinq ans (soit au moment où il débutait), un échantillon de 25 patients qui ont été traités pendant 40 semaines, selon l'approche neurologique conventionnelle. Il pourrait ensuite comparer ces individus à 25 autres qui ont d'abord été traités par lui-même selon l'approche neurologique pendant 20 semaines (de a_1 à a_5), puis, pendant les 20 semaines suivantes (de a_6 à a_{10}), par deux collègues, respectivement physiatre et psychosomaticien (psychologue ou psychiatre, d'orientation cognitivo-comportementale).

Cette démarche illustre une tentative d'utiliser un plan ou un protocole à séries temporelles multiples. Dans ce cas, le groupe de contrôle serait constitué des 25 patients d'il y a cinq ans et le groupe expérimental serait formé des 25 patients actuels. Le traitement équivaudrait à la consultation offerte par le psychosomaticien et le physiatre, en plus du traitement neurologique; la condition de contrôle serait définie par le seul traitement neurologique conventionnel, offert au groupe de contrôle de a_1 à a_{10} et au groupe expérimental de a_1 à a_5. Cette solution particulière engendre cependant plusieurs problèmes identifiables. La pratique diagnostique et thérapeutique du neurologue a sans doute évolué au fil des cinq ans écoulés; son jugement clinique s'est peut-être affiné. Toute supériorité dans l'évolution subséquente du groupe expérimental pourrait être attribuée aux conséquences de ces différences.

Le même problème surviendrait, dans un second essai, avec un plan où le groupe expérimental serait formé, par exemple, par les patients de la clinique d'un neurologue A, et ceux du groupe de contrôle par les patients de la clinique d'un neurologue B. Même si les deux cliniciens standardisaient leur approche, il serait possible, par exemple, que la clientèle de la clinique A soit d'un milieu socio-économique plus favorisé. Cette différence relative à la *sélection* des sujets interagirait avec le traitement et invaliderait l'inférence voulant que ce soit l'approche multidisciplinaire qui ait donné de meilleurs résultats.

Par contre, ce plan peut permettre de soutenir des inférences causales, avec une conviction raisonnable, dans la mesure où les groupes préconstitués le sont sur la base de la plus grande ressemblance possible. Il faudrait donc que les deux neurologues œuvrent dans des milieux sociaux semblables et qu'ils normalisent leur approche diagnostique et thérapeutique, de telle sorte qu'il devienne difficile d'imaginer une variable (*facteurs historiques*, *sélection*, etc.) qui puisse intervenir de façon différentielle. Ainsi, le groupe de contrôle devrait être également constitué de patients actuels.

Il est toujours possible, dans un troisième essai, de combiner les avantages d'un plan à séries temporelles à ceux d'un plan expérimental. Il s'agit, dans ce cas, de créer les groupes, expérimental et de contrôle, à partir d'un échantillon constitué de sujets de provenances différentes (par exemple, des cliniques A et B), mais choisis au même moment, par la même procédure, et d'affecter les sujets de manière aléatoire à chacune des deux séries ou à chacun des deux groupes. Le plan devient alors expérimental et permet d'évaluer, à l'aide des séries temporelles multiples, l'effet du traitement. La figure 6.3 illustre des données fictives, résultant d'un tel plan, appliqué au cas de la recherche sur les céphalées. On y constate que le groupe recevant le traitement conventionnel (TC) neurologique n'affiche aucune amélioration entre les deux phases de l'étude, ce qui est prévu par l'hypothèse: ces patients ne voient en effet que le neurologue tout au long des deux phases et comme leur céphalée est aussi due aux composantes psychologique et cervicale, on ne devrait constater aucune autre baisse de l'index céphalique entre les deux phases. Par contre, dans le groupe recevant le traitement optimal multidisciplinaire (TOM) au cours de la phase 2, l'index céphalique diminue, de façon assez abrupte et permanente, précisément après l'introduction des traitements psychosomatique et physiatrique.

Il est possible de présenter un quatrième essai d'application des mêmes principes des plans à séries temporelles, combinés cette fois à un plan à niveaux de base multiples. Il s'agit de créer des conditions parallèles où l'introduction respective des divers traitements est décalée dans le temps, ce procédé entraînant autant de comparaisons qui fondent la validité de l'inférence. Mitchell et White (1977) ont d'ailleurs exploité une telle approche dans l'étude des migraines; cette approche est ici adaptée à la situation de recherche mise au point par Meloche *et al.* (1987).

Imaginons un plan comportant quatre groupes de dix patients, qui ont été répartis au hasard à l'intérieur des groupes. La figure

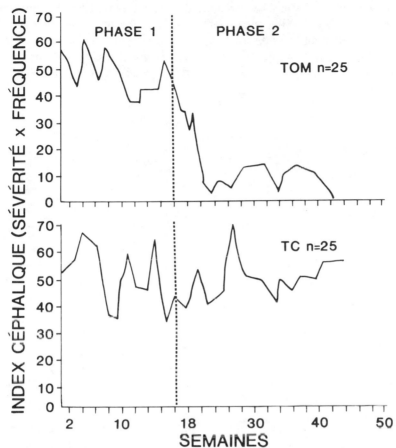

Figure 6.3 Évolution respective de deux séries temporelles, démontrant la supériorité d'un traitement optimal multidisciplinaire (TOM) par rapport à un traitement conventionnel (TC) dans le traitement des céphalées chroniques.

6.4 illustre l'évolution des données fictives résultant d'un tel arrangement des décalages et de leurs effets sur l'index céphalique. Le plan comporte tout d'abord une période initiale de six semaines dites de niveau de base au cours de laquelle tous les sujets notent quotidiennement la fréquence et l'intensité de leurs maux de tête. Cette activité se poursuit à travers toutes les étapes de l'étude. Après cette période initiale, le premier groupe est placé en attente d'un traitement et continue seulement à prendre des notes. Il s'agit donc d'un groupe de contrôle. On constate, tel que prévu, que l'index céphalique de ce groupe ne subit aucune diminution au cours de l'ensemble des 42 semaines du traitement. Le groupe 2 subit, pendant les semaines 7 à 42, le traitement neurologique conventionnel, lequel contribue à une diminution régulière et constante des maux de tête, ce qui était également prévisible. La comparaison des cheminements respec-

tifs des groupes 1 et 2 assure donc déjà certaines possibilités d'inférence: le fait de voir régulièrement, soit à raison d'une fois par
mois, quelqu'un qui prescrit une médication appropriée contribue à
une réduction du problème céphalique. L'hypothèse clinique suppose
que c'est la composante vasculaire des céphalées mixtes qui est ici
traitée.

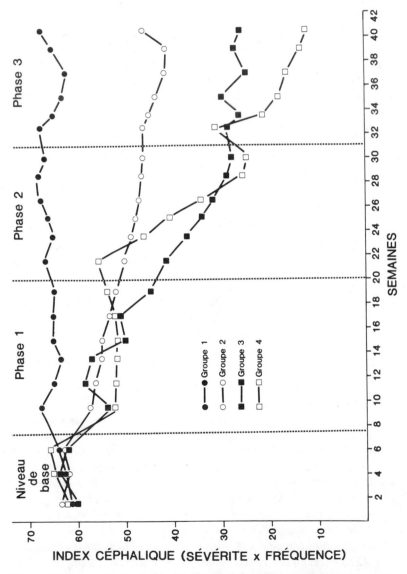

Figure 6.4 Plan à niveaux de base multiples, comportant quatre groupes traités
pour des céphalées chroniques.

Le groupe 3 subit également le traitement neurologique, au cours de trois phases. Cependant, ce groupe reçoit de plus, au cours des phases 2 et 3, le traitement cognitivo-comportemental par le psychosomaticien. On constate d'ailleurs que ce groupe présente, précisément aux phases 2 et 3, une diminution de l'index céphalique qui est plus grande que celle notée dans le groupe 2. Le fait que la diminution survienne précisément au cours de la phase 2 et le fait que la tendance à la baisse antérieurement observée dans ce groupe s'accentue et devienne supérieure à la décroissance qu'affiche le groupe 2, soutiennent encore davantage l'inférence recherchée. Dans ce cas, on pourrait affirmer que le fait de rencontrer une deuxième personne (le psychosomaticien), une fois par semaine pendant 24 semaines, en plus de rencontrer le neurologue, contribue à une diminution réelle des maux de tête. Ici encore, on peut affirmer que ces résultats donnent un certain appui empirique à l'hypothèse clinique selon laquelle c'est la composante psychologique des céphalées mixtes qui est ici traitée et dont l'influence néfaste est minimisée.

Enfin le groupe 4 subit, comme les groupes 2 et 3, le traitement neurologique au cours des trois phases et, comme le groupe 3, l'approche psychosomatique aux phases 2 et 3. A la phase 3 cependant, le groupe 4 reçoit en plus, et à la différence du groupe 3, le traitement d'approche physiatrique. L'examen de l'évolution des tendances dans le groupe 4 permet de constater une évolution parallèle à celle des groupes 2 et 3 lors de la phase 1. A la phase 2, l'amélioration affichée constitue une reprise de ce qui avait été observé chez le groupe 3. Enfin, à la phase 3, les sujets du groupe 4 présentent une nette diminution de l'index céphalique, laquelle, supérieure à celle enregistrée dans le groupe 3, appuie l'hypothèse clinique voulant que la composante cervicale soit alors traitée. Cette dernière comparaison permet de conclure que le fait de rencontrer un troisième intervenant, qui dispense des traitements physiatriques, améliore encore la condition clinique des patients.

Quelques remarques s'imposent avant de terminer la discussion sur ce dernier plan de recherche. En premier lieu, il n'est malheureusement pas possible de départager ici les effets non spécifiques des traitements et leurs effets spécifiques. En effet, on ne peut savoir si le groupe 4 s'améliore plus que les autres du simple fait qu'il reçoit une plus grande attention et des soins de la part de trois personnes, plutôt qu'en provenance de deux ou un seul individu. Ensuite, un effet d'ordre peut toujours interagir avec l'efficacité d'un traitement donné. Par exemple, si le traitement physiatrique était introduit à la seconde phase, avant que le patient ne puisse parler de ses difficultés personnelles, ses effets seraient peut-être moindres. Enfin, il pourrait arriver qu'un tel plan, même s'il était bien conçu à l'avance, déçoive le chercheur, qui ne pourrait tirer aucune conclusion du fait, par exemple, que l'évolution des tendances se poursuive, d'une phase à l'autre, de façon régulière et sans les discontinuités attendues, comme nous l'avons discuté à la section précédente. Néanmoins, il est évident que parce qu'ils mettent à profit le passage du temps pour décaler les interventions, de tels protocoles peuvent rendre de précieux services dans les domaines de la recherche appliquée.

CONCLUSION

Le principe de base de la méthode expérimentale commande de mesurer l'effet d'un facteur, en essayant de tenir les autres constants. La validité interne d'une étude tient précisément dans cette capacité de pouvoir éliminer le rôle d'autres facteurs que la variable indépendante dans l'explication des résultats. Les plans préexpérimentaux n'autorisent aucunement à conclure de manière définitive à ce rapport de causalité entre la variable indépendante et la variable dépendante. Les plans expérimentaux classiques sont, par contre, construits de manière à protéger la validité de l'inférence causale. Il n'est cependant pas toujours possible de les utiliser, en particulier dans les domaines de la recherche appliquée.

Les plans quasi expérimentaux présentent alors diverses solutions aux chercheurs et permettent, dans certaines conditions, d'inférer un rapport de causalité entre la variable indépendante et la variable dépendante. Ils sont de deux types, soit les plans à groupes non équivalents et les plans à séries temporelles.

Quoique reposant sur des principes simples, les plans à séries temporelles ouvrent de multiples possibilités. Ils constituent en effet la base des plans à cas unique. Ils peuvent aussi se combiner aux plans avec groupes non équivalents. Enfin, avec le jeu des décalages temporels, ils rendent possible la construction des plans à niveaux de base multiples, convenant à des groupes aussi bien qu'à des individus. Loin de constituer une solution de second ordre, ces plans offrent, dans des conditions appropriées, de réelles possibilités d'inférence causale, là où les plans classiques ne sont d'aucun secours.

RÉFÉRENCES

Barlow, D.H. & M. Hersen: *Single-case experimental designs: Strategies for studying behavior change* (2e éd. rév.), Pergamon, New York, 1984.

Campbell, D.T. & J.C. Stanley: *Experimental and quasi experimental designs for research,* Rand McNally, Chicago, 1966.

Cook, T.P. & D.T. Campbell: *Quasi experimentation: design and analysis issues for field settings,* Rand McNally, Chicago, 1979.

McDowall, D., R. McLeary, E.E. Meidinger & R.A. Hay: *Interrupted time-series analysis,* Sage, Beverly Hills, 1980.

Meloche, J. & *al.*: L'approche multidisciplinaire comparée à l'approche convention-nelle dans le traitement des céphalées chroniques, Rapport inédit, Montréal, 1987.

Mitchell, K.R. & R.G. White: Behavioral self-management: An application to the problem of migraine headaches. *Behavior therapy,* **8**:213-221, 1977.

CHAPITRE 7

PLANS DE RECHERCHE
A CAS UNIQUE

ANDRÉE FORTIN

Dans de nombreux contextes de recherche, en particulier dans celui de la recherche clinique, il s'avère souvent difficile de réunir un nombre élevé de sujets présentant des caractéristiques qui, sans être identiques, sont tout au moins équivalentes ou comparables. On imagine en effet aisément les difficultés qu'entraînerait l'obligation de réunir 30 enfants autistes, âgés de 4 ou 5 ans, et manifestant tous des comportements d'automutilation. Même si un tel échantillon était constitué, il n'est absolument pas certain que les enfants n'y afficheraient pas, à divers degrés, une variété d'autres conduites inadaptées. On peut également prévoir que les mesures de contrôle mises en place ne parviendraient que partiellement à annuler l'effet des variables extérieures à la réalisation même de la recherche (par exemple, le type d'institution fréquentée par l'enfant, ou le niveau de participation des parents à l'éducation de leur enfant).

Malgré ces obstacles de taille, les besoins de recherche en milieu clinique sont considérables et la nécessité d'évaluer le résultat des interventions thérapeutiques, que ce soit auprès d'un seul client ou de plusieurs, s'impose avec de plus en plus de force. A cet égard, Bouchard (1981) identifie trois facteurs responsables de l'intensification des pressions exercées sur les professionnels de la santé pour qu'ils procèdent à l'évaluation de leurs interventions: il s'agit de la manifestation possible d'effets post-thérapeutiques négatifs, de l'éclosion d'une grande variété d'approches thérapeutiques et de l'action nouvelle — ou plus marquée — de tierces parties revendiquant une mesure de la qualité des soins prodigués (par exemple, les organismes de protection du consommateur, les corporations professionnelles ou les personnes intimement liées à la vie du client).

Pour satisfaire à ces diverses exigences, la recherche ou l'évaluation clinique s'est longtemps confinée, comme on l'a vu au chapitre 2, à l'étude de cas, laquelle comporte indéniablement de nombreux avantages. Cette formule favorise le développement de techniques nouvelles ou le raffinement de techniques connues; elle permet l'analyse de phénomènes rares; elle fournit également une série de données susceptibles de provoquer une remise en question de la validité des conceptions théoriques existantes, ou même de donner un nouvel essor à l'examen de divers phénomènes. Toutefois, l'étude de cas fournit surtout des descriptions subjectives de la nature d'un traitement et de son impact (Hersen et Barlow, 1976). L'absence de définition précise des variables indépendantes et dépendantes, ainsi que le manque de contrôle des diverses sources d'invalidité interne (correspondant par exemple aux processus de maturation, aux facteurs historiques ou à l'effet placebo) qui la caractérisent, excluent toute possibilité d'inférences causales. Compte tenu des limites inhérentes à l'étude de cas et des difficultés liées à l'adoption d'une démarche scientifique traditionnelle en milieu clinique, ceux qui y font de la recherche ont dû recourir à d'autres outils méthodologiques, mieux adaptés à leurs besoins. Ce sont ces outils fort précieux que constituent les *plans à cas unique.*

B.F. Skinner fut sans aucun doute un des grands promoteurs du recours à ce type de plans de recherche. Déjà en 1938, il dénonçait le fait que les données empiriques provinssent exclusivement de l'emploi d'une méthodologie centrée sur l'étude de plusieurs sujets. Selon lui, la variabilité du comportement devait faire l'objet de l'analyse scientifique, au lieu d'être masquée par l'accent mis exclusivement sur des performances moyennes, valables pour l'ensemble des sujets appartenant à un groupe donné. Or, comme le note Sidman (1960), la performance moyenne d'un groupe traduit le comportement d'un sujet «idéal», pour qui les diverses sources de variabilité ont été neutralisées.

C'est donc dans cette perspective que Skinner (1966) déclare qu'il vaut mieux étudier le comportement d'un même rat pendant mille heures que celui de mille rats pendant une heure! Cependant, sans le développement rapide des thérapies behavioristes, la position skinnérienne n'aurait sans doute pas marqué avec autant de force l'évolution de la recherche clinique. L'approche behavioriste a en effet constitué un véhicule privilégié, permettant d'établir les bases d'une méthodologie rigoureuse dans l'étude de cas cliniques.

Nous aborderons maintenant l'exposé des fondements et de la nature des diverses stratégies de recherche centrées sur l'étude d'un seul sujet. Il va sans dire que les plans présentés ne sont pas exclusivement réservés à la seule recherche appliquée. Ils conviennent tout aussi bien aux recherches à contenu fondamental et y sont du reste de plus en plus utilisés, soit dans l'étude des comportements de sujets présentant certaines particularités (par exemple, des caractéristiques neurologiques ou mnémoniques rares), soit encore en vue de compléter l'analyse des différences entre groupes par une étude des performances individuelles. Toutefois, notre présentation sera délibérément orientée vers la recherche clinique qui a trop longtemps manqué d'une méthodologie capable d'exploiter la richesse des données qu'on y recueille.

DÉFINITION ET CARACTÉRISTIQUES

Les plans à cas unique visent à préciser la relation causale existant entre des variables indépendantes d'une part, et des variables dépendantes d'autre part, et ce, à partir de l'étude d'un seul sujet ou d'un groupe de sujets alors considéré comme un sujet unique. Dans ces plans, la démonstration de l'efficacité d'une intervention ne fait pas appel à la constitution d'un groupe de contrôle, mais s'inspire plutôt de la stratégie adoptée dans les plans quasi expérimentaux à séries temporelles. Elle se fonde sur une comparaison établie à partir des réponses mêmes du sujet et, plus particulièrement, à partir de celles qu'il émet respectivement avant et après l'introduction de la variable indépendante. L'analyse détaillée du comportement du sujet constitue donc une composante importante de cette approche. Le fait de ne pas exiger l'examen de sujets de contrôle présente par ailleurs, sur le plan déontologique, un certain avantage: on ne retarde pas le traitement de tels sujets au-delà du moment où la preuve de l'efficacité de l'intervention auprès de sujets expérimentaux est établie.

Manipulation des variables

La nécessité de n'introduire qu'une variable à la fois est une des règles à la base des plans à cas unique (Barlow et Hersen, 1984; Hersen et Barlow, 1976). Quand deux variables sont manipulées simultanément, il est en effet impossible de déterminer dans quelle mesure l'une ou l'autre contribue seule au changement observé. Par exemple, dans le but d'augmenter le nombre d'interactions sociales auxquelles participe un patient schizophrène, un thérapeute pourrait choisir de lui donner un jeton (échangeable pour des friandises) et de le féliciter chaque fois qu'il s'adresse à un autre individu. Cependant, dans le cas où les effets du traitement s'avèrent positifs, le thérapeute ne peut pas déterminer quel type de renforçateur (matériel, social ou les deux) est à l'origine du changement. Aussi, pour isoler les effets respectifs et combinés des deux variables, est-il important de prévoir une séquence expérimentale dans laquelle chaque phase est associée à l'introduction d'une seule variable. L'importance de cette règle ressortira de la présentation des plans visant l'étude de l'interaction.

Établissement du niveau de base

Une autre considération méthodologique importante concerne l'établissement du *niveau de base* du comportement. L'efficacité d'une intervention étant évaluée par rapport au comportement tel qu'il se présente en l'absence de toute intervention, il est essentiel que la mesure de ce niveau de base soit adéquate. A cette fin, Hersen et Barlow (1976) soulignent divers aspects à considérer dans l'élaboration d'un système de mesure opérationnel, que ce dernier soit fondé sur les indices comportementaux (réponses motrices), subjectifs (auto-évaluation) ou physiologiques que fournit le sujet. Ces auteurs insistent également sur la nécessité d'établir des conditions d'évaluation standardisées (en ce qui concerne, par exemple, les instruments de mesure, les consignes, les thérapeutes eux-mêmes, les moments de la journée ou les lieux physiques) pour l'ensemble des phases de l'expérience. Enfin, ils s'interrogent sur la durée minimale de l'opération de mesure du niveau de base. A une telle question, il n'existe pas de réponse simple. Il semble toutefois acquis que l'évaluation doive rechercher une certaine stabilité des résultats (Baer *et al.*, 1968; Wolf et Risley, 1971), ce qui devrait à tout le moins requérir trois mesures distinctes (Hersen et Barlow, 1976). Quand le profil de réponses du sujet s'avère instable ou que l'évolution du comportement s'engage d'elle-même dans la direction recherchée, il vaut mieux différer le traitement. Il peut également être nécessaire de prolonger l'étape préliminaire dans les cas où la mesure même du comportement le modifie déjà (Ladouceur, 1979; McFall, 1970).

Durée des phases expérimentales

La question relative à la durée de l'évaluation ne se pose pas uniquement dans le cas de la mesure du niveau de base, mais concerne plutôt toutes les phases de l'expérience. Par exemple, on peut se demander si la période d'administration du traitement doit avoir la même durée que celle de l'établissement du niveau de base. Ici encore, aucune réponse claire n'est disponible. Le fait de ne pas exiger des phases expérimentales de même longueur peut mettre en relief une certaine stabilité dans les modifications provoquées (Johnson, 1972). Par contre, il en résulte, notamment lorsqu'il s'agit de prolonger la durée du traitement, une augmentation des possibilités de contamination provenant des facteurs historiques et de maturation (Hersen et Barlow, 1976). D'ailleurs, de façon absolue, l'administration prolongée d'un traitement comporte toujours le risque que les changements suscités subsistent ensuite grâce à divers agents de l'environnement (Bijou *et al.*, 1969). Cependant, il est également vrai que des phases expérimentales trop courtes risquent de créer une confusion entre l'effet du traitement et les variations cycliques. Il est bien connu, par exemple, que le cycle menstruel influence le comportement des femmes. Dans ce cas, il est préférable de délimiter les phases de l'expérience, de façon à ce que chacune d'elles puisse inclure cette variation cyclique. Lorsque la chose est impossible, l'expérience doit être répétée auprès de sujets se situant aux divers stades du cycle considéré.

Évaluation de l'effet du traitement

Une autre caractéristique des plans à cas unique concerne le mode d'évaluation des données qui résultent de leur utilisation. Ces données ne sont pas toujours soumises à l'analyse statistique. Elles font souvent l'objet d'une représentation graphique, reflétant l'évolution du comportement du sujet au cours des différentes étapes de l'expérience. Cette approche, influencée surtout par l'étude de cas cliniques, est basée sur la distinction entre deux critères d'évaluation, soit un critère expérimental et un critère clinique (Kazdin, 1977; Risley, 1970). Alors que le critère expérimental est associé à l'effet statistiquement significatif d'une variable indépendante, le critère clinique concerne plutôt le niveau de changement susceptible de permettre à l'individu de fonctionner adéquatement dans la société. Une diminution de 50% dans la fréquence d'apparition d'un comportement déviant pourrait, par exemple, se révéler statistiquement significative, tout en étant considérée comme nettement insuffisante sur le plan clinique. Le critère clinique est donc beaucoup plus exigeant que le critère expérimental et son adoption dispense, selon certains auteurs (Leitenberg, 1973; McNamara et McDonough, 1977; Michael, 1974), de recourir aux techniques statistiques ou, à tout le moins, incite à ne les utiliser que pour compléter l'analyse descriptive (Kazdin, 1984). Il va sans dire que cette conception ne fait pas l'unanimité et que d'autres auteurs (Bandura, 1969; Gottman et Glass, 1978) considèrent que l'outil statistique demeure toujours indispensable car il permet d'éviter les interprétations hâtives, voire même erronées.

Par conséquent, les plans à cas unique soulèvent assurément de nombreuses interrogations d'ordre méthodologique. On ne devra pas les oublier lors de l'examen des particularités de chacun de ces plans. L'exposé suivant traitera successivement du plan de base (le plan A-B), puis de différents plans qui, comportant un retrait du traitement, isolent mieux que le plan A-B l'effet de la variable indépendante. Enfin, seront présentés les plans qui substituent au retrait du traitement d'autres modalités de contrôle des sources d'invalidité interne. Dans tous les cas, des exemples tirés d'études cliniques, d'inspiration généralement behavioriste, seront apportés.

PLAN A-B

Le plus primitif des plans à cas unique est le plan A-B. Tel qu'il est illustré au tableau 7.1, ce plan comporte deux étapes. L'étape A consiste à évaluer le niveau de base du comportement cible, c'est-à-dire le niveau de production du comportement à modifier (concernant sa fréquence d'apparition, sa durée ou toute autre mesure susceptible d'être enregistrée) en l'absence de toute intervention. C'est durant l'étape B qu'est introduite la variable indépendante. Le plan A-B est donc une reproduction fidèle du plan quasi expérimental à séries temporelles simples; aussi en comporte-t-il tous les inconvénients, notamment l'absence de contrôle des facteurs liés à l'histoire du sujet.

Tableau 7.1

Plan A-B

Niveau de base	Traitement
A	B

Il importe cependant de souligner que le plan A-B présente un net avantage par rapport à la méthode traditionnelle de l'étude de cas dans la mesure où il exige une évaluation objective des mesures comportementales à la base de la comparaison des phases A et B. En ce sens, la systématisation qui le caractérise peut favoriser un travail de nature véritablement expérimentale.

Eisler et Hersen (1973) utilisent un plan A-B dans le traitement d'un sexagénaire souffrant de dépression. Après avoir établi le niveau de base du comportement dépressif (défini opérationnellement en fonction de divers indices comportementaux et des réponses obtenues à un questionnaire), ils soumettent le sujet à un programme de renforcement, utilisant un système économique à base de jetons (échangeables à la cantine de l'hôpital) et sanctionnant l'exécution de différentes activités à l'intérieur de l'hôpital (par exemple, l'exécution d'un travail, ou le fait de se préoccuper de son hygiène personnelle ou encore de prendre des initiatives). Le patient progresse, selon les résultats obtenus au cours de la période consécutive à l'introduction du programme de renforcement. Toutefois, tel qu'on l'a mentionné précédemment, le plan n'autorise pas l'énoncé de conclusions définitives concernant l'impact de l'intervention thérapeutique. Tout au plus peut-on affirmer que les résultats obtenus ne contredisent pas l'hypothèse invoquant l'efficacité du renforcement.

PLANS AVEC RETRAIT DU TRAITEMENT

Pour que des relations causales entre les variables à l'étude soient valides, le plan A-B doit être modifié de façon à comporter au moins une autre étape destinée à isoler l'effet du traitement. Cette nouvelle condition expérimentale consiste souvent à supprimer ce traitement afin de provoquer un retour éventuel du comportement au niveau qu'il affichait avant l'introduction de la variable indépendante. En effet, si le comportement est modifié en fonction des moments d'administration et de retrait de la variable manipulée, il est légitime de penser que cette variable constitue l'agent de changement.

Plan A-B-A

Le plan A-B-A constitue la version la plus simple des plans comportant un retrait du traitement. Tel que l'indique le tableau 7.2, il reproduit le plan A-B, mais comporte en plus une seconde étape A au cours de laquelle l'intervention expérimentale est interrompue. Si les résultats observés traduisent un progrès du comportement lorsque le traitement est en place (partie A-B du plan) et, inversement, un recul de la performance (partie B-A du plan) lorsque le traitement est retiré, on peut alors conclure à l'efficacité de l'intervention. A moins que l'évolution naturelle du comportement ne manifeste de telles fluctuations, il est en effet peu probable que des facteurs historiques, de maturation ou encore de régression statistique exercent une influence aussi systématique.

Tableau 7.2

Plan A-B-A

Niveau de base	Traitement	Niveau de base
A	B	A

Walker et Buckley (1968) ont recours à un plan A-B-A pour apprécier l'impact d'un programme de renforcement chez un garçon de 9 ans qui manifeste peu d'attention en classe. Le niveau de base (A) est établi en estimant le temps pendant lequel l'enfant peut se concentrer dans l'exécution d'une tâche suggérée par le professeur. Chaque période d'observation dure 10 minutes. La mesure du niveau de base est suivie d'une période de renforcement (B) pendant laquelle l'enfant obtient des points (éventuellement échangeables pour des objets de son choix) si, pendant une durée prédéterminée, il parvient à canaliser son attention (définie opérationnellement) dans la réalisation d'une tâche d'apprentissage. Enfin, la dernière étape est une phase d'extinction (A), comportant un retour à la situation de départ. Les résultats obtenus montrent un effet marqué du traitement: le faible degré initial de concentration du sujet augmente nettement au moment de la présentation des renforçateurs, pour retourner progressivement à son niveau de base au cours de la phase d'extinction.

Le plan A-B-A permet donc à son utilisateur d'établir un lien causal entre les variables à l'étude. Notons toutefois qu'il n'élimine pas la possibilité que les changements attribués au traitement soient plutôt dus aux effets séquentiels que peut produire la répétition de l'opération de mesure de la variable dépendante: l'efficacité du traitement se révèle ici dans un contexte particulier dans lequel son administration succède à la mesure du niveau de base (B succède à A). Par conséquent, il reste possible que les changements observés ne soient pas comparables à ceux qu'on aurait pu constater si le traitement avait été administré dès le départ (Kazdin, 1973). De la même façon, l'influence de la reprise de l'étape A peut différer de celle de sa première présentation, ce qui entraîne des restrictions supplémentaires concernant les possibilités de généralisation des résultats (Barlow et Hersen, 1984).

Une autre contrainte liée à l'utilisation d'un plan A-B-A découle de la réversibilité qui doit absolument être associée à l'effet du traitement. En effet, il existe plusieurs interventions expérimentales qui ne se conforment pas à cette exigence à cause du caractère permanent des changements qu'elles provoquent (par exemple, une intervention chirurgicale ou l'apprentissage d'un contenu donné) ou encore à cause du caractère temporaire, mais persistant, des effets suscités (par exemple, l'effet de certaines drogues ne se dissipe que très lentement). Dans ces cas, il vaut mieux recourir à d'autres plans.

Il arrive également que le retrait de certains traitements, bien qu'il s'effectue aisément, ne provoque pas de retour au niveau de base. Ainsi, Hewett *et al.* (1969) ont observé qu'un comportement pouvait continuer à s'améliorer malgré le retrait du renforcement. Il devient alors impossible d'éliminer les diverses sources d'invalidité (définies, par exemple, par la répétition de l'opération de mesure et les facteurs historiques ou de maturation) qui peuvent rendre plausibles des explications non prévues. Pour contrer ces difficultés, on peut bien sûr songer à abréger la durée des phases expérimentales (Bijou *et al.*, 1969). De plus, il est possible d'utiliser un plan A-B-A comportant, non plus le retrait du traitement, mais plutôt son application dans une direction opposée (Leitenberg, 1973). Cette opération consiste à associer la seconde étape A au renforcement d'une réponse dont la manifestation est incompatible avec celle du comportement cible. Par exemple, dans une étude comme celle de Walker et Buckley (1968), l'étape du renforcement des comportements d'attention (étape B) aurait pu être suivie d'une phase où ce sont plutôt les comportements d'inattention de l'enfant qui auraient été récompensés (seconde étape A).

Enfin, un dernier problème concerne l'aspect déontologique d'une utilisation stricte du plan A-B-A au terme de laquelle il n'y a pas réellement amélioration du comportement du sujet. L'expérience se termine en effet au moment où ce dernier se retrouve dans les mêmes conditions que celles existant au début du traitement. Aussi est-il préférable de compléter le plan A-B-A, en y incluant une quatrième étape (B) de réintroduction du traitement. Le sujet peut ainsi participer totalement, et retirer le plus grand bénéfice possible. De plus, le plan, devenu A-B-A-B, fournit deux occasions (de B à A et de A à B), et non plus une seule, de démontrer l'efficacité du traitement.

Plan B-A-B

Une autre façon d'éviter que l'expérience ne se termine par un retour au niveau de base consiste à adopter le plan B-A-B. Comme on le voit au tableau 7.3, ce plan comporte trois phases associées respectivement à une première présentation de la variable indépendante (B), à son retrait (A), et à sa seconde présentation (B). Ce plan convient quand l'établissement du niveau de base paraît superflu (par exemple, chez un schizophrène qui n'a pas prononcé un mot depuis dix ans) ou peu souhaitable, compte tenu de la gravité des symptômes (Ladouceur et Bégin, 1980). Toutefois, le traitement étant introduit dès le départ, les résultats auxquels il donne lieu ne peuvent être interprétés par rapport à la durée ou à la fréquence qu'aurait affichées le comportement observé s'il avait été mesuré avant l'intervention expérimentale. Formuler des relations causales dans ce cadre devient donc plus ou moins légitime. Aussi, lorsque c'est possible, est-il préférable d'adopter un plan A-B-A-B ou une autre variante du plan A-B-A.

Tableau 7.3

Plan B-A-B

Traitement	Niveau de base	Traitement
B	A	B

Variantes du plan A-B-A

Parmi les nombreuses variantes du plan A-B-A, mentionnons le plan A-B-A-B-A-B, dans lequel l'établissement du niveau de base (A) et l'application du traitement (B) s'effectuent à plusieurs reprises. Tout en contribuant à faire progresser un comportement jusqu'au niveau jugé satisfaisant, cette stratégie établit, à partir de situations de contrôle répétées, l'effet de la variable manipulée. Mann (1972) eut recours à ce plan dans le traitement de personnes obèses soumises à un programme de renforcement étalé sur plusieurs mois.

A l'aide d'autres plans, on peut également apprécier les variations quantitatives ou qualitatives des traitements effectués. Ainsi, le plan A-B-A-B-B'-B''-B''', présenté au tableau 7.4, conduit d'abord à démontrer l'efficacité d'une intervention donnée (partie A-B-A-B du plan), puis à comparer son impact à celui exercé par ce même traitement lorsqu'on l'administre à doses de plus en plus fortes (B', B'' et B''').

Par exemple, on peut employer ce plan pour évaluer l'effet de la stélazine (B = 10 mg, B' = 20 mg, B'' = 30 mg et B''' = 40 mg) sur la diminution du nombre de réponses asociales d'un psychotique. D'une condition expérimentale à l'autre, on observe ce qui se produit quand une dose de drogue progressivement accrue est administrée au patient.

Tableau 7.4

Plan A-B-A-B-B'-B''-B'''

Niveau de base	Traitement (dose n)	Niveau de base	Traitement (dose n)	Traitement (dose n + 1)	Traitement (dose n + 2)	Traitement (dose n + 3)
A	B	A	B	B'	B''	B'''

Dans un tel cas, il est par ailleurs préférable d'inclure un contrôle de l'effet placebo (A_1), ce qui transforme le plan en un plan A-A_1-B-A_1-B-B'-B''-B'''. Il faut enfin signaler que ce plan est vulnérable aux effets séquentiels que provoque la mesure répétée d'une même variable. Ainsi, l'effet de B''' peut ne pas être nécessairement le même que celui qu'on aurait obtenu si ce traitement avait été présenté en premier, à la place de B.

Par ailleurs, le plan A-B-C-B-C, illustré au tableau 7.5, s'adapte aux situations dans lesquelles un premier traitement (B), jugé totalement inefficace, est remplacé par un second (C). Par exemple, les habitudes d'un fumeur peuvent n'être pas affectées par la punition (B), mais se révéler sensibles à la suggestion hypnotique (C). Dans ce cas, l'efficacité de l'intervention principale (C) est comparée, non pas au niveau de base (A), mais à l'effet du programme qui n'a pas donné les résultats escomptés (B). En ce sens, on fait dans ce plan une entorse à la règle voulant qu'une seule variable soit introduite à la fois. Si une telle exception est tolérée — compte tenu des effets nuls de B et de la durée limitée que doit nécessairement avoir une recherche — l'interprétation doit cependant envisager la possibilité que l'action de B sensibilise le sujet aux effets bénéfiques de C.

Tableau 7.5

Plan A-B-C-B-C

Niveau de base	Traitement 1*	Traitement 2	Traitement 1	Traitement 2
A	B	C	B	C

* Traitement jugé inefficace

Ainsi qu'en témoignent ces quelques exemples, le plan A-B-A peut être modifié dans le but de répondre à des objectifs variés. A cet égard, une de ses extensions les plus intéressantes concerne les plans à plus d'une variable.

Plans pour l'étude de l'interaction

Contrairement aux plans précédents, les plans conçus en vue d'étudier l'interaction permettent l'évaluation des effets combinés de deux ou plusieurs variables. La règle de base relative à l'introduction d'une seule variable à la fois demeurant immuable, l'analyse de l'interaction entre variables s'effectue dans ces plans avec moins de souplesse que dans le cadre d'un plan factoriel classique. Plutôt que de porter sur l'influence d'une des variables indépendantes en fonction des divers niveaux spécifiques des autres, l'analyse des effets d'interaction se limite ici à l'évaluation de la contribution relative de deux ou plusieurs variables étudiées chacune à un seul niveau. Par exemple, s'il est possible d'estimer l'effet d'une technique de relaxation (B) et d'une drogue (C) sur la durée du sommeil d'un insomniaque, il est difficile d'imaginer que, dans la même étude, l'effet de chaque traitement soit également considéré en fonction de variations quantitatives (par exemple, durée de la période de relaxation) ou qualitatives (par exemple, nature de la drogue ingérée). La multiplicité des conditions expérimentales requises obligerait en effet à recruter un trop grand nombre de sujets.

L'étude d'une interaction comporte deux exigences, soit l'évaluation des effets respectifs et combinés des variables et l'élaboration d'une séquence expérimentale qui assure l'identification des effets additifs des interventions. Un exemple concrétisera ces principes.

Imaginons une étude destinée à déterminer l'effet de séances d'information (B) et d'un agent de renforcement de type social (C) dans le traitement de l'alcoolisme. Une fois le niveau de base établi (A: taux initial d'alcool dans le sang), le sujet reçoit de l'information sur les méfaits de l'alcool (B), puis est immédiatement félicité (C) si la mesure physiologique révèle une baisse de son taux d'alcool. Le plan A-BC-A-BC en cause cerne bien sûr l'effet conjoint de B et de C, mais non leur contribution individuelle, puisque aucun des deux traitements n'a été administré en l'absence de l'autre.

Par ailleurs, on peut recourir à un plan A-BC-A-C-A dans lequel les situations sont associées respectivement à la mesure du niveau de base (A), à la présentation simultanée des deux traitements (BC), au retour au niveau de base (A), puis à la présentation (C) et au retrait (A) du seul renforçateur. De prime abord, cette stratégie paraît élégante: elle analyse l'effet de BC (partie A-BC-A du plan), celui de C (partie A-C-A du plan), ainsi que la contribution relative de B et de C (effet de C par opposition à celui de BC). Toutefois, les conclusions auxquelles elle aboutit sont erronées. En effet, l'impact de BC est évalué à partir du niveau de base (A) et non par rapport à C. Or, pour apprécier les effets additifs ou combinés de BC, il est nécessaire d'évaluer l'effet de B lorsqu'il s'ajoute à celui de C, ce qui suppose de prévoir une séquence comportant la présentation adjacente de C et de BC.

Le tableau 7.6 expose les séquences expérimentales nécessaires à une telle analyse. Avec la séquence 1, définie par le plan A-B-A-B-BC-B-BC, il est possibe d'isoler l'impact de B (partie A-B-A-B du plan), puis de le comparer à celui de BC (partie B-BC-B-BC du plan). Si les résultats découlant de la présentation de BC sont différents de ceux observés après celle de B, c'est qu'un effet d'interaction existe. Par contre, si les données se révèlent comparables dans les deux situations, il faut conclure à une absence d'interaction entre les variables. Dans cette dernière éventualité, deux interprétations restent plausibles: l'influence de C est nulle ou, au contraire, elle existe mais ne peut se manifester compte tenu de l'influence déjà exercée par B. Il est alors nécessaire de recourir à la séquence expérimentale 2 — soit le plan A-C-A-C-BC-C-BC, qui isole l'effet de C — même si cela nécessite, en contrepartie, d'examiner un sujet additionnel.

Tableau 7 6

Plan pour l'étude de l'interaction

Niveau de base	Traitement unique	Niveau de base	Traitement unique	Traitement combiné	Traitement unique	Traitement combiné
Séquence 1						
A	B	A	B	BC	B	BC
Séquence 2						
A	C	A	C	BC	C	BC

PLAN SANS RETRAIT DU TRAITEMENT

On se souvient que les plans A-B-A ne peuvent remédier aux difficultés liées à la non-réversibilité du comportement ou au retour à une fréquence indésirable de production du comportement. Les plans qui suivent ne comportent pas de telles limites. Il s'agit de plans reposant sur des niveaux de base multiples, sur une alternance de traitements ou sur un changement de critère.

Plans à niveaux de base multiples

Les plans à niveaux de base multiples supposent d'abord la mesure simultanée de deux ou plusieurs niveaux de base. Ces niveaux peuvent être définis par rapport à divers facteurs, comme les différents comportements d'un même sujet (niveau de base en fonction des comportements), les différentes situations dans lesquelles le sujet manifeste un même comportement (niveaux de base en fonction des situations) ou, encore, les différents sujets chez qui on observe ce même comportement (niveaux de base en fonction des sujets). On effectue par la suite une intervention sur un facteur, pendant que se poursuit l'évaluation du niveau de base des autres. Une fois que les changements souhaités sont observés, la variable manipulée n'est plus appliquée au facteur jusque-là considéré mais elle l'est au suivant. La même procédure est reprise autant de fois qu'il existe de facteurs à considérer. Le traitement est donc introduit à des moments différents pour chaque facteur, comme s'il s'agissait de procéder à une série de plans A-B dans laquelle les moments d'évaluation du niveau initial et les moments d'introduction du traitement varient d'un facteur à l'autre. C'est du reste cette variation qui distingue le présent plan du plan A-B et qui permet d'éliminer les limites déjà notées dans le plan A-B. Ici, l'efficacité du traitement est jugée à plusieurs reprises, soit à chaque fois qu'est introduite la variable indépendante. Le tableau 7.7 illustre un tel plan dans le cas où les facteurs faisant l'objet de l'intervention consistent en quatre comportements.

Tableau 7.7

Plan à niveaux de base multiples

Comportement mesuré	Moment				
	1	2	3	4	5
1	A*	B**			
2	A	A	B		
3	A	A	A	B	
4	A	A	A	A	B

* Niveau de base
** Traitement

L'étude de Hall *et al.* (1970) fournit aussi un exemple de l'emploi d'un plan à niveaux de base multiples en fonction des comportements. Le but de l'étude est d'augmenter la période consacrée, par une fillette de 10 ans, à trois activités parascolaires; celle-ci doit s'exercer à jouer de la clarinette, participer à un projet de camp de vacances et lire. Au cours de la première semaine, le temps accordé à chacune des activités est noté. Pendant la deuxième semaine, la fillette est informée qu'elle doit exécuter ses exercices de clarinette pendant une période d'au moins 30 minutes par jour, chaque minute manquante avançant d'autant son heure de coucher. La même procédure est reprise pour chacune des deux autres activités au cours des deux semaines suivantes. Les données révèlent une augmentation marquée des trois comportements; ces changements n'apparaissent toutefois qu'au moment où le renforcement est directement appliqué à chaque comportement. Dans ce cas, on peut déclarer l'intervention efficace puisqu'il est peu probable que des agents d'invalidité comme la maturation où l'histoire du sujet n'exercent leur influence qu'au moment ou la manipulation de la variable s'adresse à chacun des comportements visés.

Il importe cependant de noter qu'ici la relation causale est établie moins directement qu'avec un plan A-B-A. L'impact d'un traitement sur un comportement donné n'est évident qu'au moment où se produit un changement avec un autre comportement. Aussi, de façon à accroître la validité des résultats, est-il recommandé d'utiliser un minimum de trois ou quatre facteurs (Wolf et Risley, 1971).

Une autre réserve concerne le degré d'indépendance des comportements cibles. Pour isoler l'effet propre au traitement, il importe en effet que chaque comportement soit relativement insensible à la modification des autres comportements. Si cette exigence ne peut être respectée, il vaut mieux renoncer au facteur que constituent les comportements et se référer plutôt à ceux que définissent les situations ou les sujets. En admettant qu'on ne puisse pas généraliser une réponse aux autres situations, il serait par exemple possible d'imaginer une étude, analogue à celle de Hall *et al.* (1970), mais dans laquelle l'intervention se concentrerait plutôt sur la durée des exercices de clarinette effectués indifféremment à la maison, chez des amis ou chez les grands-parents. On pourrait également songer à déterminer l'effet de la variable indépendante en limitant l'analyse aux moments passés à la maison, mais en utilisant cette fois plusieurs sujets.

Plan avec alternance de traitements

Une autre façon d'éviter le problème de l'interdépendance des comportements est d'adopter un plan avec alternance de traitements. Deux illustrations de ce plan apparaissent au tableau 7.8. Ici, un même comportement est soumis à un traitement (B) ou à plusieurs traitements (par exemple, B et C) présentés dans différentes conditions (stimuli 1 et 2). Ces conditions peuvent être définies en fonction des périodes de la journée, des lieux physiques ou, encore, des personnes responsables du traitement. Comme pour les autres plans, la première phase sert à déterminer le niveau de base du comportement (A) dans chacune des conditions. Les interventions sont ensuite appliquées en variant l'ordre de leur présentation, lequel est idéalement établi au hasard. Conformément au principe de l'apprentissage discriminatif qui résulte des différences entre les stimuli, on prédit qu'un même comportement se modifiera différemment dans deux situations, si l'intervention n'est spécifique qu'à une seule des deux situations (Leitenberg, 1973).

Tableau 7.8

Plan avec alternance d'un ou de deux traitements

Stimulus	Moment				
	1	2	3	4	5
1 traitement					
1	A*	B**	$\overline{B}$***	$\overline{B}$	B
2	A	$\overline{B}$	B	B	$\overline{B}$
2 traitements					
1	A*	B**	C****	C	B
2	A	C	B	B	C

*   Niveau de base
**   Traitement 1
***   Absence du traitement 1
**** Traitement 2

Une étude de O'Brien *et al.* (1969) constitue un bon exemple d'utilisation de ce plan. Un groupe de 13 malades chroniques d'une institution psychiatrique est soumis à un programme destiné à accentuer la capacité de communication de ses membres. Chaque jour, ce groupe de malades participe à une rencontre dirigée par un des deux expérimentateurs (stimuli 1 et 2). Au cours de chaque séance, cet expérimentateur s'adresse successivement à chaque malade, afin de susciter des commentaires et des suggestions. Les différentes phases de l'expérience sont conçues de telle façon que les deux expérimentateurs adoptent un principe d'alternance, concernant celui qui tiendra compte (B) ou non ($\bar{B}$) des suggestions des malades. La variable dépendante est le nombre de suggestions formulées par l'ensemble des malades au cours de chaque réunion.

Les résultats indiquent que le nombre de suggestions respectivement faites en présence de chaque expérimentateur est, au départ, comparable (niveau de base A). Toutefois, au cours de la première phase expérimentale, ce nombre augmente rapidement en présence de l'expérimentateur 1 (qui administre la condition B), alors qu'il diminue en présence de l'expérimentateur 2 (qui administre la condi-tion $\bar{B}$). Lorsque les rôles des deux expérimentateurs sont ensuite inversés, les courbes d'évolution des réponses le sont aussi: il y a diminution des suggestions en présence de l'expérimentateur 1, et augmentation des suggestions en présence de l'expérimentateur 2. Les autres phases de l'expérience confirment également le pouvoir renforçateur qu'exerce l'acceptation des suggestions de la part de l'expérimentateur.

Une autre utilisation du plan avec alternance de traitements est illustrée dans l'étude de Kazdin et Geesey (1977). Deux enfants, déjà placés en institution et présentant un retard important sur le plan cognitif, sont soumis à deux interventions différentes (B et C) basées sur le renforcement par jetons. Les comportements d'attention en classe commandent l'obtention des jetons. Leur accumulation permet à l'enfant d'effectuer une sortie accompagné (B) ou non (C) des autres enfants de sa classe. Les comportements d'attention de l'enfant sont récompensés à deux moments distincts de la journée (stimuli 1 et 2). Un principe d'alternance guide le choix du moment de la journée ou l'une ou l'autre formule de sortie est en vigueur.

Les résultats montrent que la fréquence des comportements d'attention, au cours des deux moments de la journée, est au départ comparable (niveau de base A). Durant les huit jours que dure l'alternance des traitements, les comportements d'attention sont tou-jours plus nombreux quand le renforçateur est constitué par la présence de tous les enfants de la classe. C'est donc ce dernier type de traitement qui est retenu pour l'étape finale de l'intervention.

Le plan avec alternance de traitements semble ainsi convenir à l'énoncé de relations causales entre les variables. Comme le notent Barlow et Hersen (1984), il comporte néanmoins certains inconvé-nients. D'abord, il nécessite un contrôle rigoureux de la part des individus qui le mettent en application. Il suppose ensuite une bonne capacité de discrimination de la part du sujet. Il peut par ailleurs imposer des conditions expérimentales quelque peu artificielles. Enfin, il n'est pas à l'abri d'un effet d'interférence entre les traitements: il se peut qu'un traitement B soit plus efficace qu'un traitement C du seul fait que sa présentation alterne avec celle de C. Pour minimiser cet effet, il est souhaitable d'établir un délai suffisant entre les interventions. Il reste que, même advenant la possibilité d'une interférence, le plan assure à tout le moins qu'un traitement est efficace quand il est présenté en alternance avec un autre.

Plan basé sur un changement de critère

Un dernier plan à considérer est celui basé sur le changement de critère. Comme l'indique le tableau 7.9, ce plan comporte d'abord l'établissement du niveau de base du comportement, puis l'administration continue d'un même traitement. Chaque phase de l'expérience est cependant associée à un critère de réussite différent. Ainsi, après la mesure du niveau de base, un premier critère de performance est fixé. Le sujet ayant satisfait à ce premier critère, un nouveau critère plus exigeant est défini. Chaque phase sert donc en quelque sorte de niveau de base à la phase suivante. L'efficacité de l'intervention est démontrée quand le rythme de changement du comportement répond au critère fixé.

Tableau 7.9

Plan basé sur un changement de critère

Moment	Niveau de base	Traitement (critère n)	Traitement (critère n + 1)	Traitement (critère n + 2)
1	A			
2		B		
3			B	
4				B

Hall et Fox (1977) misent sur cette stratégie expérimentale pour le traitement d'un enfant qui refuse d'accomplir les travaux d'arithmétique exigés par son professeur. Après l'établissement du niveau de base (fixé par le nombre de problèmes résolus au cours d'une période de 45 minutes), l'enfant est soumis à une série d'étapes expérimentales au cours desquelles il doit résoudre un nombre déterminé de problèmes. S'il atteint le critère fixé, il peut aller jouer au ballon; sinon, il doit rester en classe. Le critère associé à chaque phase est préalablement fixé à partir du nombre moyen de problèmes réussis lors de la mesure du niveau de base; le nombre immédiatement supérieur à ce nombre moyen constitue ainsi le critère applicable à la première phase. Lorsque l'objectif est atteint durant trois jours consécutifs, le critère requiert la résolution d'un problème additionnel. L'expérience se poursuit ainsi conformément aux exigences établies pour la phase finale. Les résultats observés par les auteurs témoignent clairement de l'efficacité de la méthode pour le façonnement et la persistance du comportement visé.

Hartman et Hall (1976) notent que trois facteurs doivent être considérés dans la réalisation d'une expérience de ce type. Ce sont: la durée de la période d'établissement du niveau de base et celle des différentes phases d'application du traitement, l'ampleur du changement de critère et le nombre de phases expérimentales. Ces auteurs suggèrent en premier lieu que la période d'établissement du niveau de base soit plus longue que celle consacrée aux autres étapes de l'expérience. De cette façon, il est plus facile d'identifier le niveau de variabilité propre au comportement et ainsi de ne pas confondre l'impact du traitement et celui exercé par les autres sources d'invalidité interne, tels les facteurs de maturation et les facteurs historiques. En second lieu, les critères de performance doivent être fixés en fonction certes du niveau de difficulté propre au changement de comportement, mais également en fonction du niveau de variabilité de ce même comportement. En dernier lieu, Hartman et Hall (1976) recommandent d'utiliser au moins deux critères successifs pour prouver l'efficacité du traitement. Kratochwill (1978) préconise par contre l'adoption de quatre changements successifs. Il va sans dire que plus le nombre de changements exigés est grand, plus la conclusion repose sur des bases solides.

CONCLUSION

A partir de l'analyse des plans à cas unique, on constate donc qu'il existe des stratégies permettant d'apprécier l'influence d'une intervention expérimentale, même lorsqu'un seul sujet est disponible. Toutefois, on est en droit de s'interroger sur l'apport de ces études, lorsque interviennent des impératifs de généralisation. Par exemple, pourra-t-on espérer observer les mêmes résultats positifs si l'intervention s'applique à d'autres sujets ou si elle prend place dans un autre contexte? Un autre expérimentateur ou un autre thérapeute pourra-t-il en obtenir le même résultat?

Selon les règles méthodologiques classiques, le degré de généralisation des résultats est lié au caractère représentatif tant de l'échantillon recruté que des situations dans lesquelles se déroule une recherche. En ce sens, la spécificité des études à cas unique restreint considérablement — à moins qu'elle ne la supprime totalement — la possibilité de généraliser les résultats. Cependant, il faut bien se rappeler qu'en contrepartie les avantages liés à la grande représentativité d'un échantillon limitent l'application directe des conclusions de la recherche à un individu particulier. Pour être représentatif, un échantillon doit en effet tenir compte de plusieurs des caractéristiques affichées par les sujets (par exemple, le sexe, l'âge ou les traits de personnalité). L'hétérogénéité qui en résulte augmente donc d'autant la probabilité que les résultats observés ne se retrouvent pas auprès d'un individu particulier (Chassan, 1967; Sidman, 1960).

En conséquence, tout en reconnaissant l'impossibilité de généraliser les résultats à partir de l'étude d'un seul sujet, plusieurs auteurs (Barlow et Hersen, 1984; Bergin et Strupp, 1972) demeurent convaincus que la validité externe d'une recherche clinique ne peut être associée à la constitution d'échantillons représentatifs, ce qui d'ailleurs s'avère impossible à réaliser. Selon eux, il faut plutôt répéter la même expérience, d'abord auprès de patients présentant des symptômes identiques à ceux considérés dans la première tentative, puis auprès de sujets manifestant des symptômes comparables à ceux des premiers sujets. On peut en outre envisager de modifier les conditions dans lesquelles se déroule l'expérience, par exemple en variant les lieux physiques où a lieu l'intervention ou l'identité des thérapeutes qui en ont la responsabilité. Même si ce procédé peut paraître long à appliquer, il offre malgré tout l'avantage de mieux cerner les limites de la généralité des résultats en l'associant intimement à la spécificité des individus concernés.

RÉFÉRENCES

Baer, D.H., M.M. Wolf & T.R. Risley: Some current dimensions of applied behavior analysis. *Journal of applied behavior analysis,* **1**:91-97, 1968.

Bandura, A.: *Principles of behavior modification,* Holt, Rinehart & Winston, New York, 1969.

Barlow, D.H. & M. Hersen: *Single case experimental designs. Strategies for studying behavior change* (2ᵉ éd.), Pergamon Press, New York, 1984.

Bergin, A.E. & H.H. Strupp: *Changing frontiers in the science of psychotherapy,* Aldine-Atherton, New York, 1972.

Bijou, S.W. & *al.*: Methodology for experimental studies of young children in natural settings. *Psychological records,* **19**:177-210, 1969.

Bouchard, M.A.: Des méthodes extensives aux méthodes intensives: l'étude de l'impact thérapeutique en fonction du temps. *Revue québécoise de psychologie,* **2**:22-40, 1981.

Chassan, J.B.: *Research design in clinical psychology and psychiatry,* Appleton-Century Crofts, New York, 1967.

Eisler, R.M. & M. Hersen: *The A-B design: effects of token economy on behavioral and subjective measures in neurotic depression.* Rapport présenté à l'American Psychological Association, Montréal, 1973.

Gottman, J.M. & G.V. Glass: *Analysis of interrupted time-series experiments,* in Single subject research: strategies for evaluating change. Kratochwill, T.R. (Ed.), (pp.197-235), Academic Press, New York, 1978.

Hall, R.V. & R.W. Fox: *Changing criterion designs: an alternative applied behavior analysis procedure,* in New developments in behavioral research: theory, method, and applications. Etzel, C.C., G.M. Leblanc & D.M. Baeer (Eds), (pp.151-166), Lawrence Erlbaum, Hillsdale, 1977.

Hall, R.V., C. Cristler, S.S. Cranston & B. Tucker: Teachers and parents as researchers using multiple baseline designs. *Journal of applied behavior analysis,* 3:247-255, 1970.

Hartmann, D.P. & R.V. Hall: A discussion of the changing criterion design. *Journal of applied behavior analysis,* 9:527-532, 1976.

Hersen, M. & D.H. Barlow: *Single case experimental designs: strategies for studying behavioral change,* Pergamon, New York, 1976.

Hewett, F.M., F.O. Taylor & A.A. Artuso: The Santa Monica project: evaluation of an engineered classroom design with emotionally disturbed children. *Exceptional children,* 35:523-529, 1969.

Johnston, J.M.: Punishment of human behavior. *American psychologist,* 27:1033 1054, 1972.

Kazdin, A.E.: Methodological and assessment considerations in evaluating reinforcement programs in applied settings. *Journal of applied behavior analysis,* 6:517-531, 1973.

Kazdin, A.E.: Assessing the clinical or applied importance of behavior change through social validation. *Behavioral modification,* 1:427-449, 1977.

Kazdin, A.E.: *Statistical analysis for single case experimental designs,* in Single case experimental designs. Strategies for studying behavior change (2ᵉ éd.). Barlow, D.H. & M. Hersen (Eds), (pp.285-324), Pergamon Press, New York, 1984.

Kazdin, A.E. & S. Geesey: Simultaneous treatment design comparisons of the effects of earning reinforcers for one's peers versus for oneself. *Behavior therapy,* 8:682-693, 1977.

Kratochwill, T.R.: *Foundations of time-series research,* in Single subject research: strategies for evaluating change. Kratochwill, T.R. (Ed.), (pp.1-100), Academic Press, New York, 1978.

Ladouceur, R.: Habit reversal treatment: learning an incompatible response or increasing the subject's awareness? *Behavior research and therapy,* 17:293-300, 1979.

Ladouceur, R. & G. Bégin: *Protocoles de recherche en sciences appliquées et fondamentales,* Edisem, Saint-Hyacinthe, 1980.

Leitenberg, H.: The use of single-case methodology in psychotherapy research. *Journal of abnormal psychology,* 82:87-101, 1973.

Mann, R.A.: The behavior therapeutic use of contingency contracting to control an adult behavior problem: weight control. *Journal of applied behavior analysis,* 5:99-109, 1972.

McFall, R.M.: Effects of self-monitoring on normal smoking behavior. *Journal of consulting and clinical psychology,* 35:135-142, 1970.

McNamara, J.R. & T.S. McDonough: Some methodological considerations in the design and implementation of behavior therapy research. *Behavior therapy,* 3:361-378, 1972.

Michael, J.: Statistical inference for individual organism research: mixed blessing or curse? *Journal of applied behavior analysis,* 7:647-653, 1974.

O'Brien, F., N.H. Azrin & K. Henson: Increased communications of chronic mental patients by reinforcement and by response priming. *Journal of applied behavior analysis,* 2:23-29, 1969.

Risley, T.R.: *Behavior modification: an experimental therapeutic endeavor,* in Behavior modification and ideal health services. Hamerlynck, L.A., P.O. Davidson

& L.E. Acker (Eds), (pp.103-127), University of Calgary Press, Calgary, 1970.

Sidman, M.: *Tactics of scientific research: evaluating experimental data in psychology,* Basic books, New York, 1960.

Skinner, B.F.: *The behavior of organisms,* Appleton-Century Crofts, New York, 1938.

Skinner, B.F.: *Operant behavior,* in Operant behavior: areas of research and application. Honig, W.K. (Ed.), (pp.12-32), Appleton-Century Crofts, New York, 1966.

Walker, H.M. & N.K. Buckley: The use of positive reinforcement in conditioning attending behavior. *Journal of applied behavior analysis,* **1**:245-250, 1968.

Wolf, M.M. & T.R. Risley: *Reinforcement: applied research,* in The nature of reinforcement. Glaser, R. (Ed.), (pp.310-325), Academic Press, New York, 1971.

CHAPITRE 8

MESURE DES PHÉNOMÈNES

DAVID BÉLANGER

«Mesurer consiste uniquement à faire correspondre certaines propriétés des choses avec
certaines propriétés des nombres» (Reuchlin,
1977, p. 74).

On peut difficilement présenter les diverses facettes de la
conduite d'une recherche scientifique, quelle que soit la discipline à
laquelle elle se rattache, sans évoquer la notion de mesure. La
démarche et la connaissance scientifiques visent à la plus grande
précision possible et, dans leur souci d'opérationnalisation, elles
sont assorties d'une description de divers phénomènes qui se veut
objective, puisque des observateurs indépendants peuvent l'effectuer.

Le terme «mesure» est un des mots les plus fréquemment
employés dans la langue française, comme il l'est probablement
dans toutes les langues des pays industrialisés. Si sa signification
peut varier grandement selon les contextes, dans les milieux scientifiques il désigne soit l'«action de déterminer la valeur de certaines
grandeurs par comparaison avec une grandeur constante de même
espèce, prise comme terme de référence (étalon, unité)» (Dictionnaire
Robert), soit le produit même de cette action. En psychologie plus
précisément, on entend généralement par «mesure» le procédé qui
consiste à obtenir une description, le plus souvent numérique, du
degré auquel un objet, un individu ou un groupe possèdent une
certaine caractéristique. Ce genre de définition indique bien qu'un
des procédés courants permettant d'obtenir des appellations opérationnelles, dans le domaine des sciences dites exactes, est la comparaison, laquelle exige la quantification des éléments comparés.

La notion de mesure comporte trois aspects importants. Il faut rappeler en premier lieu qu'une mesure est de préférence quantitative. Il en est ainsi, même quand on a recours à l'appréciation humaine plutôt qu'au verdict d'un instrument. Par ailleurs, la mesure est plus rudimentaire ou qualitative, lorsque le chercheur utilise des symboles linguistiques (par exemple, «peu», «beaucoup», «jamais», «parfois», «souvent») plutôt que des symboles numériques. En second lieu, on doit comprendre que si la mesure concerne un attribut ou une caractéristique affichés par une personne (ou un objet), cet attribut peut exister à divers degrés; il s'agit donc plus exactement d'une variable, tel qu'on l'a mentionné au chapitre 4. On peut donc considérer, en principe du moins, toute mesure comme un moyen de situer un individu, en ce qui concerne une de ses caractéristiques, sur un continuum. Enfin, il ne faut pas oublier que toute mesure doit, en tant que mesure, être associée à un procédé purement descriptif. Une mesure ne doit jamais être assimilée à un jugement de valeur, au sens strict, même quand elle est le résultat d'une évaluation subjective. On peut, par contre, porter un jugement de valeur à partir d'une mesure, mais il s'agit alors d'une opération distincte qu'il importe de ne pas confondre avec la mesure elle-même.

L'usage indifférencié des termes «mesure» et «évaluation» a, par ailleurs, donné naissance à une équivoque qui est à la base de certains abus — dans l'application de prétendues «mesures», dans le domaine des sciences du comportement — et de la méfiance qui en est résultée. Dans le contexte scientifique, le terme «évaluation» devrait être réservé au processus qui consiste à tirer des conclusions, à faire des inférences ou à prendre des décisions, basées sur des données descriptives, qu'elles soient de nature qualitative ou quantitative. L'évaluation comporte donc un jugement de valeur que seul un être humain peut porter, alors que la mesure est un jugement descriptif sur un fait empirique. Ce jugement descriptif peut toutefois être effectué directement par un observateur, ou par un outil (questionnaire ou appareil) conçu pour suppléer à l'insuffisance des sens humains, ou pour améliorer le degré de concordance entre l'activité de plusieurs observateurs.

PSYCHOPHYSIQUE

La psychologie est devenue scientifique le jour où l'observation rigoureuse basée sur la mesure a remplacé l'anecdote, les croyances vagues et non contrôlées, les mythes et les arguments d'autorité. Dans leur effort pour se dégager des ambiguïtés et des explications filandreuses dans lesquelles les avaient plongées certaines spéculations philosophiques plus ou moins désincarnées, les sciences humaines — et la psychologie en particulier — ont tenté d'imiter les sciences naturelles et d'adopter leurs méthodes. On a voulu, d'une façon parfois naïvement exagérée au début, emprunter les procédés de la physique, et appliquer à divers événements psychiques des formules mathématiques analogues à celles qui décrivent les processus physiques. Ces premières tentatives de quantification de l'expérience sensorielle ont ouvert la voie à l'un des tout premiers champs de travail des psychologues, celui de la psychophysique.

En effet, on peut faire remonter à Fechner (1860) les débuts de l'application systématique de la mesure en psychologie. En fait, Fechner s'appuya sur une observation faite 30 ans plus tôt par Weber. Selon cette observation, dans le cadre des limites ordinaires des capacités dont disposent les sujets pour évaluer des poids, il existe un rapport constant (k) associant la différence tout juste perceptible entre les poids respectifs de deux stimuli, et celui du stimulus initial. Ainsi,

$$\frac{\text{poids de a} - \text{poids de b}}{\text{poids de a}} = \frac{\text{poids de c} - \text{poids de b}}{\text{poids de b}} = k \text{ (une constante)}$$

ou, par exemple,

$$\frac{52g - 50g}{50g} = \frac{156g - 150g}{150g} = \frac{1.}{25}$$

Fechner tenta de modifier la formule de Weber pour l'étendre à toutes les modalités sensorielles, et en tirer une loi psychophysique fondamentale qui déterminerait les rapports entre la Matière et l'Esprit, entre le physique et le psychique, entre le stimulus et l'expérience sensorielle qu'il déclenche.

La théorie psychophysique mena à l'étude de cette expérience sensorielle. On s'intéressa vivement à la mesure des seuils absolus et des seuils différentiels; on inventa pour ce faire diverses approches, devenues depuis classiques, exploitées aujourd'hui par la psychologie dite expérimentale. Les plus connues sont: la méthode des limites, la méthode constante et la méthode de l'ajustement ou de l'erreur moyenne. Après avoir suscité bien des discussions d'ordre épistémologique, sinon purement philosophique, sur les possibilités de mesurer le fait psychique, la psychophysique a graduellement évolué, sous l'impulsion de psychologues comme Thurstone (1944) et surtout Stevens (1968-69); finalement, elle a trouvé des applications, non seulement dans la mesure des sensations, mais aussi dans celle de toutes les expériences et réactions psychologiques (reliées entre autres à l'affectivité, à l'intelligence et aux attitudes). Pendant son évolution, la psychophysique a donné naissance à plusieurs théories, d'abord à la théorie classique des seuils (Gaussin, 1972) et plus récemment, grâce aux apports de la théorie de la décision, à une théorie moderne de la détection du signal (Green et Swets, 1966).

Même si Fechner voulait faire de sa loi psychophysique une loi universelle, s'attaquant à la question fondamentale de la relation corps-esprit, et même s'il abordait lui-même divers problèmes (comme ceux du cycle sommeil-éveil, des images consécutives, de la mémoire et de la physiologie du cerveau), les applications les plus fructueuses des méthodes psychophysiques se sont en fait limitées à la comparaison des mesures des stimuli et de l'expérience sensorielle qu'ils provoquent; elles ont porté, par exemple, sur l'évaluation des poids, de la luminance, de l'intensité sonore et autres dimensions physiques modulant la sensation et la perception.

On effectue la mesure des sensations dans le cadre des limites imposées par les capacités de l'organisme. Des stimulations trop faibles, ou des différences de stimulation trop faibles, ne provoquent ni réaction observable, ni sensation consciente. Le mot «seuil» (*limen*) fut utilisé pour désigner la limite de sensibilité, hors de laquelle il n'y a pas réaction. Le seuil correspond donc à la valeur minimale (seuil absolu) ou à la variation minimale (seuil différentiel) d'un stimulus capable de provoquer une réaction donnée.

Fechner affirmait que l'observation ou l'appréciation directes de la sensation ne pouvaient en donner qu'une mesure très grossière, et que la seule mesure efficace devait nécessairement être établie de façon indirecte, soit en fonction du stimulus. Il n'en reste pas moins que toute mesure indirecte s'appuie nécessairement sur l'appréciation, même subjective, de l'expérience psychologique (en référence, par exemple, aux sensations, à la perception ou aux réactions affectives). Les premiers travaux utilisant les techniques psychophysiques révélèrent bien vite qu'il n'y avait pas inévitablement correspondance simple entre les variables physiques et les variables sensorielles. L'information résultant des diverses stimulations physiques subit des transformations; elle donne également lieu à des intégrations qui peuvent aboutir parfois à des expériences sensorielles variées, mais parfois à une même expérience sensorielle. En fait, dans ces circonstances, l'opération de mesure consiste simplement à établir des rapports de correspondance entre certaines propriétés des objets et certaines propriétés des nombres. Comme les nombres peuvent prendre diverses valeurs symboliques, ils se prêtent à différents types de mesure, sujet brièvement abordé au chapitre 4.

TYPES DE MESURE

La classification, qui repose sur une échelle dite *nominale*, est le type de mesure le plus simple. Les nombres n'y servent qu'à identifier des objets ou des individus (comme le font les numéros sur les vêtements des membres d'une équipe sportive), et à distinguer les uns des autres ces objets ou ces individus. On peut par exemple classifier, c'est-à-dire regrouper, des objets ou des personnes qui paraissent semblables, et les séparer de ceux qui semblent différents. Cette classification, plus ou moins fine ou minutieuse, ne donne pas encore lieu à une mesure numérique. En effet, les nombres n'y ayant qu'une seule propriété (ils sont différents les uns des autres), ils signalent qu'on doit les associer à des objets ou à des comportements distincts.

Cependant, il est souvent possible d'ordonner les nombres selon une ou plusieurs dimensions. On constate alors, non seulement des différences de nature entre les phénomènes (des images ou des sons, par exemple), mais aussi des différences de degré: cela permet donc de sérier les classes et les objets selon un ordre régulier, puisque le même type de différence se présente de façon répétée. Par exemple, les odeurs peuvent être classées en fonction de leur caractère plus ou moins agréable. On peut également établir entre des personnages historiques un ordre d'apparition chronologique ou un ordre d'importance politique.

Dans tous ces cas, la série est établie uniquement à partir de l'impression subjective directe. L'observateur qui la constitue n'est pas tenu de connaître les lois physiques, ni toutes les circonstances qui entourent la vie d'un personnage; il doit seulement porter des jugements auxquels il peut faire correspondre des nombres. Toutefois, les nombres utilisés sur une telle échelle *ordinale* ne possèdent pas toutes les propriétés d'une vraie mesure; ils ne servent qu'à ordonner. Ils relèveront vraiment de la mesure quand il sera possible de les transformer en nombres cardinaux ou en nombres désignant des quantités, grâce à l'introduction d'une unité de distance les situant avec précision les uns par rapport aux autres.

Il arrive que l'observateur puisse apprécier directement le caractère égal ou inégal des *intervalles* entre les divers degrés de son échelle ordinale. S'il peut porter un tel jugement, il lui est peut-être possible de définir des intervalles qui lui paraissent égaux, et d'utiliser cette unité de distance pour attribuer une valeur proportionnelle aux différents paliers de son échelle. Si, en comptant les intervalles entre deux niveaux, il est par exemple en mesure de dire que, sur son échelle, deux d'entre eux sont deux fois plus éloignés que deux autres, il peut remplacer tous les niveaux par des nombres cardinaux, selon une progression arithmétique. L'échelle est alors subjective et ses unités ne sont que subjectivement égales; mais on y obtient une mesure réelle qui, dans son contexte, a tous les caractères d'une mesure absolue. La gamme musicale est un excellent exemple de ce type d'échelle; ainsi, le violoniste accorde son instrument en déterminant perceptivement des intervalles égaux entre les sons produits par chacune des quatre cordes du violon, et non pas en comptant les vibrations sonores elles-mêmes. Ce type d'échelle est une échelle à intervalles.

Enfin, il faut, comme en physique, établir une distinction entre les échelles à zéro absolu et les échelles à zéro conventionnel. Les échelles de température, par exemple, qu'il s'agisse des échelles Fahrenheit ou Celsius, n'ont pas de zéro absolu. Le zéro n'y est qu'un point qu'on a convenu d'adopter comme base, et à partir duquel on établit des distances proportionnelles pour différents degrés de température. Sans zéro absolu, il est possible de mesurer des distances ou des différences; mais ces valeurs individuelles, ou leurs rapports, ne sont pas additifs. Les échelles qui comportent un zéro absolu sont des échelles à *proportions*. Entre autres, on peut, à l'aide de ce type d'échelle, classer les droites en fonction de leur longueur, les intervalles de temps en fonction de leur durée, et les sons en fonction de leur intensité.

Les divers principes exposés concernant la mesure de la sensation et l'élaboration des techniques psychophysiques s'appliquent également, *mutatis mutandis*, à la mesure de tous les phénomènes d'ordre psychologique. Dans tous les cas, il s'agit en effet d'établir une correspondance entre une impression, un jugement, une réaction, ou une série d'observations d'une part, et une valeur généralement numérique d'autre part; la manipulation et le traitement de l'information véhiculée par ces processus psychologiques sont donc ensuite facilités. Ces principes sont en conséquence appliqués, non seulement à la mesure des variations somatiques à manifestation directe ou indirecte, mais également à celle du comportement sous tous ses aspects, qu'il s'agisse de la mesure des aptitudes, des attitudes et des opinions ou de toutes les mesures plus subjectives permettant d'approcher les phénomènes d'expérience personnelle, mesures souvent exprimées dans les témoignages verbaux. Les mesures qui intéressent les sciences humaines sont donc très variées. Que le chercheur ait recours à la méthode d'observation, à la méthode corrélationnelle ou à la méthode expérimentale, il doit d'abord mesurer, en vue de les neutraliser, tous les facteurs susceptibles d'exercer une influence sur les résultats. Il dispose, pour ce faire, d'une multitude de techniques et d'instruments.

ÉLABORATION DES TECHNIQUES DE MESURE

Notre examen ne s'attardera pas sur chacune des techniques de mesure associées aux divers types de comportement que nous venons d'énumérer. Ces techniques concernent plutôt l'ingénieur intéressé par les divers aspects physiques, électroniques ou informatiques; celui-ci met donc au point des appareils et des instruments qui amplifieront la puissance et la précision des capacités sensorielles humaines, ou qui accéléreront et faciliteront la cueillette, la compilation et l'analyse des données. D'autres techniques sont plutôt du ressort de la psychométrie, au sens le plus large du terme; on pense alors à tous les questionnaires ou tests cernant le comportement des individus. D'ailleurs, même si bien souvent le chercheur peut puiser, dans l'assortiment d'instruments et de tests déjà existants, les techniques nécessaires à sa démarche d'observation et de vérification d'hypothèses, il doit, dans bien des cas, pour répondre à des besoins spécifiques, inventer de nouveaux moyens de mesure. Nous nous contenterons donc de traiter des propriétés essentielles de ces moyens, et de certaines des précautions utilisées pour assurer et contrôler l'existence de ces propriétés.

En fait, la valeur d'une recherche dépend autant de la valeur des instruments de mesure utilisés que du plan de recherche lui-même. Rappelons d'abord que toute mesure valable repose sur une formulation juste du problème à l'étude, et sur des définitions claires et nettes des concepts impliqués. Il faut donc, dès le départ, vérifier si l'instrument qu'on se propose d'utiliser convient à la situation particulière, et s'il est capable de fournir une mesure adéquate des variables en jeu. Certaines considérations d'ordres pratique et logique doivent par conséquent présider au choix d'un instrument de mesure et à son mode d'utilisation.

Le chercheur doit d'abord s'assurer que l'instrument qu'il se propose d'employer convient à la fois au problème cerné, et au type de sujets à examiner. Dans les faits, cela signifie qu'il ne faut jamais, dans le choix d'une technique, perdre de vue l'objectif poursuivi. Étant donné qu'une mesure doit fournir la meilleure information possible, en vue de la résolution d'un problème, il est bien évident qu'il faut d'abord, tel que nous l'avons mentionné auparavant, s'attacher a bien formuler les questions, et à définir clairement quels sont les sujets dont on mesurera les conduites. Il est impossible de juger de la pertinence et de l'efficacité d'un instrument de mesure dans ces deux étapes préalables.

Une autre considération essentielle qui doit guider dans le choix d'une mesure concerne sa possibilité effective d'enregistrement. Dans certains cas, le coût de l'instrument ou de son application rendra son utilisation prohibitive; ailleurs, le temps requis pour obtenir la mesure entraînera son abandon. Parfois, l'utilisation de l'instrument risquant de perturber le sujet lui-même, ou l'organisation institutionnelle dans laquelle il se trouve, il faudrait renoncer à réaliser la recherche. Enfin, certaines mesures entraînent des réactions qui détruisent la validité même de ces mesures.

Une fois choisis un ou des instruments de mesure convenant tant à la situation qu'aux sujets, et susceptibles d'apporter l'information recherchée, il est nécessaire de vérifier l'objectivité et la valeur des données à recueillir. Pour être utiles, les instruments doivent en effet procurer une information non seulement pertinente, mais aussi exacte. L'exactitude de l'information scientifique repose sur quatre facteurs: l'*objectivité*, la *fidélité*, la *validité* et la *sensibilité* de la mesure.

L'objectivité est relativement facile à établir. Toute mesure comporte, bien sûr, un certain degré de subjectivité; étant en effet nécessairement effectuée par un être humain, elle n'échappe jamais au risque que des erreurs personnelles soient commises par l'observateur. Même quand il s'agit de la lecture des résultats affichés par un instrument — aussi perfectionné soit-il — il faut éliminer le plus possible les influences individuelles découlant des attitudes perceptives, du point d'observation, des insuffisances sensorielles ou de l'état physiologique et psychologique de l'observation. L'objectivité d'une mesure peut s'évaluer au moyen d'un procédé statistique, comme le coefficient de concordance de Kendall, qui est un indice du degré d'entente entre différentes personnes utilisant le même instrument. On a recours à ce procédé dans certains cas, mais le plus souvent (en ce qui concerne les tests du moins) on apprécie l'objectivité d'un instrument et de la mesure qu'il fournit en évaluant sa fidélité, cette seconde dimension reflétant la première. On considère qu'une technique de mesure est fidèle lorsque son application entraîne toujours des résultats semblables. La fidélité d'une mesure dépend ainsi de l'absence relative d'erreurs variables, c'est-à-dire d'erreurs attribuables à des incidents de parcours et à des inexactitudes ayant plusieurs causes possibles. Par contre, des mesures constantes ou fidèles peuvent ne pas être valides. Une règle graduée, faite d'un matériau résistant et stable comme le bois, est certes un instrument fidèle, qui donne toujours à peu près le même résultat; cependant, s'il est mal calibré, cet instrument, tout fidèle qu'il soit, donnera des résultats non valides. Enfin, l'instrument de mesure doit être sensible; il doit permettre, pour répondre aux questions posées, de faire des distinctions assez précises. Un instrument trop grossier donnera des mesures frustres, peu valables scientifiquement. Plus la graduation est fine, plus il est possible de distinguer des catégories. Toutefois, cette graduation ne doit pas être poussée au point où les degrés, ne correspondant plus à rien, n'ont aucune validité.

Une technique de mesure doit donc être à la fois appropriée, objective, fidèle, valide et sensible. En sciences humaines, peu de techniques répondent parfaitement à tous ces critères. Chez l'être humain, le comportement, les sentiments, les attitudes et même les aptitudes les plus stables fluctuent continuellement. L'individu est en perpétuelle évolution; aucune des variables qui le caractérisent n'atteindra jamais un niveau de constance parfaite. En plus de cette instabilité intrinsèque de la personne humaine, plusieurs facteurs peuvent agir sur l'opération de mesure elle-même; ce sont ces facteurs qui sont responsables de l'apparition des erreurs de mesure. C'est en réduisant le plus possible l'influence de ces erreurs de mesure que le chercheur s'emploie à maximiser la validité et la fidélité de ses instruments. Nous reviendrons sur ces deux aspects capitaux de l'exactitude d'une mesure. Pour le moment, examinons de plus près les facteurs susceptibles d'influencer à la fois la caractéristique à mesurer, et l'opération de mesure elle-même.

Dans toute recherche scientifique, différents moyens sont mis en place pour contrôler ou assurer la constance des facteurs les plus importants pouvant intervenir dans la situation dans laquelle évoluent les sujets. Pour pouvoir tirer des conclusions concernant l'impact d'une variable indépendante sur une ou plusieurs variables dépendantes, il faut en effet être en mesure de prétendre à un contrôle plus ou moins rigoureux des autres facteurs en cause. C'est cet objectif qui sous-tend le postulat de la neutralisation des autres facteurs; ce postulat s'exprime habituellement, comme nous l'avons vu au chapitre 4, par la formule «toutes choses égales par ailleurs». Malheureusement, tous les efforts en ce sens n'aboutissent qu'à des résultats imparfaits: les choses ne sont pas *vraiment* toutes égales par ailleurs.

Il faut bien admettre que la variation observée, concernant la ou les variables dépendantes, est attribuable d'une part, à l'influence de la variable indépendante et d'autre part, à d'autres influences, connues ou inconnues, qui agissent tant sur les comportements eux-mêmes que sur l'opération de mesure.

Ainsi, les variations de la caractéristique à mesurer ne dépendent pas uniquement de la variable indépendante, mais d'un ensemble de déterminants. Le problème fondamental du chercheur consiste à déterminer la part de la variation observée imputable aux différences réelles — ou aux différences dues à l'action de la variable indépendante — existant entre les objets, les personnes ou les événements (par rapport à la caractéristique mesurée), et la part imputable aux autres influences et qui représente, du point de vue du chercheur, une erreur de mesure.

Il serait trop long, et d'ailleurs présomptueux, de vouloir énumérer toutes les sources possibles de variation des résultats. Contentons-nous de mentionner simplement les plus importantes. Idéalement, les différences réelles inhérentes aux caractéristiques à mesurer devraient constituer la seule source de variation. Cependant, la réalité est plus complexe: il existe beaucoup d'autres sources de différences; le chercheur doit donc s'efforcer, en premier lieu, de rendre minimale la sensibilité de l'instrument à ces influences indésirables et, en second lieu, de trouver des moyens (en particulier, des moyens statistiques) d'annuler le plus possible ces influences. Il faut en conséquence considérer les différences réelles concernant d'autres caractéristiques, relativement stables, du sujet ou de l'observateur; celles-ci sont des facteurs généraux, par exemple l'intelligence, l'expérience ou les traits de personnalité. Viennent ensuite les différences provenant de facteurs personnels et transitoires, comme la fatigue, l'humeur, l'attitude mentale ou l'attention. Enfin, il ne faut pas négliger les différences engendrées par la situation elle-même.

Du point de vue du chercheur, la seule source de variation acceptable est la première, toutes les autres influences contribuant à l'erreur de mesure. Cependant, on distingue généralement l'*erreur constante* ou systématique, qui s'introduit dans la mesure par le biais d'un facteur agissant toujours dans le même sens, et l'*erreur due au hasard* qu'on attribue à des variations essentiellement transitoires et aléatoires de la personne, de la situation ou de l'opération de mesure. Ce sont précisément ces erreurs qu'il faut mesurer et réduire en vue de déterminer et d'accroître l'exactitude de la mesure, soit sa validité et sa fidélité.

VALIDITÉ

La valeur d'une recherche dépend nécessairement de l'instrument de mesure utilisé. Il faut donc se demander ce que mesure cet instrument. S'agit-il bien de la caractéristique visée? Jusqu'à quel point les données résultant de l'emploi de cet instrument reflètent-elles les différences réelles des objets, personnes ou événements, par rapport à la caractéristique étudiée? Ne reflètent-elles pas plutôt l'influence d'autres facteurs (erreurs constantes ou aléatoires)? Toute cette problématique concerne donc la validité de l'instrument de mesure. Celle-ci est estimée d'après le degré de compatibilité des résultats avec d'autres faits pertinents; la pertinence de ces faits dépend par ailleurs de la nature de l'instrument de mesure.

On peut également apprécier la validité d'un instrument en fonction de son efficacité. L'instrument qui permet de différencier les individus est à la fois efficace et valide. Si cette différenciation se fait en référence à l'état actuel des individus, on dit que l'instrument a une *validité immédiate.* Quand l'instrument établit la prédiction de différences ultérieures, on parle de *validité de prédiction.*

Dans tous les cas, la détermination de la validité d'un instrument ou d'une mesure est le résultat d'un jugement pragmatique. La validation s'établit par comparaison avec les résultats de l'utilisation d'un autre instrument de mesure. Pour déterminer la validité d'un test d'aptitudes intellectuelles, on se basera par exemple sur un autre test déjà reconnu valide ou sur les résultats scolaires. Idéalement, le critère ou l'élément de comparaison devraient être eux-mêmes parfaitement valides. Dans la pratique toutefois, on doit reconnaître que de tels critères n'existent pas; on doit donc se contenter de choisir le critère le plus adéquat. Pour une caractéristique donnée, les instruments de mesure, lorsqu'ils sont utilisés les uns après les autres, atteignent des indices de validité de plus en plus sûrs, dus à la multiplication des points de comparaison.

FIDÉLITÉ

Pour évaluer la fidélité d'une opération de mesure, il faut déterminer la proportion de la variation observée attribuable aux influences transitoires, c'est-à-dire la part de variation due au hasard. L'instrument est d'autant plus fidèle que cette influence est faible: il donne alors des résultats constants, dans lesquels on peut avoir confiance. Il ne faut pas oublier toutefois qu'un instrument peut être constant et provoquer néanmoins une déformation systématique; il est alors fidèle, mais il manque de validité. Par contre, un instrument dont la validité est établie est nécessairement fidèle.

Évaluation de la fidélité

Qui dit fidélité dit constance, certitude, exactitude; mais la fidélité n'est jamais absolue. La notion de fidélité est d'abord apparue dans le contexte de la mesure de qualités présumées relativement stables; on s'est alors peu préoccupé d'une part, de l'action possible d'autres influences, assez permanentes elles aussi, mais étrangères à la caractéristique étudiée, et d'autre part, du fait que l'opération de mesure pouvait elle-même modifier cette caractéristique. C'est pourquoi il parut logique de penser que l'instabilité des résultats provenait uniquement d'erreurs de mesure.

Cependant, avec la création d'un nombre croissant d'instruments destinés à mesurer des caractéristiques plus variables ou moins stables (les attitudes, par exemple), on est devenu de plus en plus sensible à l'existence possible d'autres sources d'erreur: d'une part, la caractéristique à mesurer peut changer avec le temps et, d'autre part, l'instrument est susceptible de refléter d'autres caractéristiques relativement permanentes, mais étrangères à la première. Par conséquent, l'instabilité des résultats dans le temps ne traduit pas nécessairement la manifestation d'erreurs de mesure; par ailleurs, la constance des résultats ne prouve pas davantage l'absence de telles erreurs. En somme, on a compris que l'instabilité des résultats dans le temps n'était pas nécessairement signe d'erreur. La notion de fidélité s'est donc élargie, si bien qu'elle englobe aujourd'hui un grand nombre de concepts et d'opérations de mesure. On identifie maintenant divers aspects de la fidélité d'un instrument de mesure. Les plus couramment considérés sont la stabilité, l'équivalence et l'homogénéité des mesures qui découlent de son utilisation.

Stabilité

La stabilité d'une technique ou d'un instrument de mesure se détermine sur la base de la constance des résultats obtenus à la suite d'applications répétées de cette technique ou de cet instrument. Dans l'appréciation de la stabilité, il importe d'établir une distinction entre la variabilité découlant de modifications réelles de la caractéristique étudiée, et celle résultant de modifications de facteurs extrinsèques ou de l'influence de la répétition de l'opération de mesure. Il est souvent normal que la caractéristique visée fluctue d'une mesure à l'autre. Il en est généralement ainsi, par exemple, de plusieurs phénomènes qui varient dans le temps, tels la température, le rythme cardiaque, les opinions ou les aptitudes. Ces variations ne sont évidemment pas imputables à l'instabilité de l'instrument. Il n'en reste pas moins qu'elles viennent perturber considérablement l'estimation de la stabilité de l'instrument car, dans bien des cas, l'inconstance des mesures effectuées à différents moments dépendra effectivement de défauts de l'instrument lui-même.

L'évaluation de la stabilité se fait par la comparaison des résultats découlant de l'application répétée de l'instrument. S'il s'agit de l'observation d'un phénomène, on la reprendra généralement un grand nombre de fois. On utilise alors, comme indice de stabilité, l'étendue de la distribution des valeurs observées, leur écart type ou tout autre indice de leur variabilité. Le manque de stabilité peut être attribuable aux variations réelles de la caractéristique visée, à des variations associées à l'opération même d'observation ou d'enregistrement des données, ou encore à ces deux types de variations à la fois.

Dans le cas d'une entrevue, d'un questionnaire ou d'un test, on a habituellement recours à deux administrations de l'instrument. Par contre, la modalité utilisée pour l'évaluation de la stabilité est essentiellement la même que dans le cas de l'observation, à cette différence près qu'on ne compare que deux ordres de données, selon la technique connue sous le nom de «test-retest». Cette comparaison donne lieu à un coefficient de stabilité ou de concordance. Afin de réduire le plus possible les erreurs dues au hasard et d'en arriver à l'estimation la plus juste de la stabilité de l'instrument, dans les circonstances données, il y a bien sûr plusieurs précautions à prendre dans l'application de ces techniques.

C'est par l'intermédiaire du coefficient de stabilité qu'on peut apprécier la fidélité de l'instrument; c'est également lui qui, dans une certaine mesure, permet de dégager l'influence des différences individuelles permanentes sur la caractéristique étudiée. Si les variations observées sont imputables à des modifications réelles de la caractéristique à l'étude, le coefficient prendra une valeur se rapprochant de l'unité; si, par contre, ces variations sont plutôt attribuables à des erreurs transitoires, le coefficient se rapprochera de zéro.

Équivalence

On juge de l'équivalence d'une mesure sur la base du degré de constance des résultats obtenus à la suite de l'utilisation (chez les mêmes individus, par différents chercheurs, et approximativement au même moment), soit de différents instruments visant la mesure de la même caractéristique, soit d'un même instrument.

La notion de fidélité d'une mesure exige, en effet, que cette dernière donne des résultats comparables d'un observateur à l'autre, pourvu que ceux-ci possèdent des compétences égales. Si plusieurs observateurs sont impliqués, l'indice d'équivalence peut être le pourcentage d'accord dans l'enregistrement des données. Dans le cas d'un test, on s'intéresse au degré de concordance existant entre les résultats produits par les sujets aux différentes questions du test; l'indice d'équivalence calculé est un coefficient de corrélation entre les réponses à des échantillons de questions, ou toute mesure statistique semblable. Puisque les questions d'un même test, ou celles de deux de ses versions présumées équivalentes, sont destinées à mesurer la même caractéristique fondamentale, la corrélation entre les performances obtenues aux diverses questions d'un test ou à celles des deux versions d'un même test, indique jusqu'à quel point ces questions ou ces deux versions mesurent réellement la même caractéristique de façon constante. L'indice d'équivalence d'un instrument permet par conséquent d'apprécier à la fois sa constance interne et sa fidélité.

Homogénéité

L'homogénéité est le degré de constance qu'offrent les réponses d'un individu aux questions variées d'un test, ou à d'autres composantes d'une mesure. On évalue donc l'équivalence des résultats notés dans divers échantillons de questions, au moyen de l'analyse interne des réponses à ces questions. L'application la plus connue de cette analyse est la technique «moitié-moitié» (*split-half*) qui consiste à calculer la corrélation existant entre les mesures respectivement enregistrées dans chacune des deux moitiés d'un même test ou d'un même questionnaire. On voit qu'il s'agit là d'un cas particulier de la situation des versions équivalentes, dans lequel les deux versions seraient incluses dans un même test. Le coefficient obtenu est un indice de la constance intrinsèque de l'instrument. Il existe plusieurs procédés statistiques permettant de calculer un tel coefficient d'équivalence ou d'homogénéité; les plus utilisés sont le calcul du coefficient alpha et la formule 20 de Kuder-Richardson (K-R 20).

RÉSUMÉ

La démarche scientifique se caractérise par le recours aux instruments de mesure les plus rigoureux et les plus précis possible. Elle cherche à atteindre la quantification des variables et la description exacte et objective des phénomènes. Depuis Fechner, on s'est consacré à l'élaboration d'un nombre imposant de techniques et d'instruments destinés à la mesure, non seulement des sensations, mais toutes les caractéristiques inhérentes à l'expérience animale et humaine. Selon l'avancement des connaissances concernant un phénomène donné, ou la rigueur exigée par la résolution d'un problème, on aura recours à différents types de mesure assurés par diverses sortes d'échelles. La valeur scientifique de ces mesures dépend en grande partie de l'absence d'erreurs. Comme il n'est jamais possible d'éliminer complètement l'influence des erreurs constantes et aléatoires, il est indispensable d'en déterminer l'ampleur, afin de contrôler cette influence, soit directement, soit par des moyens techniques ou statistiques. On y parvient en améliorant la validité et la fidélité des instruments, et en accroissant l'exactitude des mesures qui découlent de leur utilisation.

RÉFÉRENCES

Fechner, G.(1860): *Elements of Psychophysics,* Holt, Rinehart & Winston, New York, 1966.

Gaussin, J.L.: Le problème du seuil dans le processus de traitement de l'information: comparaison de différents modèles de détection. *L'Année psychologique,* **72**:131-154, 1972.

Green, D.M. & J.A. Swets: *Signal detection theory and psychophysics,* Wiley, New York, 1966.

Reuchlin, M.: *Psychologie,* Presses Universitaires de France, Paris, 1977.

Stevens, S.S.: Le quantitatif et la perception. *Bulletin de psychologie,* **22**:696-715, 1968-69.

Thurstone, L.L.: *A factorial study of perception,* University of Chicago Press, Chicago, 1944.

CHAPITRE 9

QUESTIONNAIRES:
mesure verbale du comportement

DENIS ALLAIRE

Avant d'entreprendre une cueillette de données au moyen d'un questionnaire, la première question que le chercheur doit se poser consiste à se demander si l'information qui sera recueillie au moyen de cette technique de mesure est bien celle dont il a besoin pour répondre aux objectifs de sa recherche. Il sera évidemment plus facile de répondre à cette question si l'on sait quelles sont les forces du questionnaire et quelles en sont aussi les limites.

Ce qui distingue le questionnaire des autres techniques de mesure (enregistrement de réactions physiologiques au moyen d'appareils appropriés, mesure de la performance aux tâches standardisées de certains tests, observation du comportement en milieu naturel ou non, analyse de documents existants, etc.), c'est que l'information recueillie consiste dans les réponses d'un sujet à des questions. Si le chercheur veut savoir ce qu'a fait une sujet lors de ses dernières vacances, s'il aime la musique classique, quels sont les pays qu'il a visités, si ses parents formaient un couple heureux, s'il a l'intention de se marier, s'il se considère en bonne santé, s'il connaît personnellement quelqu'un qui s'est suicidé, s'il est satisfait du présent gouvernement, s'il connaît le nom de son député à l'Assemblée nationale, ou encore ce qu'il pense de l'avortement, de la peine de mort ou des centrales nucléaires, il n'a d'autre choix que de lui poser des questions et de se fier à ses réponses.

En recueillant les réponses verbales d'un sujet à des questions, le chercheur n'observe pas lui-même les comportements, les pensées, les caractéristiques qui sont l'objet de ses questions; il ne fait que recueillir le témoignage du sujet sur lui-même. Par ses questions, le chercheur demande au sujet de s'observer lui-même et de lui livrer le fruit de ses observations. Ce qui caractérise la technique du questionnaire et qui la distingue des autres techniques de mesure, c'est donc de recourir au témoignage verbal. Cette caractéristique fondamentale explique pourquoi le questionnaire sera parfois un outil tout à fait irremplaçable et parfois un outil tout à fait inapproprié pour recueillir l'information que nécessite l'atteinte des objectifs d'une recherche.

En faisant appel au témoignage d'un sujet, en lui demandant d'être son propre observateur, le chercheur a accès à des informations qui seraient autrement inaccessibles. En effet, la seule façon de connaître les opinions d'une personne sur une multitude de sujets est de l'interroger. Il en est de même des autres états internes, comme les croyances, les sentiments, les désirs, les intérêts ou les projets, qu'il est impossible d'observer de l'extérieur. En attendant que soit inventée une machine qui permette de lire directement dans les pensées, les questions demeurent le seul moyen d'y avoir accès. Par des questions, le chercheur peut également avoir accès à des comportements qui appartiennent à la vie privée et qu'il serait impossible d'observer autrement. C'est le cas des comportements sexuels («Diriez-vous que c'est votre conjoint qui prend le plus souvent l'initiative d'une relation sexuelle, que c'est vous ou que c'est aussi souvent votre conjoint que vous?»), des comportements qui sont l'objet d'une réprobation sociale («Vous est-il déjà arrivé de commettre un vol à l'étalage?») ou simplement des comportements de la vie quotidienne («Combien de fois par jour vous brossez-vous les dents?»; «Avez-vous de la difficulté à vous endormir?»). Les questions sont également le seul moyen d'avoir accès à tout ce qui touche le passé d'une personne et qui n'a pas été enregistré d'une façon ou d'une autre dans des documents officiels, des actes notariés, des bulletins scolaires ou dans un journal intime («Quand vous étiez jeune, est-ce que votre père consacrait beaucoup de temps à jouer avec vous?»).

En plus des informations qui seraient inaccessibles autrement, le questionnaire permet de recueillir une foule d'informations qui seraient très difficiles à obtenir par d'autres moyens. Par exemple, il est beaucoup plus simple et économique de questionner un sujet sur son âge, son niveau d'instruction, son occupation, son revenu, sa citoyenneté ou son état civil, que de chercher dans des documents officiels les réponses à toutes ces questions. Il est également plus simple d'interroger un sujet sur son logement, sa famille, son voisinage, son milieu de travail ou ses biens, que d'envoyer sur place un observateur qui tenterait de recueillir les mêmes renseignements. Les informations sur lui-même qu'un sujet est susceptible de fournir sont extraordinairement nombreuses et défient toute énumération. Le questionnaire apparaît donc un moyen simple et économique de recueillir une multitude d'informations.

Le recours au témoignage verbal d'un sujet ne présente pas que des avantages. En demandant au sujet d'être le témoin de ce qu'il fait, de ce qu'il pense ou de ce qu'il est, en lui demandant d'être son propre observateur, le chercheur s'expose à une série de problèmes qui, s'il n'y prend garde, risquent de produire des résultats de recherche fort peu valables. Le premier problème à surmonter est d'obtenir la collaboration de chacun des sujets choisis dans l'échantillon. Une faible participation, c'est-à-dire un faible taux de réponse, fera que les résultats seront difficilement généralisables à la population visée par la recherche. Ainsi, un questionnaire portant sur la satisfaction des étudiants face à un cours ne renseignera guère le professeur si seulement 10% des étudiants y ont répondu. Il est possible en effet que ce soient les étudiants les plus insatisfaits qui se soient donnés la peine de répondre, tout comme il est possible que ce soient les étudiants les plus satisfaits. De la même façon, les cotes d'écoute des émissions de télévision ne seront guère utiles aux télédiffuseurs si elles ont été obtenues auprès d'une fraction seulement de l'échantillon initial, lequel se voulait représentatif de la population.

Un second problème concerne la compréhension des questions. Il n'est pas suffisant que tous acceptent de répondre, il faut aussi que tous comprennent les questions et les comprennent de la même façon. Si une question est ambiguë, les réponses le seront également. Si une question a été comprise de deux ou plusieurs façons différentes, les résultats obtenus seront ininterprétables. Le danger qui guette celui qui en est à ses premières armes dans la construction d'un questionnaire est de penser que s'il comprend lui-même sa question, il en sera de même pour tous les sujets. Avec l'expérience, on découvre que même après 5, 10 ou 20 reformulations de la même question, on demeure souvent incertain de la clarté de la question. La difficulté de rédiger des questions qui soient bien comprises est encore plus grande dans le cas de questionnaires auto-administrés où aucun intervieweur n'est présent pour lire la question au sujet et lui en préciser le sens au besoin.

Un troisième problème concerne la capacité du répondant de fournir l'information demandée. Il ne suffit pas de comprendre une question pour être capable d'y répondre. Si la question porte sur le passé («A quel moment avez-vous pris la décision de faire des études de psychologie?»), le répondant pourra très bien ne pas se souvenir ou se souvenir de façon inexacte. Si on le questionne sur ses opinions («Êtes-vous favorable à la réforme fiscale proposée par le présent gouvernement?»), il est possible que le répondant ne soit pas suffisamment informé pour avoir une opinion.

Un quatrième et dernier problème concerne la véracité des réponses. En effet, il ne suffit pas que le répondant dispose de l'information pour répondre à une question, encore faut-il qu'il accepte de dire la vérité. Même dans le cas d'un questionnaire anonyme, un sujet peut être réticent à livrer des informations qu'il juge personnelles ou qui ne donneraient pas une image favorable de lui-même. Il est notoire que la question concernant le «revenu annuel», que l'on retrouve dans de nombreux questionnaires, est de celles qui produisent une proportion élevée de non-réponses. Chez ceux qui y répondent, on note une tendance à donner une réponse qui ne soit pas trop éloignée du revenu moyen. De façon générale, on peut prévoir que les comportements socialement répréhensibles seront sous-estimés («Vous arrive-t-il de conduire votre automobile après avoir consommé plus que la quantité d'alcool légalement permise?») alors que les comportements considérés comme désirables seront surestimés («Combien d'heures dans une semaine consacrez-vous à l'exercice physique?»).

Avant d'opter pour la technique du questionnaire, le chercheur doit donc tenir compte des avantages et des inconvénients d'un instrument qui repose essentiellement sur le témoignage verbal des sujets. D'une part, le questionnaire présente l'immense avantage de recueillir des informations qui seraient soit carrément inaccessibles, soit difficilement accessibles par d'autres moyens. D'autre part, les informations recueillies risquent d'être moins fiables que celles que l'on obtiendrait par des méthodes plus objectives où les sujets n'ont pas à être leur propre témoin. Si le taux de réponse est faible, si les questions sont mal comprises, si les sujets ne sont pas en mesure de répondre aux questions ou encore s'ils ne disent pas la vérité, les résultats de la recherche seront évidemment sans grande valeur.

Avant de recourir au questionnaire, il faudra donc se demander s'il n'existe pas d'autres instruments qui permettraient de recueillir les mêmes informations. Ainsi, si l'on veut estimer la proportion des automobilistes qui utilisent leur ceinture de sécurité, il est probablement préférable de poster des observateurs le long des routes que de questionner à ce propos un échantillon d'automobilistes. Pour vérifier si la consommation de marijuana diminue les facultés au volant, il apparaît préférable de réaliser une expérience en laboratoire que de se fier au témoignage des usagers de cette drogue. Par contre, pour mesurer les intentions de vote avant une élection, il serait étonnant qu'on puisse utiliser un autre instrument que le sondage d'opinions.

Advenant que le questionnaire soit la seule technique qui puisse être utilisée, le chercheur doit encore se demander si les informations recueillies seront suffisamment fiables pour justifier le travail immense que nécessite une recherche par questionnaire. Évidemment, la réponse à cette question dépend en très grande partie du soin que l'on prendra à construire le questionnaire et à l'administrer. Si la qualité du questionnaire laisse à désirer, celle des réponses laissera également à désirer. Même dans les cas où tous les efforts imaginables auront été déployés pour s'assurer la collaboration des répondants et leur faciliter la tâche, il n'est pas certain que l'information recherchée puisse être obtenue. Il n'est pas certain, par exemple, que tous les adultes sauront se rappeler des épisodes difficiles qu'ils ont connus à l'adolescence, ou que tous les fumeurs sauront préciser les raisons qui les empêchent d'arrêter de fumer, ou que toutes les personnes mariées sauront avouer si elles ont eu des aventures extraconjugales.

DÉFINITION DES OBJECTIFS DE LA RECHERCHE

Une fois prise la décision de recourir à un questionnaire, il faut prendre garde de s'attaquer trop rapidement à la rédaction des questions. Un questionnaire est beaucoup plus qu'un ensemble de questions plus ou moins reliées à un même thème auxquels on ajoutera à la fin quelques questions concernant l'âge, le sexe, le degré d'instruction, le revenu, etc. Avant de rédiger les questions, il est nécessaire de s'arrêter de façon à bien préciser quelles sont les informations que l'on souhaite recueillir. La réussite du questionnaire ne dépend pas uniquement de la formulation des questions, elle dépend tout autant du choix des questions. Il ne suffit pas de bien poser les questions, encore faut-il poser les bonnes questions! La première étape de la construction d'un questionnaire consiste donc à rendre explicites les objectifs de la recherche. La première chose à faire n'est pas d'écrire sur papier toutes les questions, mais plutôt celles spécifiquement liées à la recherche. Plus ces questions auront été formulées de façon précise, plus il sera facile de décider du contenu du questionnaire.

Prenons pour exemple le cas d'un chercheur qui s'intéresse au problème des grossesses non désirées chez les élèves du niveau secondaire et qui décide de réaliser une enquête dans le but d'évaluer si une certaine ignorance face à la contraception ne serait pas, en grande partie, à l'origine du problème. Si les résultats de son enquête démontrent une grande ignorance face à la contraception, divers moyens pourront être pris pour que ces adolescentes soient mieux informées (par exemple, des cours d'éducation sexuelle mieux adaptés, la publication d'une brochure sur la question, une campagne dans les médias pour sensibiliser les parents). Par contre, si les résultats de l'enquête montrent que les adolescentes sont bien informées, il faudra chercher ailleurs les causes du problème et trouver d'autres remèdes.

Ce chercheur se donne donc comme premier objectif de décrire le degré de connaissance des adolescentes face à chacune des méthodes contraceptives. Après un peu de réflexion, il s'aperçoit que cette information ne saurait suffire à elle seule. Il est possible, en effet, que seulement 10% des adolescentes soient bien informées face à la contraception, mais que ce soit justement ces dernières qui ont des relations sexuelles. Dans un tel cas, le problème des grossesses non désirées ne pourrait être imputé à une simple ignorance face à la contraception. Un second objectif de la recherche sera donc de décrire combien d'adolescentes ont une sexualité active et jusqu'à quel point. Continuant sa réflexion, le chercheur en arrive à penser que le fait de bien connaître les différentes méthodes contraceptives n'entraîne pas automatiquement qu'on les utilise. Il se pourrait donc que les adolescentes ayant des relations sexuelles connaissent très bien ces méthodes, tout en les utilisant très peu. Un troisième objectif s'ajoute donc aux précédents, soit celui de décrire dans quelle mesure les adolescentes ont recours à la contraception et quelles sont les méthodes les plus utilisées. Puisque le problème pourrait en être un de non-utilisation plutôt que d'ignorance, le chercheur envisage comme quatrième objectif de sonder certaines motivations ou attitudes profondes susceptibles d'expliquer pourquoi des adolescentes ayant des relations sexuelles n'utiliseraient pas de moyens contraceptifs. Peut-être ont-elles des réticences morales face à la contraception. Si oui, se sentent-elles également coupables d'avoir des relations sexuelles? Peut-être considèrent-elles qu'une grossesse est très peu probable et qu'au besoin l'avortement constitue une solution appropriée. Si elles ne recourent pas à la contraception, c'est peut-être aussi parce qu'elles ont un désir inconscient de devenir enceintes. Finalement, le chercheur se donnera comme dernier objectif de vérifier si les connaissances, comportements et attitudes face à la contraception sont les mêmes chez des adolescentes d'âges différents et provenant de milieux socioéconomiques différents. Si tel était le cas, les moyens d'intervention pourraient varier d'un groupe d'adolescentes à l'autre.

Si les objectifs qui viennent d'être énumérés permettent d'avoir une bonne idée des questions auxquelles la recherche tentera de répondre, ces objectifs ne sont pas encore formulés de façon suffisamment précise pour que le chercheur puisse commencer la rédaction du questionnaire. La meilleure façon d'identifier quelles informations devront être recueillies à l'aide du questionnaire consiste à formuler des sous-questions reliées à chacune des principales questions de la recherche. L'utilité de ces sous-questions est d'identifier clairement les aspects ou variables qui seront mesurés dans le questionnaire. L'auteur de la recherche esquissée plus haut pourrait, par exemple, expliciter chacun de ses objectifs par les sous-questions suivantes.

Objectif 1 Évaluer si les adolescentes sont bien informées en matière de contraception.

a) A quel point connaissent-elles l'existence et la façon d'utiliser chacune des méthodes contraceptives?

b) Savent-elles quelles sont les méthodes les plus sûres et celles les moins sûres?

c) Connaissent-elles les effets secondaires reliées à certaines méthodes contraceptives?

Objectif 2 Établir jusqu'à quel point les adolescentes ont une sexualité active.

a) Combien d'adolescentes ont déjà eu une relation sexuelle?

b) A quel âge a eu lieu la première relation sexuelle?

c) Quelle a été la fréquence des relations sexuelles au cours du dernier mois?

d) Quel a été le nombre de partenaires sexuels depuis un mois? Depuis un an?

Objectif 3 Décrire le comportement des adolescentes en matière de contraception.

a) Quelle est la proportion de celles qui utilisent toujours, qui utilisent irrégulièrement ou qui n'utilisent jamais un moyen contraceptif?

b) La contraception est-elle uniquement la responsabilité des filles ou est-elle également celle des garçons?

c) Éprouvent-elles de la difficulté à se procurer des moyens contraceptifs?

d) Discutent-elles librement de contraception avec leurs parents? Avec des éducateurs? Avec leurs amies?

Objectif 4 Sonder les attitudes profondes face à la sexualité prémaritale, à la contraception, à la maternité.

a) Se sentent-elles coupables d'avoir des relations sexuelles?

b) Jugent-elles immoral d'utiliser des moyens contraceptifs?

c) Advenant une grossesse, souhaiteraient-elles se faire avorter?

d) L'éventualité d'avoir un bébé éveille-t-elle plus de sentiments négatifs que positifs?

Objectif 5 A quel point l'activité sexuelle, les connaissances, les comportements et les attitudes en matière de contraception diffèrent-ils en fonction de l'âge et du niveau socio-économique?

a) Quelle est l'année de leur naissance?

b) Quels sont l'occupation et le niveau d'instruction du père? De la mère?

En rendant explicites les questions auxquelles il tentera de répondre, le chercheur se place en meilleure position pour juger de l'utilité de son projet de recherche et de la possibilité de le réaliser. Peut-être découvrira-t-il que certaines questions ont déjà reçu des réponses satisfaisantes dans d'autres recherches, ou qu'elles ne sont guère utiles à la solution du problème général, ou encore qu'il sera difficile, en pratique, de recueillir les informations souhaitées. Il lui sera également plus facile de s'apercevoir que certaines questions ou sous-questions importantes ont été oubliées.

Il n'existe pas de recettes magiques qui permettent au chercheur de poser les bonnes questions. Il est vrai, comme on a coutume de le dire, que la formulation du problème est la phase créatrice de toute recherche, celle où le chercheur doit le plus faire intervenir son imagination, son intuition ou sa perspicacité. Toutefois, comme le chapitre 3 l'a souligné, il est plus facile de faire preuve d'imagination quand on est familier avec un problème, quand on est informé de la documentation scientifique pertinente, quand on a acquis une expérience en recherche et quand on peut profiter de l'avis de certains experts.

CHOIX DU MODE D'ADMINISTRATION

Après avoir clarifié les objectifs de la recherche et avant de s'attaquer à la rédaction du questionnaire, le chercheur devra décider du mode d'administration qui permettra le mieux d'atteindre les objectifs qu'il s'est fixés. Les trois modes d'administration les plus couramment utilisés sont le questionnaire en face à face, le questionnaire par téléphone et le questionnaire par la poste. Dans certaines situations spéciales (par exemple, une enquête s'adressant à des étudiants), le questionnaire administré en groupe peut constituer un quatrième mode d'administration s'ajoutant aux trois précédents. Les deux premiers modes d'administration nécessitent qu'un intervieweur lise les questions et inscrive les réponses. Par contre, le questionnaire distribué par la poste (ou autrement) est auto-administré: le sujet doit lui-même lire les questions et inscrire ses réponses.

Chacun de ces modes d'administration a des particularités dont il faudra tenir compte au moment de rédiger le questionnaire. Par exemple, une entrevue téléphonique ne pouvant durer aussi longtemps qu'une entrevue en face à face, le questionnaire par téléphone devra compter un nombre plus restreint de questions. Dans un questionnaire par la poste, les questions fermées pourront comporter un grand nombre de catégories de réponses, alors que dans un questionnaire par téléphone il faudra se limiter à trois ou quatre catégories tout au plus, à cause des limites de la mémoire auditive. La rédaction du questionnaire ne peut donc être amorcée avant que ne soit décidé quel en sera le mode d'administration.

Il y a quelques années à peine, le questionnaire par téléphone et le questionnaire par la poste étaient vus comme des solutions de rechange peu recommandables au questionnaire en face à face, en ce qui a trait tant à la quantité qu'à la qualité des informations recueillies. Non seulement les taux de réponse obtenus dans le cas de questionnaires par la poste étaient-ils extrêmement faibles (rarement supérieurs à 50% et souvent voisins de 10%), mais les réponses dans les questionnaires retournés étaient souvent illisibles ou simplement omises. Cette difficulté d'obtenir des réponses de qualité auprès d'un échantillon représentatif de la population amenait Wallace (1954) à conclure que «La règle la plus sûre à suivre concernant les questionnaires par la poste est de ne pas les utiliser». Quant aux questionnaires par téléphone, ils n'avaient pas meilleure presse. D'une part, les échantillons rejoints au téléphone n'apparaissaient guère représentatifs de la population générale, compte tenu qu'une partie de la population n'est pas abonnée au téléphone ou n'est pas inscrite dans l'annuaire. D'autre part, les réponses recueillies par téléphone étaient jugées d'une qualité bien inférieure à celles qui auraient été obtenues en face à face. En effet, un entretien téléphonique se déroule souvent dans des conditions loin d'être idéales (bruits sur la ligne, enfants qui pleurent, mets sur le feu, etc.) et il est beaucoup plus difficile pour l'intervieweur d'établir un climat de confiance et d'obtenir la pleine collaboration du répondant.

Les perceptions des chercheurs face aux mérites des différents modes d'administration ont beaucoup évolué ces dernières années. Le questionnaire administré en face à face n'est plus considéré comme la méthode par excellence par rapport à laquelle les autres méthodes ne seraient que des pis-aller réservés aux chercheurs qui n'ont pas les moyens d'y recourir. Comme le rapporte Dillman (1978), il est possible désormais d'obtenir des taux de réponse supérieurs à 70% dans une enquête postale et à 80% dans une enquête téléphonique, quand un chercheur accorde toute l'attention voulue aux mille détails susceptibles de motiver la collaboration des sujets. Les enquêtes téléphoniques recourent de plus en plus aujourd'hui à la technique des numéros de téléphone générés au hasard pour atteindre ceux dont le numéro est confidentiel ou dont le numéro a été modifié suite à un déménagement. Parallèlement à ces améliorations, il est devenu de plus en plus difficile de rejoindre les personnes à leur domicile pour leur administrer un questionnaire en face à face. Les changements d'adresse sont devenus plus fréquents, les ménages où les deux conjoints travaillent sont plus nombreux, les gens sortent plus souvent à l'extérieur pour leurs loisirs. Ces changements dans les habitudes de vie ont entraîné une diminution importante des taux de réponse dans le cas de questionnaires administrés en face à face.

Chacun des modes d'administration précédents comportent donc des avantages et des inconvénients. Il appartient au chercheur de choisir le mode d'administration qui, compte tenu des objectifs de la recherche et de la nature de la population visée, lui permettra de recueillir les meilleures données au moindre coût. Pour éclairer ce choix, les avantages et inconvénients de chacune des méthodes seront discutés plus en détail.

Questionnaire par la poste

Le principal avantage du questionnaire par la poste est d'être beaucoup moins dispendieux que les autres modes d'administration. Il en coûte évidemment moins cher d'acheter des timbres et des enveloppes que de payer les salaires et les frais de déplacement d'une équipe d'intervieweurs. Les économies réalisées seront d'autant plus importantes que l'échantillon est grand et qu'il est dispersé sur un vaste territoire. Un questionnaire administré par la poste à 50 directeurs d'école dans une grande ville coûtera à peine moins cher qu'un questionnaire en face à face. Par contre, un questionnaire distribué par la poste à 2000 agriculteurs à travers l'ensemble du Québec ne coûtera qu'une fraction de ce qu'il aurait coûté si on avait eu recours à des intervieweurs. Dans le cas où un chercheur ne dispose que d'un budget limité, le questionnaire par la poste risque d'être la seule approche possible. La décision qu'aura à prendre le chercheur ne sera donc pas de choisir le mode d'administration qui convient le mieux à ses objectifs, mais plutôt de décider si oui ou non une enquête par la poste mérite d'être entreprise.

Un autre avantage important du questionnaire par la poste est sa simplicité administrative. Une enquête postale peut être réalisée avec un personnel réduit et non spécialisé. Souvent, le chercheur utilisera les services de secrétariat déjà disponibles dans son institution pour confectionner la liste des adresses, pour procéder à l'envoi des questionnaires, pour tenir à jour la liste des répondants au fur et à mesure que reviennent les questionnaires et pour adresser, à intervalles réguliers, des lettres de rappel à ceux qui n'ont pas répondu. Si l'enquête était réalisée par téléphone ou en face à face, le chercheur devrait consacrer beaucoup de temps et d'énergie au recrutement, à la formation et à la supervision des intervieweurs. Le métier d'intervieweur en est un à temps partiel et il n'est pas toujours facile de trouver les personnes qui aient à la fois la disponibilité et les habiletés requises. Avant de commencer les entrevues, il faudra prévoir des rencontres d'information pour discuter de tous les détails de l'enquête. Il sera peut-être même nécessaire de rédiger un guide d'entrevue pour s'assurer que les intervieweurs disposeront de toute l'information voulue pour bien faire leur travail. Pendant toute la période où se réalisent les entrevues, il faudra continuellement rester en contact avec l'équipe des intervieweurs pour coordonner leur travail, pour trouver une solution rapide à tous les problèmes qui risquent de survenir et pour exercer une surveillance constante sur la qualité des données recueillies. A toutes ces tâches s'ajoutent les tracasseries administratives liées au rôle d'employeur: verser les salaires après avoir prélevé l'impôt et les autres cotisations obligatoires, remplir tous les formulaires que la loi exige, rembourser les frais de séjour, etc. On comprendra qu'en décidant de recourir à un questionnaire par la poste, un chercheur ne fait pas uniquement des économies d'argent, mais qu'il s'épargne également beaucoup d'efforts et de nombreux maux de tête.

Outre les économies de temps et d'argent, le fait de ne pas recourir à des intervieweurs comporte également certains avantages. Le questionnaire auto-administré offre la garantie que les questions seront posées de la même façon à tous les sujets. Les différences possibles d'un intervieweur à l'autre, dans la façon de poser les questions et d'enregistrer les réponses, ne risquent donc pas de contaminer les résultats de la recherche. En l'absence d'un intervieweur, il est probablement plus facile pour le répondant de donner des réponses franches et honnêtes à des questions de nature personnelle ou embarrassante. Le problème de la désirabilité sociale (c'est-à-dire cette tendance à fournir les réponses les plus susceptibles de donner une image positive de soi) s'en trouverait donc diminué. Le questionnaire auto-administré présente aussi l'avantage de ne pas exiger de réponses immédiates aux questions. Les sujets peuvent donc réfléchir davantage et donner des réponses plus considérées. Ils peuvent également prendre le temps de consulter des documents ou des personnes de leur entourage, de façon à fournir une information plus exacte. Quand l'information demandée dans un questionnaire doit être consignée chaque jour durant une période donnée (par exemple, lors d'une enquête sur les dépenses des familles ou lors d'un sondage pour déterminer les cotes d'écoute des émissions de télévision), le questionnaire auto-administré demeure la seule solution que l'on puisse envisager.

Un dernier avantage qui mérite d'être signalé est que la poste est le moyen le plus efficace pour rejoindre chacune des personnes sélectionnées dans l'échantillon. Les personnes qui sont rarement à la maison et que l'on n'arrive pas à rejoindre après 5 visites au domicile ou après 20 appels téléphoniques peuvent presque toujours être contactées par le courrier. La poste permettra également d'atteindre les personnes qui n'ouvrent pas la porte à des étrangers mais qui osent, néanmoins, ouvrir leur courrier.

Quand on le compare aux autres modes d'administration, le principal désavantage du questionnaire par la poste est d'être beaucoup plus sensible au phénomène des non-réponses. Les normes sociales, pour ne pas dire la simple politesse, empêchent beaucoup de personnes de fermer la porte à un intervieweur ou de raccrocher le téléphone. Dès que l'intervieweur a réussi à établir un premier contact, il devient encore plus difficile de refuser de collaborer et d'interrompre brutalement la conversation. Il en va tout autrement du questionnaire reçu par la poste que l'on pourra facilement jeter à la poubelle, en même temps que nombre de feuillets publicitaires, sans éprouver la moindre gêne. En distribuant un questionnaire par la poste, un chercheur s'expose donc à obtenir un taux de réponse beaucoup plus faible que celui qu'il aurait obtenu si un contact personnel avait été établi par un intervieweur.

Un faible taux de réponse constitue un problème extrêmement sérieux qui risque d'enlever toute valeur aux résultats de la recherche. Le problème ne tient pas au fait que la taille de l'échantillon soit réduite par un taux de réponse inférieur à 100%. Pour obtenir un échantillon de taille suffisante, le chercheur n'aurait qu'à expédier deux, cinq ou dix fois plus de questionnaires que le nombre de répondants souhaité. Le problème des non-réponses tient au fait que l'échantillon obtenu, peu importe sa taille, risque d'être peu représentatif de la population. Il est possible, en effet, que les réponses que l'on aurait recueillies chez les non-répondants soient différentes de celles des répondants. Cette éventualité apparaît d'autant plus vraisemblable que de nombreuses études ont montré que les non-répondants différaient des répondants quant à plusieurs caractéristiques, dont particulièrement leur degré d'instruction plus faible et leur moindre intérêt pour le sujet de l'enquête. Si tel est le cas, les résultats obtenus chez les seuls répondants ne peuvent que donner une image déformée de la population tout entière.

Le questionnaire par la poste présente également un certain nombre de limites ou d'inconvénients dont l'importance est fort variable d'une situation à l'autre. La limite la plus évidente est que son emploi est restreint aux seules personnes qui savent suffisamment lire pour comprendre une question formulée par écrit. Cette limite n'en est évidemment pas une dans le cas de populations fortement scolarisées (par exemple, les membres d'une profession libérale, des étudiants universitaires). Cependant, si le questionnaire s'adresse à la population générale, il faudra se limiter à des questions assez simples pour êtres comprises par la majorité des répondants. Même le questionnaire le plus simple ne pourra être compris par tous puisqu'on estime à plus ou moins 10% le pourcentage d'illettrés dans des pays comme le Canada ou les États-Unis. Dans les pays en voie de développement où le taux d'alphabétisation demeure faible, l'utilisation du questionnaire auto-administré risque d'être encore plus limitée.

Même dans les cas où il est administré à une population scolarisée, le questionnaire par la poste ne pourra pas être aussi long et aussi complexe que s'il était administré en face à face. De nombreux répondants refuseront de répondre à un questionnaire qui leur apparaît trop long alors qu'ils accepteraient de le faire si un intervieweur était présent. Les chances qu'une question soit mal comprise sont beaucoup plus grandes dans un questionnaire auto-administré puisque aucun intervieweur n'est présent pour répéter la question, fournir des éclaircissements ou signaler au répondant qu'il n'a pas saisi le sens de la question. En l'absence d'un intervieweur, les chances sont également beaucoup plus grandes d'obtenir des «réponses manquantes», soit parce que le répondant oublie de lire une question, soit parce qu'il ne fait pas l'effort d'y répondre. Le questionnaire par la poste permet difficilement de poser des questions ouvertes (c'est-à-dire des questions où le répondant doit répondre dans ses propres mots au lieu de choisir une catégorie de réponse préétablie), compte tenu de la difficulté qu'ont beaucoup de répondants à s'exprimer par écrit. Finalement, le questionnaire par la poste se prête mal à un trop grand nombre de questions condition-nelles (ou «questions à branchement») surtout quand les directives qui les accompagnent sont complexes (par exemple, «Si vous avez répondu oui à la question 14 et non à la question 15, passez à la question 28, mais ne répondez pas aux questions 31 à 33»).

Une caractéristique du questionnaire par la poste que nous avons déjà signalée est que le répondant est libre de répondre à son propre rythme. Il peut s'arrêter longuement à une question, prendre connaissance des questions qui suivent avant de répondre ou revenir en arrière pour modifier une réponse. Cette liberté constitue parfois un avantage puisqu'elle permet au répondant de réfléchir plus longtemps à ses réponses, de corriger des erreurs et même de consulter des documents ou des personnes de son entourage. Dans d'autres situations, cette plus grande liberté laissée au répondant constitue un sérieux désavantage. Par exemple, le questionnaire par la poste n'est guère approprié pour recueillir les réactions spontanées à une question. Il est également difficile dans un questionnaire par la poste de mesurer le niveau de connaissance des répondants sur un sujet quelconque puisqu'ils peuvent toujours demander de l'aide à autrui. Pour la même raison, le questionnaire par la poste offre moins de garanties que les opinions recueillies sont vraiment celles du répondant et non pas celles d'une personne (souvent le conjoint) présente au même moment. Compte tenu de la possibilité qu'a le répondant de lire le questionnaire avant de commencer à y répondre, certaines questions pourront difficilement être posées. Par exemple, les réponses recueillies à la question «Selon vous, quel est le plus grave problème auquel le pays a à faire face aujourd'hui?» ne seront probablement pas les mêmes selon que la suite du questionnaire traite de l'inflation ou des pluies acides. Une autre limite du questionnaire par la poste est que le chercheur ne peut jamais être assuré que la personne qui a répondu est bien celle à laquelle s'adressait le questionnaire. Souvent la personne sélectionnée passera le questionnaire à quelqu'un de son entourage (le conjoint, un ami, un voisin) pensant que cette personne sera plus intéressée à répondre au questionnaire ou plus compétente pour le faire.

Questionnaire en face à face

Le questionnaire en face à face comporte plusieurs avantages importants qui sont tous reliés aux différents rôles que joue l'intervieweur dans la situation d'entrevue. Mentionnons en tout premier lieu que le recours à un intervieweur, pour solliciter la participation des répondants et leur administrer le questionnaire, permet plus facilement d'atteindre un taux de réponse élevé. S'il est facile de ne pas donner suite à un questionnaire reçu par la poste, plusieurs répondants se sentiront gênés de refuser leur collaboration quand un intervieweur leur demande poliment un rendez-vous à «un moment qui leur convient». D'autres répondants, qui n'éprouveraient aucun intérêt à répondre seul à un questionnaire, accepteront avec empressement l'entrevue qu'on leur propose soit parce qu'ils s'ennuient à la maison, soit parce qu'ils adorent parler à autrui, soit parce qu'ils se sentent valorisés par l'importance qu'on leur accorde. Finalement, dans le cas d'enquêtes s'adressant à la population générale, un questionnaire administré par un intervieweur ne constitue plus un obstacle à la participation des répondants peu scolarisés. Les raisons pour ne pas répondre étant moins nombreuses et celles pour répondre étant plus nombreuses, les taux de réponse sont généralement plus élevés dans le cas du questionnaire en face à face que dans le cas des autres modes d'administration.

Un second avantage du questionnaire en face à face est qu'il offre de meilleures garanties quant à la qualité des données qui seront recueillies. Dans le cas d'un questionnaire auto-administré, le plus consciencieux des répondants pourra à l'occasion mal saisir le sens d'une question, inscrire sa réponse au mauvais endroit, cocher plusieurs réponses alors qu'il lui était demandé de n'en choisir qu'une seule, oublier de répondre à une question au bas d'une page, et ainsi de suite. Si le répondant n'est guère motivé et tente de remplir le questionnaire à la hâte, les erreurs de réponse et les omissions seront encore plus nombreuses. Le rôle essentiel de l'intervieweur est de minimiser ces erreurs et omissions. Une question lue à haute voix par l'intervieweur, à la bonne vitesse et avec les bonnes intonations, risque d'être mieux comprise que si le répondant la lisait lui-même[1]. Si la question demeure malgré tout obscure, l'intervieweur la répétera ou en précisera le sens. Si la réponse donnée indique que le répondant a mal saisi le sens de la question[2], l'intervieweur reprendra la question en apportant les clarifications qui s'imposent. Dans le cas des questions ouvertes, l'intervieweur a un rôle encore plus important à jouer. D'une part, beaucoup de répondants ne se donneraient pas la peine d'écrire chacune des idées qui leur vient à l'esprit si un intervieweur n'était pas là pour le faire à leur place. D'autre part, beaucoup de répondants se limiteraient à des réponses évasives ou incomplètes si l'intervieweur n'était pas là pour les encourager à exprimer leur pensée (par des interventions comme «Que voulez-vous dire au juste?» ou «Est-ce vraiment tout?»). L'intervieweur est également précieux pour s'assurer que le sujet n'a oublié aucune réponse et qu'il y a répondu selon la séquence prévue. Les réponses d'un sujet ne pourront donc pas être influencées par le fait qu'il a pris connaissance de l'ensemble du questionnaire avant de commencer à y répondre.

---

1. A la question «Quelle est votre taille (sans chaussures)?», nous avons été surpris de constater que de nombreux répondants avaient inscrit «6 1/2» (36 1/2), «8» (38), «11» (41). Si cette question avait été lue par un intervieweur, ces répondants auraient probablement mieux compris qu'il s'agissait de leur taille, et non de celle de leurs chaussures.

2. A la question «Quand vous étiez jeune, quelle était la principale occupation de votre père?», des réponses du genre «Le travail, toujours le travail, jamais de repos» ou «Il travaillait tout le temps, il n'avait pas le temps de s'occuper de nous» ont été recueillies en grand nombre. Si le questionnaire avait été administré par un intervieweur, ce dernier aurait sûrement été en mesure de préciser le sens du mot «occupation» dans cette question.

Le rôle de l'intervieweur ne se limite pas à poser des questions et à exercer un contrôle sur la qualité des réponses. En étant présent, l'intervieweur crée une situation interpersonnelle susceptible d'influencer considérablement le niveau de motivation des répondants. Une personne qui répond seule à un questionnaire, qu'elle le fasse bien ou mal, ne se sent pas évaluée, ni positivement, ni négativement, par autrui. La situation est tout autre en présence de l'intervieweur. La majorité des gens ne voudront pas être perçus comme de «mauvais répondants». Ils voudront au contraire donner une image positive d'eux-mêmes et feront tout ce qui est en leur pouvoir pour se mériter la considération de l'intervieweur. Ils porteront une grande attention aux questions qu'on leur pose, ils tenteront de fournir les réponses les plus exactes et les plus complètes possible, ils continueront de répondre même quand le questionnaire est très long ou très ennuyeux. Cette motivation plus grande des répondants compte pour beaucoup dans la qualité des réponses recueillies dans un questionnaire en face à face.

La présence d'un intervieweur comporte aussi certains avantages supplémentaires. Elle permet de s'assurer que le répondant est bien la personne à qui s'adressait le questionnaire. La représentativité de l'échantillon ne pourra donc pas être biaisée par le fait que de nombreux maris, par exemple, passent le questionnaire à leur épouse. La présence de l'intervieweur rend également possible l'utilisation d'un matériel plus complexe que ne le permet le questionnaire administré par la poste ou par le téléphone. On pourra utiliser des illustrations, des photographies, des cartes géographiques ainsi que des objets de tous genres. Lors d'une enquête de marché, on pourra, par exemple, présenter des échantillons de différents produits et demander aux répondants de se prononcer sur leur apparence, leur goût ou leur odeur. En étant physiquement présent, l'intervieweur peut également recueillir un certain nombre d'observations concernant, par exemple, la qualité du logement, la propreté du quartier, l'apparence du répondant, sa compétence linguistique, son attitude face au questionnaire, etc. L'intervieweur pourra également noter, en marge du questionnaire, toute observation qu'il juge utile de communiquer au responsable de la recherche. De telles observations pourront se révéler très précieuses au moment d'interpréter les résultats de l'enquête.

Le recours à des intervieweurs n'entraîne pas que des avantages. L'inconvénient majeur d'un questionnaire administré en face à face est son coût élevé, lequel peut facilement atteindre 100 $ (environ 500 francs français) par entrevue si l'on considère les salaires, les frais de déplacement ainsi que les frais administratifs liés à la supervision d'une équipe d'intervieweurs. Comme nous l'avons déjà signalé, ce mode d'administration n'est guère à la portée du chercheur qui dispose d'un petit budget.

Un second inconvénient du questionnaire en face à face concerne la variabilité des intervieweurs. Les intervieweurs n'étant pas des machines, il est impossible de rendre parfaitement uniforme l'administration du questionnaire. Si le même questionnaire pouvait être administré au même répondant par plusieurs intervieweurs différents, on peut présumer que les réponses recueillies ne seraient pas toutes identiques. Certaines différences proviendraient simplement d'erreurs d'inattention de la part de l'intervieweur. Ce dernier peut oublier de poser une question, ou en changer involontairement quelques mots, ou encore inscrire la réponse au mauvais endroit. Plus le questionnaire sera long et complexe, plus l'intervieweur sera fatigué et plus ces erreurs risquent d'être nombreuses. Les réponses pourront également différer parce que certains intervieweurs réussissent mieux que d'autres à obtenir des réponses adéquates de la part du répondant. En effet, tous les intervieweurs ne sont pas également expérimentés, ni également doués, ni également intéressés par leur travail. Certains verront immédiatement que le répondant a mal compris la question ou qu'il était en mesure de donner une réponse plus satisfaisante. D'autres seront moins vigilants et s'empresseront de noter la première réponse venue sans sourciller. Les questionnaires remplis par ces intervieweurs contiendront un plus grand nombre de réponses «ne sais pas», «ne me souviens pas» ou «ne s'applique pas». Dans le cas des questions ouvertes, l'influence de l'intervieweur risque d'être encore plus déterminante sur la qualité des réponses. Certains intervieweurs auront de la difficulté à noter mot à mot la réponse et se contenteront de la résumer de façon plus ou moins fidèle. D'autres ne sauront pas inciter le répondant à donner une réponse appropriée et complète. Il suffit parfois d'une pause, d'un regard interrogateur, pour que le répondant ajoute plusieurs idées nouvelles à sa réponse. Comme le notait Payne (1951, p. 51):

> En d'autres mots, même si les questions ouvertes sont celles qui devraient laisser la plus grande liberté au répondant, il est possible, pour ne pas dire certain, que les intervieweurs auront une influence à la fois sur la qualité et sur la quantité des réponses. Vue sous un certain angle, la question ouverte est celle qui influence le moins les réponses. Vue sous un autre angle, la question ouverte est celle où le répondant risque le plus d'être influencé.

Dans le cas des questions d'opinion, il demeure possible que les intervieweurs, de façon plus ou moins consciente, déforment les réponses dans le sens de leur propre opinion. Par exemple, un intervieweur fortement opposé à l'avortement pourra peut-être recueillir un plus grand nombre d'opinions défavorables à l'avortement que les autres intervieweurs.

Si les réponses recueillies par différents intervieweurs risquent d'être différentes, ce n'est pas uniquement parce que le comportement des intervieweurs varie. Le comportement d'un même répondant risque également de varier d'un intervieweur à l'autre. Tous les intervieweurs n'ont pas la même personnalité, la même apparence, la même tenue vestimentaire, le même âge, le même sexe, la même origine ethnique, la même façon de s'exprimer. Parce que l'entrevue constitue une situation interpersonnelle, ces différences dans les caractéristiques des intervieweurs risquent d'affecter positivement ou négativement la collaboration du répondant. Tel répondant sera particulièrement motivé par la présence d'un intervieweur du sexe opposé. Tel autre se sentira gêné par un intervieweur dont le niveau d'éducation lui apparaît bien supérieur au sien. Tel autre encore trouvera l'intervieweur antipathique uniquement parce qu'il ressemble vaguement à une personne qu'il n'aime pas. Les caractéristiques de l'intervieweur pourront non seulement influencer l'attitude générale du répondant, mais également ses réponses à certaines questions spécifiques. Si l'intervieweur a un léger accent étranger, le répondant n'osera peut-être pas dire qu'il favorise des politiques plus restrictives en matière d'immigration. Un répondant de sexe masculin, s'il est interrogé par une femme, se dira peut-être plus favorable à l'émancipation de la femme qu'il ne l'est vraiment.

A moins de recourir à des automates, il est évidemment impossible d'éliminer entièrement la variabilité des réponses attribuables au fait que tous les intervieweurs n'ont pas le même comportement, ni les mêmes caractéristiques. Néanmoins, si l'on accorde suffisamment d'attention à la sélection, à la formation et à la supervison des intervieweurs, ce problème peut en grande partie être contrôlé. Ainsi, certains organismes de sondage sélectionnent leurs intervieweurs avec soin. Par exemple, ils ne retiendront que les candidats entre 25 et 45 ans, de sexe féminin, ayant de bonnes manières et une apparence agréable et qui s'expriment clairement. Les candidats retenus devront réussir divers tests d'habileté comportant des tâches semblables à celles qu'ils devront exécuter lors d'une entrevue. De plus, pour s'assurer de leur motivation, les candidats seront bien informés des difficultés du métier et ils devront administrer, sans être rémunérés, un questionnaire à un petit nombre d'inconnus.

La formation donnée aux intervieweurs est pour le moins aussi importante que leur sélection. Certains organismes ont mis au point des programmes pouvant durer de trois à cinq jours et comportant à la fois des cours théoriques, des entrevues simulées en laboratoire ainsi que de véritables entrevues sur le terrain. Plusieurs organismes utilisent également un manuel de formation où sont discutés en détail tous les problèmes qu'un intervieweur peut rencontrer. Le manuel du Government Social Survey (Atkinson, 1967) et celui du Survey Research Center (1976) en sont de bons exemples. Au moment d'entreprendre une nouvelle enquête, il faudra également prévoir une rencontre d'information avec les intervieweurs pour leur expliquer les objectifs de la recherche, leur donner toutes les directives concernant l'administration du questionnaire et discuter avec eux des problèmes que chaque question est susceptible de soulever. Plus les instructions données seront précises, plus l'administration du questionnaire risque d'être uniforme. On leur dira, par exemple, s'ils doivent se limiter à répéter une question mal comprise ou si, au contraire, ils ont le droit de fournir des explications au répondant. Dans ce dernier cas, on leur précisera quel genre d'explications sont permises et quel genre d'explications ne le sont pas. Évidemment, si chaque intervieweur était libre de préciser le sens d'une question comme il l'entend, tous les répondants ne seraient pas soumis au même stimulus.

La rencontre d'information ne permet pas de prévoir tous les problèmes que rencontreront les intervieweurs sur le terrain, ni de s'assurer qu'il respecteront à la lettre les instructions qui leur ont été données. Les responsables de la recherche devront donc rester quotidiennement en contact avec les intervieweurs afin de répondre à leurs questions et d'apporter rapidement une solution à toute difficulté imprévue. Ils devront également tenter de vérifier par tous les moyens possibles si les questionnaires sont bien administrés. Les organismes de sondage ont l'habitude de téléphoner à un certain pourcentage des personnes choisies dans l'échantillon pour s'informer si elles ont été contactées, si le questionnaire leur a réellement été administré et si elles sont satisfaites du comportement de l'intervieweur. Si cette pratique permet à l'occasion de repérer certains intervieweurs peu consciencieux qui répondent eux-mêmes au questionnaire, elle est surtout utile pour décourager ceux qui seraient tenter de le faire. Les organismes de sondage ont également l'habitude de vérifier chacun des questionnaires qui leur sont retournés afin de repérer rapidement les intervieweurs négligents qui ne posent pas toutes les questions ou qui commettent des erreurs évidentes dans l'enregistrement des réponses. L'examen des questionnaires ne permet cependant pas de savoir si l'intervieweur a lu textuellement les questions, s'il a bien compris les réponses du sujet au moment de les codifier, s'il a su encourager des réponses exactes et complètes, s'il a respecté l'ordre des questions, etc. Pour s'assurer que les questionnaires ont été administrés conformément aux instructions reçues, certains organismes utiliseront leurs meilleurs intervieweurs pour administrer une seconde fois le questionnaire à un petit nombre de répondants. En comparant les deux ensembles de réponses, on pourra vérifier si le travail d'un nouvel intervieweur est satisfaisant ou si la performance d'un intervieweur plus ancien ne s'est pas détériorée. Une façon moins onéreuse d'exercer un certain contrôle sur la qualité des réponses consiste à calculer pour chaque intervieweur le pourcentage de réponses du genre «sans opinion», «ne s'applique pas» ou «ne sais pas». Si ce pourcentage s'éloigne trop de la moyenne des autres intervieweurs, c'est probablement le signe d'un manque d'habileté ou d'un manque d'intérêt de la part de l'intervieweur. De la même façon, le taux de réponse propre à chaque intervieweur — le pourcentage de personnes qui ont accepté de lui répondre — est un indicateur précieux pour juger de la performance des intervieweurs. En terminant, est-il besoin de mentionner que la plus étroite des supervisions ne saurait garantir que les intervieweurs respecteront les instructions et administreront le questionnaire de façon uniforme quand le questionnaire lui-même est inadéquat. Par exemple, si les questions sont trop longues ou si elles ne sont pas formulées dans un langage quotidien, l'intervieweur sera fortement tenté de les traduire en ses propres mots. Un des moyens les plus efficaces pour contrôler la variabilité des intervieweurs consiste donc à leur fournir un questionnaire bien fait.

Un troisième inconvénient, intimement lié au précédent, concerne la complexité administrative d'une enquête qui nécessiste la sélection, la formation et la supervision d'intervieweurs. Plusieurs chercheurs, même s'ils disposaient d'un budget suffisant, hésiteront à réaliser une enquête en face à face compte tenu du temps et des énergies considérables qu'ils devront y consacrer. Et même s'ils étaient libérés à plein temps, plusieurs hésiteront, jugeant que ni eux, ni les personnes qui les secondent, ne possèdent l'expérience ou les compétences requises pour diriger le travail d'une équipe d'intervieweurs.

Un dernier inconvénient du questionnaire en face à face est qu'il risque d'être beaucoup plus sensible au phénomène de la désirabilité sociale que le questionnaire auto-administré. Comme nous l'avons déjà signalé, il est probablement plus facile, en l'absence d'un intervieweur, de donner des réponses franches et honnêtes à des questions de nature personnelle ou embarrassante. En présence d'un intervieweur, la plupart des répondants chercheront à donner une image positive d'eux-mêmes. Par exemple, ils seront plus réticents à avouer qu'ils consomment quotidiennement de l'alcool, qu'ils sont affligés d'une maladie chronique ou qu'ils sont non-croyants. Inversement, ils seront plus enclins à rapporter qu'ils font régulièrement de l'exercice physique, qu'ils ont voté aux dernières élections ou qu'ils sont abonnés à une bibliothèque. Cette tendance a d'ailleurs été vérifiée par plusieurs recherches qui ont comparé les réponses obtenues selon que le questionnaire était administré en face à face, par la poste ou par téléphone (en subdivisant au hasard un échantillon de façon à obtenir des groupes comparables). Le pourcentage de réponses socialement désirables était généralement plus élevé dans le cas du questionnaire en face à face. Il semblerait donc que, pour certaines questions, la présence d'un intervieweur cesse d'être un avantage.

Questionnaire par téléphone

Par rapport à plusieurs des aspects qui viennent d'être discutés, le questionnaire par téléphone occupe une position intermédiaire entre le questionnaire par la poste et le questionnaire en face à face.

Notons premièrement que les taux de réponse obtenus par téléphone sont généralement de beaucoup supérieurs à ceux obtenus par la poste, sans pour autant être aussi élevés que ceux que l'on obtient en face à face. Pour donner un ordre très approximatif de grandeur, une enquête réalisée auprès de la population générale pourra atteindre un taux de réponse de 75 % si elle est réalisée par la poste (à la condition de tout mettre en œuvre pour gagner la collaboration des répondants), de 85 % si le questionnaire est administré par téléphone et de 90 % s'il est administré en face à face.

Deuxièmement, un questionnaire administré par téléphone coûte beaucoup moins cher que s'il était administré au domicile du répondant. N'ayant pas à se déplacer, les intervieweurs compléteront un plus grand nombre de questionnaires dans une même journée, ce qui entraîne des économies considérables au chapitre des salaires. Les frais de téléphone, même s'ils sont élevés, ne représentent qu'une fraction des frais liés aux déplacements des intervieweurs. Un interurbain d'une heure à un endroit aussi éloigné que Natashquan demeure une aubaine si l'on considère ce qu'il en coûterait pour qu'un intervieweur se rende sur place. Les frais administratifs sont également moindres compte tenu qu'une enquête réalisée par téléphone est plus simple à coordonner qu'une enquête sur le terrain. Malgré toutes ces économies, le questionnaire par la poste, lequel ne nécessite aucun intervieweur, demeure encore le plus économique des modes d'administration.

Troisièmement, le chercheur devra consacrer beaucoup moins d'énergie à la sélection, à la formation et à la supervision des intervieweurs quand le questionnaire est administré par téléphone. Les intervieweurs étant habituellement regroupés dans un même local, la supervision de leur travail en est grandement facilitée. S'ils rencontrent des problèmes (par exemple, comment coder une réponse qui ne semble appartenir à aucune des catégories prévues), ils pourront en discuter immédiatement avec le superviseur. S'ils éprouvent de la difficulté à répondre aux objections d'un répondant méfiant, ils pourront transférer l'appel au superviseur qui, lui, réussira souvent à compléter l'administration du questionnaire. Après chaque entrevue, le superviseur pourra vérifier si le questionnaire a été bien rempli et demander à l'intervieweur d'apporter certaines corrections avant qu'il n'ait eu le temps d'oublier ce que le répondant lui a dit. Quand un dispositif permet d'écouter les conversations, le superviseur sera en mesure d'observer le déroulement des entrevues et d'intervenir rapidement si un intervieweur ne respecte pas les instructions qu'il a reçues. Puisqu'il est possible d'exercer une surveillance constante du travail des intervieweurs et de leur apporter une aide immédiate quand survient une difficulté, la formation des intervieweurs n'a pas besoin d'être aussi élaborée dans le cas d'un questionnaire administré par téléphone. Après un minimum de formation théorique et après quelques exercices, les entrevues que le débutant réalisera dans un contexte d'étroite supervision lui permettront de parfaire sa formation. La sélection des intervieweurs est également une tâche moins exigeante dans le cas d'une enquête par téléphone. Les entrevues étant habituellement réalisées en début de soirée, il est facile de trouver des candidats disponibles à ce moment de la journée (par exemple, des ménagères, des étudiants). De plus, les habiletés requises de la part des intervieweurs sont moins nombreuses que dans le cas d'un questionnaire en face à face. Ce qui importe surtout, c'est que la voix de l'intervieweur soit clairement audible au téléphone, qu'il soit capable de lire les questions de façon naturelle et qu'il puisse répondre de façon tout aussi naturelle aux questions des répondants (par exemple, «Comment avez-vous eu mon nom?», «Est-ce que ça va être long?»). La coordination d'une enquête réalisée par téléphone est donc considérablement moins complexe que celle nécessitée par une enquête en face à face, sans pour autant être aussi simple que celle d'une enquête par la poste. Dans ce dernier cas, le chercheur n'aura évidemment pas à s'occuper de la sélection, de la formation et de la supervision des intervieweurs.

Quatrièmement, signalons que la variabilité des intervieweurs constitue un problème beaucoup moins épineux quand un questionnaire est administré par téléphone. D'une part, les intervieweurs n'étant pas physiquement présents, leurs diverses caractéristiques (personnalité, âge, apparence, tenue vestimentaire, etc.) risquent beaucoup moins d'influencer le comportement du répondant. En effet, la personne qui répond au téléphone, contrairement à celle qui répond à la porte, n'aura pas l'occasion d'examiner l'intervieweur ou d'échanger quelques propos avec lui, avant que ne commence l'administration du questionnaire. La situation étant beaucoup plus anonyme, il lui sera difficile de se faire une impression de l'intervieweur, de le trouver sympathique ou antipathique. D'autre part, les intervieweurs étant l'objet d'une étroite supervision, il leur est difficile de prendre beaucoup de liberté dans la façon d'administrer le questionnaire. Un intervieweur qui ne réussirait pas à corriger les défauts qu'on lui signale (par exemple, lire les questions d'une façon mécanique, faire des pauses prolongées entre deux questions) sera remercié et remplacé par un autre plus habile. L'administration d'un questionnaire par téléphone risque donc d'être plus uniforme que celle d'un questionnaire en face à face. Évidemment, de tous les modes d'administration, le questionnaire par la poste demeure celui où les réponses risquent le moins d'être influencées par l'intervieweur!

Le phénomène de la désirabilité sociale constitue un cinquième aspect où le questionnaire par téléphone occupe une position intermédiaire entre les deux autres modes d'administration. Le questionnaire par téléphone étant plus impersonnel, plus anonyme que le questionnaire en face à face, les répondants seront vraisemblablement moins enclins à déformer leurs réponses pour donner une image positive d'eux-mêmes. Cette tendance à donner des réponses socialement désirables risque d'être encore moins forte dans le cas d'un questionnaire administré par la poste. En effet, certaines recherches ont permis de constater que le pourcentage de réponses désirables obtenu par téléphone était beaucoup moins élevé qu'en face à face, tout en étant un peu plus élevé que le pourcentage obtenu par la poste.

Pour certains aspects, le questionnaire par téléphone apparaît cependant plus limité que les autres modes d'administration. Un reproche qui lui est souvent adressé est qu'il ne peut être très long. Répondre à des questions par téléphone exige une attention de toutes les secondes et le répondant risque de se fatiguer rapidement. Passé 15 ou 20 minutes, sa patience sera mise à rude épreuve et la qualité de ses réponses s'en ressentira. Si le questionnaire est vraiment trop long, le pourcentage d'abandons en cours d'entrevue risque d'être assez élevé.

Une autre limite du questionnaire par téléphone concerne la complexité des questions qu'il est possible d'y poser. La probabilité qu'une question soit mal comprise est beaucoup plus grande au téléphone. Il suffit d'un mot mal prononcé par l'intervieweur, d'un bruit sur la ligne, d'une seconde d'inattention de la part du répondant ou encore d'un seul mot non familier, pour qu'une question tout entière soit mal comprise. Contrairement au questionnaire par la poste, le répondant n'a pas la possibilité de lire la question à son propre rythme, de s'arrêter à certains mots ou encore de relire la question pour s'assurer qu'il a bien compris. Pour ne pas compliquer la tâche de l'intervieweur ou pour ne pas allonger l'entretien, il sera tenté de risquer une réponse même s'il n'est pas certain d'avoir bien compris. Quant à l'intervieweur qui administre un questionnaire par téléphone, il lui est difficile de déceler dans les expressions faciales du répondant (par exemple, froncer les sourcils, resserrer les lèvres, avoir un regard fixe) et ses autres réactions non verbales (par exemple, se frotter le menton, se reculer sur sa chaise, regarder au plafond) si la question a été bien comprise. Des questions qui ne poseraient aucune difficulté dans un questionnaire administré en face à face ou par la poste, devront être reformulées si l'on veut qu'elles soient comprises au téléphone. Il faudra d'abord s'assurer que la question est suffisamment brève et suffisamment simple (au niveau grammatical comme au niveau du vocabulaire) pour être comprise à la première écoute. Ce conseil peut paraître évident, mais il n'est pas toujours facile de le mettre en pratique. Par exemple, une question qui demanderait l'opinion des répondants sur un projet de loi complexe pourra difficilement être formulée en quelques mots. Il ne suffit pas que la question soit brève, il faut aussi que les choix de réponses offerts au répondant soient peu nombreux. Une question qui, dans un questionnaire auto-administré, comporterait cinq catégories de réponse (par exemple, de «jamais» à «presque toujours»), ou sept (par exemple, de «tout à fait d'accord» à «tout à fait en désaccord»), ou même neuf (par exemple, de «extrêmement satisfait» à «extrêmement insatisfait») ne pourra pas être posée comme telle au téléphone. En l'absence de tout support visuel et compte tenu des limites de la mémoire auditive, il faudra se limiter à deux, trois ou peut-être quatre catégories (à la condition qu'elles soient faciles à retenir). Un chercheur qui voudrait enregistrer un plus grand nombre de nuances pourra cependant procéder en deux étapes. Par exemple, on demandera d'abord au répondant s'il est satisfait ou insatisfait, et ensuite on lui demandera s'il est extrêmement, moyennement ou légèrement satisfait (ou insatisfait). Même si la formulation des questions soulève un plus grand nombre de difficultés dans le cas du questionnaire par téléphone, ces difficultés sont rarement insurmontables.

Mentionnons en terminant qu'un avantage indiscutable du questionnaire par téléphone est qu'il permet de compléter une enquête dans des délais beaucoup plus courts que les autres modes d'administration. Une enquête réalisée par la poste nécessitera un minimum de deux à trois mois avant d'être complétée. Puisqu'il est impérieux que le questionnaire soit sans faille et d'une présentation impeccable (si l'on veut que les répondants soient tentés de collaborer), sa préparation nécessitera plusieurs jours, et peut-être plusieurs semaines. Il faudra également prévoir du temps pour l'impression du questionnaire, la confection de la liste des adresses, la préparation des enveloppes de retour adressées et affranchies et la mise à la poste. Une fois le questionnaire expédié, il faudra attendre deux ou trois semaines avant d'adresser une lettre de rappel et un nouveau questionnaire à tous ceux qui n'ont pas répondu. Après un autre délai de deux semaines, on pourra adresser le deuxième rappel et, peut-être, un troisième un peu plus tard. Après le dernier rappel, il faudra attendre un certain temps avant de recevoir les derniers questionnaires. Une enquête réalisée en face à face ne sera pas plus rapide. Le recrutement des intervieweurs et leur entraînement sont généralement des opérations assez longues. De plus, à cause des déplacements, chaque intervieweur ne peut administrer qu'un très petit nombre de questionnaires dans la même journée. Dans les cas où l'échantillon est dispersé sur un vaste territoire (par exemple, l'ensemble du Québec) et où le nombre de répondants est considérable (par exemple, 1000 ou plus), une enquête en face à face sera évidemment beaucoup plus longue à réaliser qu'une enquête par la poste de même envergure. Si une enquête par la poste ou en face à face nécessite des mois pour être complétée, la même enquête réalisée par téléphone ne nécessitera que quelques semaines. En recourant au téléphone, on fait l'économie du temps que nécessite l'aller et retour d'un questionnaire par la poste ou que nécessite le déplacement d'un intervieweur. Dans certaines conditions, il est même possible de compléter une enquête téléphonique en quelques jours. Les sondages commandités par les médias d'information en période électorale en sont un exemple. Si l'administration du questionnaire ne requiert que cinq minutes et si l'on dispose d'une centaine d'intervieweurs, on peut même imaginer que les résultats d'un sondage réalisé entre 17:00 et 21:00 auprès de 1000 répondants pourront être diffusés au bulletin de nouvelles de 22:00!

FORMULATION DES QUESTIONS

Ayant précisé les questions et sous-questions auxquelles s'adresse la recherche et décidé du mode d'administration, le chercheur est prêt à entreprendre la première rédaction du questionnaire. A partir d'un plan détaillé de tous les aspects à couvrir dans le questionnaire, il tentera de formuler des questions qui permettent de recueillir les informations souhaitées. Pour que les réponses recueillies soient valides, il devra faire en sorte que les répondants comprennent bien la question, qu'ils possèdent l'information demandée et qu'ils acceptent de répondre franchement.

Si les buts poursuivis au moment de formuler une question sont passablement évidents, les moyens pour y arriver le sont beaucoup moins. Tous les auteurs s'entendent pour dire que la formulation des questions est beaucoup plus un art qu'une science. Alors qu'il existe des règles précises pour sélectionner un échantillon ou pour procéder à l'analyse statistique des résultats, il n'existe pas de règles aussi précises pour aider le chercheur à formuler ses questions. On trouve de nombreux ouvrages spécialisés traitant de l'échantillonnage, mais rien de comparable pour ce qui est de la formulation des questions. Ce que l'on trouve, ce sont surtout des conseils issus de l'expérience pratique de certains spécialistes (par exemple, «évitez les questions tendancieuses»), lesquels conseils sont habituellement accompagnés d'exemples anecdotiques (par exemple, «Depuis quand avez-vous cessé de battre votre femme?»). Ces conseils sont certes intéressants, mais ils sont habituellement trop généraux pour aider le chercheur à choisir entre différentes formulations de la même question. On trouve également dans la littérature plusieurs résultats d'expérience où sont comparées deux ou trois formulations de la même question. Ces résultats obtenus à partir d'une question donnée, dans un contexte particulier, auprès d'une certaine population demeurent malheureusement trop spécifiques pour être facilement généralisés à d'autres questions, à d'autres contextes ou à d'autres populations. De plus, les résultats obtenus dans diverses expériences se sont souvent révélés contradictoires. Peut-être des expériences moins fragmentaires et plus nombreuses sauront-elles, dans un proche avenir, fournir les bases à un véritable savoir scientifique concernant la formulation des questions.

Compte tenu de l'état des connaissances actuelles, les pages qui suivent ne tenteront pas de donner des conseils précis, et encore moins des recettes, sur la façon de formuler les questions. L'objectif sera seulement d'y discuter un certain nombre de problèmes généraux de façon à illustrer à quel point la formulation des questions est un art difficile.

Pertinence de la question

Il ne sert à rien de poser une question qui ne répond à aucun des objectifs de la recherche, qui ne sera pas utilisée lors de l'analyse des résultats et dont il ne sera même pas fait mention dans le rapport de recherche. Ce conseil peut paraître inutile tellement il est évident, mais n'en mérite pas moins d'être rappelé puisqu'une des fautes les plus répandues, chez ceux qui rédigent pour la première fois un questionnaire, est justement de poser des questions sans trop savoir pourquoi. Sur n'importe quel sujet (par exemple, les connaissances et les comportements des adolescentes en matière de contraception), il est possible d'imaginer sans effort des dizaines de questions, et même des centaines, si on prend le temps de s'informer le moindrement. Parmi cette multitude de questions imaginables, le moyen le plus sûr de reconnaître celles qui méritent d'être posées et celles qui ne le méritent pas, consiste à se référer aux objectifs de la recherche.

Simplicité du vocabulaire

Si l'on veut que la question soit comprise par tous, il est important d'utiliser des mots qui seront compris par tous. Cela peut paraître évident, mais les chercheurs ont tendance à surestimer le vocabulaire des répondants plutôt qu'à le sous-estimer. Cela est également vrai des experts ou des collègues auxquels le chercheur soumettra la première rédaction du questionnaire pour en recevoir les commentaires et les critiques.

Au moment de formuler une question, il faut donc faire l'effort de se mettre dans la peau des répondants les moins scolarisés, les moins informés, les plus ignorants. Contrairement au journaliste qui choisira ses mots en fonction du lecteur moyen, l'auteur d'un questionnaire doit d'abord penser à ceux dont la compétence linguistique est bien inférieure à la moyenne.

Face à chaque mot que contient une question, on doit se demander s'il n'existerait pas un mot plus simple, plus familier, plus court qui puisse le remplacer sans changer le sens de la question. A titre d'exemples, les mots énumérés à gauche, ci-dessous, pourront souvent être remplacés par les mots plus simples énumérés à droite.

acquérir	acheter
affirmer	dire
assistance	aide
attitude	opinion
constant	même
équitable	juste
informer	dire
majeur	principal
préserver	protéger
la probabilité	les chances
résider	habiter, vivre
suffisant	assez
terminer	finir

Sauf dans les cas où l'on s'adresse à une population spécialisée et relativement homogène (par exemple, les membres d'une même profession), il faut éviter les termes appartenant au langage technique ou à un domaine spécialisé (fiscalité, facteur d'amortissement, gras polysaturés, syndrome prémenstruel, médiane, corrélation). A défaut d'un synonyme qui soit satisfaisant, on aura recours à une périphrase. S'il demeure impossible de remplacer un mot technique par un ou plusieurs mots plus simples, on devra l'accompagner d'une définition. Si l'on veut que la question soit comprise par tous, il faudra également éviter les termes trop abstraits (moratoire, déontologie), les expressions empruntées à une langue étrangère (*brainstorming, quiproquo*), les abréviations (etc., ex., i.e., c.-à-d., env.) et les sigles de toutes sortes (ONU, URSS, RFA, UPA, MTS).

Il peut paraître simple de formuler une question avec des mots simples, mais c'est en vérité un des exercices les plus difficiles qui soit. En substituant des mots simples à des mots complexes, la question risque d'être beaucoup plus longue qu'elle ne l'était initialement tout en étant plus compliquée au plan grammatical. En n'utilisant que des mots usuels, la question risque également d'être moins précise, puisque les mots les plus utilisés dans une langue (par exemple, «faire», «dire», «regarder», «aller») sont généralement ceux pour lesquels le dictionnaire fournit le plus grand nombre de sens différents. Payne (1951) illustre bien cette difficulté dans un chapitre (devenu célèbre) entièrement consacré à discuter 40 formulations successives de la même question de façon à la rendre compréhensible par tous. Après avoir allongé la question de 8 à 28 mots, Payne qualifie sa 41e version de passable et avertit le lecteur qu'elle pourrait, malgré tout, se révéler déficiente.

Longueur de la question

Dans un questionnaire auto-administré, il est important que la question puisse être facilement comprise à la première lecture. Un questionnaire d'enquête n'est pas un questionnaire d'examen, et le fait de ne pas bien comprendre une question n'entraîne aucune conséquence fâcheuse pour le répondant. La plupart des répondants seront pressés de terminer le questionnaire et ne se donneront pas la peine ni de lire très attentivement les questions, ni de les relire au besoin. Certains répondants, plus pressés encore, tenteront de fournir une réponse après n'avoir lu que les quelques premiers mots d'une question. On comprendra qu'une longue question, nécessitant une attention soutenue et un effort de mémorisation, risque d'être moins bien comprise qu'une question qui tient en quelques mots («Savez-vous nager?»).

Il est encore plus important qu'une question soit brève quand elle est lue par un intervieweur. Compte tenu des limites de la mémoire auditive, les répondants auront de la difficulté à intégrer tous les éléments d'information contenus dans une longue question. Pour ne pas donner l'impression qu'ils sont lents à comprendre et pour ne pas ralentir le rythme de l'entrevue, ils préféreront fournir une réponse en fonction de ce qu'ils ont réussi à comprendre de la question plutôt que de demander à l'intervieweur de la répéter.

Parce qu'il est plus difficile de saisir l'idée générale d'une longue question, les répondants seront plus facilement influencés par certains aspects accessoires de la question. Par exemple, certains répondants accorderont plus d'importance à ce qui a été dit au début de la question, alors que d'autres seront surtout influencés par ce qui a été dit à la fin. Ainsi, dans une expérience où l'ordre des réponses à 13 questions avait été inversé pour la moitié des 6400 répondants, Payne (1951) rapporte des différences significatives pour 7 des questions. Dans le cas de 6 de ces questions[1], la réponse lue en dernier était plus souvent choisie (effet de récence), tandis que la réponse lue en premier était plus souvent choisie (effet de primauté) dans le cas de la septième. Puisque les 7 questions où l'ordre des réponses a produit des différences significatives contenaient une fois et demie plus de mots en moyenne que les 9 autres questions, Payne conclut que de longues questions risquent d'être beaucoup plus vulnérables à un effet d'ordre et, particulièrement, à un effet de récence. On doit donc, de façon générale, se montrer plus méfiant face aux résultats obtenus à une longue question puisque des changements mineurs dans le choix des mots ou dans l'ordre des idées sont susceptibles de modifier considérablement la distribution des réponses.

Il n'est pas toujours possible de rédiger des questions qui soient brèves. En voulant rendre concret le sens de la question, en voulant utiliser des mots que tous comprennent, le chercheur sera souvent amené à écrire une question beaucoup plus longue qu'il ne l'aurait souhaité. Une solution qui peut parfois être utilisée est de poser deux ou plusieurs questions plus spécifiques au lieu d'une seule question plus générale. Par exemple, au lieu de poser une question sur le revenu annuel du répondant en expliquant longuement toutes les sources de revenu dont il doit tenir compte, il est plus

---

1.   Trente ans plus tard, Schuman et Presser (1981, pp. 59-61) ont repris la même expérience pour deux des questions utilisées par Payne et ont obtenu des effets de récence aussi forts, sinon plus, que ceux signalés par Payne. Par exemple, à la question

> «Certaines personnes affirment que les réserves de pétrole seront encore abondantes dans 25 ans d'ici. D'autres affirment au contraire que, au train où vont les choses, les réserves mondiales de pétrole seront épuisées dans 15 ans environ. Selon vous, laquelle de ces deux affirmations se rapprochent le plus de la vérité?»

qui faisait partie d'un sondage réalisé en janvier 1979 auprès de 566 Américains, 63,5% ont choisi la première affirmation (abondance dans 25 ans) quand elle apparaissait en première position et 77,3% quand elle apparaissait en deuxième position ($p < 0,001$). Lors d'un autre sondage réalisé en avril 1979 auprès de 661 personnes, les pourcentages obtenus à la même question étaient respectivement de 60,7% et 68,3% ($p < 0,05$).

simple de poser séparément une question sur chaque source de revenu (salaires, pourboires, pensions, intérêts, gains de capital, etc.). Dans les cas où il est impossible d'abréger une question parce que l'on doit fournir au répondant un certain nombre d'informations préalables, Dillman (1978) suggère de résumer brièvement l'ensemble des informations qui auront été données immédiatement avant de demander au répondant de se prononcer. Par exemple, pour savoir ce que pense la population d'un nouveau projet de loi, on pourra dans un premier temps expliquer les dispositions les plus importantes du projet, ensuite les résumer brièvement et, finalement, demander si le répondant est favorable ou défavorable au projet.

En terminant, il est intéressant de signaler qu'une question longue peut, dans certains cas, produire des réponses plus valides qu'une question brève. Bradburn (1981) cite certaines recherches récentes où les répondants auraient déclaré un plus grand nombre de comportements socialement indésirables (consommation d'alcool et de drogue, relations sexuelles, masturbation, etc.) pour une version longue que pour une version brève de la même question. Selon Sudman et Bradburn (1982), une question plus longue ne serait pas seulement utile pour contrer l'effet de la désirabilité sociale, mais aiderait également les répondants à mieux se rappeler la fréquence de certains comportements. En donnant comme exemple les questions suivantes,

version courte:

«Vous est-il déjà arrivé, ne serait-ce qu'une fois, de boire du vin ou du champagne?
(SI OUI) Dans les 12 derniers mois, avez-vous bu du vin ou du champagne?»

version longue:

«Les vins sont devenus de plus en plus populaires ces dernières années auprès du grand public. Par vins, nous n'entendons pas seulement le vin de table, mais aussi les vins comme le vermouth, le sherry, le porto, les vins mousseux et le champagne. Vous est-il déjà arrivé, ne serait-ce qu'une fois, de boire du vin ou du champagne?
(SI OUI) Les occasions pour boire du vin sont nombreuses. On peut en boire pour accompagner un bon repas, comme apéritif avant de passer à table, pour célébrer un événement spécial, pour agrémenter une réunion d'amis et pour bien d'autres raisons encore. Dans les 12 derniers mois, avez-vous bu du vin ou du champagne?»

ces auteurs mentionnent trois raisons qui expliqueraient la supériorité d'une question plus longue. Premièrement, elle permet de fournir au répondant des indices ou des exemples qui lui faciliteront le rappel. Deuxièmemement, en étant plus longue, elle laisse plus de temps au répondant pour penser à sa réponse. Troisièmement, plusieurs recherches (voir Bradburn *et al.*, 1979) en psychologie ont montré que plus une question est longue, plus les sujets répondent longuement. En parlant plus longtemps, le répondant pourra mieux explorer ses souvenirs. S'il est avantageux d'allonger une question quand elle porte sur des comportements qui sont habituellement sous-évalués par les répondants, cette approche n'est sûrement pas indiquée dans le cas de comportements qui ont plutôt tendance à être surévalués. Ainsi, une question demandant combien de fois par semaine le répondant utilise la soie dentaire, n'a certes pas besoin d'une longue introduction signalant qu'il existe aujourd'hui sur le marché une grande variété de soies dentaires s'adressant à une clientèle sans cesse grandissante et de plus en plus enthousiaste.

Questions ambiguës

Une question brève, n'utilisant que des mots familiers, sera peut-être comprise par tous, mais elle ne sera pas nécessairement comprise de la même façon par tous. Il suffit parfois d'un seul mot ambigu dans la question pour que les sujets répondent à des questions différentes. Si la question n'a pas été interprétée de la même façon par tous les répondants, les réponses obtenues ne seront évidemment pas comparables. Une question ambiguë produira toujours des résultats ambigus.

Éviter les questions imprécises. Si l'on veut qu'une question soit comprise de la même façon par tous les répondants, il faut à tout prix éviter de poser des questions qui soient vagues ou imprécises. Une question comme «Quel est votre revenu annuel?» peut donner lieu à des réponses très différentes selon que le répondant pense à son revenu de l'an dernier ou de cette année, à son revenu avant ou après déduction de l'impôt, à son revenu personnel ou familial, à son revenu gagné (salaires) ou aux autres sources de revenu (intérêts, pensions, prestations sociales, etc.). Une question comme «Allez-vous à l'opéra?» pourra être comprise par l'un comme «Dans votre vie, êtes-vous déjà allé à l'opéra?» et par l'autre comme «Allez-vous régulièrement à l'opéra?». A la question «Où êtes-vous né?», certains donneront le nom d'un pays, d'autres le nom d'une ville, d'autres le nom d'une rue et d'autres diront «A l'Hôpital Sainte-Justine». La question «Depuis combien de temps vivez-vous ici?» aura autant d'interprétations différentes que le mot «ici» peut en avoir (Ce logement? Ce quartier? Cette ville? Ce pays?). Il en est de même du mot «genre» dans la question «Quel genre de maison habitez-vous?»; on pourra tout aussi bien y répondre «Un bungalow», «Une maison de banlieue», «Une maison de style victorien», «Une maison avec quatre chambres à coucher» ou encore «Une maison confortable». A la question «Quelle est votre occupation présentement?», il se trouvera toujours quelques répondants pour dire qu'ils répondent à un questionnaire. De toutes les questions imprécises que l'on peut imaginer, celles commençant par «Pourquoi» sont probablement celles qui produisent le plus grand nombre d'interprétations différentes. Par exemple, dans un questionnaire portant sur les loisirs, on pourra d'abord demander «Qu'avez-vous fait samedi soir dernier?» (réponse: «J'ai regardé la télévision»), puis «Pourquoi avez-vous regardé la télévision?» (réponse: «Parce qu'il y avait un bon film» ou «Par habitude» ou «Parce que les routes étaient trop mauvaises pour sortir» ou «Parce que je m'étais couché tard la veille» ou «Parce que ma femme voulait rester à la maison»).

Les exemples de questions imprécises qui viennent d'être donnés sont tous assez évidents et il serait facile de les corriger soit en rendant le texte de la question plus précis («Dans quel pays êtes-vous né?»), soit en précisant les choix de réponses («Allez-vous à l'opéra? (1) Jamais (2) Moins d'une fois par année (3) Une fois ou plus par année»). Il ne faut cependant pas conclure, des exemples précédents, qu'il est toujours facile d'éviter le piège des questions imprécises. Les questions imprécises ont souvent leur origine dans le fait que le chercheur lui-même n'a pas une idée très claire de l'information qu'il veut obtenir. La question peut paraître précise à la première lecture et la plupart des répondants n'éprouveront aucune difficulté à donner une réponse. Cependant, plus un répondant s'attardera au sens de la question, moins il comprendra ce que le chercheur voulait savoir au juste. Payne (1951, p.150) cite en exemple la question «Est-ce que notre pays devrait être plus actif sur la scène internationale?». Même si 100% des répondants donnaient une réponse affirmative à cette question, il serait impossible d'en tirer la moindre conclusion sur les changements souhaités par tous ceux qui ont répondu oui. Le mot «pays» veut-il dire le gouvernement, les citoyens ordinaires, les grandes compagnies ou tout ce monde à la fois? Le mot «actif» désigne-t-il l'activité diplomatique, les échanges commerciaux, l'aide humanitaire, la présence militaire ou quoi encore? Quant à la «scène internationale», elle risque d'être assez vaste.

Éviter les adverbes indéfinis. Il faut se méfier des adverbes comme «souvent», «beaucoup», «ici», «maintenant», «généralement», dont le sens n'est jamais très précis et qui risquent d'être interprétés différemment d'un répondant à l'autre. A la question «Allez-vous souvent au cinéma?», certains répondront «non» considérant qu'une fois par semaine n'est pas souvent et d'autres répondront «oui» considérant que deux fois par année est souvent. De la même façon, la question «Buvez-vous beaucoup de café?» pourra recevoir un oui de la part d'un répondant qui en boit rarement plus de deux tasses par jour, tandis qu'un autre qui en boit au moins cinq tasses répondra «non». A ces deux exemples de questions ambiguës, il serait possible d'en ajouter bien d'autres:

«Est-ce que vous habitez *près* du centre-ville?»
«Allez-vous *régulièrement* à la messe?»
«Pensez-vous que les réserves mondiales de pétrole seront *prochainement* épuisées?»
«Vous lavez-vous *généralement* les mains avant de passer à table?»
«Les taux d'intérêt que nous connaissons *aujourd'hui* vous paraissent-ils acceptables ou inacceptables?».

Pour éviter qu'une même réponse ait des sens différents et que des réponses différentes aient le même sens, il est grandement préférable d'avoir recours à une échelle de réponse numérique, quitte à utiliser des catégories de réponses assez larges pour faciliter la tâche du répondant. Par exemple, pour savoir si le répondant va souvent au cinéma, on pourra lui demander de choisir l'une des catégories suivantes: (1) moins d'une fois par année, (2) une à cinq fois par année, (3) six à douze fois par année, (4) plus de douze fois par année. Pour savoir si le répondant boit beaucoup de café, on lui demandera de choisir entre (1) une tasse ou moins par jour, (2) deux à trois tasses par jour, (3) quatre tasses ou plus par jour.

Si une estimation numérique est généralement préférable à une évaluation trop subjective, il ne faut pas pour autant en conclure que des adverbes comme «souvent» et «beaucoup» n'ont jamais leur place dans un questionnaire. Dans bien des cas, l'aspect sur lequel porte la question ne se prête que difficilement à une estimation quantitative et une échelle subjective, si on prend soin d'utiliser des catégories qui soient suffisamment distinctes, facilitera la tâche du répondant. Les questions ci-dessous en sont des exemples.

«Vous lavez-vous les mains avec du savon avant de manger ou de préparer un repas?»

(1) Presque jamais
(2) Parfois
(3) Souvent
(4) Toujours ou presque toujours

«Est-ce qu'il vous arrive de rendre des services à vos voisins?»

(1) Rarement
(2) Souvent

Éviter les mots extrêmes. Si certains mots comme «souvent» et «beaucoup» présentent l'inconvénient d'avoir un sens trop large, d'autres mots comme «tout», «tous», «chacun», «aucun», «personne», «toujours» ou «jamais» présentent l'inconvénient d'avoir un sens trop étroit. Si la plupart des répondants sauront interpréter ces mots en tenant compte du sens général de la question, certains répondants feront montre d'une attitude puriste et les interpréteront dans un sens littéral qui ne souffre aucune exception. Par exemple, à la question «Prenez-vous un petit déjeuner tous les matins?», certains répondants pourront répondre non, simplement parce qu'il leur est arrivé à quelques rares occasions de se lever en retard et de ne pas avoir le temps de déjeuner. A la question «Est-ce que vous observez toujours les feux de circulation?», certains automobilistes très respectueux du code de la route pourront répondre négativement parce qu'il leur est déjà arrivé, dans des circonstances exceptionnelles, de brûler un feu rouge. A la question «Pensez-vous que le nouveau gouvernement fait tout ce qui est en son pouvoir pour relancer l'économie du pays?», il y aura toujours des répondants qui répondront non, même s'ils sont très satisfaits du gouvernement, sous prétexte qu'il y a toujours place dans la vie pour faire plus et pour faire mieux. Au moment de rédiger les questions, il faudra donc être attentif à tous ces mots qui risquent, selon l'expression populaire, «d'être pris au pied de la lettre».

Éviter les mots qui n'ont pas le même sens pour tous. Même quand elle est rédigée avec des mots simples et familiers, une question pourra se révéler ambiguë si elle contient un mot ou une expression qui n'a pas la même signification chez tous les répondants. Il est bien connu, par exemple, que le mot «tourtière» n'a pas le même sens à Chicoutimi qu'à Montréal. Le mot «liqueur», selon que l'on est plus ou moins fortuné, fera penser à du Coca-Cola ou à du Grand-Marnier. Pour certains, le mot «dîner» correspond au repas du midi et, pour d'autres, au repas du soir. La question «Aimez-vous recevoir des amis à dîner?» sera bien comprise en France, alors qu'au Québec plusieurs objecteront qu'ils préfèrent de beaucoup recevoir leurs amis à souper. Lors d'une enquête récente réalisée dans la région de Sherbrooke, un certain nombre des répondants ayant répondu «jamais» ou «quelquefois» à la question «Prenez-vous un petit déjeuner tous les matins?» ont noté en marge du questionnaire qu'ils avaient l'habitude de prendre un «gros» déjeuner. A la questions «Avez-vous vu votre médecin récemment?», on peut supposer que certains diront «oui» pour la bonne raison qu'ils l'auront croisé au supermarché ou à la banque. Dans tous les cas où une enquête s'adresse au grand public, il faudra donc être particulièrement vigilant si l'on veut éviter que certaines questions ne soient comprises différemment par des répondants provenant de différentes régions ou de milieux différents.

Éviter les termes trop généraux. Au moment de formuler une question, le chercheur hésitera à utiliser des termes comme «la cybernétique», «l'homéostasie» ou «l'assiette fiscale» pour la simple et bonne raison qu'ils risquent d'être mal compris par la majorité des répondants. Par contre, il sera beaucoup moins hésitant à utiliser des termes comme «la science», «la politique», «le gouvernement», «le syndicalisme», «le monde des affaires», «le patronat», «l'industrie pétrolière», «la crise de l'énergie», «la pollution» ou «l'informatique», puisque ces mots font aujourd'hui partie du langage quotidien et que rares sont les répondants qui seraient incapables d'en donner une certaine définition.

Le danger de ces termes que tous comprennent est qu'ils sont tellement généraux que chacun sera amené à les interpréter à sa façon, en fonction d'expériences, de souvenirs ou d'images personnels. Au moment de répondre à la question «Croyez-vous que la révolution informatique aura plus de conséquences positives que négatives, ou croyez-vous que les conséquences seront plus négatives que positives?», tel répondant pourra penser au micro-ordinateur qui fait la joie de ses enfants, tel autre pensera aux banques de données centralisées qui menacent sa vie privée, et tel autre aux robots qui ont remplacé beaucoup de travailleurs dans l'industrie automobile. De la même façon, les images associées à «la pollution» risquent d'être très variées; on pourra tout aussi bien penser aux pluies acides qui dévastent forêts et lacs, au *smog* dans les grandes villes, aux plages qui ont été condamnées, aux dépotoirs sans cesse plus envahissants, aux préservatifs et colorants ajoutés aux aliments, aux déchets nucléaires, à la fumée de cigarette du voisin ou simplement aux bouteilles vides jetées en bordure des routes. Ne sachant trop comment le terme général de pollution a été interprété par les répondants, il sera difficile à un chercheur de tirer des conclusions précises des résultats obtenus à la question «Selon vous, les journalistes accordent-ils trop peu, juste assez ou trop d'importance aux problèmes de la pollution?».

Éviter les exemples trop spécifiques. Comme le montrent les questions ci-dessous, il est parfois nécessaire de fournir des exemples si l'on veut préciser le sens de certains termes («médias») ou éviter que la question demeure trop vague («activités physiques»).

«Diriez-vous que les médias (journaux, radio, télévision) font preuve d'objectivité dans leurs informations sur l'Union soviétique?»

«Faites-vous régulièrement des activités physiques pour vous garder en forme (ex. natation, bicyclette, gymnastique, ski, patin, tennis, etc.)?»

Le danger d'une question qui recourt à des exemples est que beaucoup de répondants réagiront en fonction des exemples spécifiques qui auront été donnés et non pas en fonction de l'idée générale que ces exemples visaient à illustrer. Ce danger est particulièrement grand dans les cas où un seul exemple serait donné. Ainsi, les réponses à la question «Pensez-vous que des légumes feuillus comme les épinards devraient être consommés tous les jours?» risquent d'être assez différentes des réponses à la question «Pensez-vous que des légumes feuillus comme la laitue devraient être consommés tous les jours?». De la même façon, le choix d'un exemple particulier risque d'influencer considérablement les réponses qui seraient recueillies aux questions suivantes:

«Êtes-vous favorable à l'avortement dans le cas de malformations congénitales (par exemple, le mongolisme)?»

«Éprouvez-vous de l'admiration pour les personnalités politiques comme Ronald Reagan?».

Même dans les cas où plusieurs exemples seraient donnés, il demeure possible que les répondants ne saisissent pas le sens général de la question et ne considèrent dans leur réponse que les exemples qui auront été mentionnés. Ainsi, à la question

«Participez-vous activement à des groupes ou associations (ligue sportive, club Lion, syndicat, œuvre de bienfaisance, comité de parents, etc.)?»,

on peut supposer que beaucoup de répondants ne feront pas l'effort de penser à d'autres groupes ou associations que ceux donnés en exemple. À la question

«Par rapport aux besoins de la population, les professionnels de la santé (médecins, optométristes, chiropraticiens, infirmières, etc.) vous apparaissent-ils trop nombreux, suffisamment nombreux ou pas assez nombreux?»,

on peut douter que les répondants penseront aux autres professionnels de la santé (dentistes, physiothérapeutes, acupuncteurs, psychologues, etc.) avant de fournir leur réponse.

Éviter les doubles questions. Si une question contient deux ou plusieurs idées distinctes, elle sera ambiguë et les réponses recueillies le seront également. La question précédente sur les professionnels de la santé est un exemple d'une question qui réunit plusieurs questions à la fois. En effet, un répondant serait en droit de répondre que, selon lui, il y a trop de médecins et pas assez d'infirmières (ou trop de psychologues et pas assez d'acupuncteurs). Et même si le répondant ne trouve pas la question ambiguë, sa réponse, elle, le sera. S'il dit que les professsionnels de la santé sont trop nombreux, on ne pourra jamais savoir s'il pensait également à tous les professionnels ou seulement à certains (par exemple, aux médecins). Au lieu de poser plusieurs questions en une seule, il aurait été préférable de poser autant de questions qu'il y a de professions différentes dans le secteur de la santé.

Les exemples de doubles questions seraient nombreux: «Les universités forment-elles trop de notaires et d'avocats?»; «Partagez-vous l'opinion de ceux qui pensent que la plupart des avocats sont incompétents et malhonnêtes?»; «Préférez-vous les grosses voitures puissantes ou les petites voitures économiques?»; «Aimez-vous voyager en train et en autobus?»; «Partagez-vous les opinions politiques et religieuses de vos parents?»; «Êtes-vous un lève-tôt ou un couche-tard?»; «Aimez-vous les sports d'équipe (hockey, football, base-ball, soccer, etc.)?»; «Les relations sexuelles prémaritales et extraconjugales vous semblent-elles acceptables?».

Il ne faut pas conclure des exemples précédents que les doubles (triples ou quadruples) questions sont toujours évidentes et qu'il est toujours facile de les éviter. La question «Êtes-vous favorable à ce que le gouvernement fédéral réduise le budget consacré à la défense de façon à augmenter le budget consacré à l'aide sociale?» sera, par bien des chercheurs, considérée comme un excellent indicateur permettant de distinguer entre les répondants de «gauche» et les répondants de «droite». Le problème que soulève cette question est que certains répondants pourrront être très favorables à une diminution des dépenses militaires tout en étant farouchement opposés à la moindre augmentation des dépenses sociales. Ils pourront tout aussi bien répondre «oui» parce qu'ils se sentent d'accord avec une partie de la question ou répondre «non» parce qu'ils se sentent en désaccord avec la totalité de la question. La seule façon de savoir ce que pensent les répondants de l'une et l'autre mesure consiste à poser deux questions séparées.

Un autre exemple intéressant d'une double question est présenté par Dillman (1978):

«Seriez-vous favorable à la légalisation de la marijuana pour consommation chez soi à la maison mais non pas dans les lieux publics?».

Les réponses négatives à cette question ne signifient pas nécessairement que le répondant soit opposé à la légalisation de cette drogue. En effet, un répondant peut très bien se dire défavorable, non parce qu'il est en désaccord avec la première partie de la question (consommation légale à la maison), mais parce qu'il est en désaccord avec la seconde partie (consommation illégale dans les lieux publics). La question serait moins ambiguë et les réponses plus facilement interprétables si l'on posait une première question sur la consommation à la maison et une deuxième sur la consommation dans les lieux publics.

Dans certains cas, il peut s'avérer préférable de poser une double question. Comme le note Dillman avec justesse, ce serait le cas si le but de la question précédente était de connaître le pourcentage de la population qui est favorable à un projet de loi rendant légale la consommation de marijuana à la maison mais non pas dans les lieux publics. En posant deux questions au lieu d'une seule, peut-être saurions-nous ce que pensent les gens de chaque aspect du projet de loi, mais nous ne saurions pas s'ils sont d'accord avec l'ensemble du projet. Dans un tel cas, il est sûrement préférable de poser une seule question qui porte sur le projet de loi dans son ensemble:

> «Le gouvernement étudie présentement un projet de loi qui rendrait légale la consommation de marijuana chez soi mais non pas dans les lieux publics. Seriez-vous favorable ou défavorable à l'adoption de cette nouvelle loi?».

Si certains répondants trouvaient difficile de répondre à la question précédente, il est probable que cette nouvelle formulation ne leur causera aucune difficulté.

Questions tendancieuses

Une question tendancieuse (ou biaisée) est une question qui est formulée de façon à influencer les réponses des sujets dans une direction plutôt qu'une autre. C'est une question qui ne se limite pas à demander de l'information, mais qui suggère en même temps une réponse. Ce genre de question est fréquent dans les échanges quotidiens. Des questions comme «Vous allez bien?», «La santé est bonne?», «Vous avez bien dormi?» reçoivent rarement une réponse négative et la question «Rien de neuf?» reçoit rarement une réponse positive. Les questions qui commencent par «Ne croyez-vous pas que ...» ou par «Ne faudrait-il pas ...» sont d'autres exemples de questions tendancieuses qui sont d'un usage quotidien.

Les exemples les plus amusants de questions tendancieuses se retrouvent dans les sondages commandités par des groupes de pression, des organismes privés ou des partis politiques, dans le but de promouvoir une cause ou des intérêts partisans. Comme le montrent les exemples suivants, ces questions visent bien plus à influencer l'opinion publique qu'à la mesurer:

> «Êtes-vous favorable à l'indépendance du Québec même si cela signifie une dévaluation de 50% de notre monnaie?»

> «Trouvez-vous acceptable que le syndicat des chauffeurs d'autobus détienne en otage les travailleurs qui n'ont pas d'autre moyen que l'autobus pour se rendre à leur travail?».

Les exemples précédents sont d'une nature caricaturale et aucun chercheur sérieux n'aura idée de formuler des questions aussi biaisées. Il ne faut cependant pas conclure de ces exemples que les questions qui influencent les réponses dans une direction donnée sont toujours évidentes et qu'il est facile de les éviter. Il existe une multitude de façons moins évidentes d'influencer les réponses et le plus expérimenté des chercheurs ne sera pas toujours conscient que la formulation de sa question favorise certaines réponses au détriment d'autres réponses.

Recours à des mots chargés émotivement. Une des nombreuses façons d'influencer les réponses à une question est d'employer des mots qui éveillent des sentiments positifs ou négatifs. Des mots comme «liberté», «libre entreprise», «égalité», «justice», «juste profit» risquent de créer un préjugé favorable chez beaucoup de nos concitoyens (pas tous cependant) face au contenu de la question. Par contre, des mots comme «communiste», «bureaucratie», «taxes», «capitaliste», «impérialisme» seraient plutôt de nature à créer un préjugé défavorable. Par exemple, un plus grand nombre de citoyens américains se diront favorables à un rapprochement avec la «République populaire de Chine» qu'avec la «Chine communiste». On se souviendra des sondages réalisés au Québec, avant le référendum de mai 1980 sur la souveraineté-association, où le pourcentage d'indépendantistes dans la population variait considérablement selon que la question parlait de «séparation», d'«indépendance», de «souveraineté» ou de «souveraineté-association». Dans le même ordre d'idée, des sondages réalisés récemment aux États-Unis ont été vertement critiqués par des associations qui militent contre l'avortement parce que la question ne parlait pas d'«avortement», mais «de mettre fin à une grossesse».

Schuman et Presser (1981) rapportent certaines expériences fort intéressantes sur l'influence que peuvent avoir certains mots sur la répartition des réponses. L'une d'elles portait précisément sur l'influence du mot «avortement» et consistait à comparer les deux formulations suivantes:

> «Pensez-vous qu'il devrait être possible à une femme enceinte d'aller chez un médecin pour mettre fin à sa grossesse, quand elle est mariée et qu'elle ne désire plus avoir d'autres enfants?»

> «Pensez-vous qu'il devrait être possible à une femme enceinte d'aller chez un médecin pour obtenir un avortement, quand elle est mariée et qu'elle ne désire plus avoir d'autres enfants?».

Contrairement à certaines attentes, les résultats de cette expérience montrent que les répondants favorables à l'avortement étaient aussi nombreux (63,4%) dans le cas de la version utilisant le mot «avortement» que dans le cas de l'autre version (62,9%). Ce ne sont donc pas tous les mots qui risquent d'influencer les répondants.

Mention de figures prestigieuses. Une autre façon d'influencer les répondants est d'associer une idée ou une opinion à des personnes qui suscitent le respect. Plusieurs expériences en psychologie ont déjà montré que le nombre de sujets qui se disaient d'accord avec une opinion variait considérablement selon que l'opinion était associée à telle ou telle figure politique (par exemple, Roosevelt, Churchill, Hitler). Si l'on veut que les répondants se prononcent sur le contenu de la question, il est préférable d'éviter toute référence à des personnes dont le prestige ou la crédibilité risque d'influencer leur opinion (par exemple, le premier ministre, le pape, la Cour suprême, les experts). Une question qui dirait «Les experts pensent que ... D'autres personnes pensent que ... Vous, que pensez-vous?» risque fort de privilégier le point de vue des «experts» par rapport à celui des «autres personnes». Dans le même ordre d'idée, Sudman et Bradburn (1982) notent que l'augmentation du nombre d'Américains favorables à l'avortement sur demande entre 1969 et 1974 (de 40% à 47% selon les sondages Gallup) pourrait bien être attribuable au fait que la question posée en 1974 mentionnait la Cour suprême, ce que ne faisait pas la question posée en 1969. Les versions de 1969 et de 1974 étaient respectivement les suivantes:

> «Seriez-vous favorable ou seriez-vous opposé à une loi qui permettrait à une femme d'aller chez un médecin pour mettre fin à sa grossesse à n'importe quel moment durant les trois premiers mois?»

> «A la suite d'un jugement de la Cour suprême, une femme peut aller chez un médecin pour mettre fin à sa grossesse à n'importe quel moment durant les trois premiers mois. Êtes-vous favorable ou êtes-vous opposé à ce jugement?».

Absence d'une alternative explicite. La question «N'est-ce pas que vous êtes en faveur de la peine de mort?» est de toute évidence biaisée. Ce qui est moins évident, c'est que la question «Êtes-vous en faveur de la peine de mort?» puisse elle aussi être biaisée. En l'absence de raisons précises pour répondre «non», beaucoup de répondants qui n'ont pas d'opinion arrêtée sur la question seront tentés de répondre «oui». Si on leur avait demandé «Êtes-vous opposé à la peine de mort?», il est probable que ces répondants auraient également répondu «oui». Le fait de ne mentionner dans le texte de la question que l'un des choix offerts au répondant risque donc de biaiser les résultats dans le sens de ce choix. Pour éviter ce problème, il apparaît préférable de rendre explicite l'alternative offerte au répondant en demandant, par exemple, «Êtes-vous favorable ou opposé à la peine de mort?». De la même façon, on demandera «Êtes-vous pour ... ou êtes-vous contre?», «Êtes-vous d'accord ou êtes-vous en désaccord avec ...?», «Croyez-vous que c'est une bonne idée de ... ou une mauvaise idée?», «Devrait-on permettre ou interdire ...?» Une formule qui est souvent utilisée pour que les répondants se sentent entièrement libres de choisir entre les réponses consiste à dire au début de la question «Certaines personnes pensent que ... D'autres personnes pensent que ...». La question «Certaines personnes pensent que l'utilisation de la marijuana devrait être rendue légale. D'autres personnes pensent que l'utilisation de la marijuana ne devrait pas être rendue légale. Qu'en pensez-vous personnellement?» en est un exemple.

S'il est préférable d'être prudent et de mentionner explicitement l'une et l'autre réponses possibles dans le texte de la question, il ne faut pas pour autant conclure qu'une question qui ne le fait pas produira nécessairement des résultats biaisés. En fait, plusieurs expériences réalisées par Schuman et Presser (1981) montrent que, de façon générale, le fait d'expliciter les alternatives ne change guère les résultats à une question. Cependant, dans certaines circonstances, les résultats pourraient être très différents. Payne (1951) en donne comme exemple la question

> «Pensez-vous que la plupart des entreprises manufacturières qui diminuent leur personnel pendant les périodes creuses pourraient trouver les moyens d'éviter les mises à pied et de fournir du travail sur une base plus régulière?».

A cette question, 63% des sujets ont répondu que les entreprises pourraient éviter les mises à pied. En ajoutant à la fin de la question « ... ou pensez-vous que les mises à pied sont inévitables?», seulement 35% ont exprimé la même opinion.

L'absence d'un contre-argument. Le fait de rendre explicite que le répondant peut être «favorable ou défavorable», «pour ou contre», «d'accord ou en désaccord» n'est pas toujours suffisant pour garantir la neutralité de la question. Souvent, une question présentera un argument qui justifie ou explique l'une des positions exprimées sans fournir aucun argument à l'appui de la position contraire. La question

> «Seriez-vous favorable ou défavorable à ce que le Gouvernement du Québec augmente le budget alloué aux universités de façon à rattraper notre retard face à l'Ontario?»

est un exemple de ce genre de questions qui ne présentent qu'un côté de la médaille. Il est évident que, toutes choses étant égales par ailleurs, la très grande majorité des répondants sera favorable à un meilleur financement des universités. Il est tout aussi évident que les répondants seraient beaucoup moins favorables si l'on avait ajouté à la fin de la question «... même si cela entraîne une augmentation de vos impôts», ou «... même si cela signifie une diminution des ressources au niveau de l'enseignement primaire et secondaire», ou encore «... même si cela signifie l'abandon des programmes d'emploi pour les jeunes qui ne fréquentent pas l'université».

La question précédente est un bon exemple d'une question tendancieuse, d'une question qui influence les réponses dans un sens plutôt qu'un autre. Elle fournit au répondant une raison pour être favorable («rattraper notre retard») mais ne fournit aucune raison pour être défavorable. Une solution pour corriger ce déséquilibre serait de ne mentionner aucun argument et de demander simplement:

> «Seriez-vous favorable ou défavorable à ce que le Gouvernement du Québec augmente le budget alloué aux universités?».

Même si elle est beaucoup plus neutre, cette question a le défaut d'être abstraite, de paraître gratuite. Plusieurs répondants réagiront en disant «Que voulez-vous dire au juste?», ou «Pourquoi me posez-vous cette question?», ou «Pourquoi devrais-je être défavorable?». Le problème avec la question précédente est qu'elle demande aux répondants de se prononcer sur un sujet auquel ils n'ont jamais vraiment pensé. Si l'on veut que la question ait un sens et que les répondants soient en mesure de se prononcer, il apparaît nécessaire de mieux situer la question en expliquant pourquoi il est possible d'être pour et pourquoi il est possible d'être contre. Par exemple:

> «Plusieurs personnes pensent que le Gouvernement du Québec ne subventionne pas suffisamment les universités et que nous accusons un retard de plus en plus grand face à l'Ontario. D'autres personnes pensent que notre société a déjà beaucoup investi dans ses universités et qu'il est temps de s'occuper de problèmes plus urgents comme le chômage chez les jeunes. Laquelle de ce deux positions se rapproche le plus de ce que vous pensez?».

Si cette troisième formulation est moins tendancieuse que la première et moins gratuite que la seconde, elle n'en est pas pour autant irréprochable. On pourra lui reprocher premièrement le choix des arguments invoqués de part et d'autre. Faut-il investir plus dans les universités pour rattraper un retard historique face à l'Ontario, pour ne pas se laisser devancer par l'Ontario, pour ne pas compromettre les efforts et les sacrifices de plusieurs décennies ou pour assurer l'essor économique du Québec? Faut-il ne pas trop investir dans les universités pour freiner la hausse des impôts, pour consacrer plus de ressources ailleurs (enseignement primaire, chômage chez les jeunes, qualité de l'environnement) ou simplement pour forcer les universités à rationaliser leurs dépenses et à mettre fin aux gaspillages? Selon la nature des arguments qui auront été choisis, la question n'aura pas exactement le même sens et les résultats risquent d'être fort différents. Et même si le choix des arguments n'influençait pas le nombre de réponses favorables et défavorables, il risque d'influencer ceux qui se diront favorables ou défavorables. Par exemple, les parents des jeunes enfants seront sensibles à un contre-argument où il est question de l'enseignement primaire, les gens fortunés à un contre-argument où il est question d'impôts et les gens moins fortunés à un contre-argument où il est question de chômage. Deuxièmement, on pourra reprocher à la formulation précédente de ne pas être équilibrée même si elle contient un contre-argument. Si le contre-argument ne fait pas le poids, la question demeurera biaisée. Si le contre-argument va trop loin, elle deviendra biaisée dans l'autre direction. Ainsi, pour beaucoup de répondants, le simple fait que l'on «a déjà beaucoup investi» dans les universités apparaîtra une bien mauvaise raison pour ne pas continuer à le faire. Par contre, la nécessité de «s'occuper de problèmes plus urgents comme le chômage chez les jeunes» apparaît un argument avec lequel bien peu de répondants oseront ne pas être d'accord.

L'exemple qui vient d'être discuté illustre bien la difficulté, voire l'impossibilité, de formuler des questions qui soient neutres. Toute modification à la formulation de la question risque d'avoir une influence considérable sur la répartition des réponses. Pour certains, cette influence est tellement grande qu'ils considèrent que les résultats obtenus dans les sondages d'opinion sont plus le reflet de la formulation des questions que le reflet ce que pensent réellement les gens. Ce problème est particulièrement aigu dans le cas de questions portant sur des sujets qui n'ont pas été débattus sur la place publique et face auxquels les répondants n'ont guère eu l'occasion de réfléchir. Dans de tels cas, il y a lieu de se demander si le but de la question est de mesurer une opinion qui existe ou de créer une opinion qui n'existait pas encore avant que la question ne soit posée. S'il est vrai que les répondants n'avaient pas d'opinion avant d'être confrontés au contenu de la question, le problème de formuler des questions qui soient exemptes de tout biais devient un faux problème. En effet, pour qu'une question puisse donner une image déformée de l'opinion publique, encore faut-il qu'il existe au point de départ une opinion publique à déformer!

L'exemple que nous avons discuté n'est cependant pas typique de toutes les questions d'opinion. Il existe de nombreuses questions qui portent sur des sujets d'actualité et face auxquelles la très grande majorité des personnes a déjà une opinion arrêtée. Dans ces cas, le rôle de la question est de mesurer une opinion déjà existante et il est important de la formuler de la façon la plus neutre possible. Si la question présente un argument en faveur de l'une des positions, il faudra trouver un contre-argument qui équilibre adéquatement la question. Et même si la question ne présente pas explicitement d'argument en faveur de l'une des positions, il faudra veiller à ce que sa formulation n'oriente pas les répondants dans une direction plutôt qu'une autre. Par exemple, dans l'une des expériences réalisées par Schuman et Presser (1981), 32,1% des répondants ont répondu affirmativement à la question:

> «Quand il existe un syndicat dans une entreprise, pensez-vous que l'on devrait obliger tous les travailleurs à devenir membres du syndicat, ou êtes-vous opposé à cette mesure?».

Ce pourcentage n'était plus que de 23% quand la question rendait plus explicite la position contraire:

> «Quand il existe un syndicat dans une entreprise, pensez-vous que l'on devrait obliger tous les travailleurs à devenir membres du syndicat, ou pensez-vous que l'on devrait laisser le choix à chaque travailleur d'adhérer ou non au syndicat?».

Ce nouvel exemple illustre bien à quel point il peut être difficile de formuler de façon équilibrée une question d'opinion.

Problème de la désirabilité sociale. Notre discussion des questions tendancieuses ne saurait être complète sans mentionner qu'il est parfois souhaitable de formuler une question de façon à influencer les sujets à répondre dans un sens plutôt qu'un autre. Beaucoup de répondants, pour ne pas donner une image négative d'eux-mêmes, seront réticents à révéler certains comportements jugés indésirables ou à exprimer certaines opinions jugées impopulaires. Pour contrecarrer cette tendance à donner des réponses «socialement désirables» et obtenir des réponses plus valides, les auteurs de questionnaire recourent souvent à des formulations qui sont délibérément biaisées en faveur des réponses les moins désirables.

L'une des techniques utilisées est de fournir un argument sans fournir de contre-argument pour équilibrer la question. Sudman et Bradburn (1982) en donnent comme exemple les questions suivantes:

> «Plusieurs automobilistes trouvent qu'il est inconfortable de conduire avec une ceinture de sécurité et qu'il est plus difficile de rejoindre certains contrôles comme ceux des phares et des essuie-glaces. Si vous pensez à la dernière fois que vous étiez en voiture, est-ce que vous avez utilisé la ceinture de sécurité?»

> «Lors des dernières élections, est-ce que certaines circonstances incontrôlables vous ont empêché d'aller voter ou avez-vous pu aller voter?».

Un des arguments les plus souvent utilisés dans le cas de questions portant sur des comportements indésirables consiste à suggérer que «tout le monde le fait». Les questions suivantes en sont des exemples:

> «Même les plus calmes des parents perdent à l'occasion leur sang-froid avec leurs enfants. Vous est-il arrivé dans les sept derniers jours d'être exaspéré par votre enfant au point de vous mettre en colère?»

> «Comme vous le savez, la bière est la boisson alcoolisée la plus populaire auprès des Canadiens. Les gens en consomment dans les brasseries et les tavernes, au restaurant, lors d'événements sportifs,

en regardant la télévision à la maison et dans bien d'autres endroits. Vous est-il arrivé de boire de la bière dans les 12 derniers mois?».

Un autre type d'argument, illustré par la question suivante, est d'en appeler à l'autorité de personnes respectées:

«Plusieurs médecins pensent aujourd'hui que boire du vin peut prévenir une attaque cardiaque et faciliter la digestion. Avez-vous bu du vin au cours de la dernière année?».

Une façon de biaiser une question, qui doit généralement être évitée, consiste à offrir des choix de réponse qui sont déséquilibrés dans une direction. Par exemple, la question

«Diriez-vous que vous êtes entièrement satisfait du présent gouvernement, ou diriez-vous qu'il y a des choses dont vous n'êtes pas entièrement satisfait?»

est de toute évidence tendancieuse puisqu'elle ne permet pas à certains répondants d'exprimer qu'ils sont «entièrement insatisfaits». Cependant, dans les cas où la question demande au répondant de porter un jugement sur lui-même ou sur autrui, il peut s'avérer souhaitable d'offrir des choix de réponse plus positifs que négatifs. La raison en est que beaucoup de répondants seront réticents à émettre des jugements négatifs ou des critiques. En effet, une évaluation positive est toujours moins compromettante qu'une évaluation négative. Pour contrecarrer cette tendance naturelle et pour faciliter la tâche du répondant, on évitera des choix de réponse trop négatifs. Par exemple, au lieu de demander à des personnes mariées si elles sont satisfaites ou insatisfaites de leur vie de couple, on demandera

«Diriez-vous que vous êtes entièrement satisfait de votre vie de couple, ou diriez-vous qu'il y a des choses dont vous n'êtes pas entièrement satisfait?».

Les répondants, qui seraient réellement insatisfaits de leur vie de couple, trouveront plus facile d'avouer qu'ils ne sont «pas entièrement satisfaits» que d'avouer qu'ils sont «insatisfaits» . De la même façon et pour les mêmes raisons, on demande aux professeurs de certaines universités de noter les étudiants en utilisant les catégories suivantes:

A - Excellent
B - Très bien
C - Bien
D - Passable
E - Échec.

Une autre technique souvent utilisée quand la question porte sur un comportement que les répondants sont réticents à avouer consiste à présupposer le comportement. Kinsey, dans ses études célèbres sur la sexualité, a été un des premiers à utiliser cette technique. Après avoir constaté que très peu de répondants osaient avouer des comportements comme la masturbation, Kinsey en est venu à formuler ses questions en prenant pour acquis que le répondant avait déjà l'expérience de tel ou tel comportement. Ainsi, au lieu de demander «Vous est-il arrivé de vous masturber?», il demandait directement «A quel âge avez-vous commencé à vous masturber?». Un autre exemple de cette approche serait de demander «Combien de cigarettes fumez-vous en moyenne par jour?» sans demander au préalable «Est-ce que vous fumez la cigarette?». Cette approche ne doit cependant pas être utilisée dans le cas de comportements qui auraient plutôt tendance à être exagérés par les répondants. Par exemple, la question «Combien de fois par jour utilisez-vous la soie dentaire?» risque de surévaluer l'utilisation que font réellement les répondants de la soie dentaire. Dans ce cas, il est préférable de demander au préalable «Utilisez-vous la soie dentaire?».

CONCLUSION

Dans ce chapitre, nous avons tenté de sensibiliser le lecteur à certains problèmes que soulève la construction de tout questionnaire. On se souviendra que: 1) le questionnaire repose essentiellement sur le témoignage verbal et, à ce titre, il n'est pas toujours l'instrument de mesure le plus approprié; 2) le contenu du questionnaire doit être intimement lié aux objectifs de la recherche; 3) les modes d'administration ne sont pas interchangeables et chacun comporte des avantages et des inconvénients; 4) la formulation de questions qui permettent d'obtenir des renseignements valides est un art difficile. Si nous avons réussi, au cours des pages précédentes, à convaincre le lecteur qu'une recherche à l'aide d'un questionnaire comporte autant de difficultés et d'embûches que d'autres types de recherche, cette introduction n'aura pas été inutile.

Dans le cadre d'un seul chapitre, nous ne pouvions évidemment pas abordé tous les aspects de la construction d'un questionnaire (par exemple, sa présentation matérielle), et encore moins toutes les étapes d'une recherche par questionnaire (par exemple, la sélection d'un échantillon représentatif). Nous ne saurions trop conseiller au lecteur qui entreprendrait une telle recherche de consulter certains ouvrages généraux sur les questionnaires d'enquêtes ou sur les enquêtes par questionnaires (par exemple, Babbie, 1973; Gauthier, 1984; Moser et Kalton, 1972; Rossi, Wright et Anderson, 1983; Sudman et Bradburn, 1982 et Warwick et Lininger, 1975). Les bons ouvrages n'étant pas si nombreux, des ouvrages moins récents méritent également d'être consultés (par exemple, Parten, 1950 et

Payne, 1951). En terminant, signalons que l'ouvrage de Dillman (1978) constitue une référence indispensable à quiconque entreprendrait une enquête par la poste ou par téléphone.

RÉFÉRENCES

Atkinson, J.: A handbook for interviewers: a manual for Government Social Survey interviewing staff, describing practice and procedures on structured interviewing, (Government Social Survey, no M316), H.M.S.O., London, 1967.

Babbie, E.R.: *Survey research methods*, Wadsworth, Belmont, 1973.

Bradburn, N.M.: *Responses effects*, in Handbook of survey research. Rossi, P.H., J.D. Wright & A.B. Anderson (Eds), (pp.289-328), Academic Press, New York, 1983.

Bradburn, N.M. & al.: *Improving interview method and questionnaire design: response effects to threatening questions in survey research*, Jossey-Bass, San Francisco, 1979.

Dillman, D.A.: *Mail and telephone surveys: the total design methods*, John Wiley, New York, 1978.

Gauthier, B.: *Recherche sociale: de la problématique à la collecte des donnees*, Presses de l'Université du Québec, Québec, 1984.

Moser, C.A. & G. Kalton: *Survey methods in social investigation* (2e ed.), Basic Books, New York, 1972.

Parten, M.B.: *Survey, polls and samples*, Harper & Brothers, New York, 1950.

Payne, S.L.: *The art of asking questions*, Princeton University Press, Princeton, 1951.

Rossi, P.H., J.D. Wright & A.B. Anderson: *Handbook of survey research*, Academic Press, New York, 1983.

Suchman, H. & S. Presser: *Questions and answers in attitude surveys: experiments on question form, wording, and context*, Academic Press, New York, 1981.

Sudman, S. & N.M. Bradburn: *Asking questions: a practical guide to questionnaire design*, Jossey-Bass, San Francisco, 1982.

Survey Research Center: *Interviewer's manual*, Institute for Social Research, Ann Arbor, 1976.

Warwick, D.P. & C.A. Lininger: *The sample survey: theory and practice*, McGraw-Hill, New York, 1975.

Wallace, D.: A case for and against mail questionnaires. *Public Opinion Quaterly*, **18**:40-52, 1954.

CHAPITRE 10

OBSERVATION DIRECTE DU COMPORTEMENT

JACQUES P. BEAUGRAND

L'objectif du présent chapitre est de familiariser le lecteur avec les techniques d'observation *directe* du comportement. Celles-ci peuvent être définies comme entraînant la production d'observations du comportement, sans l'aide d'instruments traduisant de manière physique les événements. Prise dans ce sens, l'observation directe est *non instrumentale.* Une balance, un thermomètre, un levier, un électrocardiographe ou même un questionnaire ou un ordinateur programmé pour la reconnaissance de patrons formels, sont autant d'instruments qui rendent la détection et l'enregistrement des résultats moins discutables et moins sujets aux fluctuations introduites par des différences perceptives, conceptuelles et théoriques pouvant exister entre observateurs humains. Or, la technologie et les connaissances théoriques ne permettent pas toujours de mettre au point de tels instruments de détection et de mesure. La recherche doit alors progresser par observation directe, c'est-à-dire à l'aide d'instruments humains qui obtiennent directement des observations à partir d'une information fournie par leurs sens. Or, cette information sensorielle est vite interprétée en référence à des préconceptions préthéoriques ou théoriques qui donnent lieu à une activité classificatoire d'un niveau abstrait. Dans le présent chapitre, nous conviendrons que l'observation directe du comportement ne consiste pas seulement à reconnaître le comportement lorsqu'il se produit, mais aussi à le classer. Maîtriser les techniques d'échantillonnage est certes important. Cependant, l'observation directe du comportement ne se résume pas à ces techniques, leur application rigoureuse demeurant secondaire si les unités d'observation et les patrons d'exploration ne sont pas d'abord soigneusement et clairement définis, de façon à constituer des régularités modales, récurrentes, que l'observateur humain peut reconnaître de manière fidèle. Cela suppose donc l'établissement d'une taxonomie, même très primitive. Mais, l'observation directe, prise dans un sens épistémologique, prend un sens beaucoup plus restrictif que nous verrons en relation avec la définition du concept de comportement.

CONCEPT TRÈS GÉNÉRAL: LE COMPORTEMENT

Observer le comportement de manière directe exige qu'on ait d'abord défini le concept de comportement. Au sens strict, celui-ci recouvre toute activité d'un organisme vivant, possédant un système nerveux individuel, qui entraîne des modifications spatio-temporelles *observables*. Ainsi défini, le concept de comportement renvoie aux comportements apparents des individus et exclut ceux qui ne sont pas observables, comme les processus cognitifs, affectifs ou mentaux, lesquels sont cachés à l'observation et inférés. Or, plusieurs branches de la psychologie et des sciences du comportement (par exemple, l'ergonomie) emploient le terme de comportement non seulement en référence aux activités observables, mais aussi aux facteurs et processus non manifestes de nature mentale, instinctive, cognitive ou affective. Quant au skinnerisme, en plus de reconnaître le comportement comme une entité observable, il ajoute à la confusion en assimilant à la notion de comportement tout traitement d'information que l'on présume effectué par le système nerveux (par exemple, la conscience, le langage, la pensée, l'appétence).

Par convention, la définition du comportement exclura ici toute activité «interne» (neurophysiologique, cognitive, ou autre) de l'organisme pouvant servir d'explication pour le comportement «externe», observable. Le comportement en tant que concept individuel assure de distinguer les unités les unes des autres. Il rend possible l'analyse. Le concept de comportement en tant que concept de classe autorise la synthèse, l'établissement de classifications. La définition du comportement recouvrira donc, en plus des comportements observables, tous les «comportements» qui, sans être des processus inférés, sont des constructions conceptuelles utiles, rendant possible le regroupement et la classification des relations empiriques, observables. Ces «comportements» constituent des *variables* (ou plus exactement, des *concepts*) *intermédiaires* au sens de MacCorquodale et Meehl (1948). Ils exercent une fonction équivalente à celle des concepts de genre, de famille, d'ordre, de classe dans une taxonomie zoologique. Pris dans ce sens plus limitatif, le concept de comportement demeure néanmoins extrêmement vaste et chapeaute plusieurs niveaux d'organisation, depuis les niveaux individuel, social et suprasocial.

Dans une perspective plus éthologique ou biopsychologique, la gamme des comportements rassemblera plusieurs niveaux d'organisation: (1) les composantes motrices des patrons moteurs, le patron moteur étant alors considéré comme une unité globale composée de plusieurs sous-unités déclenchées en séquence; (2) les patrons moteurs eux-mêmes, qui sont des unités de comportement appartenant à un registre d'activités spécifiques et plus ou moins stéréotypées (par exemple, les parades agressives, sexuelles); (3) les actes individuels, qui sont des coordinations motrices produites par l'enchaînement de plusieurs patrons moteurs ou mouvements; (4) les échanges individuels avec l'environnement physique; (5) les interactions sociales entre deux et plusieurs individus; (6) le comportement de groupes entiers (par exemple, l'organisation hiérarchique dans un groupe); (7) les comportements de populations entières et d'espèces (par exemple, les stratégies reproductives d'une espèce, la migration chez les oiseaux); (8) et le comportement de groupes d'espèces, de familles et de genres (par exemple, la reproduction chez les insectes sociaux). Les niveaux (1) à (5), et à un moindre degré le niveau (6), se prêteront à des études descriptives et causales portant sur les mécanismes et l'ontogénèse de ces comportements. A partir du niveau (5), les études seront plus théoriques et spéculatives puisqu'elles porteront sur la philogénèse, la valeur sélective (adaptative) et l'évolution de ces comportements.

Évidemment, tous ces «comportements» ne sont pas *directement* observables ou perceptibles, pas plus que les concepts d'embranchement ou d'ordre peuvent l'être par les zoologistes. Le concept de comportement est à une éventuelle classification du comportement ce que le concept d'animal est à une classification zoologique. Ainsi, l'«observation» de l'organisation sociale dans un groupe d'individus, tout comme la collision des molécules pour le physicien nucléaire, n'est qu'*indirecte* au sens épistémologique: elle est le résultat d'une *inférence* reposant à la fois sur des données observées (des actes individuels, des traces laissées sur une pellicule photographique) et sur des hypothèses qui servent à interpréter ces faits perceptibles. Alors, nous conviendrons d'employer l'expression *observation directe* dans son sens technique, pour caractériser la situation comportant la constatation non instrumentale d'un fait objectif, cette première constatation pouvant servir ou non à effectuer une inférence lors de l'identification et de l'assignation à des catégories comportementales. L'identification et l'assignation à des classes (par partitionnement, par mise en ordre, par systématisation) pourront être faites sur la base de critères concrets, ou encore abstraits ou théoriques.

Que penser de ces taxonomies auxquelles on aboutit par l'application de critères abstraits ou de théories? Il semble, partant des leçons apprises des autres sciences, que les classifications faites à l'aide de théories sont les plus profondes et les plus fécondes pour un domaine. Les taxonomies comportementales reposant sur des critères concrets sont très primitives. Elles ne font que partitionner, c'est-à-dire distribuer les éléments de l'univers du discours dans des classes disjointes ou des niches qui n'entretiennent pas de relations systématiques entre elles. Elles sont tout simplement distinctes, discriminées. L'application de critères abstraits et théoriques à des éléments déjà discriminés au plan concret permet en premier lieu une mise en ordre par rapport à un *nouveau* critère (par exemple, le rôle et l'importance dans le répertoire pour assurer la survie, l'ordre d'apparition lors de l'ontogénèse, la densité spécifique s'il s'agit d'un objet physique). Cette mise en ordre est déjà plus intéressante que l'établissement d'une simple distinction. Une théorie apporte à une classification un haut pouvoir résolutif combiné à une *systémicité* due à l'existence de connections naturelles entre les membres de l'ensemble. Ainsi, le tableau périodique de Mendeleeff est un système hiérarchique, une classification systématique ne reposant pas sur des critères se référant aux caractéristiques concrètes des éléments (par exemple, la densité spécifique, l'apparence, la couleur, l'odeur, la dureté) mais sur des propriétés chimiques explicables par une théorie de l'atome. Il en est de même pour les taxonomies biologiques modernes: elles présupposent la théorie synthétique de l'évolution. Cependant, méthodologiquement, il faut d'abord distinguer les éléments de l'univers du discours (c'est-à-dire établir des taxonomies très primitives et provisoires reposant sur des critères observables) avant de réorganiser ces éléments en des réseaux interconnectés par les relations naturelles que peuvent suggérer les théories.

CRITÈRES DE RECONNAISSANCE ET DE CLASSIFICATION

Le comportement d'un organisme en interaction avec son environnement s'inscrit dans le cadre d'un système très complexe d'événements. La reconnaissance de similitudes et de différences entre les comportements constitue la première étape vers la connaissance du comportement. L'observation directe rend possible dans un premier temps l'émergence des critères d'inclusion et d'exclusion, et fournit la base de la classification. Dans un second temps, l'application systématique de ces critères aux événements comportementaux assurera d'en faire l'identification et l'assignation à des catégories ou classes. Le chercheur doit d'abord identifier et définir les propriétés pertinentes sur lesquelles s'appuient la reconnaissance des premières régularités ou unités comportementales et leur éventuelle inclusion ou exclusion dans une catégorie. Observer, c'est abstraire et classer, c'est-à-dire réaliser la reconnaissance des similitudes entre objets (ou propriétés d'objets) et leur regroupement sur cette base. Le terme classification étant employé dans trois sens différents, il est important de les distinguer. Le terme de classification est souvent employé dans le sens d'*identification*, c'est-à-dire du fait de reconnaître un objet et de l'assigner à une classe appropriée parmi des classes qui auront été définies au préalable. Le terme de classification est aussi employé dans le sens d'un *système classificatoire* ou *taxonomique*. Il s'agit d'un ensemble de règles ou de critères rendant possible la distinction des classes ou des ensembles de règles qui, une fois appliquées, assurent l'identification d'un objet. Ces systèmes sont les équivalents des théories, sans posséder toutefois leur aspect hypothético-déductif. Enfin, une classification peut correspondre au produit ou résultat final de l'application d'un système taxonomique à un ensemble d'objets. Il faut de plus distinguer l'identification faite au moment de l'observation de celle faite après coup, lorsque le chercheur, à partir des observations de base, établit, par regroupement, des données pertinentes et comparables à celles impliquées (implication matérielle) par ses hypothèses de recherche. Dans ce second cas, le chercheur applique le plus souvent un système classificatoire dont les classes sont plus globales, voire plus interprétatives ou plus théoriques, et pouvant être définies à posteriori; la classification résultante est alors provisoire et modifiable. Par contre, si un système classificatoire très général est appliqué à priori et dès l'observation, la classification résultante sera irrémédiablement définitive, à moins que le chercheur n'ait conservé sur les faits des archives magnétoscopiques, cinématographiques ou autres rendant possible la reprise du visionnement et une nouvelle identification. L'identification peut être faite sur la base de critères concrets ou descriptifs, ou de critères théoriques ou interprétatifs.

Critères concrets

Les critères concrets concernent les propriétés structurales, formelles, topologiques ou cinétiques (c'est-à-dire les mouvements) des comportements, ou encore, leurs effets physiques sur l'environnement.

Critère portant sur la forme. Un acte ou une posture peuvent être reconnus et assignés à une classe à partir de leurs formes ou de leurs caractéristiques structurales, plastiques, topologiques, ou cinétiques. Les caractéristiques formelles sont identifiables à partir des contractions musculaires en jeu, ainsi que de la position de certains membres et de certaines structures anatomiques, visuelles ou auditives. Par exemple, on peut reconnaître une mélodie à sa structure sonore. La plupart des postures, des gestes, des patrons moteurs, des expressions faciales et des cris spécifiques peuvent être identifiés à partir de tels critères. Habituellement, on fait globalement référence à l'organisation ou à la structure plastique. En effet, il n'est pas toujours nécessaire d'énumérer tous les muscles ou toutes les structures anatomiques en cause, ni leur état de contraction plus ou moins partiel, à moins que l'étude ne s'intéresse précisément à ces détails.

L'utilisation d'un critère de structure ou de forme peut être très laborieuse, si le comportement est complexe et rapide. La description très fine du comportement est bien souvent inutile dans la plupart des cas, puisqu'elle doit donner lieu à la construction d'unités comportementales plus globales et plus facilement intelligibles. Ce niveau de synthèse dépendra, bien entendu, des intérêts du chercheur et des questions qu'il se pose. S'il peut être difficile d'appliquer des critères formels à la notation même du comportement, ces critères demeurent néanmoins essentiels à la reconnaissance visuelle des patrons de base servant à construire ultérieurement des unités plus globales et plus faciles à noter.

Chaque patron de comportement peut être caractérisé par plusieurs dimensions que Drummond (1981) reconnaît comme importantes: la localisation dans l'espace, l'orientation, la topographie concrète et les propriétés intrinsèques. Cet auteur suggère d'examiner d'abord ces quatre domaines susceptibles de révéler des régularités formelles. Les états statiques ou les changements survenant dans un ou plusieurs de ces domaines fournissent les critères de reconnaissance des patrons de comportement par la suite décrits, nommés et définis.

Premièrement, la localisation dans l'espace concerne le lieu où se trouve l'individu, vers lequel il se déplace ou par lequel passe sa trajectoire. Ce lieu est défini par rapport à des éléments de l'environnement. Ainsi, charger, approcher, grimper dans un arbre et couver se réfèrent à un lieu. Les trois premières activités comportent des changements de lieu plus ou moins rapides; la dernière commande, au contraire, la constance du lieu, définie par rapport au nid ou à son contenu.

Deuxièmement, l'orientation concerne les positions des structures de l'individu, en relation avec d'autres structures, organiques ou non, de l'environnement. Il peut s'agir de diriger des structures vers des objets (par exemple, pointer ou regarder un cadran).

Troisièmement, la topographie tridimensionnelle de l'individu est une source importante de régularités rendant possibles la caractérisation et la reconnaissance des patrons moteurs. Des régularités peuvent être notées dans les mouvements de certains membres (jambes) ou de certaines structures (chapeaux, sourcils, pupille), de même que dans leurs configurations statiques (gonflement de certaines structures anatomiques, piloérection, froncement des sourcils). Les régularités sont notées en référence à ces structures individuelles, ou à d'autres structures.

Enfin, plusieurs organismes sont en mesure de modifier certaines propriétés intrinsèques de leur corps et de leur épiderme. Par cxemple, certains animaux peuvent changer de couleur, de température; leur capacité de réfléchir la lumière incidente peut varier. Lorsque ces états sont observables, ils servent à reconnaître les composantes essentielles des patrons de comportement.

Classification selon les effets. On peut par ailleurs procéder à l'identification à partir des cffets du comportement, lesquels affectent les objcts environnants et les congénères; on tient également compte des conséquences spatio-temporelles produites. Plusieurs comportements ont des effets directs sur l'environnement: ils déplacent, déforment, sectionnent, consomment, détruisent ou construisent certaines composantes de l'environnement. Les changements physiques d'origine mécanique, chimique ou électrique entrent dans cette catégorie. Les réponses appropriées ou non d'un ordinateur avec lequel interagit un opérateur, pourront être considérées comme des cffets du comportement de celui-ci, en autant que le chercheur possède une bonne connaissance du logiciel de contrôle exécuté par l'ordinateur. Par contre, les «réponses» d'un congénère ne seront pas habituellement considérées comme les «effets» des comportements d'un premier individu. La distinction se situe au niveau de la connaissance que l'on possède du système (humain-machine; humain-humain) qui est étudié: alors que l'ordinateur est un automate déterminé dont en principc l'expérimentateur possède un parfait contrôle (connaissance), les déterminismes du comportement social demeurent incertains. Le comportement n'a pas que des effets physiques; d'autres dimensions interviennent aussi dans la caractérisation à partir de ses effets, par exemple, les éjections, les dépôts et les émissions de sons, d'odeurs, de lumières et même de déchets.

Plus synthétique, cette façon d'identifier à partir des effets présente plusieurs avantages. Une seule expression résume en effet une description qui autrement nécessiterait la description de multiples contractions musculaires séquentielles. Ensuite, un seul terme peut désigner plusieurs types d'actes ou de patrons moteurs, pouvant eux-mêmes être décrits à partir de leurs conséquences. Par exemple, attaquer peut très bien être représenté par l'une ou l'autre de plusieurs actions: courir, voler, nager, marcher vers un congénère ou se déplacer rapidement vers lui — ce comportement étant suivi d'une morsure ou d'un coup de poing. On peut aussi définir les unités comportementales objectivement, en des termes ne renvoyant qu'à des changements dans l'environnement. Ainsi, manger a des conséquences immédiates qu'il est bien difficile de contester, puisque après avoir été portés à la bouche les aliments disparaissent. Cette définition ne correspond à rien d'autre qu'à une description de ce que l'individu fait, quels que soient les mécanismes de contrôle sous-jacents et les moyens locomoteurs ou autres entraînant ces effets. Enfin, décrire à partir des conséquences objectives des actes permet d'inclure, dans la description, certaines relations entre l'individu initiateur et le contexte spatio-temporel incluant des lieux, des objets, des congénères et d'autres comportements antérieurs ou postérieurs. Il est ainsi plus facile d'établir des régularités.

Par contre, ce mode de description présente quelques désavantages. En premier lieu, il y a perte de détails. En effet, si les postures et les patrons moteurs sont décrits à un niveau relativement molaire, l'information relative aux particularités plus subtiles de ces mêmes unités est sacrifiée. En second lieu, il y a perte d'information concernant ce qui est consécutif au comportement, et qui peut faire partie d'une chaîne de postures et de patrons moteurs, et en être la conséquence. Par exemple, lorsqu'un enfant s'approche rapidement d'un autre, s'agit-il d'une attaque dirigée vers ce dernier ou d'une fuite en réponse à un troisième individu ? En dernier lieu, il existe un risque grave d'interprétation excessive. En effet, la description du comportement à partir de ses effets immédiats conduit facilement à une description des conséquences adaptatives ou de la fonction de ce comportement.

Critères théoriques et abstraits

Les bases d'une classification ne sont pas toujours elles-mêmes observables. On a alors recours à des critères théoriques et abstraits. Ce sont des *interprétations* de certains indices concrets à l'aide de postulats, d'hypothèses ou même de théories. Ces critères débouchent, par exemple en éthologie et en biopsychologie, sur des classifications causales et fonctionnelles dont nous dirons quelques mots. En psychologie appliquée, lorsqu'elle ne portent pas directement sur la forme ou les effets immédiats du comportement, les «grilles» d'observation appliquent des critères abstraits et théoriques. Sous cette rubrique des taxonomies abstraites ou théoriques, on peut inclure les très nombreuses classifications qui reposent sur l'application de théories particulières, dans le domaine clinique ou ceux de la personnalité, de la motivation au travail, de l'éducation, etc. A titre indicatif seulement, l'application de tels critères à la classification de la performance et des tâches sera ici considérée.

Classification selon les causes. Les comportements ayant les mêmes causes (connues ou présumées) sont regroupés sous la même étiquette, selon les facteurs paraissant responsables de leur apparition. Ces facteurs comprennent les mécanismes et les processus physiologiques et neurologiques communs, de même que les stimuli exogènes communs. Si on souscrit à l'émergence d'un niveau d'organisation mental, psychologique, cognitif ou autre pouvant *causer* des comportements, la classification peut alors être mentale, psychologique, cognitive, etc. Ainsi, à un niveau biopsychologique, les comportements dont la fréquence ou l'intensité varient en relation avec des changements hormonaux sexuels peuvent être regroupés dans la catégorie des comportements sexuels, tandis que ceux déclenchés par la présence des petits peuvent être regroupés dans celle des comportements maternels. De la même façon, toutes les activités influencées ou déclenchées chez un individu, animal ou humain, par la présence d'un rival, peuvent être regroupées dans la catégorie des comportements agonistiques. Cette façon de classer est essentielle à la compréhension et à l'explication du comportement et elle postule que tous les comportements de la même classe sont contrôlés par les mêmes instances neurales, hormonales, *psychonales* (Bunge, 1980). Souvent pratique, elle soulève en revanche des problèmes concernant l'analyse causale — entre autres celui de pouvoir démontrer avant tout que l'identification des causes est valide, et que l'on peut, d'un point de vue conceptuel, considérer les comportements comme étant causés, et non simplement *identiques* aux causes évoquées pour en rendre compte (Hyland, 1981).

Classification selon la fonction. Les comportements peuvent aussi être regroupés selon leur fonction biologique ou psychologique présumée commune. La fonction désigne ce à quoi sert un organe, un comportement. Ainsi le cœur a pour fonction de pomper le sang. Les comportements ont aussi leur fonction, celle de contribuer à l'alimentation, à la défense personnelle, à la dominance, à la sexualité et à la pérennité. Les comportements destinés à l'obtention de nourriture sont regroupés dans la catégorie des comportements alimentaires, alors que ceux conduisant à plus ou moins long terme à la reproduction individuelle le sont dans celle des comportements reproducteurs. Les comportements épigamiques (c'est-à-dire reliés à la sexualité) ont pour fonction de synchroniser deux partenaires reproducteurs. Par ailleurs, ceux conduisant à l'établissement de relations de dominance et de soumission hiérarchiques appartiennent à la catégorie des comportements agonistiques.

En pratique, quand on considère une même espèce animale, les classifications causales et fonctionnelles se chevauchent considérablement. Ceci est normal dans une certaine mesure puisque, du point de vue évolutionniste, les mécanismes sous-jacents au comportement adapté sont beaucoup moins complexes quand des activités, apparentées sur le plan fonctionnel, ont les mêmes causes que si chacune d'elles avait des causes différentes (Hinde, 1970). C'est ainsi que certaines catégories fonctionnelles, comme celles des comportements sexuels et reproducteurs, désignent en outre des catégories causales. Dans la plupart des cas, ces modes de classification sont également reconnaissables au fait que les comportements y ont les mêmes effets sur l'environnement.

En psychologie industrielle et sociale, une fonction se définit «comme un ensemble d'actes groupés sur la base d'une caractéristique commune extrinsèque, contribuant à la transformation d'éléments du milieu» (Thinès et Lempereur, 1984). On y distingue, par exemple, les fonctions de production, vente, achat, finances, personnel et état-major, qui correspondent plus ou moins exactement à des divisions administratives dans des organisations commerciales.

L'application de critères fonctionnels ne doit pas être confondue avec l'*analyse fonctionnelle* de la psychologie behavioriste qui est analogue à découvrir l'équation mathématique, la fonction générale R = f(S), reliant R, la réponse obtenue expérimentalement et S, l'ensemble des conditions qui l'évoquent, la contrôlent (Tuomela, 1973).

Classifications des performances et des tâches. En psychologie du travail et en ergonomie, en plus de décrire objectivement à partir de la forme ou des effets observables du comportement, on applique aussi régulièrement des critères abstraits à l'étude de la performance et des tâches. La classification peut alors s'opérer sur l'une des cinq bases dont une description détaillée est présentée dans Fleishman et Quaintance (1984). Ces bases sont, pour l'essentiel, les suivantes.

(1) *Comportements requis.* La classification est réalisée à partir des comportements qui *devraient* être émis ou que l'on assume *requis* pour satisfaire les critères de la tâche effectuée par un opérateur sous observation. Par exemple, Miller (1967) présente une liste de caractéristiques des comportements requis pour résoudre différentes tâches: la fonction de balayage (*scanning*), l'identification d'indices pertinents, l'interprétation des indices, la mémoire à court terme, la

mémoire à long terme, la prise de décision et la résolution de problème, ainsi que la réponse efficace.

(2) *Habiletés requises.* La classification repose sur les habiletés (intellectuelles, physiques, perceptivo-motrices) requises par l'individu exécutant la tâche, ces habiletés ayant été interprétées à partir de facteurs obtenus par des analyses factorielles effectuées, après coup (Guilford, 1967).

(3) *Caractéristiques de la tâche.* On classe les comportements sur la base des caractéristiques de la tâche elle-même (nombre de productions, précision requise, nombre d'étapes, nombre de décisions à prendre) (Farina et Wheaton, 1973).

(4) *Types d'interactions humain-machine.* Les divers types d'interactions qui s'établissant entre un opérateur et sa machine (recherche, *switching,* encodage, poursuite) permettent de classer les comportements qui sont vus dans une perspective systémique.

(5) *Traitement d'information.* La classification se fait en fonction du type de traitement d'information intervenant dans l'opération, ou à partir de la quantité d'informations à traiter, de la nature des contraintes à l'entrée et à la sortie, de leur nombre, etc. (Levine et Teicher, 1973).

CHOIX ET DÉFINITION DES UNITÉS

Avant d'entreprendre l'observation même, une attention spéciale doit être apportée au choix des unités de comportement à reconnaître et à noter, ainsi qu'à leur définition.

Choix des unités

Six conditions doivent être respectées dans le choix des unités pour que celles-ci puissent être reconnues, selon des critères concrets ou abstraits, ou selon les deux types à la fois. En premier lieu, les unités doivent être discrètes et exclusives. Tous les comportements appartenant à une unité ou à une catégorie doivent partager certaines propriétés qui les distinguent très nettement de ceux appartenant à d'autres unités. En second lieu, chaque unité doit constituer une catégorie homogène. En créant une unité, le chercheur doit avoir de bonnes raisons de croire que tous les comportements qui y prennent place sont équivalents sur les plans de leur forme, de leurs effets immédiats, de leurs causes ou de leur fonction. Si des comportements non homogènes sont inclus dans une catégorie, il est fort probable que, lors de l'analyse, les régularités seront absentes ou artificielles. En troisième lieu, il vaut mieux multiplier les unités que les fusionner. Si deux comportements sont extrêmement semblables sur le plan formel, mais s'il existe au moins un critère objectif et fidèle pour les distinguer, il est préférable de les associer à deux unités différentes. En effet, une analyse pourra révéler, après la compilation des données, que ces deux unités sont effectivement différentes. Sinon, le chercheur pourra encore les rassembler dans une même unité. Si tous les comportements ont, par contre, été affectés dès le départ à une même catégorie, il ne sera plus possible de scinder celle-ci en sous-catégories. Ce principe s'applique particulièrement à une situation exploratoire, dans laquelle le chercheur n'a pas d'hypothèses précises à éprouver. Il doit alors y permettre l'émergence de régularités, au moment où il procède à l'examen de ses données. Lorsque, par contre, il met à l'épreuve des hypothèses précises, il n'est pas nécessaire qu'il s'encombre d'observations inutiles dont l'analyse ne pourrait, au mieux, que fournir d'autres hypothèses à vérifier.

En quatrième lieu, il faut éviter d'utiliser, dès le stade d'observation, des classifications abstraites. Celles-ci sont en effet suggérées par une théorie donnée, et le chercheur doit se réserver la possibilité de réinterpréter ses observations de base à la lumière d'autres théories. Parfois, les noms mêmes des catégories ont une connotation causale ou fonctionnelle. Ainsi, parler d'une «menace» chez un individu suggère une fonction, tandis que parler de «brandir le poing» désigne le même patron moteur, mais sans connotation fonctionnelle. Qu'une expression faciale soit qualifiée de «sourire» est acceptable, lorsqu'il s'agit de décrire le comportement d'enfants, même si le terme «sourire» a une connotation fonctionnelle. Par contre, appliquer le même terme à une autre espèce de primates ne conviendra pas, tant que la fonction de l'expression faciale consistant à montrer les dents en silence ne sera pas reconnue, sur le plan fonctionnel, comme étant homologue et équivalente au sourire humain. Encore faut-il au préalable bien connaître la fonction du sourire chez l'humain. Le chercheur doit donc s'efforcer de n'employer que des termes objectifs, reposant autant que possible sur les configurations, les formes ou les effets physiques des patrons moteurs ou des postures en jeu. En cinquième lieu, il importe de toujours définir et de préciser chaque unité comportementale. Le problème de la définition des unités sera repris plus loin.

En dernier lieu, le chercheur ne doit concentrer sa notation que sur un nombre limité d'unités, lequel dépend des objectifs de la recherche. Il n'est pas facile de travailler avec un nombre élevé d'unités, même si des appareils facilitent l'encodage et l'enregistrement des événements, et même si l'analyse des données s'effectue à l'aide d'un ordinateur. Il est extrêmement difficile d'observer et de noter systématiquement le comportement de façon continue, et pendant de longues périodes, si le nombre d'unités est très élevé.

Définition des unités

Une fois choisie, une unité comportementale doit être définie de manière à assurer la fidélité à la fois intra-observateur et interobservateurs. Les comportements doivent être définis clairement, à l'aide de critères précis. La définition d'un patron de comportement néglige, dans sa formulation, une grande partie de l'information disponible à partir d'une description. Elle se limite à des critères nécessaires et suffisants pour qu'un événement soit reconnu et assigné à une catégorie ou classe comportementale. Par exemple, chez une espèce, une morsure peut être définie ainsi: tout contact entre la bouche d'un congénère et un autre congénère; il ne s'agit évidemment pas de la description d'une morsure type. Ne sont donc retenus que les éléments strictement nécessaires et suffisants pour que l'observateur reconnaisse la très grande majorité des événements individuels désignés habituellement comme des morsures, chez une espèce donnée. C'est donc dire que, chez l'espèce concernée et dans les conditions étudiées, l'application du modèle d'exploration défini comme étant une morsure suffit, le reste de l'information étant redondant ou superflu. Courantes en éthologie, de telles définitions ne dépassent pas toutefois la simple identification de patron de comportement.

Le but de la définition est d'assurer la fidélité et la constance de l'instrument de mesure — ici l'observateur — et la fidélité interobservateurs. La définition doit comprendre au moins un critère net et précis auquel on fait référence pour déclarer un comportement présent ou absent. Le critère peut être formel (topologique et cinétique); il peut désigner des actions à accomplir ou des effets à obtenir; il peut exiger que plusieurs critères relatifs à deux ou plusieurs de ces aspects soient satisfaits. La définition est alors dite opérationnelle; elle ne porte pas sur les opérations de mesure ou de mise en évidence, mais sur celles à accomplir, et sur les effets à obtenir par l'action des individus observés; c'est à ce prix que l'observateur est autorisé à déclarer que tel ou tel événement appartient à telle ou telle catégorie.

Définir une unité comportementale consiste donc à assigner à cette unité-catégorie une étiquette ou un terme réunissant plusieurs renseignements essentiels à sa reconnaissance et à sa classification. Le chercheur définit aussi certaines unités arbitraires tenant compte, par exemple, des déplacements et de la position spatiale des individus observés. Ainsi, il peut noter que les individus quittent le champ d'observation, s'approchent d'un object ou d'un congénère, etc. Souvent des éléments contextuels sont également introduits comme critères essentiels. Ainsi, la présence (préalable, concomitante ou même dans une posture particulière) du congénère à proximité est requise dans la définition de la plupart des comportements sociaux individuels. Il arrive fréquemment aussi qu'un patron de comportement soit désigné et défini différemment d'un autre, uniquement à partir du contexte social dans lequel il est adopté. Ainsi, frapper sur la table durant une réunion peut jouer un rôle communicatif important, alors que le même patron moteur, émis alors que le sujet est seul, aura une fonction différente.

Chaque définition doit être aussi claire et nette que possible, de telle sorte qu'elle ne provoque pas d'interprétations ni d'applications trop variables selon les observateurs. Cependant, plusieurs dimensions, souvent essentielles à la définition des unités à observer, sont très difficiles à évaluer en l'absence d'instruments de mesure. Ainsi, les distances entre les individus, leurs vitesses de déplacement, ou des détails peu perceptibles parce qu'ils se produisent trop rapidement ou hors du champ de vision de l'observateur, peuvent inciter à l'aléatoire et à l'arbitraire. Comme dans toute opération de mesure, le chercheur espère que les erreurs de mesure se distribuent au hasard et non pas systématiquement en faveur ou en défaveur de ses hypothèses. Étant donné le nombre considérable d'unités différentes à noter, il est indubitablement préférable de ne pas retenir les comportements dont la classification est douteuse. Il faut aussi vérifier que la notation de certaines unités n'est pas excessivement plus exigeante que celle d'autres unités; sinon, c'est par le rejet inégal des observations douteuses que s'introduit un biais systématique.

Répétitions et transitions

Certains comportements ont tendance à se produire de manière concentrée et répétée. Doit-on alors noter une seule apparition du comportement ou autant d'apparitions différentes? Par exemple, supposons qu'une unité englobe toutes les activités ludiques auxquelles s'adonne un enfant. L'observateur inscrira-t-il une manifestation chaque fois que le sujet manipulera un même objet, ou chaque fois qu'il passera à un autre? Considérera-t-il plutôt le jeu comme un état ayant une durée et n'étant interrompu que par l'adoption d'un comportement appartenant à une autre unité (par exemple, la sollicitation de l'attention d'un adulte)?

Ce problème de l'identification du début et de la fin des comportements, ainsi que celui de leur regroupement ou de leur traitement comme événements indépendants, est extrêmement important. Le début et la fin d'un comportement peuvent être spécifiés lors de la définition des patrons de comportement; la définition indique alors si un comportement ou un patron de comportement est considéré comme ayant une durée ou comme étant un événement ponctuel. Elle indique aussi, s'il y a lieu, le critère déterminant la fin d'un patron de comportement et le début d'un autre, dans la même unité. Le chercheur peut définir deux types d'unités comportementales, selon qu'il considère ou non leur durée. Si les événements sont des unités dont la durée ne l'intéresse pas, ils sont considérés comme ayant une durée ponctuelle. Par exemple, lors d'une altercation entre deux enfants, une série de poussées sera constituée de comportements distincts, le plus souvent considérés comme des événements ponctuels ou sans durée. Par contre, pour un chercheur intéressé au degré de stéréotypie d'un comportement comme le sourire ou une salutation rituelle, chaque manifestation sera considérée comme ayant une durée significative. Ce chercheur fait alors une analyse fine des mouvements en cause, en les ralentissant, par exemple, à l'aide d'un procédé cinématographique. Un événement à durée significative est parfois appelé *état* (Altmann, 1974; Sackett, 1978), c'est-à-dire un comportement dans lequel un organisme est engagé. Les états peuvent toujours, au moment de l'analyse, être transformés en événements sans durée. Par contre, les événements ponctuels ne peuvent pas, à ce stade, se voir attribuer une durée, cette information étant irrémédiablement perdue. Des analyses distinctes doivent donc être réalisées, selon qu'il s'agit d'événements ou d'états. Enfin, une série d'événements notée comme étant une seule apparition d'une unité de comportement constitue une activité (en anglais, *bout*).

La détermination de la fin de l'unité, de l'état ou de l'activité est une question délicate. Applicables isolément ou en combinaison, les critères d'interruption sont de trois ordres. En premier lieu, ce peut être l'émission d'un autre comportement. Par exemple, toutes les actions d'un enfant manipulant un objet sont notées comme une seule apparition du jeu, tant qu'elles ne sont pas interrompues par un comportement d'une autre classe. En second lieu, une activité peut être interrompue par un changement d'objet (par exemple, un nouveau jouet) ou de lieu (par exemple, chez des enfants, une nouvelle partie du corps à peindre ou à maquiller). En troisième lieu, l'interruption peut consister en une pause, ou un intervalle plus long que celui retenu comme nécessaire et suffisant pour séparer deux ensembles de comportements. Le problème est le suivant: doit-on considérer toutes les transitions entre deux comportements émis par le même individu ou par deux individus différents comme appartenant à un même comportement ou à une même chaîne de stimulus-réponse, ou doit-on fixer une limite temporelle, au-delà de laquelle un comportement est considéré comme interrompu, ou n'est plus considéré comme déterminé par celui qui le précède? La question peut être tranchée arbitrairement, en fixant l'intervalle entre deux unités à, par exemple, une ou deux secondes. Par contre, il est possible d'examiner les résultats attentivement et de trancher à la lumière de critères plus objectifs. On peut ainsi examiner la distribution des intervalles temporels et du logarithme de la survie des événements d'une même unité chez un même individu, ou de deux unités chez des individus différents (Machlis, 1977; Slater, 1974). Idéalement, le critère choisi doit refléter l'organisation ou la structure des comportements eux-mêmes (Slater, 1974); une analyse de ces courbes peut en outre permettre de déceler les processus sous-jacents. On trouvera chez Fagen et Young (1978) ou chez Beaugrand (1984) le détail de l'application de ce procédé.

PLAN D'OBSERVATION

L'enregistrement des comportements, effectué par observation directe, doit être rigoureusement planifié. Dans le but d'en assurer la validité, le plan d'observation indique les modalités selon lesquelles les mesures et les observations sont notées, ainsi que la façon de contrôler certaines variables. La construction du plan tient compte des trois types de considération suivants: les objectifs de la recherche, ainsi que la présence et la nature des hypothèses à éprouver; la possibilité de procéder à des observations, laquelle dépend du nombre d'unités comportementales retenues et de la présence de techniques d'appoint; et, enfin, la précision, la puissance et l'efficacité visées. Au moment où il met au point son plan d'observation, le chercheur prend une série de décisions concernant les sept aspects qui seront examinés maintenant.

Choix d'une taxonomie

Quels comportements, appartenant au répertoire des sujets, seront observés? La réponse à cette question est le plus souvent dictée par les objectifs du chercheur, ce dernier ne retenant que les comportements qui leur sont pertinents. En l'absence de questions et d'hypothèses précises, il est difficile de juger de cette pertinence. Quels comportements devront être reconnus, dans l'ensemble des comportements observables, et lesquels seront notés ou encodés? La distinction entre ce qui est reconnu et ce qui est noté n'est pas artificielle. Les patrons de comportement d'une espèce constituent la taxonomie de surface à partir de laquelle le chercheur peut construire une taxonomie plus molaire, plus profonde. Lorsque le chercheur a énoncé des questions précises, il est en effet très rare que les comportements notés soient les unités constituant la taxonomie de surface de l'espèce, à moins, bien entendu, que ces questions ne la concernent expressément. Le plus souvent, la notation est plus molaire. Aussi, on note uniquement un comportement agressif, au lieu de noter l'unité spécifique comprise dans cette supracatégorie (par exemple, une morsure ou un coup porté); on peut aussi noter seulement l'asymétrie résultant d'un échange, par exemple, entre deux adolescents, l'un ayant le dessus sur l'autre.

Le niveau d'encodage dépend également de la marge de sécurité que se réserve le chercheur dans le but de redéfinir après coup la catégorisation. Si l'encodage est très fin, les risques d'erreurs augmentant, la recherche manque d'efficacité. Elle encourage aussi le brassage compulsif des données, en l'absence de toute hypothèse. Par contre, il peut s'avérer intéressant de reprendre en partie l'identification à la lumière d'un nouveau système classificatoire, pour dégager des régularités hypothétiques à mettre ensuite à l'épreuve. Si, au contraire, l'encodage est trop molaire, il y a danger de perte de sensibilité. Cependant, la sensibilité se mesure par rapport aux hypothèses de la recherche, et non de façon absolue. Le chercheur doit aussi décider si les unités retenues sont des événements ponctuels ou des événements ayant une durée significative.

Enregistrement d'éléments temporels

Le chercheur doit-il, en plus de noter l'identité de chaque patron de comportement, enregistrer le moment où il se produit? Doit-il se limiter à enregistrer l'ordre d'apparition des comportements, ou même à dénombrer les comportements pour établir leur fréquence? Ici encore, tout dépend des questions posées, et des considérations pratiques et technologiques qui président à la recherche. La décision s'accorde avec le choix des techniques d'échantillonnage et des appareils d'appoint. Il est évident que les conclusions qu'on pourra tirer seront différentes, selon que les analyses qui leur sont sous-jacentes ont porté sur des fréquences ou des durées. Le continuum sur lequel varie la durée des comportements déborde celui relatif à leur fréquence; on peut donc s'attendre à ce que la durée soit plus sensible aux différences que la fréquence, mais plus difficile à interpréter. Il convient donc, lorsqu'on le peut, d'enregistrer à la fois la fréquence et la durée des comportements. Ceci est rendu possible par les microprocesseurs conçus pour enregistrer les observations codées. Nous appellerons ces appareils des *éthographes*. La plupart des éthographes mis sur le marché enregistrent automatiquement des éléments temporels. Cet enregistrement,

et celui des séquences lors de l'échantillonnage continu du comportement, débouchent sur de nombreuses mesures supplémentaires que
ne peut fournir le seul enregistrement limité aux apparitions, ou
même aux séquences d'apparition. Quelques-unes de ces mesures
sont présentées au tableau 10.1.

Modalités d'enregistrement

La qualité et la représentativité des observations dépendent
aussi des modalités d'enregistrement. Les observations doivent-elles
être réalisées sur le vif, au moment où se déroule l'action, ou en
différé, à partir d'enregistrements magnétoscopiques, cinématographiques ou même sonores? La réponse dépend toujours des objectifs
de la recherche. Dans certains cas, il peut être nécessaire de conserver le matériel pour un décodage ultérieur; c'est le cas, par exemple,
lorsque l'analyse doit utiliser le ralentissement cinématographique.
L'utilisation du ruban magnétoscopique, ou du film, permet évidemment la reprise des observations selon plusieurs critères d'identification, et une analyse détaillée et très fine du comportement. Elle
comporte en revanche quelques inconvénients. En premier lieu, ces
modalités d'enregistrement ne fouinssent qu'une représentation bidi-
mensionnelle. Aussi nécessitent-elles le plus souvent un éclairage et
des dépenses accrus. Sauf quand on a recours à un objectif grand-
angulaire très sensible, il y a perte de détails. En outre, la présence
de tout l'équipement nécessaire risque de perturber les sujets, surtout
s'il s'agit d'êtres humains. Le dernier des dangers, mais non le
moindre, est celui qu'entraîne le brassage compulsif des données,
encouragé par les kilomètres d'enregistrements trop facilement effectués, hors de toute question pertinente.

Système d'encodage et de notation

Il n'est pas toujours nécessaire de s'encombrer d'appareils
complexes pour réaliser des observations valables. Il suffit souvent
d'un papier et d'un crayon, surtout si les objectifs de la recherche
sont clairs et si ce qui doit être noté est suffisamment molaire. On
peut alors se servir de listes de contrôle (*checklists*), de matrices,
de compteurs, d'enregistreurs, ou même d'un polygraphe. Par contre,
l'utilisation d'appareils directement compatibles avec un ordinateur
accroît grandement les possibilités.

Dans tous les cas, un système de codes est employé. Composé
de signes et de symboles alphanumériques ou picturaux représentant
les unités pertinentes, il augmente la vitesse et l'efficacité de l'enregistrement des observations, de leur validation, de leur transfert à

DÉFINITIONS	MESURES POSSIBLES	NOTATIONS *				
		I	II	III	IV	V
FRÉQUENCE : Nombre de fois où un comportement se produit par unité de temps	Fréquences totales par comportement, par sujet, par groupe	●	●	●	●	●
	Fréquences relatives (%) d'un comportement à l'autre (ventilation des fréquences) par sujet, par groupe	●	●	●	●	●
	Fréquences par bloc temporel, genèse, densité, par sujet, par groupe et probabilité	●	●	●	●	●
	Supériorité individuelle pour les fréquences	●	●	●	●	●
SÉQUENCE : Suite ordonnée de comportements; relation temporelle (précession, succession) entre comportements	Séquences des comportements (ordre)		●	●	●	●
DURÉE : Quantité de temps écoulé entre le début et la fin d'un comportement	Durées totales par comportement et moyennes, par sujet, par groupe				●	●
	Durées relatives (%) d'un comportement à l'autre (ventilation sur la durée des comportements) par sujet ou groupe de sujets				●	●
	Durées par blocs temporels (genèse des durées)					●
	Supériorités individuelles pour les durées				●	●
LATENCE : Quantité de temps écoulé entre le début de la période d'observation ou de la présentation d'un stimulus et un comportement	Latences moyennes			●		●
	Latences relatives (%) d'un comportement à un autre			●		●
	Latences par bloc temporel (genèse des latences)			●		●
	Premières apparitions individuelles (latences les plus courtes)			●		●
	Préséances (le 1ᵉ, le 2ᵉ, le 3ᵉ sujet du groupe à émettre les premiers certains comportements)			●		●
INTERVALLE : Quantité de temps écoulé entre la fin d'un comportement et le début d'un autre	Intervalles moyens			●		●
	Intervalles relatifs, d'un comportement à l'autre, d'un individu à l'autre			●		●
	Intervalles par bloc temporel (genèse des intervalles)			●		●
	Supériorités individuelles : quel individu présente les intervalles moyens les plus longs ou les plus courts			●		●

* noté lors de l'observation :
  I : Initiateur, comportement
  II : Initiateur, comportement, ordre de séquence
  III : Initiateur, comportement, ordre de séquence, moment (t)
  IV : Initiateur, comportement, ordre de séquence, durée
  V : Initiateur, comportement, ordre de séquence, durée, moment (t)

Tableau 10.1

Comparaison entre différentes façons de noter le comportement. L'enregistrement des éléments temporels (durée, moment) et des ordres de séquence (données de types III, IV et V) débouche sur de nombreuses mesures supplémentaires que ne peuvent fournir les enregistrements qui se limitent à noter l'apparition et l'identité des comportements, ou même leurs séquences d'apparitions (types I et II). Ainsi, la technique qui consiste à ne noter que l'identité de l'initiateur et celle du comportement émis, ainsi que la séquence dans laquelle les comportements sont émis (type II), perd toute information relative aux durées, aux latences et aux intervalles entre les apparitions.

l'ordinateur, ainsi que de leur analyse. Bien choisi, il peut être directement traité par ordinateur. Ainsi, plus le code est court, plus il peut être rapidement enregistré, et moins il occupe d'espace dans l'appareil enregistreur ou sur le disque de l'ordinateur. Si le code est un bon évocateur visuel, auditif ou mnémonique du comportement auquel il est associé, l'observateur hésite moins à encoder ce comportement et commet moins d'erreurs. L'encodage vise à faciliter l'observation, et non à l'entraver. Il dépend évidemment des règles et des conventions explicites sur lesquelles s'appuie la classification des observations. A chaque classe ou unité pertinente qu'on désire enregistrer doit correspondre un code spécifique, unique et exclusif. L'encodage va aussi de pair avec la technique d'échantillonnage choisie et avec les dimensions à mesurer (durée, début, fin, intensité, origine, destination ou orientation). Si un tel système est bien exploité, on peut noter des comportements se produisant de façon concurrente ou simultanée. Golani (1976) a développé un vocabulaire particulier pour décrire les comportements moteurs concurrents à partir de la notation utilisée par les chorégraphes. On trouvera un bon résumé de son travail dans Lehner (1979).

Observation continue et complète (par opposition à échantillonnage)

A moins d'enregistrer le comportement au complet, le chercheur doit, en plus de choisir les comportements à enregistrer, décider de la période de temps au cours de laquelle ces observations seront faites. De l'échantillonnage temporel dépendent la validité des observations, leur utilité et leur capacité de fournir des résultats généralisables. L'échantillonnage peut avoir une base temporelle régulière ou irrégulière. Il peut être déclenché par les événements qui intéressent particulièrement l'observateur ou même par des circonstances qu'il désire mettre en opposition (changements d'environnement ou changements d'état).

Techniques d'appoint

Le chercheur doit faire un choix approprié des techniques et des appareils qui vont l'aider lors de l'encodage et de l'enregistrement de ses observations. Ces techniques varient grandement et dépendent des questions posées par le chercheur et de sa compétence en informatique ou de celle des gens qui l'assistent. Les techniques utilisant crayon et papier, dont on trouvera plusieurs exemples dans Lehner (1979), demeurent les plus simples et les moins coûteuses. Par contre, le registre des questions de recherche auquel elles donnent accès est très limité. Des compteurs et des chronomètres électriques, des enregistreurs à cassette audiophonique ou magnétoscopique peuvent aussi être employés, ainsi que des polygraphes; mais si elles doivent être traitées par ordinateur, il faut ensuite recoder les observations et les traduire sous une forme convenant au traitement alphanumérique. Cette traduction entraîne un travail énorme (visionner, transcrire, transmettre les données à l'ordinateur et les vérifier). Il vaut mieux, quand on désire faire des analyses détaillées, avoir recours à des éthographes.

Depuis quelques années, des systèmes électroniques ou des micro-ordinateurs ont été mis au point pour favoriser la cueillette des observations au laboratoire et sur le terrain. Ces appareils permettent d'encoder et d'enregistrer les apparitions des unités de comportement, ainsi que leur durée en temps réel, et d'en produire des listes qui peuvent être soit transmises directement à un ordinateur central, soit temporairement inscrites sur cassette ou disquette en vue d'une transmission et d'une analyse ultérieures. Grâce à eux, l'observateur peut encoder les comportements sur le vif ou indirectement, à partir d'enregistrements magnétoscopiques ou audiophoniques. Certains éthographes sont alimentés par des piles dont l'autonomie de fonctionnement continu peut atteindre 24 heures, s'il y a interruption entre les séances d'échantillonnage. Si les séances d'observation ne nécessitent pas une grande autonomie ou mobilité, les micro-ordinateurs personnels peuvent être facilement convertis en éthographes. La plupart des micro-ordinateurs les plus courants ont, au cours des récentes années, été programmés pour la saisie et la validation d'observations directes. Le lecteur est invité à consulter le périodique *Behavior Research Methods, Instruments, and Computers* pour prendre connaissance des derniers développements à ce sujet.

Facteurs à contrôler

Le but d'une technique d'échantillonnage est avant tout de fournir une mesure précise, valable et représentative des régularités comportementales. La technique prévue par le plan d'observation doit assurer une certaine représentativité des observations. Cependant, son application rigoureuse ne garantit pas à elle seule la validité de la recherche. Des contrôles externes doivent être mis en place, même dans les travaux effectués sur le terrain. Ils sont toutefois obtenus le plus souvent en sélectionnant les moments d'observation (Schneirla, 1950). Tous les facteurs susceptibles de contaminer et d'invalider la représentativité doivent être neutralisés, dans la mesure où les opérations de contrôle, c'est évident, ne dénaturent pas les faits. Les modalités de contrôle exposées au chapitre 4 sont donc ici pertinentes. Certains facteurs contaminants doivent être particulièrement surveillés; il s'agit des effets d'intrusion de l'observateur, des attentes des sujets et des observateurs, et de la non-constance des instruments.

Effets d'intrusion de l'observateur. L'observateur doit s'assurer de ce qu'il n'influence d'aucune façon les faits qui se déroulent devant lui (par exemple, par sa présence, à laquelle les sujets peuvent graduellement s'habituer). S'il exerce une influence, il doit alors la répartir également dans toutes les situations d'observation, afin de ne pas produire de différences artificielles. Dans certains cas, des caches sont utiles. En revanche, l'observateur caché peut être davantage perçu comme un prédateur que comme un observateur visible qui laisse les sujets s'habituer à sa présence. Par des animaux captifs et semi-captifs, l'observateur peut, par ailleurs, être perçu comme le généreux dispensateur de nourriture. L'observation à distance (à l'aide de caméras, de télescopes et de jumelles, ou encore derrière un miroir sans tain), peut alors s'avérer d'un grand secours. S'il travaille avec des sujets humains, le chercheur doit par contre s'assurer de leur consentement (ou de celui des personnes qui en sont responsables), après avoir fourni une information franche et suffisante sur la nature de sa recherche. Tel que nous le verrons au chapitre 13, il s'agit là d'une règle déontologique fondamentale qui doit être respectée, même si elle entre en conflit avec les principes de non-intrusion énoncés plus haut.

Attentes des sujets et des observateurs. Comme on l'a vu par ailleurs au chapitre 4, la situation de recherche peut être perçue par des sujets humains comme une invitation à bien paraître, par rapport aux hypothèses du chercheur, si elles sont connues, ou par rapport aux attentes de l'observateur, telles que les sujets les conçoivent (Christensen, 1977, 1980).

Il est également vrai que les observateurs ne sont pas exempts de ces attentes, qui les entraînent à ne pas noter un comportement qui s'est effectivement produit, et à noter la présence d'un comportement qui ne s'est pas produit. On a vu au chapitre 4 que les attentes du chercheur peuvent grandement modifier les résultats. Non intentionnels, les biais n'en sont pas moins réels. Ils semblent surtout être introduits au moment de l'identification des comportements. Les erreurs portent principalement sur les comportements douteux ou obtenus dans des conditions non orthodoxes. Rosenthal (1978) estime que, dans une recherche, l'observateur se trompe dans le classement d'environ 1% de ses observations, et qu'environ 66% de ces erreurs sont conformes à l'hypothèse en jeu. S'il est bien évident que ce phénomène ne suffit pas à infléchir de manière significative les conclusions d'une étude, le chercheur doit néanmoins en réduire la présence. Ainsi, les chercheurs conscients de cette possibilité d'erreur au moment de l'encodage et de la reclassification, et qui s'efforcent de l'éliminer, y parviennent de façon exceptionnelle (Rosenthal, 1978).

Une autre source d'erreur imputable à l'observateur intervient lorsque le chercheur doit interpréter ses observations, donc au moment de l'identification des comportements, particulièrement si les critères d'identification sont abstraits, c'est-à-dire causals ou fonctionnels, ou encore théoriques. Si l'identification est établie lors de l'encodage, les erreurs d'interprétation sont irréparables. Par contre, si l'identification est établie à posteriori, partant de données fournies par l'application d'une première taxonomie descriptive concrète (selon les formes ou les effets), les erreurs de la seconde classification peuvent toujours être réparées si on détermine une autre classification à l'aide de critères cette fois abstraits. Les observations faites à partir de critères descriptifs concrets présentent un caractère factuel assurément moins discutable que celui des observations effectuées à partir de critères abstraits.

Il est possible d'éviter ces erreurs et ces biais. En premier lieu, le chercheur doit accorder beaucoup d'importance à l'établissement de la liste des unités d'observation. Comme on l'a mentionné, il est préférable d'employer des critères de classification descriptifs et concrets, et de réserver la classification à l'aide de critères théoriques et abstraits au stade de la transformation des observations en données comparables aux implications empiriques des hypothèses. En second lieu, il faut définir les unités de base de telle sorte qu'elles comportent un critère net et exclusif. En cas de doute, il faut éviter de retenir un événement et d'en forcer l'inclusion dans une classe. En troisième lieu, il peut être possible d'avoir recours à des observateurs bien entraînés, mais qui ignorent les hypothèses du chercheur. Si des manipulations expérimentales sont effectuées, elles doivent l'être par quelqu'un d'autre que l'observateur.

Constance des instruments. Il est bien connu que les instruments peuvent se détériorer, ou s'améliorer. Dans le cas de l'observation directe, l'instrument est constitué par l'observateur qui applique directement des critères classificatoires à des événements jugés pertinents. Il est possible que, les unités n'ayant pas été clairement définies, l'observation manque de précision. Il est probable aussi que les critères d'identification s'abaissent en cours d'observation, à cause de la fatigue ou du manque d'attention, ou qu'au contraire ils s'élèvent d'une séance à l'autre, à cause d'un certain apprentissage: l'observation manque en conséquence de stabilité. Cette non-constance, chez un observateur, doit être éliminée. Il en est de même pour la non-constance entre plusieurs observateurs. On doit vérifier, tout au long de l'étude, que leur travail offre un minimum de fidélité.

TECHNIQUES D'ÉCHANTILLONNAGE

Altmann (1974) traite, de façon détaillée et critique, de chacune des techniques d'échantillonnage appliquées à l'observation directe du comportement. Lehner (1979), Sackett (1978), de même que Hutt et Hutt (1970), en proposent aussi de bons exposés. Les techniques décrites ici ne le sont pas selon une classification régie par une seule dimension (par exemple, enregistrements continus par opposition à discontinus, ou effectués au hasard par opposition à centrés sur un individu); la classification utilisée correspond davantage à la terminologie courante dans le domaine.

Échantillonnage non structuré ou *ad libitum*

L'échantillonnage non structuré ou *ad libitum* est utilisé par «l'observateur du dimanche» et par l'amateur, celui qui aime ses sujets, ses animaux (Lorenz, 1981). Aucune contrainte n'y est imposée en ce qui concerne les sujets, l'ordre des observations et les moments d'observation. En fait, il est impropre de parler ici de technique d'échantillonnage. On observe les événements les plus prégnants, les plus faciles et les plus intéressants à observer. Cette modalité d'observation, donnant lieu à des notes prises sur le vif ou à des croquis, est préalable à toute observation systématique et à tout travail descriptif. C'est elle qui préside à la découverte des patrons naturels du comportement, et c'est d'elle que découlent les principales questions et hypothèses qui, par la suite, pourront être plus rigoureusement étudiées. Toutefois, aucune analyse quantitative ne peut être appliquée aux observations livrées par cette technique préliminaire.

Échantillonnage complet et continu

L'échantillonnage complet et continu permet l'enregistrement le plus détaillé, à partir duquel d'autres enregistrements plus partiels peuvent être constitués. L'observateur note alors: la nature du comportement, l'identité de l'acteur, le moment d'apparition et la durée de toutes les unités qui l'intéressent. Dans certains cas, il est possible d'enregistrer, dans le cadre d'un répertoire restreint, tous les comportements émis par un nombre limité d'individus. Il n'est pas nécessaire que l'enregistrement complet soit réalisé sur le vif. Ainsi, il est

possible de visionner à plusieurs reprises un enregistrement magnétoscopique, et d'en extraire à chaque fois une certaine partie des
comportements. D'ailleurs, deux ou plusieurs observateurs peuvent
observer simultanément les mêmes interactions, chacun étant respectivement chargé de noter les comportements émis par un seul individu.
En principe, l'enregistrement complet et continu peut être reconstruit,
en synchronisant les diverses suites vectorielles constituées par les
observations, pour en dégager un seul, contenant tous les événements. En pratique cependant, la procédure se complique à cause
de la simultanéité et du chevauchement de certains événements.
Dans certains autres cas, il est possible de procéder sur le vif à
l'enregistrement continu et complet, si le nombre d'unités et celui
des intervenants sont faibles et si l'exécution du comportement n'est
pas très rapide. L'enregistrement ainsi obtenu est identique à celui
obtenu grâce à la technique par centrations successives présentée
ultérieurement: l'initiateur et le récepteur sont toujours les mêmes
(par exemple, un père et son enfant). L'enregistrement continu et
complet est le plus riche en informations, particulièrement si la durée
échantillonnée est suffisamment longue et si les moments d'apparition
sont tous notés. Ainsi, on peut réaliser de nombreuses mesures: les
fréquences et les taux d'émission des comportements, les changements dans ces taux, les fréquences des transitions entre séquences,
les durées et les latences des premiers comportements apparus, les
ventilations des diverses activités (information sur l'importance relative, en fréquence ou en durée, que revêt chaque comportement
dans le répertoire) et bien d'autres encore, construites à partir de
celles-ci. Ce type d'enregistrement nécessite l'utilisation d'un appareil (polygraphe ou éthographe) permettant l'enregistrement automatique d'éléments temporels. Les listes de contrôle (*checklists*) ou la
dictée à l'enregistreur audiophonique sont ici trop limitées et imprécises.

Échantillonnage par centrations successives

L'échantillonnage par centrations successives ou par focalisa-
tion fournit un enregistrement continu pendant une période limitée
au cours de laquelle l'observateur est centré sur un individu ou un
groupe. On note alors le moment d'apparition des unités, ou uniquement l'ordre d'apparition ou de transition. Il s'agit d'observer,
pendant une durée prédéterminée, tous les comportements pertinents
émis ou reçus par l'individu choisi. Tous les individus du groupe,
ou certains d'entre eux, sont successivement observés de la même
façon et pendant la même durée.

L'échantillonnage des comportements non sociaux est relativement simple à réaliser. Par exemple, on note pendant 10 minutes

consécutives le nombre de fois qu'un individu s'alimente. L'échantillonnage des patrons de comportement sociaux est par contre beaucoup plus complexe: en effet, pour chaque comportement noté, on doit indiquer en plus qui est l'initiateur, et qui est le destinataire. Ici, l'information obtenue sur le comportement d'un individu donné ne proviendra pas uniquement de la période pendant laquelle il était l'objet de la centration, mais aussi de toutes les autres, pendant lesquelles il était en interaction avec un autre individu, lui-même objet de la centration.

L'échantillonnage par centrations est particulièrement utile dans les travaux effectués sur le terrain, surtout si l'identité des individus n'est pas critique et s'il est difficile de tous les observer simultanément, ne serait-ce que parce qu'ils ne sont pas tous visibles. En choisissant de façon aléatoire les individus à observer, le chercheur parvient à obtenir des résultats adéquats, par exemple sur des sujets différents, concernant l'âge, le sexe ou le niveau socio-économique. Les sujets peuvent également être choisis selon un ordre imposé à priori ou par un plan de recherche. Par contre, dans les études où il est essentiel d'établir l'identité des individus, la disparition de l'individu observé hors du champ visuel de l'observateur pose un problème auquel on n'a pas encore apporté de solution satisfaisante. Si les disparitions sont brèves, on peut toujours allonger d'autant la période d'échantillonnage portant sur l'individu concerné; si elles sont longues, les observations recueillies doivent le plus souvent être annulées.

La technique d'échantillonnage par centrations successives est aussi efficace que l'observation complète et continue, moyennant un choix pertinent de patrons de comportement, et des périodes de centration suffisamment longues. Dans la plupart des cas, elle est aussi plus économique. C'est, selon Altmann (1974), la technique la plus efficace et la plus rentable.

Échantillonnage en séquence

L'échantillonnage en séquence est utilisé lorsque le chercheur s'intéresse principalement à l'ordre des comportements dans une chaîne relativement régulière. C'est le cas, par exemple, des parades et des rituels épigamiques et agonistiques, et des cérémonials d'accueil chez les animaux. La période d'échantillonage peut commencer avec le début d'une séquence et se terminer avec elle. Tous les comportements qu'on peut identifier comme faisant partie de la séquence sont alors systématiquement notés, dans leur ordre d'apparition, et ce jusqu'à ce que la séquence soit terminée ou interrompue. Une nouvelle série d'observations est entreprise lors de l'amorce d'une nouvelle séquence. Il s'agit donc d'un enregistrement dont le début et la fin sont déterminés par les faits eux-mêmes, et non par quelque signal externe marquant la fin d'un intervalle temporel. La plupart des utilisateurs de cette technique n'enregistrent pas le moment d'apparition des événements de la chaîne, mais uniquement leur ordre d'apparition. Cependant il est possible également de noter le moment d'apparition des unités, si ces dernières se produisent lentement, ou si les événements peuvent être ralentis par un procédé cinématographique.

Cette technique a des applications bien limitées. Elle est rarement utilisée sur le vif. La principale difficulté soulevée par cette technique réside dans le choix des critères marquant le début et la fin d'une séquence.

Échantillonnage par présence ou absence

L'échantillonnage par présence ou absence consiste à noter simplement si une unité de comportement est présente ou absente pendant une courte période. Il est surtout employé pour noter des états, donc des comportements ayant une durée significative. Plusieurs unités différentes peuvent être enregistrées au cours d'une même période. Pour chaque période, l'observateur note si l'individu observé effectue au moins une fois un comportement, ou s'il se trouve au moins une fois dans un état identifiable (par exemple, en train de manger ou de travailler). Les comportements d'un ou plusieurs individus sont ainsi notés présents ou absents, pour chaque période d'échantillonnage. Ces périodes sont habituellement très courtes (15 à 30 secondes), mais nombreuses; on les déclenche à intervalles réguliers, bien souvent par un signal sonore.

Cette technique ne fournit pas la mesure de la durée, ni celle de la fréquence des comportements. Altmann (1974) en déconseille l'emploi. Dans quelques cas, on peut néanmoins lui trouver une certaine utilité, par exemple pour déterminer l'importance relative des comportements entre eux (fréquence et durée). L'information concernant chacune des unités de comportement ou chacun des états, c'est-à-dire le nombre de fois où cette unité est présente au moment où l'échantillonnage est amorcé, révèle probablement de façon plus réaliste l'importance relative d'une activité dans le répertoire, que ne le fait l'information découlant des fréquences totales, ou encore de la durée totale d'un comportement (Baerends et al., 1970; Ollason et Slater, 1973). Il est cependant préférable de dégager cette information à posteriori, à partir d'enregistrements complets et continus, ou même à partir de ceux obtenus par la technique dont la description suit (Adams et Markley, 1978).

Échantillonnage par balayage instantané

La technique par balayage instantané est essentiellement la même que la précédente, sauf en ce qui concerne la période d'échantillonnage, qui est ici momentanée et en principe sans durée. L'observateur note ce que fait un sujet à un instant donné. Si plusieurs individus doivent être observés, ils sont successivement l'objet d'un balayage visuel: on note dans quel état chacun d'eux se trouve, ou dans quelle activité il est momentanément engagé. Il peut être préférable dans certains cas d'observer des espaces plutôt que des individus, et de noter quels sont les individus qui y transitent lors du balayage.

Si Altmann (1974) identifie d'autres dangers, le principal problème posé par l'échantillonnage par balayage instantané tient paradoxalement au fait qu'il n'est pas suffisamment instantané. En effet, plus l'observateur s'attarde sur un individu, plus les autres sont susceptibles de changer d'état, de position ou de lieu, et plus le résultat ressemble à celui d'une série d'échantillons, d'une durée non constante, centrés successivement sur les divers individus. Pour minimiser cet inconvénient, un procédé photographique peut être employé. Cet échantillonnage est néanmoins très utile pour estimer l'importance relative que chaque individu accorde à certaines activités.

Complètement de matrice

Le complètement de matrice constitue davantage une manière de déterminer et de placer dans un tableau des relations d'asymétrie, qu'une technique d'échantillonnage proprement dite. Il peut s'appliquer lorsque l'enregistrement porte sur des relations entre individus, et non sur des unités comportementales individuelles. Les relations asymétriques en question concernent, par exemple, la dominance, la proximité spatiale, la communication, l'affiliation ou l'attention entre les individus d'un groupe.

Le complètement de la matrice s'amorce habituellement avec l'apparition des relations les plus prégnantes, les plus faciles à noter. On cherche ensuite systématiquement les relations manquantes, afin de compléter la matrice. L'exemple suivant illustre la nature de ce procédé. Un chercheur désire dégager l'ordre des relations de dominance agressive existant dans un groupe d'enfants, dans le cadre d'une garderie. Il a défini au préalable un certain nombre d'interactions agonistiques qui, lorsqu'elles se terminent en faveur d'un individu, indiquent que celui-ci domine l'individu perdant. Il a également défini un critère de dominance agressive: par exemple,

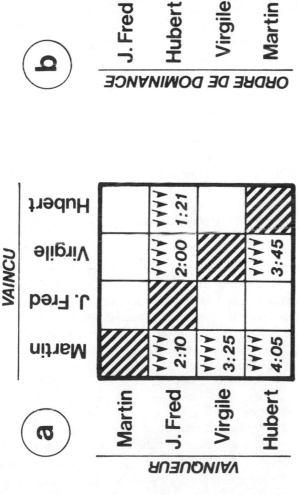

Tableau 10.2

Exemple de complètement de matrice. A chaque fois qu'une interaction entre deux enfants se termine nettement en faveur de l'un d'eux, elle est notée dans la case située à l'intersection de la ligne et de la colonne correspondant aux sujets concernés. Une fois toutes les asymétries connues, une matrice de dominance (b) peut être construite en réordonnant les lignes et les colonnes de telle sorte que toutes les asymétries apparaissent au-dessus de la diagonale. Dans cet exemple, l'heure d'accession au critère par chacun des couples est indiquée.

six interactions agonistiques se soldant en faveur d'un enfant suffisent à le déclarer dominant par rapport à un autre. Une matrice tenant compte des interactions entre tous les enfants est présentée au tableau 10.2. Elle comprend autant de lignes et de colonnes que d'individus dans le groupe. Les lignes et les colonnes représentent respectivement les individus déclarés vainqueurs et vaincus, lors d'interactions isolées. Ainsi, à chaque fois qu'une interaction entre deux enfants se termine nettement en faveur de l'un d'eux, elle est notée dans la case située à l'intersection de la ligne et de la colonne correspondant aux sujets concernés.

La plupart du temps, le complètement d'une telle matrice vise à dégager une structure d'ensemble qui traduise les relations entre tous les individus et non pas uniquement celles entre ceux qui se révèlent plus actifs que d'autres. C'est le cas dans la situation décrite antérieurement: on y est à la recherche de hiérarchies complètes. On tente donc ici de noter le plus d'interactions possible, sans se conformer à un ordre d'observation ou à une durée uniforme imposée par un plan d'observation. Ainsi, dans l'exemple cité, dès que le critère de dominance est satisfait, l'observateur porte toute son attention sur les relations non encore déterminées, et se centre sur les individus concernés, lesquels sont souvent moins actifs.

Il arrive parfois que le chercheur note au cours du complètement de sa matrice toutes les interactions observées durant une séance donnée. Il ne lui est pas permis, cependant, de comparer les fréquences obtenues dans deux cases, ni de considérer la matrice comme un tableau de contingence.

Conclusion

Plusieurs des techniques qui viennent d'être présentées peuvent être agencées et utilisées respectivement lors de deux ou plusieurs périodes d'observation. Est-il nécessaire de rappeler l'importance des questions que se pose le chercheur, et celle des hypothèses qu'il formule? Ce sont elles qui déterminent le choix des techniques d'échantillonnage, celles-ci contribuant par ailleurs à établir la validité d'une recherche. En l'absence de toute question ou de toute hypothèse, une seule technique s'impose, celle de l'échantillonnage non structuré *ad libitum*. Cette technique permet d'une part, de se familiariser avec l'espèce et les conditions d'observation et d'autre part, d'identifier les régularités inhérentes au comportement, ainsi que les questions et les variables susceptibles de faire l'objet d'une recherche systématique et quantitative.

Le tableau 10.3 résume les cas pour lesquels chacune des techniques est à recommander. Le recours à des techniques différentes produit des résultats différents, le plus souvent impossibles à comparer. Dans une comparaison de l'utilisation de sept techniques différentes devant répondre aux mêmes questions, Dunbar (1976) a montré que les résultats provenant de chacune n'étaient comparables que sur le plan ordinal, c'est-à-dire uniquement en ce qui concerne l'importance relative que prenaient les diverses mesures les unes par rapport aux autres, et ce pour une même technique. Cependant, il est rare que le chercheur ne s'intéresse qu'aux relations ordinales entre les comportements ou les individus d'un groupe. Le travail de Dunbar illustre clairement l'importance du choix des techniques d'échantillonnage. Théorique, ce choix s'effectue en fonction de la définition des mesures que le chercheur tente de dégager, définition elle-même suggérée par ses hypothèses. C'est aussi un choix pratique et subjectif. Avant d'entreprendre une recherche, il est prudent de vérifier la validité de plusieurs techniques destinées à répondre aux mêmes questions, et la possibilité de les appliquer.

L'information dégagée des observations diffère aussi selon que les périodes d'échantillonnage ont été courtes ou longues, et qu'elles ont été fréquemment répétées ou non. Par exemple, lorsqu'il importe de connaître l'ordre des transitions comportementales dans une séquence, il est préférable d'allonger considérablement les périodes d'observation et d'en multiplier la répétition auprès d'individus différents.

La maîtrise des techniques d'échantillonnage et d'enregistrement est cependant bien secondaire si les comportements à observer n'ont pas été, au préalable, clairement définis. L'étude de la capacité d'observation manifestée par le sujet humain indique qu'il existe des différences individuelles marquées à cet égard (Fiske, 1980; Boice, 1983), et pour cette raison, l'observation directe du comportement a été longtemps évitée par les chercheurs en psychologie (Gellert, 1955). Cependant, il devient de plus en plus évident que des observateurs bien entraînés et bien au fait des unités à reconnaître peuvent contribuer de façon importante à la recherche et à la pratique dans les sciences du comportement (Boice, 1983).

Tableau 10.3

Techniques d'échantillonnage et indications concernant leur emploi (D'après Altmann, 1974)

Technique d'échantillonnage	Dénomination anglaise	Emploi indiqué
Échantillonnage ad libitum	Ad libitum sampling (or unplanned focalization)	Pas d'hypothèse de travail; pour suggérer des questions; pour se familiariser avec la situation, avec l'espèce; pour identifier les régularités de base (exemple: les patrons moteurs spécifiques). Travail qualitatif de l'amateur.
Complètement de matrice	Sociometric matrix completion	Pour déterminer l'existence d'asymétries dans les couples, établir des matrices de proximités, de dominances, de préférences.
Échantillonnage par centrations successives	Focal-animal sampling	Étude des transitions dans les séquences individuelles. Connaissance des ventilations et de l'importance relative, pour chaque individu, de certains comportements (durées et fréquences).
Échantillonnage complet et continu	All occurrences and continuous sampling; event sampling; complete record sampling	Voir la technique précédente. En outre, possibilité d'étudier les transitions entre les individus, les interactions et le synchronisme entre eux. Tous les autres enregistrements peuvent être dérivés de l'enregistrement complet obtenu par cette technique.
Échantillonnage en séquence	Sequence sampling	Étude des transitions dans les séquences de comportement.
Échantillonnage par présence ou absence	One-Zero sampling; Hansen system; time sampling	Importance relative de certains comportements (états) dans le répertoire.
Échantillonnage par balayage instantané	Instantaneous and scan sampling; point sampling; on-the-dot sampling	Importance relative des comportements; synchronisme et proximités spatiales.

RÉFÉRENCES

Adams, R.M. & R.P. Markley: Assessment of the accuracy of point and one-zero sampling techniques by computer simulation. Rapport présenté à l'Animal Behavior Society Annual Meeting, Seattle, Washington, 1978.

Altmann, J.: Observational study of behavior: sampling method. *Behaviour,* **49**:227-265, 1974.

Baerends, G.P., R.H. Drent, P. Glass & H. Groenewold: An ethological analysis of incubation behaviour in the herring gull. *Behaviour,* supplément **17**:135-235, 1970.

Beaugrand, J.P.: *Observation directe du comportement,* in Fondements et étapes de la recherche scientifique en psychologie (2e éd.). Robert, M. (Ed.), (pp.167-218), Edisem, Saint-Hyacinthe, 1984.

Boice, R.: Observational skills. *Psychological bulletin,* **93**:3-29, 1983.

Bunge, M.: *The mind-body problem: a psychobiological approach,* Pergamon, New York, 1980.

Christensen, L.A.: The negative subjects: myth, reality or a prior experimental experience effect. *Journal of personality and social psychology,* **35**:392-400, 1977.

Christensen, L.A.: *Experimental methodology* (2^e ed.), Allyn & Bacon, Toronto, 1980.

Drummond, H.: *The nature and description of behavior patterns,* in Perspectives in ethology. Bateson, P.P.G. & P.H. Klopfer (Eds), vol.4:1-33, Plenum, New York, 1981.

Dunbar, R.I.M : Some aspects of research design and their implications in the observational study of behaviour. *Behaviour,* **58**:78-89, 1976.

Fagen, R.M. & D.Y. Young: *Temporal patterns of behaviors: durations, intervals, latencies, and sequences,* in Quantitative ethology. Colgan, P.W. (Ed.), (pp.79-114), Wiley, Toronto, 1978.

Farina, A.J. & G.R. Wheaton: Development of a taxonomy of human performance: The task characteristics approach to performance prediction. *JSAS Catalog of Selected Documents in Psychology,* **3**:26-27 (Ms No.323), 1973.

Fiske, D.W.: Unwarranted optimism. *American psychologist,* **35**:935-936, 1980.

Fleishman, E.A. & M.K. Quaintance: *Taxonomies of Human Performance: the description of human tasks,* Academic Press, New York, 1984.

Gellert, E.: Systematic observation: A method in child study. *Harvard educational review,* **25**:179-195, 1955.

Golani, I.: *Homeostatic motor processes in mammalian interactions: a choreography of display,* in Perspectives in ethology. Bateson, P.P.G. & P.H. Klopfer (Eds), vol.2:69-134, Plenum, New York, 1976.

Guilford, J.P.: *The nature of human intelligence,* McGraw-Hill, New York, 1967.

Hinde, R.A.: *Animal behaviour: a synthesis of ethology and comparative psychology,* McGraw-Hill, New York, 1970.

Hutt, S.J. & C. Hutt: *Direct observation and measurement of behavior,* Charles C. Thomas, Springfield, 1970.

Hyland, M.: *Introduction to theoretical psychology,* MacMillan Press, London, 1981.

Lehner, P.N.: *Handbook of ethological methods,* Garland Press, New York, 1979.

Levine, J.M. & W.H. Teichner: Development of a taxonomy of human performance: an information-theoretical approach. *JSAS Catalog of Selected Documents in Psychology,* **3**:28 (Ms No 325), 1973.

Lorenz, K.Z.: *The foundations of ethology,* Springer-Verlag, New York, 1981.

Maccorquodale, K. & P.E. Meehl: On a distinction between hypothetical constructs and intervening variables. *Psychological review,* **55**:95-107, 1948.

Machlis, L.: An analysis of the temporal patterning of pecking in chicks. *Behaviour,* **63**:1-70, 1977.

Miller, R.B.: *Task taxonomy: Science or technology?* **in** The human operator in complex systems. Singleton, W.T., R.S. Easterly & D.C. Whitefields (Eds), (pp.67-76), Taylor & Francis, London, 1967.

Ollason, J.C. & P.J.B. Slater: Changes in the behaviours of the male zebra finch during a twelve hour day. *Animal behavior,* **21**:191-196, 1973.

Rosenthal, R.: How often are our numbers wrong? *American psychologist,* **33**:1005-1007, 1978.

Sackett, G.P.: *Observing behavior,* vol.**2**: *Data collection and analysis methods,* University Park Press, Baltimore, 1978.

Schneirla, T.C.: The relation between observation and experimentation in the field study of behavior. *Annals of the New York Academy of Sciences,* **51**:1022-1044, 1950.

Slater, P.J.B.: Bouts and gaps in the behaviour of zebra finches, with special reference to preening. *Revue du comportement animal,* **8**:47-61, 1974.

Thinès, G. & A. Lempereur: *Dictionnaire général des sciences humaines,* CIACO, Louvain-la-Neuve (Belgique), 1984.

Tuomela, R.: *Theoretical concepts in neobehavioristic theories,* **in** The methodological unity of Science. Bunge, M. (Ed.), (pp.123-152), D. Reidel, Dordrecht, 1973.

CHAPITRE 11

ANALYSE ET GÉNÉRALISATION DES RÉSULTATS

CLAUDE CHARBONNEAU

Une fois la recherche réalisée selon le plan choisi et les données amassées grâce aux instruments de mesure ou d'observation retenus, il reste à analyser les résultats et à les interpréter à la lumière des hypothèses ou des questions formulées au départ. Cette dernière étape d'une recherche n'est pas sans soulever le délicat problème de la généralisation des résultats, dont il conviendra de montrer les questions de fond qu'il suscite à propos des particularités de la méthode scientifique en psychologie. Mais il faut, avant d'aborder ces questions de fond, examiner le déroulement proprement dit des phases d'analyse puis d'interprétation des données.

ANALYSE DES RÉSULTATS

Les données qui résultent d'une recherche se présentent le plus souvent sous une forme complexe et, bien que cela puisse paraître une affirmation triviale, ne sont jamais analysées d'avance: il appartient à l'auteur d'y mettre de l'ordre et de déployer l'ingéniosité nécessaire pour en apercevoir toutes les facettes et toutes les nuances valables. En général, l'analyse doit d'abord permettre de voir si les hypothèses de recherche sont confirmées ou infirmées dans les faits; ensuite, il est opportun d'examiner tout aspect des données qui module ou complète ces premières conclusions relatives aux hypothèses. Ce traitement, tant des données principales relatives aux hypothèses que des données complémentaires, se fait en deux étapes, soit l'analyse descriptive, puis l'analyse inférentielle par le biais, surtout, de tests statistiques. Il ne faut pas comprendre par là que la description de toutes les données précède dans un premier temps l'analyse inférentielle des mêmes données réalisée en bloc dans un second temps. Autant dans sa démarche personnelle de compréhension des résultats que dans la préparation d'une publication, l'auteur d'une recherche procède à l'analyse descriptive et à l'analyse inférentielle d'un premier sous-ensemble de données puis répète ce couple d'opérations autant de fois que l'ensemble des données compte de sous-ensembles. Il faut néanmoins, pour les fins de l'exposé, distinguer ici la présentation des deux étapes complémentaires en question.

Analyse descriptive des résultats

La description des données a pour fonction de structurer un portrait des résultats de la recherche qui soit tel qu'il permette de comprendre qualitativement autant que quantitativement le comportement des sujets. Il convient d'y éviter deux stratégies extrêmes: la première consiste à investir toute son attention dans l'examen de statistiques ou de nombres tellement abstraits qu'il font perdre contact avec la signification psychologique des phénomènes observés; la seconde conduit à verser dans l'étude trop minutieuse du détail de chacune des performances enregistrées, ce qui convient mieux à un rapport clinique qu'à une recherche scientifique. Entre ces deux extrêmes, une description adéquate n'inclut que les données pertinentes, exprimées à l'aide d'indicateurs évoquant bien les conduites enregistrées.

Pour procéder à une description adéquate des résultats, il faut savoir répondre à deux questions, lesquelles sont d'ailleurs fortement interreliées. Sur quelles données doit-on concentrer son attention? Par quels moyens peut-on en faire une synthèse adéquate? La réponse à ces questions variera selon le plan de recherche choisi.

Ainsi, pour ce qui est des plans à cas unique exposés au chapitre 7, il va de soi que la description est centrée sur les performances — forcément individuelles — du seul sujet examiné, et ce à chaque étape de la recherche (ou chaque niveau de la variable indépendante). Loin de condenser toutes les données à l'intérieur d'un seul indicateur, le plus souvent, le chercheur prend en compte chacune des mesures ou observations effectuées et en fait la synthèse dans un ou plusieurs tableaux ou figures qui fournissent un portrait complet de l'évolution temporelle des résultats. Des procédés particuliers ont été mis au point pour permettre l'analyse statistique de ce type de données (Kazdin, 1984).

A l'exception de celles faisant appel à ce type particulier de plan, toutes les recherches sont toutefois réalisées auprès d'un échantillon de sujets. Un examen trop poussé des résultats individuels est alors à proscrire. Cet exercice, pour le moins fastidieux, ne peut qu'induire de la confusion ou conduire à des interprétations à posteriori. En effet, les légères variations de comportement d'un sujet à l'autre dépendent d'une constellation de variables qui non seulement sont difficiles à synthétiser mais qui, surtout, n'ont pas pu être toutes considérées au moment de formuler les hypothèses de la recherche et de recruter les sujets. Par conséquent, le chercheur ne peut invoquer l'influence de la plupart de ces variables qu'après coup, avec tous les risques d'erreur que cela comporte.

C'est donc de la performance de l'ensemble des sujets qu'il faut se faire une image et, dans ce but, la statistique descriptive fournit les indicateurs appropriées. Quoique plutôt nombreux et diversifiés (ainsi que le montre la consultation d'ouvrages spécialisés), ces indicateurs sont principalement de deux types tel qu'indiqué aux chapitres 4 et 8. D'une part, pour les données qualitatives (échelle nominale), les fréquences ou les pourcentages de telle sorte d'événement selon chaque niveau de la variable indépendante (par exemple, le nombre de réponses affirmatives données respectivement par des hommes et par des femmes à un item donné dans un questionnaire) permettent de synthétiser clairement les résultats d'ensemble. D'autre part, pour les données quantitatives (échelles à intervalles et à proportions), le même objectif de synthèse est la plupart du temps atteint grâce au calcul d'un indice de tendance centrale, comme la moyenne. Il peut s'agir, par exemple, des cotes moyennes obtenues par un groupe d'athlètes professionnels et un groupe de sportifs amateurs dans un test de performance motrice. Il faut cependant ajouter que la moyenne ne donne une idée juste des résultats regroupés que si elle est assortie d'une mesure de dispersion: la variance ou l'écart type indiquent si les résultats individuels sont plutôt homogènes et concentrés autour de la moyenne ou s'ils sont plutôt divers et dispersés. Les données quantitatives peuvent aussi être exprimées ou traitées sous forme de rangs; la somme totale des rangs obtenus à chaque niveau de la variable indépendante sert alors, le plus souvent, à résumer l'ensemble des résultats.

Pour se faire grâce à ces divers indicateurs une image complète de la performance des sujets, il faut, bien sûr, dans un premier temps, pouvoir isoler les données principales, soit celles qui s'appliquent directement aux hypothèses ou aux questions qui ont guidé l'étude depuis le début. Mais aussi, dans un second temps, l'examen de données complémentaires s'impose souvent pour atteindre une compréhension adéquate de tous les aspects du phénomène à l'étude. L'identification et la description de telles données complémentaires ou secondaires ne relèvent d'aucune règle précise et ne sont guidées par aucune recette objective: elles manifestent plutôt la rigueur et la finesse d'esprit du chercheur.

Un exemple détaillé permettra de bien illustrer l'utilisation de certains indicateurs statistiques, montrera comment porter attention aux résultats principaux et à certaines données secondaires et, plus loin, servira à mieux faire comprendre la suite des phases d'analyse et d'interprétation. La description qui suit rapporte une expérience fictive mais néanmoins inspirée des travaux de Graham (1984). La présentation de l'expérience comporte volontairement quelques lacunes méthodologiques.

Dans le cadre des théories cognitives de la motivation, un chercheur tente de démontrer que des sujets à qui on témoigne de la sympathie après un échec seront par la suite moins motivés et auront une performance à la baisse; au contraire, des sujets à qui on exprime alors de la colère seront plus motivés et auront une performance à la hausse. Cette position est en accord avec certaines données intégrées dans une théorie de l'attribution (Weiner, 1980) et voulant que la réaction de sympathie laisse croire au sujet qu'on lui prête peu d'habileté: or, l'attribution d'un échec à un manque d'habileté aurait pour effet d'abaisser la motivation. Par contre, la réaction de colère ferait penser au sujet qu'on le soupçonne d'avoir déployé peu d'effort: or, l'attribution d'un échec au manque d'effort aurait pour effet d'élever la motivation. L'expérience est réalisée auprès de 40 étudiants du niveau collégial, tous inscrits en sciences humaines. L'expérimentateur leur présente une tâche de substitution de symboles en leur disant qu'il cherche à vérifier la supériorité supposée des étudiants des sciences pures dans ce genre d'épreuve. Les sujets effectuent trois essais: chaque essai consiste à exécuter 25 substitutions selon un code spécifique; d'un essai à l'autre, la séquence des symboles et le code sont légèrement différents. L'expérimentateur indique que les étudiants des sciences pures réussissent en moyenne à compléter chaque essai en 18,6 secondes (cette durée fictive est sciemment trop courte pour que la tâche soit complétée). Après les premier et deuxième essais, tous les sujets apprennent qu'ils ont mis plus de temps pour réaliser le test que les étudiants des sciences pures. Toutefois, dans le groupe A, le ton et les mots utilisés communiquent de la sympathie; dans le groupe B, le ton et les mots sont ceux de la colère. Après le troisième essai, l'expérimentateur explique aux sujets, sur un ton neutre cette fois (la sympathie ou la colère seraient superflues puisque cet essai n'est suivi par aucun autre) que leur performance s'est maintenue, en moyenne, à 24,9 secondes, ce qui la situe bien en deçà de celle des gens des sciences pures; il leur demande alors de choisir, parmi les trois causes «manque d'habileté», «manque d'effort» ou «difficulté de la tâche», celle qui paraît le mieux expliquer cet échec relatif. Après l'expérience, les sujets sont informés des buts réellement poursuivis. Deux hypothèses guident cette recherche. Selon la première, les causes retenues pour expliquer l'échec ne seront pas les mêmes dans chacun des deux groupes: en effet, les sujets du groupe A invoqueront en plus grand nombre le manque d'habileté, tandis que le manque d'effort sera plus souvent choisi dans le groupe B. La seconde hypothèse prévoit que pour compléter le troisième essai, les sujets du groupe B mettront moins de temps que ceux du groupe A. La figure 11.1 présente un schéma qui résume les principales variables en cause de même que les liens prévus par les hypothèses entre certaines de ces variables.

L'essentiel des résultats relatifs à la première hypothèse est rapporté à la figure 11.2, qui illustre, pour chaque groupe, le nombre de sujets qui ont choisi chacune des trois causes proposées. Il s'agit de données qualitatives, et il n'existe aucune façon d'y calculer des indices de tendance centrale, comme des moyennes; dans ce cas, les fréquences des divers choix effectués résument au mieux les résultats des groupes. A strictement parler, seules les causes «manque d'habileté» et «manque d'effort» sont incluses dans l'hypothèse. Toutefois, la compilation des choix de la cause «tâche trop difficile» et le rassemblement de toutes les fréquences dans une seule figure permet d'avoir un aperçu plus complet des données et pourrait soit conduire à identifier des phénomènes non attendus, soit contribuer à expliquer ou à nuancer les résultats principaux. C'est ainsi que le contenu de la figure 11.2 semble indiquer que, conformément à l'hypothèse, les sujets du groupe A tendent à choisir plus fréquemment la cause «manque d'habileté»; mais, contrairement à ce qui était prévu, les sujets du groupe B paraissent s'orienter en plus grand nombre vers la cause «tâche trop difficile». Ce premier aperçu des résultats relatifs à la première hypothèse repose seulement sur un examen visuel des données; ces données devront bien sûr faire l'objet d'une analyse plus approfondie, afin de justifier un verdict plus certain.

La deuxième hypothèse porte sur le temps requis pour réaliser le troisième essai. Cette variable dépendante est une donnée quantitative et, cette fois, la moyenne ($\bar{X}$) et l'écart type (s) servent à résumer la performance des groupes. Les résultats vont dans le sens

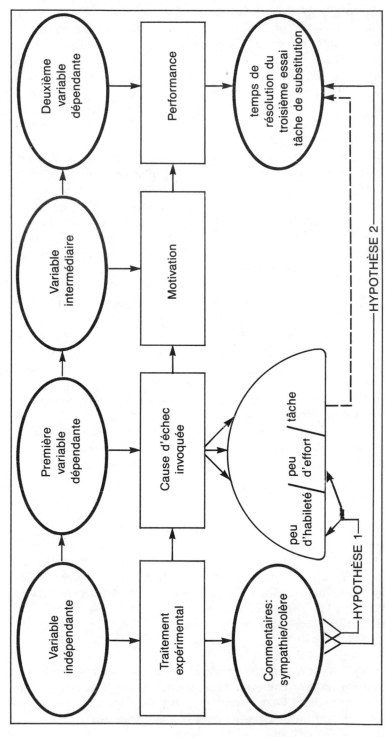

Figure 11.1 Schéma des principales variables et hypothèses de la recherche fictive sur la motivation

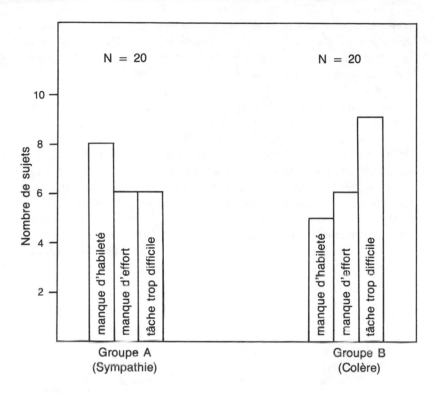

Figure 11.2 Nombre de sujets de chacun des groupes A et B ayant respectivement choisi les causes «manque d'habileté», «manque d'effort» ou «tâche trop
difficile»

prévu: les sujets du groupe B paraissent mettre moins de temps en
moyenne ($\bar{X}$ = 22,2 secondes, s = 1,32) que ceux du groupe A
($\bar{X}$ = 24,2 secondes, s = 2,11).

Finalement, le tableau 11.1 présente les temps moyens d'exécution du troisième essai pour les sujets qui ont respectivement choisi
la cause «manque d'habileté», «manque d'effort» et «tâche trop difficile», abstraction faite du type de feed-back reçu et donc de l'appartenance aux groupes A ou B. Il s'agit là de données n'ayant pas fait
formellement l'objet d'hypothèses au départ; elles correspondent à
la relation indiquée par la flèche pointillée dans la figure 11.1.
Cependant, leur examen s'avère à posteriori fort important pour
parvenir à une compréhension adéquate des résultats: en effet, la

première hypothèse, quoique peut-être corroborée par le rendement des sujets du groupe A, semble à première vue infirmée, puisqu'à la différence de ce qui était attendu les sujets du groupe B n'invoquent pas majoritairement la cause «manque d'effort» (figure 11.2); par contre, la deuxième hypothèse apparaît probablement confirmée, les résultats semblant s'y conformer. Or, pourquoi les sujets du groupe B travailleraient-ils plus rapidement (hypothèse 2) si ce n'est pas parce qu'ils invoquent davantage la cause «manque d'effort» (hypothèse 1)? La recherche d'un lien entre la cause choisie et la performance a pour but de guider éventuellement l'interprétation des résultats, qui sera fort différente selon que ce lien existe ou non. De fait, ce lien semble bien exister ici, d'après le tableau 11.1, puisque la durée de réalisation de la tâche de substitution semble varier notablement selon la cause d'échec préférée, ce que toutefois l'analyse inférentielle devra confirmer pour justifier des conclusions valables.

Tableau 11.1

Nombre de sujets qui ont choisi chacune des causes d'échec, temps moyen qu'ils ont mis pour réaliser le troisième essai de la tâche substitution et écart type correspondant

	Cause d'échec choisie		
	Manque d'habileté	Manque d'effort	Tâche trop difficile
Nombre	13	12	15
Temps moyen(s)	24,95	21,32	23,39
Écart type	1,56	1,17	1,47

La description des résultats pourrait inclure encore d'autres données: comment évolue le temps de réalisation de la tâche de substitution du premier au troisième essai? La performance des garçons et celle des filles sont-elles différentes? Etc. Toute information susceptible de mieux faire comprendre le phénomène à l'étude devrait être analysée. Il ne faut toutefois pas perdre de vue que l'objectif principal d'une recherche est de vérifier une ou plusieurs hypothèses: par conséquent, l'analyse de données complémentaires, si intéressante soit-elle, ne doit pas devenir prépondérante et se substituer à l'essentiel.

Analyse inférentielle des résultats

La description des résultats conduit presque toujours à l'observation de fluctuations dans les comportements du ou des sujets examinés. Il serait en effet tout à fait exceptionnel de trouver des données identiques à tous les niveaux des variables indépendantes. Il reste toutefois à déterminer l'importance de ces fluctuations. Les variations enregistrées dans les conduites d'un même sujet (plans à cas unique) ou d'un même échantillon de sujets d'une situation à l'autre, ou encore les différences entre les performances de divers groupes de sujets traduisent-elles un effet réel des variables à l'étude ou ne reflètent-elles que le jeu du hasard? L'analyse inférentielle des résultats a pour but d'en décider.

Utilité des tests d'hypothèses

Le plus souvent, c'est l'application de tests d'hypothèses qui permet de décider si les variations notées dans les comportements des sujets dépendent des variables à l'étude ou ne sont qu'un effet du hasard. Même si le recours à de tels tests statistiques est parfois contesté par certains chercheurs qui privilégient les plans à cas unique (Christensen, 1980), il est facile de démontrer que, dans les plans de recherche comportant un échantillon de sujets, l'utilisation de tests d'hypothèses, sans être nécessaire en soi, devient de fait toujours indispensable.

Dans l'exemple rapporté plus haut, si, pour expliquer leur échec, les 20 sujets du groupe A invoquaient tous le manque d'habileté et les 20 sujets du groupe B tous le manque d'effort, la première hypothèse serait d'emblée confirmée sans qu'il soit nécessaire, pour redémontrer l'évidence, d'appliquer quelque test statistique. Mais les résultats obtenus[1] ont une toute autre allure: d'un groupe à l'autre, que ce soit pour les causes d'échec choisies ou pour les temps moyens de résolution de la tâche, il y a certes des variations de comportement, mais elles restent loin du tout ou rien qui faciliterait l'énoncé de conclusions sans équivoque.

L'ambiguïté provient ici de la difficulté d'attribuer ces légères variations de comportement au simple jeu du hasard, sans qu'interviennent réellement les variables manipulées, ou, au contraire, d'y voir un effet réel, quoique relativement petit, de ces variables. Or, ces deux possibilités sont bien présentes.

---

1. Quoique fictives, les données rapportées plus haut sont du même genre que celles qui caractérisent la très grande majorité des recherches en psychologie; une lecture rapide des articles présentés dans les périodiques scientifiques le montre à l'évidence.

D'une part, plusieurs manipulations expérimentales — à tout le moins celles autorisées par le code déontologique — n'ont qu'un effet modeste sur le comportement. Il ne faut pas d'emblée en conclure que les variables étudiées sont sans importance ou que les connaissances accumulées en psychologie scientifique sont insignifiantes. Il faut plutôt y voir la conséquence du fait que les psychologues se penchent sur des phénomènes fort complexes. La motivation humaine, par exemple, dépend certainement d'un grand nombre de facteurs: normes personnelles, expérience passée, situations rencontrées à la veille de la participation à une recherche, projets à court terme, grille d'analyse cognitive de la tâche, concept de soi, etc. L'expression de colère ou de sympathie par un interlocuteur momentané peut certes avoir un effet réel (et important à connaître) sur la motivation, sans pour autant en déterminer complètement l'intensité ou y produire des variations considérables. Mais, d'autre part, surtout dans les cas de variations légères de la performance, même si celles-ci font le pain quotidien des scientifiques en psychologie, le jeu exclusif du hasard ne peut pas non plus être exclu à priori. Il convient toutefois de bien préciser ce qu'il faut entendre par «hasard», dans ce contexte particulier.

Définition de la notion de hasard

Par «hasard», il faut, en premier lieu, entendre «erreurs d'échantillonnage». Sauf exception, les recherches ne portent jamais sur tous les individus d'une population donnée mais se réalisent auprès d'échantillons de sujets. Pour éviter que des variables autres que celles qui sont à l'étude ne biaisent les résultats, les sujets d'un échantillon sont choisis au hasard dans la population, parmi les individus qui répondent aux critères de sélection retenus. Quand le plan de la recherche l'exige, les sujets sont aussi répartis au hasard dans divers groupes. Même lorsque les variables parasites les plus importantes sont contrôlées au moment du choix (et de la répartition) des sujets, il faut se fier au hasard pour éliminer le jeu d'autres variables méconnues ou encore techniquement ou pratiquement impossibles à contrôler sans augmenter indûment l'effectif de l'échantillon. Mais le hasard ne fait pas les choses parfaitement, et ce d'autant moins que l'échantillon est de petite taille. Concrètement, si toute étude était répétée auprès d'un second puis d'un troisième (et ainsi de suite) échantillon de sujets tirés de la même population, à chaque fois des changements, au moins légers, surviendraient dans les résultats, et cela parce que le hasard ne conduira jamais à la constitution de sous-ensembles de sujets identiques eu égard à toutes les variables influentes. Ainsi, les erreurs d'échantillonnage, qui rendraient compte de certaines variations de performance d'un échantillon à l'autre, peuvent aussi expliquer certaines différences d'un groupe à l'autre à l'intérieur d'un même échantillon.

Par «hasard», il faut, en second lieu, entendre «erreurs de mesure». Aussi perfectionnés soient-ils, les instruments de mesure auxquels recourent les psychologues ne sont que très rarement parfaitement objectifs et fidèles. Ces instruments sont l'objet de fluctuations, tel que mentionné aux chapitres 4, 8, 9 et 10. La même recherche, réalisée à des moments différents, auprès des mêmes sujets, ne fournirait donc pas des résultats identiques d'une répétition à l'autre. Les mêmes erreurs de mesure peuvent aussi, bien sûr, être responsables de certains écarts, d'un groupe à l'autre ou d'une situation à l'autre, dans les comportements des sujets.

Avant de tirer des conclusions solides des résultats d'une recherche, il faut donc pouvoir distinguer le jeu de la ou des variables à l'étude de toutes ces autres influences attribuables aux erreurs d'échantillonnage et de mesure, que l'on appelle commodément le hasard. Une façon d'y parvenir serait de répéter la recherche un grand nombre de fois: si les différences entre niveaux des variables étudiées devaient alors manifester une régularité évidente, on pourrait à coup sûr les attribuer à ces variables puisque le hasard ne devrait produire aucune régularité. Mais cette démarche très onéreuse s'avère en fait inutile puisque les tests statistiques livrent la même information d'une façon beaucoup moins coûteuse.

Types de tests statistiques

Il existe une grande diversité de tests statistiques susceptibles de répondre aux besoins variés des chercheurs. Les objectifs du présent chapitre n'incluent toutefois pas l'établissement d'un relevé exhaustif de tous les tests existants, et encore moins la présentation des calculs qu'ils comportent ou des conditions de leur utilisation. Tout au plus suffira-t-il de mentionner rapidement les critères qui président au choix de tests statistiques appropriés, les principes qui les sous-tendent globalement et le type d'informations qu'ils fournissent, le tout à l'occasion d'exemples appliqués aux résultats de l'expérience fictive élaborée plus haut.

Les résultats de cette expérience sur la motivation, tels que présentés précédemment, ont des formes diverses: la fréquence des choix des trois causes d'échec dans les deux groupes expérimentaux (figure 11.2), le temps moyen mis par les sujets de chaque groupe pour réaliser le troisième essai et le temps moyen de résolution de la tâche selon la cause d'échec choisie (tableau 11.1). L'examen visuel de ces données a déjà révélé la présence de variations dans les comportements des sujets. Différents tests statistiques peuvent maintenant aider à apprécier l'importance de ces variations, abstraction faite des erreurs d'échantillonnage et de mesure.

Ainsi, premièrement, le recours au test X^2 (Khi carré) permettra d'estimer dans quelle mesure la répartition des choix entre les trois causes d'échec varie réellement d'un groupe de sujets à l'autre (figure 11.2). Deuxièmement, le test t (t de Student) servira à apprécier la signification réelle des différences entre les groupes A et B quant au temps de réalisation de la tâche de substitution. Troisièmement, le test F (analyse de la variance), appliqué aux données du tableau 11.1, montrera l'importance véritable des écarts dans les performances en vertu de la sorte de cause d'échec invoquée. Les tests X^2, t et F sont bien sûr choisis parmi plusieurs, et leur choix se justifie en référence à deux critères principaux qu'il convient maintenant d'élaborer quelque peu.

En premier lieu, le choix d'un test statistique dépend du type de variables (indépendantes et dépendantes) que l'analyse doit mettre en rapport. Ces variables peuvent être qualitatives ou quantitatives, ce qui entraîne trois catégories principales de relations: la relation entre deux variables quantitatives, celle entre deux variables qualitatives et celle entre une variable qualitative et une variable quantitative. Des tests statistiques différents conviennent à chacune de ces catégories.

Pour quantifier la relation entre deux variables quantitatives, les divers coefficients de corrélation, entre autres, s'avèrent appropriés; rarement exploités dans les recherches expérimentales, ils sont monnaie courante dans les recherches corrélationnelles. Par exemple, devant un échantillon de diplômés du niveau collégial, on pourrait se demander s'il existe une corrélation — et si oui quelle en est l'amplitude — entre les performances académiques évaluées par le rang centile (première variable quantitative) et le succès professionnel subséquent mesuré par le revenu annuel (seconde variable quantitative).

D'autres tests, comme le X^2, par exemple, s'appliquent à l'étude de la relation entre deux variables qualitatives. C'est le cas, dans l'exemple élaboré plus haut, lorsqu'il faut examiner l'effet de la sorte de feed-back (première variable qualitative) sur le type de cause d'échec invoqué (seconde variable qualitative).

Enfin, pour évaluer le lien entre une variable qualitative, comme la sorte de feed-back ou encore le type de cause retenu, et une variable quantitative, comme le temps de réalisation de la tâche de substitution, il faut recourir à d'autres tests statistiques: les tests t et F sont, entre autres, adéquats dans ces cas.

En deuxième lieu, le choix d'un test statistique doit tenir compte du nombre de variables à l'étude. Certains tests évaluent la relation entre une variable indépendante et une variable dépendante (analyse de variance simple, par exemple); d'autres mesurent les liens entre deux ou plusieurs variables indépendantes d'une part, et une variable dépendante d'autre part (analyse de variance factorielle); d'autres encore estiment l'importance de la relation entre une variable indépendante et deux ou plusieurs variables dépendantes simultanément (analyse de variance multivariée). Les formules mathématiques de ces divers tests varient par ailleurs légèrement selon que les données proviennent de mesures répétées auprès des mêmes sujets ou de mesures tirées de groupes indépendants de sujets. Elles peuvent aussi différer selon que les variables indépendantes comptent deux ou plus de deux niveaux. Il y a donc à cet égard un lien très étroit entre le plan de recherche et le plan d'analyse statistique.

Dans l'exemple détaillé plus haut, les tests X^2, t et F servent tous à quantifier l'influence d'une seule variable indépendante qualitative, tantôt à deux niveaux (X^2 et t) et tantôt à trois (F), sur une seule variable dépendante, tantôt qualitative (X^2) et tantôt quantitative (t et F).

Nature des informations fournies par les tests statistiques

Mais comment ces divers tests statistiques, une fois bien choisis, permettent-ils de mieux comprendre les résultats? Ils le font en fournissant un estimé de la probabilité d'obtenir strictement par hasard des résultats analogues à ceux qui ont été observés. Ils indiquent combien de fois, si la recherche était répétée 100 fois dans des conditions analogues, le chercheur observerait, strictement en vertu des erreurs d'échantillonnage et de mesure, des différences comme celles qu'a révélées la comparaison des comportements des divers groupes de sujets ou des conduites des mêmes sujets en différentes situations.

Le recours à l'exemple de l'expérience sur la motivation permettra à nouveau de mieux illustrer ce point. Appliqué aux données fictives de la figure 11.1, le test X^2 annoncé précédemment donne les résultats suivants: $X^2 = 0,186$, dl $= 3$, $p > 0,25$. La figure 11.2 montrait la présence de légères variations, d'un groupe à l'autre, dans le nombre de choix des trois causes d'échec suggérées. L'information que le test X^2 ajoute tient dans le fait que toutes ces variations, qu'elles aillent ou non dans la direction prévue par la première hypothèse, auraient d'assez fortes chances (en fait, plus d'une chance sur quatre) de survenir strictement par hasard.

Il en va bien autrement pour le résultat du test t appliqué aux temps moyens de réalisation du troisième essai: t = 3,60, dl = 38, p < 0,01. Cette fois, la probabilité d'observer par hasard des différences telles que celles enregistrées dans les performances moyennes de chaque groupe s'avère inférieure à une chance sur 100. L'application du test F aux données résumées dans le tableau 11.1 révèle des probabilités aussi faibles d'une influence exclusive du hasard: F = 20,51, dl = 2,37, p < 0,01. Cela signifie que les erreurs d'échantillonnage et de mesure n'ont que peu de chances d'expliquer à elles seules les différences dans les performances des sujets qui invoquent chaque type de cause d'échec.

Confirmation ou rejet des hypothèses de recherche

L'établissement, par le biais de tests statistiques, des probabilités d'expliquer par le jeu du hasard les résultats observés ne constitue en rien le dernier mot de l'analyse des résultats. Il reste à l'auteur de la recherche, à partir de cette information, à prendre la décision de conserver l'hypothèse nulle (H_0) en rejetant l'hypothèse de recherche (H_1) ou, au contraire, de rejeter H_0 en conservant H_1.

Tel que vu au chapitre 3, H_0 consiste à présumer, pour les fins de l'analyse statistique seulement, que la relation entre les variables est nulle, c'est-à-dire que les résultats sont identiques dans tous les groupes de sujets ou, selon le cas, dans toutes les situations où se trouve un même groupe de sujets. H_0 est précise et indépendante du type de mesures effectuées ou de la nature et de l'importance des variables considérées, ce qui la rend commode parce que facile à mettre objectivement à l'épreuve. H_1 prévoit quant à elle un lien réel entre les variables à l'étude.

La décision de maintenir H_0 ou de la rejeter se fonde sur les résultats des tests statistiques. En général, plus les résultats observés sont susceptibles d'être le fruit du hasard, plus il est prudent de conserver H_0, ce qui implique que H_1 ne peut être confirmée; pareille décision de conserver H_0 s'appliquerait bien, dans l'exemple de l'expérience sur la motivation, au cas où l'on s'attache à la distribution des choix des différentes causes d'échec dans les groupes A et B (test X^2 appliqué aux données de la figure 11.2): la probabilité que le hasard explique les résultats obtenus étant relativement élevée, il est préférable de conclure à l'absence de variations attribuables au traitement expérimental. La première hypothèse de la recherche est donc infirmée.

Par contre, la comparaison des temps moyens de résolution de la tâche de substitution révèle que les différences entre les groupes n'auraient que très peu de chances de relever exclusivement du hasard. En pareil cas, on considère généralement que les différences sont *significatives*: ici, elles le sont *au seuil de 0,01,* compte tenu du résultat du test t. Il est donc acceptable de rejeter H_0 dans ce cas et de déclarer confirmée la deuxième hypothèse de la recherche.

Quant au test F appliqué aux résultats du tableau 11.1, il révèle aussi des différences significatives dans les performances moyennes des sujets qui invoquent chaque type de cause, puisque ces différences ont aussi très peu de chances de s'expliquer par le hasard. Il est donc approprié dans ce cas aussi de rejeter H_0 et de conserver H_1, à savoir l'hypothèse d'un lien, à un seuil de 0,01, entre la cause choisie et la rapidité d'exécution de la tâche de substitution. Cette relation, on s'en souviendra, n'était pas formellement annoncée au début de la recherche et ce n'est qu'à posteriori, compte tenu des impératifs de l'analyse des résultats et du besoin d'en saisir tous les aspects essentiels, qu'elle a été soumise à un examen systématique. La formuler «après coup» devra cependant commander la plus grande prudence lorsque viendra le temps d'énoncer des conclusions.

Ce que ce long exposé devrait avoir permis de noter, c'est que la décision de maintenir ou de rejeter H_0 ne se fonde jamais sur une certitude, mais seulement sur la plus ou moins grande probabilité que les données observées s'expliquent par des erreurs d'échantillonnage ou de mesure. Or, une probabilité n'est pas une certitude. D'une part, même si certaines différences entre des comportements ou certaines relations entre des variables s'avèrent très probablement dues au hasard, on ne saurait l'affirmer de façon totalement sûre. D'autre part, même des événements très rares peuvent se produire au hasard. Il y a donc possibilité de commettre deux erreurs au moment de la prise de décision, laquelle ne se fonde que sur des estimés de probabilités.

L'erreur de type I consiste à rejeter H_0 alors que, même peu probable, elle est vraie; ainsi, en rejetant H_0 et en déclarant confirmée, comme ci-haut, la deuxième hypothèse de la recherche, sous prétexte de différences (significatives) entre les temps moyens de résolution de la tâche dans les deux groupes, un chercheur risquerait de commettre l'erreur de type I. Le hasard pourrait conduire à l'observation de pareilles différences environ 1 fois sur 100.

A l'inverse, l'erreur de type II survient lorsqu'on conserve H_0 alors que c'est H_1 qui est vraie. Ainsi, plus haut, il est apparu préférable de déclarer la première hypothèse de la recherche infirmée, parce que des variations comme celles notées dans la distribution des choix surviendraient, au hasard seulement, plus de 25 fois sur 100. Mais l'erreur de type II est alors possible: ce sont peut-être malgré tout les conditions expérimentales qui expliquent cette fois-ci les modestes résultats obtenus.

Il n'est pas possible de contourner le dilemme des erreurs de type I et de type II puisque, pour un même test statistique, en diminuant les risques de commettre l'une, on augmente automatiquement les risques de commettre l'autre. La décision de rejeter ou de conserver H_0 doit en définitive reposer sur l'estimé des conséquences respectives des erreurs de type I et de type II et se révèle, au mieux, réglée par certaines coutumes respectées par la plupart des scientifiques. Ainsi, plusieurs croient que, dans la recherche de type exploratoire ou préliminaire, il est davantage justifié de risquer l'erreur de type II puisqu'un désir trop poussé de l'éviter conduirait éventuellement à l'abandon de pistes de recherches prometteuses. Des résultats ayant 10 chances sur 100 d'être le fruit du hasard pourront ainsi y être provisoirement considérés significatifs. Par contre, dans les programmes de recherche bien établis, conduisant à des publications dans les périodiques scientifiques, davantage de prudence s'impose quant à l'erreur de type II dont la conséquence malheureuse est d'assurer une grande diffusion à des résultats douteux que l'on ferait passer pour vrais. Dans ce cas, la majorité des chercheurs ne considèrent significatifs que les résultats qui ont moins de 5 chances sur 100 (et souvent même moins de 1 chance sur 100) de dépendre du hasard: la probabilité de commettre l'erreur de type I s'avère donc assez grande, mais cela paraît un moindre mal.

Dans ce contexte, le choix judicieux d'un test statistique prend toute son importance. L'emploi d'un test qui utilise au mieux l'information contenue dans les données maximise les chances d'apercevoir des variations authentiques lorsqu'elles existent, même en référence à un seuil exigeant de signification, et minimise en conséquence les risques d'erreur de type II sans pour autant augmenter les risques d'erreur de type I.

Cet exposé est loin d'englober toutes les subtilités des analyses statistiques et doit assurément être complété par la lecture de traités spécialisés. Mais il aura permis, doit-on espérer, de comprendre les principales raisons qui justifient le recours aux techniques statistiques et les services qu'elles rendent le plus souvent. L'analyse des résultats consiste à mettre de l'ordre dans les données, à en comprendre tous les aspects intéressants et à y dissocier ce qui est accidentel de ce qui est essentiel. Une description exhaustive, un examen visuel et une compréhension qualitative des résultats seront toujours requis et peuvent même, dans certains cas bien précis, suffire à faire voir si les objectifs de la recherche ont ou non été atteints. Souvent pourtant, à cette démarche plus qualitative il faudra ajouter des efforts de quantification, la statistique s'avérant un outil fort précieux pour guider le jugement à porter sur les résultats d'une étude et pour orienter les conclusions qui en découlent.

INTERPRÉTATION DES RÉSULTATS

L'étape de l'analyse des résultats, dont on vient de voir les principales caractéristiques, poursuivait essentiellement deux objectifs: vérifier dans les faits les hypothèses de départ bien sûr, mais aussi examiner avec soin toute donnée susceptible de faire progresser les connaissances. L'étape de l'interprétation survient au moment où sont ainsi rendues disponibles toutes sortes d'informations factuelles: hypothèses confirmées ou infirmées, facteurs qui limitent ou modulent l'influence des variables à l'étude, résultats inattendus, etc. L'interprétation proprement dite consiste à intégrer ces informations factuelles, à les coordonner avec le contenu du raisonnement qui a conduit à l'énoncé des hypothèses et à en faire surgir des pistes de recherche future. *L'analyse visait à établir les faits, et l'interprétation consiste à les expliquer.* Mais la nature de ces explications et des conclusions découlant de la recherche devra respecter certaines règles: explications et conclusions n'auront ni la même allure ni le même degré de certitude selon que les résultats ont totalement confirmé ou infirmé les hypothèses, qu'ils les ont partiellement confirmées ou qu'ils n'avaient pas fait l'objet de prévisions formelles.

La confirmation complète d'une hypothèse ne crée bien sûr que peu de problèmes d'interprétation puisque faits anticipés et faits mesurés concordent. Les théories, les recherches et les arguments qui ont conduit à la prévision initiale reçoivent de la sorte un certain appui; il reste à examiner comment cet état de fait contribue au progrès du savoir et à chercher des façons de trouver des appuis additionnels dans d'autres travaux. L'auteur responsable de cette confirmation ne devrait pas pour autant se dispenser d'une bonne dose de prudence. D'abord, lorsque les prévisions de départ s'avèrent confirmées en vertu de l'application de tests d'hypothèses, il reste toujours la possibilité d'erreurs de type II, lesquelles sont d'autant plus probables qu'on n'a pas choisi les seuils de signification les plus exigeants. Ensuite, toute une gamme de lacunes méthodologiques liées au choix des sujets, aux instruments de mesure ou au plan de recherche peuvent avoir contribué à l'obtention de résultats faussement positifs si, par exemple, l'effet de variables parasites imprévues se confond avec celui des variables principales à l'étude: seul un examen minutieux des divers aspects de la recherche peut conduire à éliminer tout doute raisonnable à propos de la validité interne des données et justifier l'énoncé de conclusions fermes et exemptes de toute contamination.

On parle d'une hypothèse partiellement confirmée non pas lorsque les tests statistiques montrent qu'on approche du seuil de signification choisi sans toutefois l'atteindre tout à fait (il faut alors carrément déclarer l'hypothèse infirmée), mais bien lorsque les résultats n'appuient qu'une partie des prédictions de départ. C'est le cas, entre autres, lorsque des effets d'interaction imprévus se manifestent. Une hypothèse veut, par exemple, que les enfants aient une meilleure performance scolaire s'ils sont encouragés par leurs parents; les résultats montrent que c'est le cas, mais seulement chez les enfants de milieux économiquement favorisés. La variable étudiée, l'encouragement des parents, est donc corrélée, en conformité avec les prévisions, à la performance scolaire, mais seulement en interaction avec une autre variable, le niveau socio-économique, ce qu'on n'avait pas anticipé. De pareilles données contiennent des informations cruciales qui sont susceptibles de faire préciser une position théorique ou de délimiter la portée réelle de recherches antérieures. Mais il s'agit aussi d'informations difficiles à intégrer avec rigueur puisque sujettes à tous les risques d'une explication à posteriori. Il convient donc d'aborder leur interprétation avec toutes les nuances qui s'imposent, de chercher à appuyer cette interprétation sur tout élément factuel pertinent trouvé dans les résultats de l'étude et de proposer des stratégies de recherche susceptibles d'en confirmer l'à-propos. La même prudence est de mise au moment de considérer toute donnée intéressante mais non prévue au départ.

Les cas d'hypothèses qui apparaissent complètement infirmées suscitent eux aussi des problèmes d'interprétation. Ceux-ci surgissent, notamment, lorsque les tests statistiques ne permettent pas de rejeter H_0. Mais ne pas rejeter H_0 ne signifie pas que celle-ci soit confirmée. Il est, en effet, logiquement impossible de confirmer l'hypothèse nulle et de conclure avec certitude à l'absence de liens entre des variables. Pour le faire, il faudrait réussir l'irréalisable, soit démontrer que l'échantillon, le plan de recherche, le déroulement de la cueillette des données et les instruments de mesure utilisés sont irréprochables, bref que toute la recherche est sans faille. Toute faille, connue ou inconnue, et l'on ne saurait prouver qu'il n'en existe aucune, peut suffire à empêcher d'observer un lien pourtant réel entre des variables. L'interprétation de résultats dits négatifs, soit ceux qui se conforment à H_0, consiste donc, dans un premier temps, à repérer quelles ont pu être les erreurs méthodologiques, en vue d'extraire de leur présence certains éléments d'explication, et, le cas échéant, à proposer des correctifs pour l'avenir. Si aucun défaut méthodologique ne paraît expliquer les données de façon plausible (qu'on n'en détecte pas ne veut pas dire qu'il n'en existe pas), il reste à envisager la possibilité (il s'agit bien seulement d'une possibilité) que les positions théoriques ou les données empiriques sous-jacentes aux hypothèses soient inexactes ou incomplètes. De cette possibilité la preuve ne pourra jamais être faite logiquement, mais on pourra en devenir factuellement convaincu si plusieurs recherches semblables devaient toujours aboutir à des résultats peu concluants.

Toute conclusion fondée sur les résultats d'une seule recherche comporte donc une part d'incertitude, et cela quel que soit le verdict posé sur l'hypothèse. Une seule recherche ne permet pas, en effet, d'éliminer tous les doutes, notamment quant à l'intervention non détectée de variables parasites, quant à la présence peu évidente de lacunes méthodologiques ou quant à l'éventualité d'erreurs statistiques de type I ou de type II. C'est pourquoi la démarche scientifique exige que les recherches soient répétées et que les résultats empiriques sur lesquels s'appuient les connaissances soient reproductibles.

Un dernier renvoi succinct à l'exemple élaboré en début de chapitre permettra de mieux illustrer le processus d'interprétation. Les résultats principaux, tels que décrits et analysés, se résument ainsi: la première hypothèse est infirmée puisque les trois causes d'échec proposées sont indifféremment choisies par les sujets à qui l'expérimentateur a exprimé de la colère ou de la sympathie. La deuxième hypothèse est confirmée, les sujets qui sont objets de colère étant plus rapides dans la tâche de substitution que ceux objets de sympathie. Dans cette même tâche, les sujets qui invoquent la cause «manque d'effort» travaillent plus rapidement que ceux qui choisissent la cause «tâche trop difficile»; ceux qui recourent à la cause «manque d'habileté» sont les plus lents.

L'interprétation de pareils résultats doit se faire avec beaucoup de nuances. Ainsi, les données infirment de fait la première hypothèse. Néanmoins elles ne démontrent pas la présence d'erreurs dans la théorie et les autres recherches selon lesquelles le type de feed-back influence la cause invoquée pour expliquer un échec. Conclure tout de suite que la théorie et les recherches dont s'inspire l'hypothèse sont erronées serait non seulement illégitime au plan logique mais aussi fort difficile à concilier avec d'autres aspects des données. En effet, le traitement expérimental a par ailleurs les conséquences prévues sur la durée de réalisation de la tâche (hypothèse 2), et, de plus, la cause invoquée s'avère reliée à cette durée. Ces deux éléments donnent un appui indirect aux arguments qui sous-tendent les hypothèses. Il ne s'agit toutefois que d'un appui indirect que l'on peut certes mentionner mais avec la plus grande prudence, car l'élément crucial autour duquel s'articule toute la logique de l'expérience, soit l'effet du type de feed-back sur l'explication subjective de l'échec, ne reçoit pas la confirmation espérée. La responsabilité en incombe probablement à certaines lacunes méthodologiques: ainsi, des sujets qui s'accusent intérieurement d'avoir déployé peu d'effort ou d'avoir peu d'habileté peuvent éprouver des réticences à l'avouer publiquement à l'expérimentateur; ou encore, il est peut-être insuffisant de chercher à appréhender l'explication subjective d'un échec par le biais d'une question demandant tout juste de choisir une cause parmi trois suggestions seulement. Une analyse plus poussée de l'expérience pourrait révéler des lacunes additionnelles et conduire, en définitive, à proposer d'autres recherches qui les corrigeraient et qui mettraient à l'épreuve de façon plus décisive les hypothèses formulées et, par le fait même, les positions théoriques et les travaux empiriques dont elles émergent.

La question de la généralisation des résultats ne se pose pas dans le cas de données aussi incertaines que celles-là. Pareille expérience n'est pas inutile, loin de là. Cependant, son utilité se résume pour le principal à indiquer les pièges méthodologiques à éviter dans de futures recherches. Mais c'est quand une recherche fournit, en plus d'informations méthodologiques, des données concluantes sur le comportement humain (ou animal) proprement dit, que se pose la question de la généralisation: à quels individus et dans quelles situations s'appliquent ces connaissances nouvelles? Explicitement abordée ou implicitement apparente dans la façon de formuler les conclusions d'une recherche, cette question est cruciale. La réponse qu'on lui apporte définit, en effet, la portée réelle de la recherche en indiquant les limites au-delà desquelles on ne saurait prendre pour vrai le savoir nouvellement acquis.

GÉNÉRALISATION DES RÉSULTATS

Toutes les décisions que prend un chercheur, au moment où il élabore le plan de la recherche (chapitres 5 à 7) et choisit le mode de mesure et d'enregistrement des données (chapitres 4 et 8 à 10), sont orientées par le souci de maximiser la validité interne (chapitre 4), soit la certitude que le verdict posé sur l'hypothèse est justifié et rend effectivement compte du comportement des sujets de la recherche dans la situation particulière où celle-ci s'est déroulée. Mais il est rare qu'un chercheur s'intéresse uniquement aux sujets sur lesquels a porté sa recherche, et à la seule situation caractérisant cette recherche. La plupart du temps, il souhaiterait généraliser ses conclusions en les appliquant à des populations plus larges placées dans des contextes plus variés.

Par exemple, s'il a démontré que 50 étudiants de niveau universitaire apprennent la technique du traitement de texte informatisé plus rapidement s'ils reçoivent une récompense monétaire après chaque opération réussie que s'ils ne sont récompensés que de façon intermittente, un chercheur peut se demander si des résultats analogues surviendraient dans des situations d'apprentissage différentes, pour des tâches d'une autre nature, ou encore, avec d'autres catégories de personnes que les étudiants universitaires.

Comme nous l'avons vu au chapitre 4, lorsque la généralisation des résultats d'une recherche est possible, celle-ci présente une bonne *validité externe*. Les chapitres précédents ont permis de comprendre que plusieurs facteurs peuvent compromettre la validité interne des résultats d'une recherche: mauvais contrôle des variables parasites, choix d'instruments de mesure inappropriés, etc. Plusieurs facteurs peuvent aussi handicaper leur validité externe. Ces facteurs, déjà introduits au chapitre 4, se regroupent en deux grandes catégories selon qu'ils sont relatifs à la sélection des sujets ou aux caractéristiques de l'environnement.

Validité des critères de sélection des sujets

La question de la validité externe, envisagée sous l'angle de la sélection des sujets, se résume ainsi: les résultats de la recherche recueillis auprès d'un sujet ou d'un échantillon de sujets se généralisent-ils à d'autres individus et, si oui, à qui? La réponse à cette question est, en théorie, assez simple: les résultats se généralisent à toute population dont les sujets sont représentatifs. Mais survient alors la question la plus difficile: de quelle population sont-ils vraiment représentatifs? Pour y répondre, il faut d'abord connaître toute la population visée par l'étude et, ensuite, juger des moyens retenus pour en extraire un échantillon qui la représente.

Plusieurs auteurs définissent explicitement, dès le départ, la population cible qui les intéresse: Ryan (1980), par exemple, cherche à étudier les valeurs d'une population cible bien déterminée: les adolescents québécois de chaque sexe, qui sont âgés de 16 à 20 ans et qui vivent en milieu urbain ou rural. Souvent, par ailleurs, l'identification de la population cible n'est qu'implicite: la plupart des recherches portant sur les grands processus psychologiques, comme l'intelligence ou la motivation, par exemple, visent, implicitement, à connaître le fonctionnement des êtres humains (et parfois de certaines espèces animales en même temps) en général. Définies implicitement ou explicitement, les populations visées, on le voit, s'avèrent parfois plutôt restreintes et parfois très larges.

Pour ce qui est des méthodes d'échantillonnage, plusieurs spécialistes, particulièrement dans le domaine des enquêtes et des sondages, ont mis au point des techniques servant à composer des échantillons qui représentent au mieux une population déterminée. Globalement, le principe général de ces techniques consiste à sélectionner des sujets au hasard en s'assurant de ce que toutes les catégories ou sous-catégories d'individus qui constituent la population aient une chance d'être présents dans l'échantillon, et ce proportionnellement à leur importance dans la population.

Mais faut-il, sous prétexte de maximiser la validité externe, appliquer ces techniques avec rigueur dans le choix de tout échantillon de sujets pour n'importe quelle recherche? Tout dépend de ce que le chercheur sait du degré de ressemblance existant, quant au phénomène étudié, entre les différentes populations auxquelles il est susceptible d'étendre ses conclusions. Par exemple, quiconque s'intéresse à la motivation humaine en général devrait-il travailler avec des gens de tous les âges, de tous les pays (en s'adressant à plus de Chinois que de Sénégalais parce qu'ils sont plus nombreux sur la terre), etc.? Pareil effort serait sûrement très onéreux et, par surcroît, inutile si l'on dispose d'informations autorisant à croire que le fait d'avoir tel ou tel âge, ou celui de vivre dans tel ou tel pays, n'affecte en rien le jeu des variables à l'étude: en pareil cas, les résultats d'une recherche menée auprès de Québécois de 20 ans pourraient être généralisés à tout le monde. Si, au contraire, il est très probable que l'âge ou le pays d'origine conditionnent directement ou indirectement le jeu des variables, les résultats d'un échantillon de Québécois de 20 ans ne seraient valables que pour la population des Québécois de 20 ans (ou peut-être pour celle des jeunes adultes nord-américains). En règle générale, la plus grande prudence s'impose avant de procéder à des généralisations trop extensives: la psychologie du développement et la psychologie interculturelle ont respectivement révélé que plusieurs conduites humaines ne se manifestent pas nécessairement de la même façon selon la période du cycle de vie étudiée et selon l'aire géoculturelle où évoluent les sujets.

Selon Neale et Liebert (1973), il y a atteinte ou non à la validité externe selon le degré d'interaction entre les caractéristiques des sujets et les comportements enregistrés. Il y a interaction lorsque certaines particularités des sujets influencent ces comportements; si c'est le cas, la généralisation des résultats doit se limiter aux seules personnes ayant ces mêmes particularités. S'il n'y a pas d'interaction, les résultats sont aussi valides pour d'autres personnes n'ayant pas ces particularités.

Mais la grande difficulté consiste à estimer avec justesse le degré d'interaction entre les caractéristiques des sujets de l'échantillon et les comportements mesurés. Il y a certes des cas plus faciles où tout porte à croire à l'absence d'une telle interaction. Ainsi, elle s'avère peu probable lorsque des processus physiologiques fondamentaux, identiques chez toutes les personnes, sous-tendent les comportements à l'étude; par exemple, loin de se limiter aux enfants suisses nés de père célèbre, les données recueillies par Piaget (1948) sur le développement intellectuel de ses propres enfants entre 0 et 2 ans, développement probablement lié de très près aux transformations biologiques du cerveau, se sont avérées adéquates pour les bébés d'un peu partout dans le monde, et même pour les petits de plusieurs espèces de mammifères (Dumas et Doré, 1986).

Il y a aussi d'autres cas où la présence d'une interaction entre les caractéristiques des sujets et les réponses mesurées paraît évidente. Ces réponses sont, notamment, les plus influencées par les déterminants socioculturels qui conditionnent et particularisent l'expérience et le développement individuel: personne, par exemple, ne dirait des données sur les valeurs morales des adolescents francophones qu'elles sont d'emblée généralisables aux jeunes de toute la planète.

Les situations sont loin cependant d'être toutes faciles à analyser et l'auteur d'une recherche devrait toujours procéder à un examen attentif des interactions entre les caractéristiques des sujets de son échantillon et les comportements mesurés. Au lieu d'être conditionné par un tel examen, cependant, le choix des sujets résulte fréquemment de considérations relatives à leur disponibilité, ou même tout simplement à la coutume établie. Ainsi, les étudiants en psychologie, de premier cycle universitaire et de sexe masculin surtout, ont, pendant longtemps, servi de sujets dans la majorité des recherches (Smart, 1966). Cette habitude de choisir des échantillons dans des populations trop restreintes a suscité plusieurs critiques en raison des limites qu'elle impose à la validité externe des résultats. Dès 1946, McNemar désigna même la psychologie comme «la science du comportement des étudiants du premier cycle» (p. 333). Encore tout récemment, Sears (1986) a déploré le fait qu'après 1960, une large proportion des recherches publiées en psychologie sociale aient été effectuées auprès d'étudiants, âgés de 17 à 20 ans et convoqués dans des laboratoires universitaires: or, les caractéristiques des étudiants seraient, à plusieurs égards (habiletés cognitives, attitudes vis-à-vis de l'autorité, relations avec les pairs, etc.), différentes de celles d'adultes plus vieux et les conclusions tirées des recherches auxquelles ils participent trop souvent projetteraient une image biaisée, parce que partielle, de la nature humaine.

Une importante source d'inquiétude quant à la validité externe des résultats de recherche provient donc d'un examen insuffisant des effets potentiels, sur les données, des caractéristiques de sujets issus de sous-groupes trop spécifiques et présumés, peut-être à tort, représentatifs de larges populations. Mais ce n'est pas la seule déficience qui préoccupe les chercheurs. Une autre tient à certains biais échantillonnaux souvent fort difficiles à éviter parce qu'imprévisibles ou conséquents au respect du code de déontologie présenté au chapitre 13.

Entre autres, il arrive qu'on examine des sujets qui, à cause de la nature très particulière de la recherche (par exemple, l'étude des effets qu'ont sur l'image corporelle les maladies transmises sexuellement) offrent d'eux-mêmes leur collaboration plutôt que d'attendre d'être sollicités. Il n'est alors pas du tout certain que les effets observés chez eux ne dépendent pas de caractéristiques qui leur sont propres et que ne partagent pas les personnes également atteintes mais moins collaboratrices. Ainsi, il a été clairement démontré que, lors d'une évaluation de leur degré de suggestibilité hypnotique, les sujets qui se portaient volontaires avaient des réactions qui différaient grandement de celles de sujets qui acceptaient une invitation à participer (Boucher et Hilgard, 1962).

Il s'avère certes relativement aisé d'éviter les erreurs d'échantillonnage les plus grossières: n'importe qui comprend que recruter des sujets à partir d'une annonce diffusée sur les ondes d'une station radiophonique dont presque toute la programmation est axée sur l'ésotérisme risque fort d'entraîner la constitution d'un échantillon assez spécial. Mais d'autres types de biais (pas nécessairement très importants, mais qui peut le certifier?) sont plus susceptibles de passer inaperçus: les usagers réguliers de telle ligne de métro, les employés qui se trouvent encore à la cafétéria à telle heure ou les étudiants qui fréquentent la bibliothèque le dimanche n'ont-ils pas des particularités qui les distinguent de la population générale (si telle est la population cible) et qui limiteraient la généralisation des résultats si on devait y choisir tout l'échantillon d'une recherche?

Validité des facteurs de l'environnement

La question de la généralisation, eu égard aux facteurs de l'environnement, consiste à se demander si les résultats sont valides, pour les mêmes sujets cette fois, mais placés dans d'autres situations que celle exploitée dans la recherche. La réponse exige que l'on tienne compte du degré de ressemblance (pas nécessairement matérielle ou physique) entre ces autres situations et celle que le chercheur a sélectionnée ou construite. Ainsi, lorsqu'on a démontré que des enfants peuvent apprendre, par observation d'un modèle, à frapper du pied un ballon rond, on n'a aucune hésitation à certifier qu'ils apprendraient de la même façon à frapper un ballon oval, ces deux tâches étant à toutes fins utiles identiques; on n'a également que peu de réserves à penser qu'ils apprendraient aussi de la sorte à réaliser une autre activité sollicitant le même genre de coordination motrice, comme lancer une balle; il serait toutefois beaucoup trop risqué de généraliser d'emblée ces résultats à des apprentissages faisant intervenir d'autres processus psychologiques: l'acquisition d'une règle abstraite de conduite faisant intervenir des processus cognitifs, par exemple.

Cette question de la validité des facteurs de l'environnement ne trouve par contre son véritable intérêt que si on l'élargit pour y inclure le problème de la généralisation des conclusions depuis la situation dans laquelle la recherche prend place jusqu'aux situations de la vie courante. Plusieurs parlent de la validité écologique de la psychologie scientifique lorsqu'ils s'interrogent ainsi sur l'utilisation des connaissances acquises en situation de laboratoire pour expliquer les comportements quotidiens des sujets dans leur milieu naturel. Déjà substantiellement touchée dans le chapitre 4, la notion de validité écologique sera à nouveau abordée ici, sous un angle quelque peu différent.

VALIDITÉ ÉCOLOGIQUE

Des doutes sur la validité écologique de la psychologie scientifique, c'est-à-dire sur la pertinence des données qui en résultent pour rendre compte du quotidien, sont évoqués par plusieurs psychologues. Pour certains, le problème est occasionnel et, pour l'éliminer, il suffit en certains cas d'imaginer des études procédant à l'observation des sujets dans leur milieu naturel (Matheson et al., 1978). Pour d'autres, le problème est plus structural: Argyris (1980), par exemple, parle des contradictions internes de la recherche scientifique dont les méthodes ne permettraient pas d'acquérir des connaissances utiles pour expliquer le comportement quotidien des humains. Pour mieux cerner l'importance réelle de ce problème, il convient d'en examiner sommairement les causes. Celles-ci sont principalement de deux ordres: les unes dépendent de la nature des situations de recherche et les autres relèvent de l'utilisation de la statistique.

Nature des situations de recherche

Pour recueillir des informations systématiques sur le comportement humain, il faut réaliser une recherche; la façon la plus ordinaire d'y parvenir consiste à solliciter la participation d'un ou de plusieurs sujets. Mais faut-il s'attendre à ce que quelqu'un qui sait qu'il participe à une recherche réagisse comme il le fait d'habitude?

L'effet Hawthorne, entre autres, a depuis longtemps sensibilisé les chercheurs à certaines réactions des sujets d'une recherche. Entre 1924 et 1932, dans les usines Hawthorne de la compagnie Western Electric, des chercheurs ont mis successivement à l'essai différentes techniques pour améliorer la productivité des employés; chacune de ces techniques a produit des effets supérieurs à la précédente parce que, a-t-on cru, les employés se savaient observés et évalués et parce que cette attention qu'on leur portait avait un effet positif sur eux.

Aujourd'hui, l'existence de l'effet Hawthorne est contestée tant à cause des lacunes méthodologiques des recherches qui en ont établi la présence qu'en vertu de la difficulté à en produire systématiquement l'apparition (Rice, 1982). On admet quand même que certaines personnes adoptent des attitudes et des comportements précis dès qu'elles participent à une recherche.

Comme on l'a déjà vu au chapitre 4, le sujet se présente dans la situation de recherche avec certaines attentes. Le comportement qu'il adopte peut refléter ses hypothèses sur les objectifs poursuivis, ses jugements sur ce qu'il convient de faire et ses attitudes vis-à-vis du chercheur. Orne (1969), par exemple, a clairement démontré l'influence de la «perception subjective des caractéristiques de la situation» (en anglais, *demand characteristics*) sur les réactions des sujets.

Ainsi que le chapitre 4 l'a aussi spécifié, il n'y a pas que les sujets qui influencent par leurs attentes les résultats de la recherche. Le chercheur — ou encore l'examinateur qui est en contact avec les sujets si le chercheur ne le fait pas lui-même — exerce aussi une influence, comme l'implique l'effet de l'expérimentateur ou l'effet Rosenthal, tant de fois cité, mais lui également contesté (Barber *et al.*, 1969). Des facteurs, reliés, entre autres, à la personnalité, aux caractéristiques physiques et aux attitudes de la personne qui examine les sujets, peuvent, dans bien des cas, entrer en interaction avec les variables à l'étude et, quelquefois, avec les caractéristiques du sujet.

Ces différentes interférences, on le comprendra aisément, compromettent éventuellement aussi bien la validité interne des conclusions de la recherche que leur validité externe ou écologique. En effet, au lieu d'être strictement explicables par le jeu des variables qui intéressent le chercheur, les données sont alors partiellement dues à des variables non contrôlées, et même non identifiées, telles que les attentes ou attitudes des sujets et celles de la personne qui les examine. Plus encore, l'intervention de ces variables non contrôlées est, dans une certaine mesure, inhérente à la réalisation de certains types de recherches et pourrait faire en sorte que les résultats qu'on y obtient ne soient jamais généralisables à des situations autres que celles où les personnes se savent examinées par un étranger à des fins de recherche; or cela ne caractérise de toute évidence pas la majorité des situations de la vie courante. Il y a donc là une menace à la validité écologique de certaines données scientifiques, menace qui pourrait s'avérer intrinsèque à certaines approches méthodologiques.

Outre l'intervention de ces interférences indésirables, peut-être limitée à quelques types de recherches seulement, la nature des situations de recherche entraîne, de l'avis des psychologues praticiens du moins, une autre forme d'atteinte à la validité écologique des conclusions. La démarche scientifique commande essentiellement le contrôle des variables. L'auteur d'une recherche fait par exemple varier un ou deux facteurs (parfois trois ou même quatre) en vue d'étudier leur influence sur le comportement; mais, par le jeu du hasard ou par des modalités plus directes, il fait en sorte de neutraliser tous les autres facteurs. Cette façon de faire s'impose logiquement, puisque l'obtention de conclusions dotées d'une forte validité interne suppose la variation systématique de certains facteurs jumelée au contrôle systématique d'autres facteurs. Elle s'impose aussi pratiquement puisqu'il serait impossible d'apprécier vraiment l'influence simultanée d'un très grand nombre de variables; il faudrait, pour cela, constituer des échantillons de sujets considérables, concevoir des plans de recherche et des plans d'analyse statistique d'une complexité inouïe et, même alors, il y aurait risque que les résultats ne puissent être interprétés clairement.

En conséquence toutefois du contrôle des variables, la plupart des recherches ou de leurs conclusions ont un caractère de simplicité artificielle, sans commune mesure avec la complexité des événements de la vie quotidienne. Un grand nombre de psychologues praticiens soulignent donc que les informations recueillies sur l'influence d'une variable, abstraction faite de toutes ses interactions habituelles avec d'autres variables, aussi exactes et valides soient-elles scientifiquement, sont pratiquement inutiles: elles sont trop partielles et morcelées pour servir de fondement en vue de comprendre le comportement quotidien et d'intervenir sur lui (Argyris, 1980). En ce sens, elles manqueraient d'une certaine forme de validité écologique.

Recours aux tests statistiques

D'une certaine façon, l'utilisation de la statistique peut aussi limiter la validité écologique des résultats d'une recherche. Tel que déjà mentionné au début de ce chapitre, par exemple, l'analyse statistique de résultats regroupés peut contribuer à camoufler l'allure réelle de certaines performances individuelles et faire croire, à tort, que des variables influencent de façon identique chacune d'elles. Parmi les partisans des plans de recherche à cas unique, il y en a qui déplorent le fait que les résultats des recherches scientifiques réalisées auprès de groupes risquent de ne pas expliquer adéquatement les conduites singulières de chaque personne (Sidman, 1960).

Bien plus, des doutes sont souvent évoqués quant à l'importance réelle de quantité de résultats statistiquement significatifs (Barlow et Hersen, 1984; Kazdin, 1977). L'effet de certaines variables, bien que significatif ou réel au plan statistique, peut se révéler concrètement insuffisant ou même insignifiant. Le risque que cela survienne est d'autant plus grand que cet effet s'est produit dans une recherche réalisée auprès d'un grand échantillon de sujets: dans ces cas, une variation, même infime, dans les performances peut, en vertu des propriétés mêmes des tests statistiques, se révéler significative. Il ne s'agit pas ici de contester l'authenticité de l'effet observé, mais plutôt son utilité pratique pour rendre compte d'une portion valable du comportement des personnes, pour quiconque cherche à en comprendre ou à en influencer les manifestations réelles dans les événements de la vie courante. Ce n'est donc pas une question de validité interne mais une question de validité écologique.

Le problème de la validité écologique des connaissances accumulées par la méthode scientifique en psychologie comporte encore bien d'autres aspects et pourrait justifier un développement beaucoup plus long. L'objectif poursuivi ici ne consiste cependant pas à faire un examen exhaustif de la question et sans doute suffit-il d'avoir signalé son existence et mentionné quelques-uns de ses principaux aspects. Cela devrait néanmoins avoir démontré l'importance de porter attention à ce problème dans la préparation et la réalisation des programmes de recherches. La forme et l'amplitude des précautions prises à cet égard variera sans doute beaucoup d'un chercheur à l'autre. Pour certains, il suffira de contrôler au mieux ou de connaître le jeu des variables liées aux attentes des sujets et des expérimentateurs, de choisir, aussi souvent que possible, des situations de recherche susceptibles d'avoir pour les sujets la signification souhaitée par le chercheur et de formuler avec prudence les conclusions issues des analyses statistiques. Pour d'autres, principalement sous l'influence de considérations formulées par des psychologues praticiens, plus près des problèmes du quotidien, il faudra repenser à fond les stratégies de recherche, mettre au point des méthodes d'étude plus systémiques ou se replier sur les plans à cas unique.

La position de chacun dépend en définitive des réponses personnelles à diverses questions: croit-on ou non que la psychologie est une science jeune dont on ne peut trop exiger encore? Trouve-t-on exagérées ou non les récriminations de certains praticiens qui prétendent que la psychologie scientifique n'a que peu de retombées pratiques? Juge-t-on que la psychologie scientifique doit ou non répondre d'emblée aux besoins émanant du quotidien? Si l'on pense que la psychologie est une science qui n'est pas encore parvenue à maturité et n'est donc pas capable pour l'instant de fournir des explications détaillées des comportements souvent fort complexes de la vie quotidienne, ou que la déception des praticiens est exagérée, ou encore que ceux-ci ne doivent pas dicter son champ d'étude à la psychologie scientifique, alors la question de la validité écologique prendra des proportions moindres. Par contre, pour quiconque trouve que la psychologie, comme discipline scientifique, a atteint son rythme de croisière, voire même un certain plafonnement, ou accrédite les difficultés des praticiens tout en pensant que les scientifiques doivent s'en préoccuper d'emblée, il est impératif de pousser la réflexion sur les problèmes de validité écologique. Aucune de ces positions toutefois n'est facile à défendre et chacune pourrait donner lieu à des débats passionnés.

RÉFÉRENCES

Argyris, C.: *Inner contradictions of rigorous research*, Academic Press, New York, 1980.

Barber, T.X. & *al.*: Five attempts to replicate the experimenter bias effect. *Journal of consulting and clinical psychology*, **33**:1-6, 1969.

Barlow, D.H. & M. Hersen: *Single case experimental designs: Strategies for studying behavior change* (2e éd. rév.), Pergamon Press, New York, 1984.

Boucher, R.G. & E.R. Hilgard: Volunteer bias in hypnotic experiments. *American journal of clinical hypnosis*, **5**:49-51, 1962.

Christensen, L.B.: *Experimental methodology*, Allyn & Bacon, Boston, 1980.

Dumas, C. & F.Y. Doré: *L'intelligence animale: recherches piagétiennes*, Presses de l'Université du Québec, Québec, 1986.

Graham, S.: Communicating sympathy and anger to black and white children: The cognitive (attribution) consequences of affective cues. *Journal of personality and social psychology*, **47**:40-54, 1984.

Kazdin, A.E.: Assessing the clinical or applied importance of behavior change through social validation. *Behavior modification*, **1**:427-449, 1977.

Kazdin, A.E.: *Statistical analysis for single-case experimental designs*, in Single case experimental designs: Strategies for studying behavior change (2e éd. rév.). Barlow, D.H. & M. Hersen (Eds), (pp.285-324), Pergamon Press, New York, 1984.

Matheson, D.W., R.L. Bruce & K.L. Beauchamp: *Experimental psychology: research design and analysis*, Holt, Rinehart & Winston, New York, 1978.

McNemar, Q.: Opinion-attitude methodology. *Psychological bulletin*, **43**:289-374, 1946.

Neale, J.M. & R.M. Liebert: *Science and behavior: an introduction to methods of research*, Prentice-Hall, Englewood Cliffs, 1973.

Orne, M.T.: *Demand characteristics and the concept of quasi-controls*, in Artifact in behavioral research. Rosenthal, R. & R. Rosnow (Eds), (pp.147-179), Academic Press, New York, 1969.

Piaget, J.: *La naissance de l'intelligence chez l'enfant,* Delachaux & Niestlé, Neuchâtel, 1948.

Rice, B.: The Hawthorne defect: persistence of a flawed theory. *Psychology today,* **16**:71-74, 1982.

Ryan, N.: *Les valeurs des jeunes de 16 à 20 ans,* Éditeur officiel du Québec, Québec, 1980.

Sears, D.O.: College sophomores in the laboratory: influences of a narrow data base on social psychology's view of human nature. *Journal of personnality and social psychology,* **51**:515-530, 1986.

Sidman, M.: *Tactics of scientific research,* Basic Books, New York, 1960.

Smart, R.: Subject selection bias in psychological research. *Canadian psychologist,* **7**:115-121, 1966.

Weiner, B.: *Human motivation,* Holt, Rinehart & Winston, New York, 1980.

CHAPITRE 12

DIFFUSION DES CONNAISSANCES SCIENTIFIQUES

FRANÇOIS Y. DORÉ

Selon des estimés récents (Makosky, 1986), il existerait aujourd'hui pas moins de 60 000 périodiques scientifiques et un nouvel article serait publié toutes les 86 secondes, 24 heures par jour, 365 jours par année. Cette production, tout aussi impressionnante qu'elle soit, ne représente pourtant qu'une partie des connaissances qui sont diffusées. Les périodiques ne constituent en effet que l'un des nombreux moyens dont disposent les chercheurs pour communiquer le fruit de leurs travaux. La psychologie participe activement à cette avalanche d'informations puisque, pour la seule année 1985, le périodique *Psychological Abstracts* ne comptait pas moins de 33 250 entrées.

Cette prolifération de moyens de communication et de la documentation scientifique reflète bien sûr l'essor fabuleux qu'ont connu la recherche et la technologie au cours du XXᵉ siècle. Elle reflète aussi cependant les pressions sociales qui, de plus en plus, s'exercent sur les chercheurs pour afficher de façon concrète leur productivité.

Elle est bien terminée cette belle époque où l'on pouvait recueillir patiemment et longuement les observations et les données qui, pendant des dizaines d'années, nourrissaient la réflexion pour finalement aboutir à la rédaction d'un volumineux et savant ouvrage (*L'origine des espèces* de Charles Darwin en est un bon exemple). Aujourd'hui, il est pratiquement impossible de faire de la recherche dans l'isolement et le dénuement. Le travail scientifique requiert la formation d'équipes qui incluent, notamment, des techniciens, des auxiliaires et des consultants rémunérés; il nécessite aussi des appareils et du matériel spécialisés dont les coûts d'achat et d'utilisation sont généralement élevés. Tous ces frais ne peuvent être assumés sans l'aide des subventions offertes par des organismes privés ou des agences gouvernementales. Pour obtenir ces subventions, il faut évidemment soumettre un projet de recherche qui soit valable et prometteur. Mais il faut aussi avoir fait ses preuves, c'est-à-dire avoir publié le résultat de ses travaux antérieurs ou le fruit de sa réflexion théorique, cette caution de la performance passée ajoutant à la crédibilité du demandeur de fonds.

Le besoin de subventions de recherche n'est pas la seule pression sociale invitant à la publication. En milieu universitaire, la permanence d'emploi et la promotion à divers rangs professoraux sont souvent conditionnelles à la démonstration d'une certaine productivité en recherche, productivité qui, dans les disciplines scientifiques, se mesure par la présentation de communications dans des congrès et par la publication d'articles ou de livres. Par ailleurs, dans les domaines de pointe, les connaissances progressent parfois très vite et il est urgent de rendre publics ses travaux avant qu'ils ne soient dépassés.

Depuis quelques années, certains observateurs (par exemple, Mahoney, 1976, 1985) ont commencé à s'interroger sur le contexte écologique ou sociologique dans lequel se fait la production scientifique et, en particulier, sur la valeur d'un système de diffusion des connaissances qui reflète autant des intérêts personnels et diverses pressions sociales plus ou moins explicites que la poursuite désintéressée et authentique du progrès scientifique et technologique. Trop souvent en effet, les périodiques sont encombrés d'articles dont la valeur empirique ou théorique est loin d'être évidente et qui semblent répondre davantage à l'omniprésente contrainte du *publish or perish* qu'à un désir réel de communiquer des faits significatifs et révélateurs. Il ne faudrait cependant pas surestimer la proportion de publications de ce type et exagérer l'influence du carriérisme des chercheurs sur la prolifération de la documentation scientifique. Une publication peut aussi sembler banale ou insignifiante simplement parce que son auteur ne disposait pas de l'espace suffisant pour exposer adéquatement sa problématique ou encore, parce qu'il n'a pas su le faire avec toute la concision nécessaire. En effet, comme nous le verrons plus loin, les éditeurs de périodique imposent généralement des normes très strictes qui empêchent souvent les auteurs de décrire aussi bien qu'ils le désireraient le cadre conceptuel dans lequel s'inscrivent leurs travaux.

Malgré les déficiences du système actuel de diffusion des connaissances, il n'en reste pas moins que la communication des résultats de la recherche constitue l'une des activités essentielles du chercheur.

Toutes les étapes de la démarche scientifique, qui ont été exposées dans les précédents chapitres, seraient sans justification, si elles n'aboutissaient finalement à une forme quelconque de diffusion des connaissances découlant de cette démarche. Une recherche n'a en effet d'utilité théorique ou pratique qu'à partir du moment où elle devient publique, c'est-à-dire où d'autres personnes que son auteur ont accès à son contenu. Les découvertes ou les théories qui dorment au fond des tiroirs ou qui ne servent qu'à alimenter des conversations de salon n'ont jamais contribué de façon significative à la compréhension de l'univers ou à l'amélioration du bien-être de l'humanité.

En rendant publics et disponibles les résultats de ses travaux, le chercheur remplit une double obligation sociale. Il s'acquitte d'une part de la dette qu'il a contractée envers les milliers de contribuables qui, par les impôts et les taxes qu'ils versent aux gouvernements, ont permis le financement de sa recherche. Évidemment, rares sont les contribuables qui consultent les périodiques scientifiques et qui ont un accès direct aux travaux des chercheurs. Mais ils en sont souvent les premiers bénéficiaires dans leur vie quotidienne et finissent par prendre connaissance de ces travaux grâce aux médias qui les rendent accessibles par la vulgarisation. De plus, leurs représentants élus se chargent, en leur nom, de veiller à ce que les subventions de recherche soient utilisées à bon escient. Par la publication, le chercheur s'acquitte d'autre part du devoir qu'il a envers la communauté scientifique: en diffusant les résultats de ses travaux, il contribue à l'avancement des connaissances et permet ainsi à ses collègues de progresser plus rapidement dans leurs propres recherches.

Enfin, la publication rend possible la fonction évaluative que la communauté scientifique doit assumer. Une découverte ou une réflexion théorique peuvent sembler, aux yeux de leur auteur, capitales, voire géniales. Toutefois tant que ces qualités n'ont pas été confirmées par l'évaluation des pairs, le jugement demeure subjectif et très partial.

Ce chapitre essaie de répondre aussi bien aux besoins du futur consommateur de travaux de recherche qu'à ceux du futur producteur. Nous explorerons donc d'abord les divers moyens dont disposent les chercheurs pour diffuser les résultats de leurs travaux et pour les rendre accessibles à leurs collègues, ainsi qu'aux praticiens de la psychologie qui utilisent ces nouvelles connaissances pour mettre à jour leurs interventions. Nous verrons que ces moyens sont multiples et que chacun vise des fins spécifiques. Nous procéderons ensuite à la dissection de l'article empirique, qui aujourd'hui constitue la façon la plus courante de faire part des progrès d'une recherche, et nous proposerons une stratégie de lecture pour ce type particulier de littérature. Enfin, nous examinerons certaines décisions que doit prendre un auteur dans sa démarche de publication et nous identifierons quelques-uns des obstacles auxquels il peut être confronté.

MODES DE DIFFUSION DE LA CONNAISSANCE

Il existe essentiellement trois grands modes de diffusion de la connaissance scientifique: la publication, la communication orale et la vulgarisation, laquelle prend aussi bien la forme orale que la forme écrite.

Publication

Il y a quatre grandes catégories de publication. Il s'agit des documents à diffusion restreinte, des articles de périodique, des monographies et des livres scientifiques.

Documents à diffusion restreinte — Nous classons dans la catégorie des documents à diffusion restreinte des formes de publication scientifique, dont la valeur intrinsèque n'est pas nécessairement inférieure à celle d'un article ou d'un livre, mais qui, pour diverses raisons, s'adressent à un nombre limité ou à un type particulier de lecteurs.

Le *rapport de recherche* préparé par un étudiant est un premier genre de document à diffusion restreinte. L'étudiant y décrit, par exemple, les manipulations expérimentales qu'il a réalisées ou l'inventaire comportemental qu'il a dressé, et fait part des résultats qu'il a obtenus dans le cadre d'un exercice suggéré et dirigé par son professeur. L'intérêt et la valeur d'un tel compte rendu sont davantage pédagogiques que scientifiques car l'exercice proposé porte habituellement sur un phénomène bien connu. Le rapport de recherche n'en demeure pas moins une publication scientifique et quand l'étude effectuée fait avancer la connaissance, comme cela peut être le cas à la fin des études de premier cycle en psychologie, ce texte peut dépasser le niveau du document à diffusion restreinte et atteindre celui du manuscrit soumis à un périodique.

Bien que le travail de recherche qu'ils rapportent soit beaucoup plus considérable et plus original, le *mémoire de maîtrise* et la *thèse de doctorat* que prépare un étudiant appartiennent aussi à la catégorie des documents à diffusion restreinte. Par contre, ils sont davantage publics que le rapport de recherche. Alors que ce dernier est générale- ment lu par un seul professeur, les mémoires et les thèses sont évalués par un jury de plusieurs personnes qui, dans le cas d'une thèse de doctorat, comprend au moins un chercheur n'appartenant pas à l'institution où la recherche a été réalisée. De plus, tous les mémoires de maîtrise et toutes les thèses de doctorat sont déposés à la bibliothèque de l'université où ils ont été produits et peuvent être consultés en tout temps. En principe, le travail scientifique effectué au cours des études de second cycle et, surtout, de troisième cycle devrait être suffisamment de qualité pour faire l'objet d'un ou de plusieurs articles dans des périodiques. Malheureusement, beaucoup trop de mémoires et de thèses très valables dorment à jamais sur les rayons des bibliothèques universitaires; leurs auteurs ne s'acquittent donc pas pleinement des obligations sociales du chercheur que nous décrivions en introduction.

Le *rapport technique de recherche* est une autre forme de document à diffusion restreinte. Très populaire en milieu anglo- saxon, elle demeure encore peu exploitée par les chercheurs franco- phones. Ce type de texte décrit une innovation méthodologique ou statistique, un cheminement théorique ou, plus souvent, les résultats préliminaires d'une ou plusieurs recherches qui, lorsqu'elles seront complétées, feront l'objet d'un manuscrit soumis à un périodique. Ces rapports techniques sont dactylographiés et reproduits en nombre limité. Ils servent à informer les collaborateurs immédiats, ou les collègues des autres universités, avec qui le chercheur est en contact régulier, de l'avancement du programme de recherche en cours.

Les gouvernements, les institutions publiques et les syndicats, par exemple, doivent souvent appuyer leurs décisions et leurs poli- tiques sur des analyses scientifiques. Ils commanditent donc des études dont les résultats leur sont présentés sous la forme d'un texte plus ou moins volumineux, qu'on peut appeler un *mémoire institu- tionnel*. Le degré de diffusion de ces mémoires est variable. Dans certains cas, la diffusion est très large; dans d'autres, comme celui des recherches à des fins militaires, elle est strictement limitée aux personnes autorisées et directement concernées.

Une dernière forme de document à diffusion restreinte, qu'on a peu l'habitude de considérer comme une publication, est la *demande de subvention*. Quand les chercheurs désirent obtenir le financement nécessaire à leurs travaux, ils doivent soumettre à l'organisme sub- ventionnaire choisi un texte, souvent élaboré, où ils exposent les buts de la recherche, la réflexion théorique et méthodologique qui la sous-tend et le détail des études ou des expériences qui seront réalisées. Ce projet de recherche est lu par un comité d'experts qui évalue la demande, l'accepte et décide du montant à accorder, ou la refuse. Bien que le travail scientifique soit, à ce stade, projeté mais non amorcé, on peut considérer que la demande de subvention est, dans une certaine mesure, une publication scientifique, car elle décrit les origines, les fondements et la planification de la démarche qui est proposée. Cependant, sa diffusion est vraiment très restreinte puisque, dans les comités d'évaluation, la confidentialité est de rigueur. Une demande de subvention ne peut donc être citée que par son auteur et par les personnes à qui il en a donné la permission explicite.

Articles de périodique — En psychologie,comme dans toutes les disciplines, il existe un grand nombre de périodiques ayant des vocations diverses et des rythmes de parution différents (parution mensuelle, bimestrielle, trimestrielle). On trouve dans ces périodiques quatre types différents d'article: des articles empiriques, techniques et théoriques, et des synthèses. Certains ne publient qu'un seul type d'article, ou que quelques types, et d'autres les publient tous. Ces publications s'adressent principalement aux chercheurs, et donc à des lecteurs spécialisés. Elles sont largement diffusées dans la communauté scientifique et figurent en bonne place dans les bibliothèques universitaires. Les périodiques constituent la source première d'information pour tout travail de recherche et tout chercheur doit se tenir au courant de ce qui s'y publie dans son domaine particulier.

L'*article empirique* est de loin le plus fréquent. Nous analyserons plus loin les détails de sa morphologie. Il suffit pour l'instant de préciser que son but premier est de présenter les résultats d'une recherche. Après avoir exposé sa problématique et la documentation scientifique qui s'y rattache, l'auteur décrit avec précision comment il a procédé, analyse les résultats qu'il a obtenus et les interprète dans le cadre de sa problématique, de ses hypothèses et des théories pertinentes.

L'*article technique* est sûrement, des quatre types, le plus rare bien que certains périodiques, comme *Behavior Research Methods, Instruments, and Computers,* en aient fait une spécialité. Ces publications sont davantage axées sur le développement et le perfectionnement des outils de recherche que sur la mise à l'épreuve d'hypothèses, de théories ou d'applications. On y trouve, par exemple, les détails de construction d'un nouvel appareil qui pourra devenir d'usage courant dans un secteur particulier de recherche; des innovations méthodologiques ou statistiques; ou des logiciels et des interfaces spécialement conçus pour certains types de recherche.

L'article empirique comporte toujours une part d'élaboration conceptuelle. Par contre, l'*article théorique*, que l'on trouve dans des périodiques comme *Psychological Review*, est entièrement consacré au développement d'une théorie et à sa confrontation avec les théories déjà existantes. Il s'agit donc d'une argumentation serrée qui non seulement s'appuie sur le raisonnement logique, mais intègre aussi l'analyse des données disponibles et la prédiction de faits nouveaux.

Il faut bien distinguer l'article théorique de l'*article-synthèse* (ou «revue de littérature», selon un anglicisme courant) que publient des périodiques comme *Psychological Bulletin*. Dans ce dernier cas, on expose de manière critique les données, les hypothèses et les théories propres à un champ de recherche, sans nécessairement développer une nouvelle théorie. L'article-synthèse est très utile mais moins original et créateur que l'article théorique. Il est particulièrement éclairant quand on aborde un domaine de recherche ou quand on veut faire le point sur une question.

Monographies — Il existe une forme de publication dont le format se situe entre celui de l'article dans un périodique et celui du livre scientifique. Il s'agit de la monographie. Dans certains cas, elle s'apparente à l'article théorique ou à l'article-synthèse mais a beaucoup plus d'ampleur. Dans d'autres cas, elle réunit un ensemble cohérent de travaux empiriques qui conduisent à une élaboration conceptuelle d'envergure. Étant moins encadrée que les articles par des contraintes rigides de style et de concision, la monographie permet à son auteur d'approfondir un sujet et de bien expliciter sa pensée. Du début jusqu'au milieu du siècle, ce type de publication était plus courant qu'il ne l'est maintenant. Les risques financiers liés à ces ouvrages très spécialisés étant élevés, de moins en moins d'éditeurs s'y intéressent et plusieurs périodiques qui publiaient annuellement quelques monographies, en plus de leurs numéros réguliers, en sont venus à y renoncer. Toutefois, quelques collections de monographie ont persisté et d'autres ont été créées récemment. Nous pouvons citer à titre d'exemples francophones, les *Archives de Psychologie*, qui sont produites par l'Université de Genève, et les *Monographies de Psychologie*, qui sont publiées sous la direction de la Société québécoise pour la recherche en psychologie.

Livres — Les livres scientifiques rédigés par un ou deux auteurs sont encore très nombreux et demeureront probablement toujours. Mais depuis quelques années, la proportion que représentent les ouvrages collectifs s'est accrue constamment (Foss, 1985). Dans ces ouvrages qui portent sur un thème précis et spécialisé, chaque chapitre est écrit par un auteur différent et le tout est agencé sous la direction d'un ou de quelques responsables. Ce type d'ouvrage de pointe a le grand avantage de réunir les vues des spécialistes d'une question et de faire le point sur l'état des connaissances les plus avancées dans un domaine de recherche. Par contre, les ouvrages collectifs déçoivent souvent les lecteurs et font régulièrement l'objet des mêmes critiques: les textes des différents auteurs sont d'inégale valeur; l'ensemble manque d'unité; et les liens nécessaires entre les chapitres ne sont pas établis. Malgré ces critiques, cette forme de publication mérite d'être maintenue car, lorsque les directeurs responsables assument adéquatement leur fonction, le produit final constitue un apport extrêmement précieux à la diffusion de la connaissance scientifique et à la réflexion du chercheur.

Communication

Bien que les chercheurs consacrent beaucoup de temps et d'énergie à consigner par écrit le fruit de leurs travaux empiriques et de leur réflexion théorique, ils semblent, par ailleurs, assez peu influencés par le proverbe voulant que les paroles s'envolent mais que les écrits restent. Ils déploient probablement autant, sinon plus, d'effort dans la communication orale de leurs conclusions que dans la rédaction d'articles, de monographies ou de livres. Les congrès et rencontres scientifiques de toutes sortes abondent, et aussi bien en psychologie que dans les disciplines connexes, il ne se passe pas une semaine sans que dans un coin quelconque du monde, des chercheurs se réunissent.

Le degré de spécialisation de ces rencontres et l'ampleur de la participation varient beaucoup. Certains congrès sont consacrés à des thèmes hyperspécialisés et ne réunissent que quelques dizaines ou centaines de personnes. D'autres touchent tous les secteurs de la psychologie et peuvent, comme dans le cas du congrès annuel de l'*American Psychological Association*, rassembler plus de 10 000 participants. La qualité et la quantité des informations scientifiques qui y sont diffusées varient aussi beaucoup et il faut savoir choisir.

Dans un roman intitulé *Les stars*, Arthur Koestler a un peu raillé les rituels sociaux qui entourent ce genre de rencontres et a finement caricaturé l'esprit de compétition et la fatuité dont font parfois preuve ceux et celles qui sont devenus des vedettes du monde scientifique. Heureusement, les congrès ne sont pas uniquement fréquentés par ces prima donna et ces grands ténors et les échanges entre «simples ouvriers et ouvrières» de la recherche y sont nombreux et enrichissants. Il s'agit en fait d'une occasion exceptionnelle de prendre un instantané des progrès les plus récents dans son domaine d'étude et de voir se dessiner les tendances futures de la recherche. Le délai entre la fin de la rédaction d'un article et sa parution étant de plusieurs mois, la participation à ces rencontres est utile et même nécessaire pour se mettre au fait de l'avancement de sa discipline.

Les organisateurs des congrès scientifiques exploitent différentes formules d'échange. Il s'agit le plus souvent des communications orales et affichées; des colloques ou symposiums; des conférences; et, plus rarement, des ateliers.

Communication orale et affichée — La communication est en quelque sorte l'équivalent oral de l'article de périodique. En 20 ou 30 minutes, le chercheur doit d'abord exposer la problématique de sa recherche, la méthodologie qu'il a employée, les résultats qu'il a obtenus et la signification de ces résultats et, ensuite, répondre aux questions de l'auditoire. Les communications présentées dans une même séance sont habituellement regroupées en fonction d'un thème commun (par exemple: les illusions perceptives; les programmes de renforcement; l'évaluation de l'impact thérapeutique; ou la modification du comportement en milieu scolaire), ce qui assure des échanges entre personnes directement intéressées par le sujet.

Depuis quelques années, la communication orale tend à être remplacée par la communication affichée (en anglais, *poster*). Dans ce cas, le chercheur résume de façon très succincte les divers aspects de sa recherche sur une affiche (environ 1,5 sur 1 m) installée sur un panneau vertical. Une séance donnée regroupe dans une même salle des affiches portant sur un thème commun. Les participants au congrès circulent dans cette salle en lisant les affiches qui les intéressent. Le chercheur se tient donc à proximité de son affiche en vue d'informer plus à fond les lecteurs et de répondre à leurs questions ou critiques. Cette forme souple de communication favorise des échanges plus directs, plus longs et plus personnalisés, tout en réduisant de beaucoup les contraintes d'horaire auxquelles sont soumises les séances de communications orales.

Colloque et symposium — Alors que la formule des communications orales ou affichées est accessible à toute personne qui a des résultats valables à présenter, les colloques ou symposiums sont organisés sous la direction d'un chercheur — ou d'un comité responsable du programme scientifique — qui définit un thème et invite des collègues compétents à exposer, à partir de leurs travaux, leur point de vue sur la question à débattre. Un colloque ou un symposium réunit habituellement cinq ou six participants: son organisateur qui présente le thème; trois ou quatre orateurs; et un rapporteur (en anglais, *discussant*) qui fait la synthèse des positions et soulève les points qui doivent être abordés dans la discussion entre les participants, et entre ces personnes et l'auditoire. Cette forme de communication est très intéressante et peut devenir particulièrement stimulante quand les opinions sont contrastées et suscitent un véritable débat.

Conférence — La conférence est une forme de communication où le nombre de présentateurs est encore plus limité que dans le cas du colloque, puisqu'il s'agit en fait de la performance en solo d'un chercheur de renom. Réputé pour son expertise dans un domaine particulier, ce dernier est invité à développer un thème assez large, qui fait souvent appel à l'examen de données empiriques, à l'exposé de spéculations théoriques et à la présentation de réflexions sociales ou épistémologiques. L'intérêt que suscite une conférence et la substance qu'elle contient dépendent évidemment beaucoup de la qualité et de l'envergure du conférencier, mais aussi de ses talents oratoires. Il arrive parfois que des chercheurs, dont les écrits sont très respectés par la communauté scientifique, s'avèrent être de piètres orateurs et déclenchent davantage le bâillement que l'écoute attentive. Mais quand l'éloquence est à la hauteur du talent scientifique du chercheur, comme cela est généralement le cas, l'auditoire a non seulement le privilège d'assister à un spectacle éblouissant, mais elle trouve aussi matière à réflexion pour des mois et des années à venir.

Atelier — Enfin, le programme des congrès scientifiques inclut, à l'occasion, des ateliers qui sont des cours concentrés et destinés à un public averti. Pendant quelques heures ou quelques jours, un ou des spécialistes font la démonstration d'une nouvelle technique, d'un procédé méthodologique ou d'un traitement statistique ou informatique particulier. Ces ateliers comprennent des exercices et exigent une participation très active de la part de l'auditoire. Ils ont souvent une fonction de recyclage et de mise à jour du savoir-faire des chercheurs.

Vulgarisation

Les diverses formes de publication et de communication que nous venons de décrire s'adressent surtout à la communauté scientifique et rejoignent donc un auditoire beaucoup plus limité que la vulgarisation qui, elle, est spécialement conçue pour le grand public.

Par définition, la vulgarisation scientifique consiste à rendre accessibles les connaissances actuelles en les dépouillant du jargon technique dans lequel elles sont formulées et en les traduisant dans un langage intelligible aux non-initiés. Ses formes les plus évidentes et les plus connues sont: les articles de journaux; les bulletins de nouvelles; les émissions de radio et de télévision consacrées à la science et à la technologie; les magazines spécialisés comme *Québec-Science, La Recherche, Pour la science, Psychologie,* etc.; et les films documentaires. Cependant l'enseignement et la publication de manuels scolaires constituent aussi, dans une certaine mesure, une forme de vulgarisation. Du niveau primaire à celui du premier cycle universitaire, la tâche de l'enseignant consiste en effet à communiquer, dans un langage adapté à ses étudiants, les connaissances qui sont issues de la recherche scientifique ainsi que la façon de poser et de résoudre scientifiquement un problème. Au fur et à mesure que l'étudiant progresse dans le système scolaire, les informations qui lui sont transmises sont de moins en moins vulgarisées et quand il atteint le niveau des études de deuxième et de troisième cycles, il est en mesure de prendre lui-même contact avec la littérature scientifique.

La vulgarisation scientifique joue un rôle extrêmement important. Non seulement permet-elle aux chercheurs de s'acquitter de leur obligation sociale envers les contribuables qui financent leurs travaux, mais elle enrichit aussi le patrimoine culturel et contribue à modifier les attitudes et les comportements envers l'environnement social et physique. Par exemple, le mouvement dit écologiste n'aurait pas eu, sans la vulgarisation scientifique, l'impact et la force qu'il a aujourd'hui. De même la diffusion rapide des découvertes biomédicales par les médias facilite la mise sur pied de campagnes de prévention et leur assure une plus grande efficacité. La lutte contre le tabagisme, les informations sur le mécanisme de transmission du SIDA et sur la prévention de cette maladie, et l'intérêt croissant pour la maladie d'Alzheimer en sont des illustrations récentes. Dans le domaine de la psychologie, la vulgarisation des recherches sur le développement de l'enfant, par exemple, a modifié certaines pratiques éducatives et a davantage sensibilisé la population à des problèmes comme ceux que rencontrent les enfants négligés ou surdoués.

Jusqu'à une époque relativement récente, les vulgarisateurs étaient souvent des propagandistes de la science et de la technologie et avaient une tendance à présenter une vision un peu triomphaliste de la recherche. Ils avaient une confiance absolue dans l'avancement des connaissances et dans les bienfaits ou même les «miracles» qui en résulteraient. Certains livres parus dans les années 60, comme *Les prodigieuses victoires de la psychologie* de Pierre Daco, avaient des titres très évocateurs de cette vision. Ce type d'ouvrage existe encore mais, en général, les vulgarisateurs portent aujourd'hui un regard plus critique sur le développement scientifique et technologique. Ce faisant, ils fournissent une information de meilleure qualité, respectent davantage l'intelligence du lecteur et tracent un portrait plus réaliste de la recherche. L'activité des chercheurs se veut davantage une remise en question continuelle de la conception qu'ils se font du monde, et des pratiques qui découlent d'une telle conception, qu'une accumulation linéaire et irréversible de connaissances génératrices de bienfaits.

LECTURE DES ARTICLES EMPIRIQUES

Toute entreprise scientifique suppose que le chercheur ait d'abord pris connaissance de la documentation pertinente au problème spécifique qui l'intéresse. Il doit certes consulter des livres, des articles-synthèses et des articles théoriques, afin de voir comment le problème a été posé dans le passé et d'identifier les explications qui en ont été suggérées. Mais il doit surtout lire attentivement les articles empiriques sur le sujet car, depuis le début du XXᵉ siècle, ce mode de diffusion de la connaissance est devenu le moyen privilégié de faire part de ses travaux à la communauté scientifique. Les articles empiriques constituent en effet la source première d'information où sont consignés les observations et les faits qui servent à élaborer et à soutenir les hypothèses ou les théories. Il est donc très important de savoir comment sont construits ces articles et comment les lire de façon efficace.

Morphologie de l'article empirique

En général, les articles empiriques comptent de 5 à 15 pages, bien que certains périodiques, comme *Psychological Reports* ou *Bulletin of the Psychonomic Society*, se spécialisent dans la publication d'articles très courts (1 à 3 pages) et que d'autres, comme *European Journal of Social Psychology* ou *Cognition*, publient des articles plus longs. Mais tous les articles se caractérisent par la densité de l'information qu'ils contiennent. Le style est sobre et dépouillé. Le texte est concis et synthétique. Il rapporte tous les arguments et tous les faits nécessaires pour que le lecteur comprenne mais sans plus. La lecture d'un article empirique requiert donc beaucoup d'attention et même de concentration. Par contre, ce type de pièce littéraire ne recèle, dans sa construction, aucune surprise. Quel que soit leur pays d'origine ou quelle que soit la langue dans laquelle ils paraissent, les périodiques ont pratiquement tous adopté, en psychologie, la même structure pour les articles empiriques. Cette structure se divise en sept sections: titre de l'article; résumé; contexte théorique, empirique et méthodologique du problème; description de la recherche; analyse des résultats; interprétation des résultats; et références.

Examinons donc le contenu et la fonction de chacune de ces sept sections.

Titre — Le titre est, en principe, un énoncé bref du problème étudié et du domaine dans lequel il s'inscrit. Sa formulation fait habituellement référence aux phénomènes, aux comportements ou aux variables dont traite l'article. Voici quelques exemples de titre: *La permanence de l'objet chez le chat adulte*; *Effet Lubow et masquage dans un apprentissage d'évitement*; et *Identification des expressions faciales émotionnelles chez l'humain: relation avec le sexe et le niveau de scolarité des juges.*

Il arrive à l'occasion qu'un titre soit teinté d'un certain humour, comme dans le cas du célèbre article de G.A. Miller paru en 1956, «The magical number seven, plus or minus one: Some limits on our capacity for processing information». Parfois l'humour est encore plus poussé et le titre devient volontairement énigmatique: ainsi dans son article de 1950 intitulé «The Snark was a Boojum», F.A. Beach faisait référence au récit *Alice au pays des merveilles.* Mais les chercheurs et les périodiques ont plutôt l'habitude de projeter une image de sérieux et les titres des articles sont conformes à cette image.

Résumé — Le résumé est habituellement présenté immédiatement après le titre et le nom des auteurs. Il apparaît parfois à la fin, juste avant les références. Quand l'article est publié dans un périodique bilingue ou trilingue, on trouve un résumé au début dans une langue et un autre (ou les autres), à la fin dans l'autre langue (ou les autres langues). Par exemple, quand un article est publié en français dans *Canadian Psychology — Psychologie Canadienne*, le résumé du début est écrit en français et celui de la fin, en anglais.

Le résumé compte en général de 100 à 150 mots, soit à peu près l'équivalent de dix lignes. Il s'ouvre sur l'énoncé du problème à l'étude, si possible en une seule phrase. Il décrit ensuite les principales caractéristiques des sujets, les modalités de réalisation de la recherche, les résultats les plus importants et les conclusions, implications ou applications qui se dégagent du travail accompli. Un bon résumé est donc précis, succinct, intelligible et informatif. Il fournit au lecteur un aperçu global de la recherche effectuée.

Contexte du problème — L'article proprement dit commence par un énoncé clair de la problématique dans laquelle se situe la recherche et par une analyse des publications pertinentes. L'auteur présume que le lecteur connaît déjà le domaine général dont il traite (par exemple, le développement cognitif du nourrisson) et ne se livre donc pas à un relevé exhaustif de tous les travaux relatifs à ce domaine. Il décrit plutôt les recherches qui sont directement reliées au problème spécifique qu'il a étudié (par exemple, la permanence de l'objet social chez le nourrisson), en insistant sur les données et les interprétations les plus récentes. Il peut aussi identifier les avantages ou les failles de la méthodologie employée dans ces recherches, discuter la plus ou moins grande cohérence des résultats et évaluer la validité des interprétations qui en ont été proposées. Ce contexte théorique, empirique et méthodologique lui sert à décrire les raisons qui l'ont amené à réaliser sa recherche et met en valeur la spécificité de celle-ci par rapport aux travaux antérieurs. Cette première section de l'article se termine par une définition des variables étudiées, ainsi que par un énoncé des hypothèses ou des questions qui peuvent être logiquement formulées à partir des connaissances déjà disponibles. Le contexte sert en somme à établir le lien entre les travaux existants, le problème en cause et les résultats attendus.

Description de la recherche — De toutes les sections qui composent un article empirique, celle qui a trait à la description de la recherche est sans aucun doute la plus aride et la moins palpitante à lire. Elle est pourtant extrêmement importante puisque l'auteur y décrit en détail comment il a réalisé sa recherche. Cette description doit être suffisamment précise pour permettre au lecteur, s'il le désire, de reproduire avec exactitude la recherche qui a été effectuée. Elle permet plus généralement d'évaluer la qualité de la démarche méthodologique ainsi que la fiabilité ou la validité des résultats. Cette section comporte en général trois sous-sections.

a) *Sujets*. C'est dans la sous-section relative aux sujets que sont présentées les caractéristiques pertinentes des sujets ayant participé à la recherche, en particulier le nombre inclus dans l'échantillon. Quand il s'agit de sujets humains, l'auteur indique le mode de recrutement, les principales caractéristiques démographiques comme la provenance géographique, le sexe et l'âge. Quand il s'agit d'animaux, il identifie le genre et l'espèce, spécifie l'âge des individus, leur sexe, leur poids et leur condition physiologique générale; si nécessaire, il précise aussi les traitements particuliers qu'ils ont reçus.

b) *Matériel*. La seconde sous-section décrit les appareils et tout autre dispositif matériel utilisés pour la présentation des stimuli et l'enregistrement des données. L'équipement qui est d'usage courant n'est mentionné que brièvement. Par contre, l'auteur identifie les équipements spécialisés en indiquant la marque de commerce et le numéro du modèle. Quant aux dispositifs construits pour les fins spécifiques de la recherche, leur description s'accompagne souvent d'une illustration (photographie ou dessin).

c) *Déroulement*. La dernière sous-section, parfois appelée «Procédure» selon un calque de l'anglais, résume dans l'ordre chacune des étapes de la réalisation de la recherche. Elle fournit notamment des renseignements sur la formation des groupes, les consignes données aux participants, les manipulations expérimentales ou la méthode d'observation, etc. De manière plus ou moins explicite, elle identifie aussi le plan de recherche. Bref, elle indique au lecteur ce que le chercheur a réalisé et comment il s'y est pris.

Analyse des résultats — La section de l'analyse des résultats résume les données qui ont été colligées et le traitement statistique auquel elles ont été soumises. Elle présente donc le produit de la recherche, soit l'information nouvelle qui permet de confirmer ou d'infirmer les hypothèses formulées au départ ou qui apporte une réponse aux questions alors soulevées. Cette présentation se compose de trois ingrédients: des tableaux et des figures qui fournissent un aperçu visuel des résultats globaux (les résultats individuels n'apparaissent pas dans un article empirique, à moins qu'ils ne soient absolument nécessaires à la compréhension des données); un texte qui, sans reprendre le contenu détaillé des tableaux et des figures, fait ressortir les caractéristiques générales des résultats et les éléments les plus pertinents; et les analyses statistiques qui sont intégrées au texte. La section de l'analyse des résultats est purement factuelle ou descriptive: elle rapporte les données mais n'en aborde habituellement pas l'interprétation.

Interprétation — Dans la section portant sur l'interprétation des résultats, l'auteur situe ses résultats par rapport à la problématique et au contexte théorique, empirique et méthodologique qu'il a définis au début de l'article. Il évalue le degré de concordance entre les travaux antérieurs, les prédictions qu'il a formulées et ses propres résultats. Il porte une attention particulière aux discordances et examine dans quelle mesure elles peuvent être attribuées à des différences d'ordre méthodologique. Puis il expose les explications plausibles de ses résultats, justifie le rejet de certaines et motive le choix de celle qu'il privilégie. L'auteur dégage ensuite des conclusions qui mettent en valeur la contribution de sa recherche à l'avancement d'une hypothèse, d'une théorie ou d'une application. Il termine généralement soit par des questions sur les aspects du problème qui demeurent inexplorés, soit par des suggestions sur l'orientation que devraient prendre les recherches futures.

Il arrive dans les articles très courts que les sections portant sur l'analyse et la discussion des résultats soient fusionnées. Dans les articles qui rapportent plusieurs études, il arrive aussi que les résultats de chaque étude soient analysés et interprétés en même temps; une interprétation intégrant l'ensemble de la recherche termine alors l'article.

Références — La section des références consiste en une liste qui présente la référence complète (noms des auteurs, année de parution, titre, etc.) des seuls travaux mentionnés dans l'article. Il ne s'agit donc pas d'une bibliographie exhaustive sur la question traitée.

Stratégie de lecture

La simple connaissance de la morphologie usuelle de l'article empirique en facilite déjà la lecture. Mais le contenu de ce type de document étant très dense, le lecteur doit aussi adopter une stratégie qui permet d'extraire rapidement et efficacement l'information qui l'intéresse. Il existe probablement autant de stratégies de lecture que de lecteurs et chacun doit adapter son approche de la littérature scientifique à ses besoins, à son rythme de travail et au niveau de compréhension qu'il souhaite atteindre. La stratégie proposée ci-dessous peut être utile au débutant, car elle tient compte du niveau de connaissance antérieur du lecteur. Cette stratégie comporte essen-tiellement trois étapes: la lecture naïve, la lecture informative et la lecture critique.

Lecture naïve — Quand le lecteur aborde un problème de recherche, la première étape de lecture vise à l'initier à ce nouveau domaine. Cette initiation peut débuter par l'examen des articles théoriques et des articles-synthèses mais ce sont là des sources secondaires qui ne fournissent pas toute l'information pertinente. Le lecteur doit donc de toute façon prendre connaissance du contenu des articles empiriques qu'il a répertoriés. Comme il n'a à ce moment de la démarche qu'une vue très partielle du problème qui l'intéresse, il ne lui est pas très utile de s'attarder aux détails relatifs à la réalisation de la recherche ou aux résultats. Il vaut mieux effectuer un survol rapide de chacun des articles et concentrer son attention sur le résumé, le contexte, les hypothèses et les interpréta-tions. Pour retirer le maximum de profit de ce premier contact avec les publications, le lecteur peut orienter sa lecture en se posant les questions suivantes devant chaque article.

— *Quel est le problème spécifique abordé?*
— *Quel est le contexte théorique, empirique et méthodolo-gique dans lequel s'inscrit le problème?*
— *A quel courant théorique l'auteur semble-t-il se rattacher?*
— *Quelle est l'hypothèse à vérifier?*
— *Quels sont les principaux résultats issus de cette recherche?*
— *Comment l'auteur interprète-t-il ses résultats et comment les rattache-t-il à son contexte de départ?*

Une fois que tous les articles ont été lus, le lecteur est en mesure d'identifier les différentes façons de poser le problème et les diverses interprétations du phénomène qui ont été formulées. Il peut donc passer à la deuxième étape de la stratégie proposée.

Lecture informative — Dans cette deuxième étape, il s'agit d'examiner les modalités de réalisation de la recherche et de porter attention aux aspects techniques, qui deviennent particulièrement importants si le lecteur a l'intention de procéder lui-même à des travaux empiriques dans le domaine. Les questions suivantes peuvent alors être utiles pour orienter la lecture et pour augmenter son efficacité.

— Quel type et quel nombre de sujets sont étudiés?
— Quel matériel est employé?
— Quelles sont les variables manipulées ou mises en corrélation?
— Quel est le plan mis en place?
— Quels sont les contrôles effectués?
— En quoi consiste chacune des étapes de la recherche et comment ces étapes sont-elles ordonnées?
— Quels sont les résultats obtenus et comment sont-ils analysés?

Lecture critique — Contrairement à d'autres formes de savoir, la recherche scientifique ne repose pas sur la croyance aveugle ou sur l'adhésion à un raisonnement purement logique. Elle se fonde plutôt sur le doute méthodique qui ne peut être contré que par la démonstration empirique. La troisième étape de la stratégie de lecture est donc critique. L'auteur doit convaincre le lecteur qu'il a bien formulé le problème, que ses résultats sont valides et que ses conclusions en découlent légitimement. Le lecteur doit alors se poser les questions suivantes.

— Le problème de la recherche est-il énoncé de façon claire et cohérente?
— L'auteur rapporte-t-il fidèlement la pensée théorique, la méthodologie, les résultats et les interprétations présentés dans les travaux antérieurs auxquels il se réfère?
— Les hypothèses ou les prédictions découlent-elles logiquement du contexte structuré et sont-elles formulées de façon appropriée?
— Le type de sujets employés est-il adéquat et leur nombre est-il suffisant?
— Le matériel est-il décrit avec suffisamment de détails?
— Les diverses étapes de la réalisation de la recherche sont-elles décrites de façon assez précise pour qu'il soit possible de la répéter? Est-ce que certains points, qui auraient pu avoir une incidence sur les résultats, demeurent obscurs?
— Tous les contrôles nécessaires ont-ils été effectués?
— Les variables manipulées ou mises en relation sont-elles

les plus pertinentes, compte tenu des hypothèses et de l'état de la question?

— Y a-t-il des failles ou des faiblesses méthodologiques? Quelles améliorations auraient pu être apportées de façon réaliste?

— Les tableaux et les figures fournissent-ils toute l'information nécessaire à une évaluation éclairée des résultats?

— Le traitement statistique est-il le plus adéquat, compte tenu des caractéristiques de la recherche?

— L'auteur rend-t-il bien compte de toutes ses données ou passe-t-il sous silence des aspects importants de son analyse?

— Le rejet de certaines interprétations plausibles est-il bien motivé par la qualité de la méthodologie et la nature des résultats?

— L'interprétation que privilégie l'auteur découle-t-elle clairement de ses résultats et est-elle bien justifiée?

— L'auteur outrepasse-t-il, dans ses conclusions, les limites que lui imposent sa méthodologie et ses résultats?

— Quelle est la contribution réelle de cette recherche à l'avancement des connaissances sur le problème particulier qui était à l'étude et sur le domaine général dans lequel il s'inscrit?

Une fois tous les articles ainsi passés au crible, le lecteur est en mesure d'identifier les travaux qui sont vraiment valides et significatifs. Il peut donc se faire une opinion scientifiquement fondée sur l'état d'une question, sur les interprétations les plus heuristiques et sur les orientations que doit prendre son propre travail. Cette stratégie de lecture requiert évidemment une certaine discipline intellectuelle et un sens critique aigu mais indispensable. Elle est par contre à la portée de quiconque se donne la peine d'en faire l'exercice et elle permet de parvenir à une analyse raffinée de la littérature scientifique.

DÉMARCHE DE PUBLICATION

Quand un chercheur désire publier ses réflexions théoriques, la synthèse qu'il a faite d'un domaine de recherche ou les résultats de ses travaux empiriques, il rédige un manuscrit qu'il soumet à un périodique. Le comité de rédaction qui dirige le périodique fait alors appel au jugement des pairs. Il choisit en effet des chercheurs (généralement trois) qui, par leur expertise et leur compétence dans le sujet traité par le manuscrit, sont en mesure d'en évaluer la qualité scientifique et littéraire. Chacun de ces évaluateurs produit un rapport, et à la lumière des commentaires formulés dans ces rapports indépendants, le comité de rédaction rend l'une ou l'autre des décisions suivantes: il accepte le manuscrit tel qu'il lui a été soumis, ce qui est rare; il accepte le manuscrit conditionnellement à ce que des modifications mineures ou majeures y soient apportées; il refuse le manuscrit parce que son contenu ne touche pas aux domaines couverts par le périodique, ou parce que la qualité scientifique du travail laisse à désirer. Une fois accepté, le manuscrit devient formellement un article scientifique.

Comme nous le verrons maintenant, ce système d'évaluation fondé sur le jugement des pairs entraîne, pour l'auteur d'un article scientifique, des choix importants quant au moment où il soumettra le fruit de son travail et quant au périodique auprès duquel il tentera sa chance. Ce système comporte aussi un certain nombre d'obstacles que le chercheur doit s'attendre à rencontrer et qu'il devra franchir.

Choix relatifs à la publication

Les choix relatifs à la publication s'articulent essentiellement autour de trois questions. Quand publier? Dans quelle langue? Dans quel périodique?

Quand publier? — Le moment jugé opportun pour diffuser ses travaux varie beaucoup d'un chercheur à l'autre. Certains, plus sensibles aux pressions sociales qui ont été évoquées en début de chapitre, essaient de publier le plus rapidement possible tout ce qu'ils font. D'autres attendent d'avoir approfondi un problème et préfèrent rédiger des articles rapportant plusieurs études sur ce problème. Il n'y a donc pas en cette matière de règle bien établie et il faut se fier à son propre jugement ou à celui de collègues qui ont l'expérience de la publication. Il y a cependant deux attitudes à éviter.

La première consiste à publier tout travail peu en importe la qualité, pourvu qu'un périodique quelconque l'accepte. Le nombre des périodiques est en effet si élevé et leur variété si étendue qu'il est toujours possible d'en trouver un, dont les exigences de qualité sont minimales, qui publiera toute recherche se conformant à quelques critères de base. Avant de soumettre un manuscrit, il vaut mieux s'assurer d'avoir bien cerné sa problématique, si modeste soit-elle, et avoir la conviction que sa méthodologie et ses résultats sont valides. Si un chercheur a des doutes à ce sujet, il a avantage à rédiger plutôt un rapport technique et à le faire lire par des collègues en mesure de suggérer des améliorations.

La deuxième attitude à éviter dans le choix du moment de publication est l'inverse de la première. Certains chercheurs en effet accumulent des données pendant des années et n'entrevoient publier leurs résultats que lorsqu'ils auront complètement vidé la question et écrit le chef-d'œuvre qui leur assurera la célébrité. En plus d'être généralement stérile, cette attitude est pour le moins illusoire.

Premièrement, le chercheur de ce type risque fort d'avoir une carrière très courte car aucun organisme subventionnaire responsable, aucune institution universitaire ou gouvernementale, et sûrement aucune industrie n'accepteront longtemps de soutenir des travaux dont l'existence n'est confirmée par aucune preuve concrète. Deuxièmement, la démarche scientifique est une continuelle remise en question des idées et de pratiques établies. Il est par conséquent tout à fait normal qu'un problème ne soit jamais complètement résolu et que les publications d'un chercheur traduisent l'évolution graduelle de sa pensée. Troisièmement, celui ou celle qui attendrait toute sa carrière pour se soumettre au jugement de ses pairs risquerait de se rendre compte un peu tard que le métier d'écrivain scientifique s'apprend, comme bien d'autres métiers ou habiletés, par l'intermédiaire de l'exercice répété. Si au départ certains sont plus doués que d'autres, tous apprennent, au fil de leurs publications et des commentaires ou critiques qui leur sont faits, à affiner non seulement la qualité de leur style mais aussi la qualité de leur recherche.

La deuxième attitude est forcément moins répandue que la première mais elle existe chez ceux qui ont déjà obtenu la permanence d'emploi ou qui acceptent le refus chronique des organismes subventionnaires.

Dans quelle langue publier? — A la fin du XIXᵉ siècle, le français, l'anglais et l'allemand étaient les trois langues principales dans lesquelles les connaissances scientifiques en psychologie étaient diffusées. Aujourd'hui, que cela plaise ou non aux non-anglophones, l'anglais est en psychologie, comme dans la plupart des autres disciplines scientifiques, la langue qui domine le monde de la publication et de la communication. En conséquence, aucun chercheur, qu'il soit suédois ou japonais, ne peut se permettre de ne pas être au fait des recherches publiées en anglais. Le francophone, qui désire diffuser les résultats de ses travaux, est ainsi confronté à un choix difficile: publier dans sa langue maternelle et rejoindre un public limité, ou publier en anglais et assurer à ses travaux une large diffusion. Ce choix soulève, encore davantage que le précédent, une question très personnelle dans laquelle peuvent intervenir plusieurs facteurs.

Un premier facteur est évidemment la facilité relative avec laquelle le chercheur maîtrise la langue anglaise. Pour se tenir au courant des développements récents dans sa discipline, il doit bien sûr pouvoir lire l'anglais. Toutefois, cette habileté ne le dote pas automatiquement de celle de formuler sa pensée dans cette langue, avec toute la subtilité et les nuances qu'exigent la justesse, la précision et la rigueur de l'expression scientifique des idées.

Un deuxième facteur à prendre en considération est la nature du problème étudié et le public auquel l'article veut s'adresser. Une recherche sur les causes de l'absentéisme scolaire et sur les méthodes d'intervention appropriées, par exemple, pourra être publiée indifféremment en français ou en anglais et intéresser les chercheurs et les intervenants de la plupart des pays occidentaux, si les variables analysées se retrouvent dans ces divers pays. Par contre, il serait logique et opportun de publier en français les résultats de cette recherche, dans un périodique québécois ou canadien, si les variables à l'étude touchent des aspects spécifiques au système scolaire francophone du Québec et si la publication s'adresse surtout aux intervenants de ce milieu.

Un troisième facteur qui guide le choix de la langue de publication est l'identité linguistique de la communauté scientifique active dans un domaine particulier de recherche. Le chercheur qui publie ses travaux désire diffuser les connaissances qu'il a accumulées non seulement pour les mettre à la disposition de collègues qui sont parfois à des milliers de kilomètres de lui, mais aussi pour se faire connaître d'eux et établir des échanges fructueux et stimulants. Il a donc tout intérêt à rédiger ses articles dans la langue utilisée par la majorité des chercheurs qui s'attaquent aux mêmes problèmes que lui. Par conséquent, il publiera en français si la communauté scientifique active dans son domaine est francophone, et en anglais si elle s'exprime surtout dans cette langue. Par exemple dans les années 40 et 50, les recherches d'inspiration piagétienne étaient publiées en français parce qu'à cette époque Piaget était peu connu du monde anglo-saxon et que la majorité des chercheurs oeuvrant dans ce secteur était d'expression française. Aujourd'hui, la situation a changé et les travaux de ce type sont publiés dans les deux langues.

Même si ces trois facteurs doivent être sérieusement pris en considération, il importe aussi de tenir compte d'un certain nombre de réalités dans le choix de la langue de publication.

Premièrement, dans la plupart des sous-domaines de la recherche en psychologie, le nombre de chercheurs actifs est beaucoup plus élevé chez les anglophones que chez les francophones. Souvent, le chercheur n'a donc pas vraiment le choix et s'il veut développer le plus possible ses échanges avec des collègues, il doit publier, au moins à l'occasion, des articles en anglais. Deuxièmement, les périodiques anglophones sont aussi plus nombreux et plus variés que les périodiques francophones. Ils offrent donc en général plus de possibilités et, dans certains domaines très spécialisés, n'ont simplement pas d'équivalent en français. Troisièmement, un prestige, qui n'est pas toujours exempt de snobisme, est attaché au fait de publier des articles en langue anglaise. Aux yeux de plusieurs chercheurs francophones et selon les critères d'évaluation de bon nombre d'organismes subventionnaires, une recherche se voit souvent attribuer plus de poids si elle est publiée en anglais qu'en français et ce, indépendamment de sa qualité intrinsèque ou de la valeur du périodique où elle paraît. Cette perception s'appuie sur un sophisme implicite voulant que le jugement des pairs anglophones est nécessairement plus sérieux et plus objectif que celui des pairs francophones parce que, plus nombreux, ces individus ne peuvent qu'être plus compétents.

La communauté linguistique francophone s'interroge à bon droit sur les conséquences à long terme que la domination de l'anglais, dans la littérature scientifique, aura sur la langue et la culture françaises. Par contre, cette domination est bien réelle et il appartient à chacun de décider quel est, dans son cas, le meilleur compromis à faire entre ses convictions et une constellation d'exigences concrètes dont il ne peut ignorer l'importance et les répercussions.

Dans quel périodique publier? — Outre la langue, plusieurs facteurs influencent le choix du périodique dans lequel un manuscrit sera soumis. Un facteur déterminant est bien sûr le type de manuscrit que le chercheur a rédigé. Comme nous l'avons vu, certains périodiques se spécialisent dans la publication d'un seul type d'article alors que d'autres sont plus versatiles. Il ne sert donc à rien d'espérer publier un article-synthèse dans un périodique qui se restreint aux articles empiriques, de même qu'il est inutile de présenter un manuscrit de 50 pages à un périodique qui n'accepte que de très courts articles. Un autre facteur important est le thème général dans lequel s'inscrivent les travaux du chercheur. La plupart des périodiques publient en effet des articles ne touchant que certains secteurs particuliers de la psychologie. Par exemple, parmi les périodiques qui acceptent des manuscrits en psychologie cognitive, certains abordent tous les aspects de ce domaine, alors que d'autres se sont définis un champ plus précis comme l'apprentissage animal ou humain, la perception, la mémoire, etc. La meilleure façon d'éclairer son choix consiste à prendre connaissance de la politique éditoriale des périodiques envisagés et de consulter les instructions aux auteurs. Ces renseignements figurent habituellement dans chaque numéro (au début ou à la fin) du périodique et spécifient la ou les langues de publication acceptées ainsi que les types et les sujets d'article recherchés.

Un autre facteur à ne pas négliger dans le choix d'un périodique est le prestige et la renommée dont il jouit à tort ou à raison. Tous les chercheurs rêvent de voir leurs travaux paraître dans les périodiques les mieux cotés, parce que leur diffusion, leur impact et la reconnaissance publique de leur qualité sont alors pratiquement assurés. Cependant, plus un périodique est valorisé par la communauté scientifique, plus le nombre de manuscrits qu'on y rejette est élevé. Des périodiques comme *Psychological Review, Journal of Applied Psychology* ou *Developmental Psychology*, par exemple, refusent respectivement 89%, 87% et 83% des manuscrits qui leur sont soumis (*American Psychologist*, 1985). Pour réussir à publier dans ces périodiques, il faut donc être en mesure de proposer un travail de tout premier calibre, voire de valeur exceptionnelle, ou, comme nous le verrons plus loin, bénéficier d'un préjugé favorable. De façon plus générale, le chercheur a avantage à choisir un périodique de bonne qualité, et ils sont nombreux, dont le prestige est peut-être moindre mais face auquel les chances de succès ne défient pas les lois de la probabilité. Il ne faut pas oublier que certains articles, qui avaient été refusés par les éditeurs des périodiques les plus réputés, sont devenus par la suite de grands classiques de la littérature scientifique en psychologie. En revanche, d'autres qui jouissaient à priori des avantages d'une large diffusion sont passés inaperçus. Même si la réputation du périodique dans lequel un article paraît peut influencer l'accueil qui lui est réservé, il reste qu'en dernière analyse, son impact véritable provient à long terme de la valeur du travail scientifique lui-même et de son caractère novateur.

Obstacles à la publication

Aux yeux du grand public, les scientifiques apparaissent comme de purs esprits, parfaitement désintéressés et dénués de toute mesquinerie ou de toute ambition démesurée. Il est vrai que la recherche et la publication scientifiques comptent parmi les activités qui ont fait l'objet d'une grande somme d'efforts pour assurer l'objectivité et l'impartialité des évaluations et, dans l'ensemble, le jugement des pairs s'est avéré un mécanisme efficace et équitable. Il serait par contre exagéré de prétendre que le monde scientifique est exempt de toutes les vicissitudes et erreurs qui caractérisent n'importe quelle sphère de l'activité humaine. Les luttes de pouvoir, les jeux d'influence, l'incompétence et les jalousies existent là comme ailleurs et peuvent constituer, à l'occasion, des obstacles pour l'écrivain scientifique, surtout quand il n'est pas prévenu de leur existence.

Dans de nombreux périodiques, l'évaluation d'un manuscrit est complètement anonyme: l'auteur ne connaît pas l'identité de ses évaluateurs, lesquels ignorent aussi la sienne. Cet anonymat garantit donc, en principe, l'objectivité et l'impartialité du jugement des pairs et met ceux-ci à l'abri des représailles éventuelles de la part d'un auteur frustré par des commentaires négatifs ou par le rejet de son manuscrit. Toutefois ce mécanisme de protection n'est pas à toute épreuve. Souvent les évaluateurs peuvent deviner l'identité et l'appartenance institutionnelle de l'auteur: ils y parviennent par le biais des références qu'il fait à ses articles antérieurs ou par la description qu'il donne de son échantillon, de sa façon de procéder ou de son point de vue théorique. Inversement, l'auteur réussit parfois à identifier un évaluateur par la nature même de ses commentaires ou par la comparaison qu'il établit avec ses propres travaux. En général, cette rupture de l'anonymat a peu de conséquences, mais elle peut favoriser l'acceptation du manuscrit, ou au contraire lui être nuisible, si les évaluateurs se laissent influencer par la réputation du chercheur ou de l'institution où il poursuit ses recherches. Par exemple, il est bien connu qu'indépendamment de la qualité du travail spécifique présenté dans le manuscrit en cours d'évaluation, les chances qu'a un auteur d'être publié augmentent si lui-même ou l'un des coauteurs du manuscrit jouit déjà d'une réputation bien établie ou s'il est à l'emploi d'une université prestigieuse, reconnue pour la valeur des travaux qu'on y mène dans le domaine traité par le manuscrit. A l'inverse, si les travaux antérieurs d'un auteur ont été controversés, sont peu connus ou ont été exécutés dans une institution sans grande renommée, cet auteur peut, en cas de rupture de l'anonymat, avoir plus de difficulté à faire accepter un manuscrit. Cet effet de halo négatif constitue donc un premier obstacle dans la démarche de publication.

Un deuxième obstacle de taille peut surgir lorsque les résultats d'une recherche vont à l'encontre des idées reçues. Contrairement à l'image que le grand public s'en fait, les milieux scientifiques sont assez conservateurs et manifestent souvent des réticences à modifier des points de vue couramment acceptés. Cette influence de la nature des résultats sur l'acceptation ou le rejet d'un manuscrit a été bien démontrée par Mahoney (1976). L'une des victimes les plus célèbres d'un tel biais dans le jugement des pairs est John Garcia qui, en découvrant le phénomène de l'aversion gustative apprise, mettait en doute plusieurs des lois reconnues de l'apprentissage (Seligman et Hager, 1972, lire en particulier la page 8). Par bonheur, l'innovation méthodologique et la créativité conceptuelle finissent généralement par percer, parfois au prix de beaucoup de combativité et de patience de la part de leur auteur.

Un troisième obstacle à la publication est le contrôle abusif qu'exercent certains comités de rédaction sur les critères d'acceptation des manuscrits qui leur sont soumis. La responsabilité de tels comités est de veiller à ce que les articles qu'ils publient répondent aux critères usuels de qualité scientifique et littéraire et soient conformes à la politique éditoriale du périodique (type d'articles, thèmes, présentation matérielle, etc.). Cependant, il arrive à l'occasion qu'un comité de rédaction soit pris en main par un clan et que ce clan outrepasse les fonctions qui lui sont normalement dévolues. Dans ce cas, un périodique qui, dans le passé se voulait ouvert à divers points de vue, manifeste tout à coup un préjugé favorable envers une école de pensée très spécifique et tout manuscrit, si valable soit-il sur le plan scientifique, qui ne partage pas cette façon de voir, se retrouve automatiquement rejeté. Une telle mainmise et un parti pris aussi marqué ne sont sûrement pas dans le meilleur intérêt de l'avancement des connaissances, mais constituent néanmoins un obstacle pour l'écrivain scientifique non averti.

Il existe aussi en psychologie, comme dans la plupart des disciplines scientifiques, des modes et des courants de pensée qui influencent l'acceptation ou le rejet d'un manuscrit. Ces modes feront qu'à une époque donnée, il sera préférable de recourir à telle méthodologie plutôt qu'à telle autre; tel auteur influent devra être cité, même si ses propos sont plus ou moins pertinents dans le cadre particulier du problème étudié; ou encore, tel concept deviendra tabou et tel autre devra être absolument intégré dans le cadre théorique de l'article. Chaque sous-domaine de la psychologie connaît de telles vogues. L'auteur d'un article doit donc souvent en tenir compte et, une fois de plus, il appartient à chacun de décider jusqu'à quel point il est prêt à opérer certaines concessions pour adapter ses idées aux goûts du jour. Dans les faits, le comportement des chercheurs se situe sur un continuum allant de l'intransigeance absolue à la complaisance poussée.

Les obstacles que nous venons d'énumérer sont réels et ne peuvent être ignorés. Par ailleurs, il ne faudrait pas en exagérer l'importance car les limites que l'écrivain scientifique doit dépasser sont davantage personnelles qu'extérieures. En effet, pour la plupart des chercheurs, le principal obstacle à la publication est le niveau de tolérance à la frustration qu'ils sont prêts à supporter. La réalisation d'une recherche et la rédaction d'un manuscrit scientifique exigent assurément un travail considérable, une rigueur intellectuelle constante, des connaissances approfondies et des habiletés variées. Il est par conséquent extrêmement frustrant de voir le fruit de son travail critiqué, décortiqué et parfois mis en pièces par des évaluateurs dont les commentaires ne sont pas toujours formulés avec subtilité et diplomatie et dont le niveau de compréhension n'est pas toujours à la hauteur de leur statut d'expert. Mais par sa nature même, le jugement des pairs repose sur l'analyse critique. Pour continuer à publier, il faut apprendre à tolérer ce genre de frustration, à distinguer les critiques dures, mais fondées, des remarques inapproriées et tendancieuses, et à ne se préoccuper que des premières.

Plaisir de la publication

La démarche aboutissant à la publication est semée d'embûches et l'environnement du chercheur lui procure davantage de critiques que de récompenses immédiates. Une bonne dose de motivation intrinsèque est donc une condition préalable à toute carrière d'écrivain qui se veut durable. Par contre, la publication scientifique, comme tout autre forme de création, est riche en satisfactions intellectuelles. Quand au fil des années, un chercheur constate qu'il maîtrise mieux les techniques de recherche et d'écriture, que sa pensée théorique s'est affinée et a gagné en maturité et en originalité; quand ses échanges avec des collègues deviennent de plus en plus nombreux et stimulants; quand il voit ses travaux cités par des chercheurs de divers pays; il oublie les échecs et les frustrations, et il savoure un plaisir probablement très comparable à celui de l'artiste qui a réussi à dépasser la technique et a atteint la virtuosité.

RÉFÉRENCES

Foss, D.J.: CP speaks. *Contemporary Psychology,* **30**:933-935, 1985.

Mahoney, M.J.: *Scientists as subjects: The psychological imperative,* Ballinger, Cambridge, 1976.

Mahoney, M.J.: Open exchange and epistemic progress. *American Psychologist,* **40**:29-39, 1985.

Makosky, V.P.: How to survive the information avalanche. *APA Monitor,* **17**:47, 1986.

Seligman, M.E.P. & J.L. Hager: *Biological boundaries of learning,* Appleton-Century Crofts, New York, 1972.

Summary of report journal operations: 1984. *American Psychologist,* **40**:707, 1985.

CHAPITRE 13

RÈGLES DE DÉONTOLOGIE EN RECHERCHE

MICHEL SABOURIN ET
DAVID BÉLANGER

La recherche scientifique en psychologie, qu'elle porte sur des sujets humains ou sur des animaux, pose toujours le problème de la responsabilité du chercheur par rapport à son objet d'investigation, l'être humain ou l'animal en l'occurrence. Il y a lieu de s'interroger, entre autres, sur la nature même de l'intervention, sur les droits de la personne ou de l'animal et sur la moralité de l'activité scientifique en cause. Le chercheur ne saurait se contenter de se fixer un objectif et de trouver les moyens de l'atteindre; il doit se préoccuper des conséquences inhérentes à ces deux démarches. Même si l'on peut toujours prétendre qu'en raison de son but ultime, soit le progrès des connaissances et les applications intelligentes qui doivent normalement en découler, la recherche scientifique concourt en définitive à la promotion de l'être humain, il n'est certes pas permis, pour arriver à ces fins, d'user de moyens qui peuvent porter préjudice à l'intégrité physique ou morale d'individus ou de groupes. Quand l'importance de l'enjeu pour la collectivité oblige le chercheur à envisager la possibilité de prendre des risques calculés, il doit être tout à fait conscient de ses responsabilités et peser le pour et le contre à la lumière de principes bien définis. Il peut arriver en effet que la recherche de la vérité et le désir, tout à fait légitime, de faire avancer le savoir entrent en conflit avec des valeurs humaines ou sociales, tout aussi valables, et qu'on se trouve en face d'un dilemme d'ordre éthique. Il faut que le chercheur soit conscient de cette possibilité et qu'il s'efforce alors, d'une manière responsable, de trouver une solution acceptable et respectueuse des droits et des obligations de toutes les parties en cause.

Inquiets des problèmes d'éthique et des abus auxquels peut donner lieu l'activité scientifique, plusieurs regroupements professionnels de praticiens et de chercheurs en psychologie ont jugé très important d'assurer, au moyen de codes de déontologie, la protection des sujets participant à une recherche, tout comme celle des clients ou des patients, bénéficiaires de soins psychologiques.

Dès 1972, l'American Psychological Association (APA: voir 1982), après de longues consultations et de multiples projets préliminaires, approuvait et publiait un code d'éthique comprenant neuf principes fondamentaux touchant à la responsabilité du chercheur, à sa compétence, aux normes légales et morales, aux déclarations publiques, à la confidentialité, au bien-être du consommateur, aux relations professionnelles, aux techniques d'évaluation et, enfin, à la recherche avec des sujets humains. Un dixième principe concernant le soin et l'utilisation des animaux de laboratoire est ensuite venu s'ajouter lorsque ce premier code fut revisé en 1981 (APA, 1981). Ces principes constituent en quelque sorte la trame de fond ou l'arrière-plan de tous les autres codes d'éthique psychologique qui ont vu le jour depuis. Le présent chapitre accordera une attention spéciale aux principes qui s'appliquent tout particulièrement aux situations de recherche, soit les deux derniers principes du code de l'APA. Ceux-ci se subdivisent en une série de sous-principes (il y en a dix, par exemple, concernant la recherche avec des sujets humains) qui ont respectivement trait à chacune des étapes de la démarche scientifique.

La révision tout à fait récente du code de déontologie des psychologues canadiens (Société canadienne de psychologie, 1985) est également digne de mention. L'originalité de ce code tient essentiellement à la structure hiérarchique et à la pondération décroissante des quatre principes fondamentaux qui y sont proposés, à savoir le respect de la dignité de la personne, la nécessité de dispenser des soins responsables, l'intégrité dans les relations interpersonnelles et la responsabilité envers la société. Il convient de souligner que l'on retrouve la presque totalité des principes et des règles du code américain à l'intérieur du code canadien. Ce n'est donc pas tant le contenu de fond des deux codes qui diffère que la façon de découper et de formuler les différentes règles, ainsi que les mesures à prendre en cas de conflit.

Au Québec, la Corporation professionnelle des psychologues s'est également donnée, en 1983, en appliquant son pouvoir légal de réglementation, un code de déontologie auquel sont soumis tous ses membres et qui reprend, pour l'essentiel, les règles fondamentales des deux codes mentionnés plus haut. La structure du code québécois est d'inspiration plutôt juridique et ce code concerne davantage la pratique professionnelle que la recherche. Ce n'est donc pas tant un instrument préventif, comme le sont les codes américain et canadien, qu'un instrument correctif. D'autre part, beaucoup d'institutions d'enseignement supérieur ont depuis quelques années jugé utile de prendre des mesures pour assurer la protection des participants à une recherche. L'Université de Montréal, par exemple, adoptait et publiait en 1977 un document intitulé *Politique relative à l'utilisation des êtres humains en expérimentation*. Puisque cette politique constitue une excellente synthèse pédagogique des grands principes de la déontologie, la section suivante s'en inspirera abondamment.

A une époque où les droits et libertés de la personne préoccupent de plus en plus les sociétés démocratiques, il n'est pas surprenant que la question des droits du participant à une recherche ait donné lieu à de longs débats au sein de la communauté scientifique et ait amené quelques chercheurs à publier des traités sur la question (Barber *et al.*, 1973 ; Katz, 1972; Kelman, 1968). A un autre niveau, les corps législatifs et les agences gouvernementales se sont également penchés sur le sort de ceux et celles qui font les frais de la recherche. Aux États-Unis, par exemple, la Maison-Blanche, par l'intermédiaire de son Bureau des sciences et de la technologie, a publié un ensemble de directives à caractère déontologique sous le titre de «Privacy and Behavioral Research» (*Office of Science and Technology*, 1967). La même année, aux États-Unis toujours, la Chambre des représentants a créé la Commission nationale pour la protection des sujets humains dans la recherche biomédicale et behaviorale, en lui confiant la responsabilité de veiller à faire des recommandations sur l'action législative jugée nécessaire. Pour sa part, le Canada s'est doté d'organismes équivalents (voir le rapport du Advisory Research Committee on the Ethics Review of Research involving Human Subjects, 1974).

On a manifesté le même intérêt envers le sort des animaux de laboratoire. Le dernier principe du code déontologique de l'APA (1981) porte précisément sur l'utilisation des animaux et les soins qui en découlent. Dans un rapport publié en février 1986, un organisme du Congrès américain, l'Office of Technology Assessment fait siens les principes approuvés par l'APA en 1985 et loue grandement ce document intitulé *Guidelines for ethical conduct in the care and use of animals*, qu'il considère le plus complet en son genre. L'Association des universités et des collèges du Canada a en 1968, avec l'appui financier du Conseil de recherches en sciences naturelles et en génie et du Conseil de recherches médicales, créé un organisme de consultation et de surveillance, soit le Conseil canadien de protection des animaux. En 1980, cet organisme publiait le premier volume d'un manuel sur l'utilisation des animaux d'expérimentation et les soins à leur prodiguer; le second volume est paru en 1984. Ce sont là des documents précieux qui servent de guides dans les universités, et ailleurs, à toutes les personnes qui sont responsables de l'utilisation d'animaux de laboratoire pour fins d'enseignement et de recherche et qui sont chargées de voir aux besoins quotidiens de ces animaux.

La révélation des «expériences» pratiquées au cours de la Seconde Guerre mondiale sur les victimes du régime nazi ont alerté l'opinion publique sur les abus graves qui peuvent résulter d'un ordre des valeurs devenu faussé. Des faits plus récents se rapportant à l'essai de nouveaux médicaments et de nouvelles techniques chirurgicales ont fait renaître les inquiétudes. Malgré son origine biomédicale, le mouvement en faveur de la protection des sujets de recherche a également attiré l'attention sur les problèmes déontologiques qui se posent dans les sciences humaines et, tout particulièrement, en psychologie. Il est donc essentiel à quiconque compte s'adonner à la recherche psychologique de prendre connaissance au plus tôt des règles fondamentales de déontologie qui s'appliquent à cette activité. Puisqu'il n'est pas possible dans le contexte limité du présent chapitre d'étudier à fond cette question pourtant très importante, le lecteur pourra consulter directement les codes déontologiques mentionnés plus haut, ainsi que certains ouvrages spécialisés, et tout spécialement l'excellente synthèse de Cook (1977) dont le présent exposé s'est grandement inspiré, autant quant au contenu qu'à sa structure.

Il s'agit ici de présenter et d'expliquer succinctement la portée des grandes règles de déontologie, telles qu'elles s'appliquent ou doivent s'appliquer au cours des diverses étapes de la démarche scientifique ou du cycle de la recherche, ces étapes ayant été explicitées dans les chapitres précédents. Une telle perspective aidera le lecteur dans l'application de principes que l'on ne retrouve habituellement pas énoncés dans cet ordre dans les principaux ouvrages de déontologie. Le texte qui suit tente d'intégrer la plupart des règles en vigueur dans les différents codes, en évitant, dans la mesure du possible, les recoupements inutiles. Puis, il décrit et commente un certain nombre de pratiques douteuses que l'on rencontre malheureusement trop souvent dans les recherches en psychologie. Les principes abordés sont principalement ceux qui s'appliquent à la recherche auprès de l'être humain; les règles particulières qui touchent les animaux de laboratoire font l'objet d'une section spéciale à la fin du chapitre.

ÉTAPES DE LA DÉMARCHE SCIENTIFIQUE ET RÈGLES DE DÉONTOLOGIE QUI S'Y APPLIQUENT

Élaboration d'un projet de recherche

La phase initiale, que constitue l'élaboration d'un projet de recherche, se caractérise principalement par le choix du problème à étudier (comme l'a exposé le chapitre 3), ainsi que par un certain nombre de décisions sur les moyens à mettre en œuvre pour atteindre les objectifs visés (ainsi que l'ont précisé les chapitres 4 à 10). Plusieurs principes déontologiques risquent d'y être mis en cause. Le projet se doit d'être acceptable sur le plan de l'éthique, avant que la cueillette des données puisse débuter.

> *Règle A: Aucune recherche sur la personne humaine ne doit être entreprise si elle n'a pas pour but ultime l'acquisition de connaissances susceptibles de contribuer à l'amélioration de l'état et des conditions de vie de l'individu et de la société.*

C'est, bien sûr, en invoquant le progrès scientifique que certains chercheurs ont travaillé à l'invention de bombes toutes plus perfectionnées et plus meurtrières les unes que les autres, tout comme on a, au nom de ce même progrès, trouvé mille moyens pour améliorer les conditions de vie et accroître la longévité. Il existe déjà dans cette contradiction un problème d'éthique que le chercheur ne doit ni ignorer, ni sous-estimer. Mais une question plus fondamentale se pose d'emblée quand l'avancement des connaissances exige des interventions sur la personne humaine. Les agences de subvention et les institutions universitaires ne peuvent permettre la recherche dont le seul objectif serait de faire état de la maîtrise du chercheur, ou encore, celle qui conduirait à la manipulation et à l'exploitation d'un individu ou d'une collectivité. Ils se doivent de n'appuyer que la recherche orientée vers l'amélioration du sort de l'être humain. C'est pourquoi, l'utilisation de l'être humain ou de l'animal dans des études dont on ne saurait attendre aucun bénéfice pour l'humanité doit être tout bonnement prohibée. Avant d'entreprendre une recherche, le chercheur a donc le devoir de s'interroger sur les rapports entre son initiative et le bien de l'humanité.

> *Règle B: Aucune recherche n'est justifiable si elle fait courir au sujet des risques démesurés.*

L'intervention qui ne comporte aucun risque d'atteinte ni à l'intégrité physique, morale ou psychologique du sujet, ni à sa dignité ou à sa vie privée, ne soulève, en principe, aucun problème. La même conclusion s'applique si le risque est peu probable ou si l'on prévoit qu'il sera bénin ou passager. Toutefois, si le dommage, même bénin, risque de se prolonger indûment, il y a lieu de s'inquiéter.

Dans le cas où la manipulation expérimentale serait susceptible d'affecter sérieusement la santé physique ou l'état psychologique du sujet d'expérience (par exemple, une perturbation de son équilibre mental ou une modification indésirable de son comportement), il faudrait la proscrire à moins que le changement opéré ne soit de nature tout à fait passagère ou, en d'autres termes, s'il disparaît de lui-même après un délai relativement court ou à la suite d'une intervention corrective du chercheur. L'on doit voir à ce que le sujet soit parfaitement informé de la façon de prendre contact avec le chercheur une fois l'étude terminée, dans le cas où il se produirait des séquelles malencontreuses ou s'il avait des questions à poser sur sa participation à la recherche.

Quand la recherche a un caractère thérapeutique, le chercheur peut être amené à prendre des risques plus élevés, si, par exemple, la santé du patient est déjà grandement compromise et s'il est permis d'espérer du nouveau traitement une amélioration valable. Toutefois, une telle initiative ne doit jamais être prise, sans les autorisations d'usage (le texte exposera plus loin la notion de consentement éclairé).

Enfin, la recherche qui risque de porter atteinte grave au respect et à la dignité de l'individu, ainsi qu'à ses droits fondamentaux, est carrément inadmissible. On ne saurait en effet tolérer des conditions qui pourraient entraîner la perte de l'estime de soi, ou qui pourraient provoquer une frayeur excessive ou une angoisse démesurée, ou encore qui seraient préjudiciables aux droits, à l'honneur, à l'image ou à l'intimité du sujet. Il y a lieu également de s'interroger sur les recherches susceptibles d'exercer une influence sérieuse et plus ou moins irréversible sur les valeurs et les croyances d'un groupe ou d'une collectivité.

Cette question du risque pour la société a déjà fait l'objet d'interminables débats. Doit-on, par exemple, interdire les études portant sur l'évaluation du niveau d'intelligence de divers groupes ethniques sous prétexte que des résultats défavorables pourraient entraîner un préjudice grave pour tel ou tel groupe? La réponse à cette question n'est certes pas facile. Dans de telles situations, il semble indiqué de laisser au chercheur la responsabilité d'évaluer les conséquences probables de son activité de recherche et de prendre ensuite la décision qui s'impose. Il pourra toujours consulter des collègues ou, s'il y a lieu, un comité d'éthique.

Une portion de l'avant-dernier principe du code de l'APA (1981) dit justement qu'au moment de l'élaboration du projet de recherche, c'est au chercheur lui-même qu'incombe la responsabilité première d'en faire l'évaluation au plan de l'éthique. Le chercheur doit estimer la valeur tant scientifique qu'humanitaire du projet et si cet examen laisse poindre la moindre possibilité de violation d'un principe d'éthique, il est alors de son devoir, d'une part, de demander conseil en matière d'éthique et, d'autre part, d'adopter des normes qui garantissent la protection des droits des sujets qui participeront à sa recherche.

Dans le Code civil actuellement en vigueur au Québec, soit le Code civil du Bas-Canada, la règle de droit à ce sujet, dont le libellé se retrouve à l'article 20, souligne qu'on peut soumettre la personne humaine à une expérimentation, «pourvu que le risque couru ne soit pas hors de proportion avec le bienfait que l'on peut en espérer».

Règle C: Le chercheur a l'obligation d'élaborer le meilleur projet de recherche dont il est capable.

Parallèlement aux considérations d'ordre éthique qui touchent directement la personne du sujet, le chercheur a le devoir additionnel d'élaborer et de mener à terme la meilleure recherche dont il est capable. Pour y arriver, il doit respecter un certain nombre de règles fondamentales qu'on peut regrouper dans une éthique de la démarche scientifique proprement dite.

Au départ, le chercheur se doit d'être compétent et de ne pas s'engager dans des travaux pour lesquels il n'aurait pas la préparation suffisante; il doit même veiller scrupuleusement à maintenir à jour ses connaissances dans le domaine de recherche qu'il a choisi. Lors de l'élaboration d'un projet, le chercheur doit en planifier l'exécution de façon à minimiser le risque que les résultats escomptés soient biaisés. De plus, il doit éviter de recueillir des données qui ne sont pas absolument essentielles aux buts de l'étude. Il doit également éviter les projets de recherche où des considérations ou des préjugés personnels pourraient risquer d'influencer indûment les résultats.

Le chercheur doit être conscient des contraintes découlant de certaines formes de soutien à la recherche ou de «contrats de recherche». Il est en effet de son devoir de refuser les conditions que lui imposeraient certains commanditaires et qui iraient à l'encontre de principes scientifiques établis, ces conditions comportant, par exemple, la diffusion restreinte des résultats ou leur utilisation à des fins non scientifiques, non humanitaires ou immorales. Lorsque la recherche se fait dans une institution ou auprès d'une clientèle vulnérable, on ne doit pas procéder sans avoir obtenu au préalable les permissions appropriées. Il est également du devoir du chercheur de bien connaître et comprendre les particularités sociales et culturelles (croyances, mœurs, coutumes, etc.) de la collectivité sur laquelle porte sa recherche, dans la mesure surtout où un manque de connaissance risque d'avoir une influence sur la façon d'élaborer le projet ou un effet significatif sur les résultats. Cette précaution de connaissance du milieu s'applique également aux recherches effectuées auprès de groupes en situation particulière, par exemple, ceux en milieu carcéral.

Enfin, le chercheur doit, dans son choix d'un thème de recherche, se montrer sensible aux besoins de la société, qu'il s'agisse de recherche fondamentale ou de recherche appliquée.

Cueillette des données

Avant de passer à la mise en place des conditions étudiées et à la mesure précise des effets obtenus, le chercheur procède à la sélection des sujets. Au plan déontologique, il s'agit d'une étape cruciale, qui exige le respect de règles importantes. Vient ensuite la cueillette des données proprement dite; là encore certains principes doivent être respectés et la responsabilité du chercheur est complètement engagée.

> *Règle A: Aucune recherche ne doit se faire sur la personne humaine si celle-ci n'a pas donné un consentement libre.*

(1) Notion de consentement libre

Par consentement libre, il faut entendre un accord consenti sans la moindre pression de la part de qui que ce soit. On ne doit évidemment forcer personne à participer à une recherche, fût-ce par des moyens détournés ou indirects. Cette règle fondamentale pose le problème du consentement libre des personnes soumises à l'autorité: prisonniers, militaires, membres d'un ordre ou d'une secte religieuse, pensionnaires d'une institution, employés, étudiants, etc.

Un chercheur peut, par exemple, par l'autorité dont il est investi, être en mesure d'exiger, en quelque sorte, la participation de ses subordonnés. Il arrive parfois qu'un employeur, un professeur ou un militaire, par exemple, persuade les gens sur qui il a autorité de participer «volontairement» à une recherche. Il y a là, évidemment, entorse à la règle idéale d'un choix absolument libre. Par ailleurs, la contrainte devient on ne peut plus évidente dans les situations extrêmes où les gens reçoivent de leur patron ou de leur officier supérieur l'ordre de se présenter auprès du chercheur. Dans les situations intermédiaires, toutefois, il peut être difficile de faire la distinction entre contrainte réelle et persuasion légitime, ou entre contrainte et échanges loyaux de services et de récompenses.

Lorsque la liberté des individus est entravée dans le milieu même où ils vivent, la contrainte générale qu'ils subissent est susceptible de s'appliquer également à la recherche effectuée à cet endroit. Par exemple, si un corps de l'armée a besoin de connaître les origines d'un problème relatif au moral des troupes, on s'attend, du général au caporal, à ce que les soldats participent à la recherche sans s'objecter. Ou encore, si une industrie désire faire l'expérience de méthodes susceptibles d'accroître la productivité, l'employeur s'attend à ce que les ouvriers y prennent une part active. Des conditions semblables peuvent s'appliquer à toute institution, comme les hôpitaux psychiatriques, en ce qui a trait aux recherches sur l'efficacité des traitements, ou les prisons, en ce qui a trait aux méthodes de réhabilitation, etc.

Il peut toutefois arriver que les sujets éventuels n'éprouvent ni intérêt, ni sympathie pour les objectifs visés dans une recherche en particulier; ils préféreraient s'abstenir si on les laissait décider d'eux-mêmes. En certaines circonstances, il semblerait logique de supposer que le sujet en cause a le devoir d'aider à la réalisation du projet de recherche. Ce postulat est dangereux pour deux raisons: tout d'abord, les individus concernés peuvent ne pas partager cette conviction et, en second lieu, le prétexte du devoir peut s'avérer un expédient commode pour arriver à la conclusion que le consentement n'est pas vraiment indispensable. Le raisonnement voulant que, dans une institution qui accepte de limiter le libre arbitre de ses «protégés», le chercheur n'ait pas à se sentir responsable, peut paraître séduisant; moralement, toutefois, une telle attitude n'est pas acceptable.

(2) Sujet non doué de discernement

Il est bien reconnu que seule la personne majeure et douée de discernement est capable d'accorder un consentement libre à sa participation à une recherche scientifique. Ceci dit, il convient dès lors de porter une attention toute spéciale au problème de l'intervention auprès des personnes atteintes de troubles mentaux et auprès des enfants mineurs. Encore faut-il qu'il soit absolument essentiel aux objectifs visés d'utiliser ce type de sujets vulnérables et que le choix d'une telle population ne soit pas uniquement dicté par sa disponibilité immédiate. En règle générale, on ne doit jamais avoir recours à des enfants ou des individus particulièrement vulnérables, quand il est possible de procéder autrement.

Aucune recherche ne devrait être permise, dans le cas de personnes handicapées mentalement, s'il y a risque d'atteinte grave à la santé (physique ou mentale) ou à la dignité de l'individu, à moins que cette recherche ne poursuive des buts thérapeutiques qui touchent le sujet lui-même. Dans une telle éventualité, on doit normalement obtenir le consentement explicite (écrit, de préférence) d'un parent responsable, ou du tuteur ou curateur de la personne malade, et prendre l'avis de collègues quant à l'opportunité d'une telle intervention. Une recherche ne comportant qu'un risque de trouble bénin ou passager serait admissible pourvu que la personne responsable du malade y consente expressément.

Dans le cas d'un enfant mineur, la règle de droit en vigueur au Québec dit que ce dernier peut «se soumettre à une expérimentation avec le consentement du titulaire de l'autorité parentale et d'un juge de la Cour supérieure, à condition qu'il n'en résulte pas un risque sérieux pour sa santé» (article 20 du Code civil du Bas-Canada). Cette disposition du Code civil exclut pratiquement toute possibilité de recherche sur un enfant mineur, dès que sa santé pourrait en être le moindrement altérée, à moins que le projet de recherche ne poursuive des objectifs thérapeutiques qui touchent directement l'enfant concerné et que les consentements prescrits n'aient été librement accordés. Par ailleurs, l'intervention qui ne comporte aucun risque d'atteinte au respect et à la dignité de la personne et qui présente une probabilité pratiquement nulle d'affecter la santé physique ou le bien-être moral ou psychologique de l'enfant est tout à fait admissible, pourvu que l'on se soit assuré au préalable du consentement des parents ou des autorités responsables. Enfin, la recherche qui ne comporterait qu'un risque d'atteinte bénigne et passagère à la santé de l'enfant serait acceptable, toujours, bien sûr, à la condition que les parents aient donné leur plein accord. Même si ce n'est pas obligatoire, il est toujours préférable d'obtenir, de la part d'enfants plus âgés et capables de donner un avis, un consentement supplémentaire.

> *Règle B: Aucune recherche ne doit se faire sur la personne humaine si celle-ci n'a pas donné un consentement éclairé.*

La règle de base à suivre en vue d'obtenir un consentement éclairé, c'est que l'information donnée au sujet doit être complète. En effet, le chercheur doit décrire de façon exacte tous les aspects de la recherche; il doit donc indiquer clairement les objectifs de la recherche, son utilité et les avantages espérés. De même, il est tenu de dévoiler les méthodes utilisées, les traitements prescrits, les effets prévisibles, les risques encourus, les corrections possibles et le degré de certitude et d'incertitude des résultats, et de préciser, le cas échéant, que des facteurs inconnus peuvent intervenir.

Effectivement, le chercheur a l'obligation de faire la lumière sur tout ce qui pourrait amener le sujet à refuser sa participation.

Il faudrait cependant éviter que la description des risques réels, comme celle des inconvénients minimes et improbables, entraîne le refus de participer par simple souci d'extrême prudence, plutôt qu'à la suite d'une évaluation réaliste des dangers. Il ne faut jamais minimiser les effets de la suggestion chez des sujets particulièrement sensibles à cette forme d'influence.

L'application du principe du consentement éclairé peut appeler certaines réserves lorsque les objectifs de la recherche font qu'il est nécessaire de tromper le sujet ou de l'informer seulement partiellement de la nature exacte de la recherche. Mais encore faut-il, pour qu'un tel subterfuge soit admissible, que le risque d'atteinte à l'intégrité de l'individu soit bénin et passager. Le chercheur est tenu, bien sûr, de rétablir les faits dès qu'il peut le faire sans nuire aux objectifs de la recherche. Mais avant d'entreprendre une étude de ce genre, il doit déterminer si le fait de ne pas dire toute la vérité est justifié par les objectifs scientifiques et humanitaires de la recherche; il doit aussi s'assurer de ce qu'il n'existe pas d'autres façons de procéder qui éviteraient le recours à des expédients de cette nature. S'il s'avère absolument nécessaire de tromper le sujet ou de ne l'informer que partiellement, il faut essayer de limiter le plus possible ce type de procédé.

Certains plans de recherche peuvent exiger le choix de sujets qui n'ont pas d'idées préconçues sur les objectifs visés et la méthode utilisée. Même dans ces cas, on doit donner au sujet tous les renseignements possibles et nécessaires pour que son consentement soit valable; d'ailleurs, ce type de recherche n'est admissible que si les risques encourus sont bénins et passagers. Il peut arriver que dans une recherche à caractère thérapeutique, l'information fournie ne soit que partielle si la vérité était susceptible de nuire aux patients.

Il faut enfin noter que, lorsqu'il n'a pas été possible de le faire plus tôt, on doit, dès que la recherche est terminée, donner au sujet toutes les explications utiles et nécessaires pour qu'il comprenne bien ce qui s'est passé et les raisons pour lesquelles on a procédé de la sorte.

Lorsqu'une recherche présente des risques relativement graves, il est toujours préférable que le consentement libre et éclairé du sujet soit donné par écrit. Quelle que soit la forme de consentement (oral ou écrit) retenue, tout sujet doit cependant être libre de retirer l'accord donné à tout moment, avant ou pendant le déroulement même de la cueillette des données. Si le consentement est donné rapidement dans une situation relativement urgente, il est essentiel alors de reprendre dès que possible les explications tronquées, dans le but d'obtenir une confirmation de la décision antérieure.

Règle C: Une fois la recherche terminée, le chercheur doit veiller à l'élimination des effets consécutifs négatifs.

Au cours des échanges qu'il a avec les sujets, la recherche étant terminée, le chercheur doit essayer de déceler et d'éliminer, le cas échéant, les effets consécutifs négatifs ou les séquelles attribuables aux conditions subies. Les effets immédiats ne présentent généralement pas de graves problèmes: ils sont plutôt faciles à identifier et, à moins d'une situation exceptionnelle ou imprévue, le chercheur devrait être en mesure d'en atténuer les conséquences. Les réactions plus tardives soulèvent, par ailleurs, une plus grande difficulté. Les témoignages sur l'existence de tels problèmes ne sont pas rares. Prenons, par exemple, le cas d'un collégien qu'on avait convaincu, au moyen d'une réponse physiologique truquée présentée sur polygraphe, qu'il avait des tendances homosexuelles. Malgré des explications subséquentes, l'expérience a créé (ou peut-être consolidé) chez lui une inquiétude qui l'a amené deux ans plus tard à consulter un psychologue clinicien (APA, 1982).

Par contre, les quelques études publiées sur les effets à long terme des expériences sur le stress sont plutôt rassurantes. Une enquête ultérieure a été faite, par exemple, auprès de personnes qui avaient antérieurement participé à des recherches sur l'obéissance. Au cours de l'expérience, les sujets s'étaient pliés à l'ordre d'administrer des chocs électriques «dangereux» à d'autres individus. Le psychiatre qui a procédé à des entrevues en profondeur auprès de 40 de ces sujets ne parvint à déceler, un an plus tard, aucune trace de réaction traumatique ou de dommage psychologique. Par ailleurs, plusieurs sujets ont admis avoir retiré de leur participation une connaissance d'eux-mêmes qu'ils considéraient précieuse. Il est important de noter que dans ce cas précis, le chercheur, de même que son comparse, la présumée victime des chocs, avaient tous deux consacré un temps considérable à fournir les explications requises, à soulager l'angoisse des sujets et à démontrer que leur comportement avait été identique à celui d'autres sujets placés dans les mêmes conditions (Milgram, 1964).

Si au moment où le chercheur s'interroge sur les conditions de réalisation effective de son projet, il éprouve une certaine difficulté à prévoir des moyens d'éliminer convenablement les conséquences nocives éventuelles, il devrait décider d'abandonner. S'il choisit, malgré tout, d'aller de l'avant, il doit alors faire des efforts supplémentaires pour déceler et effacer les effets négatifs le plus rapidement possible.

Lorsque la recherche a lieu en milieu naturel, l'identification et l'élimination des effets consécutifs négatifs s'avèrent presque toujours impossible. Le passant, par exemple, qui ne se porte pas au secours de la victime simulée d'une crise cardiaque est rarement accessible après la cueillette des données. Cette limite accroît l'incertitude sur les conséquences négatives possibles d'une recherche et exige une conviction plus forte quant à l'importance des bénéfices anticipés.

> *Règle D: Le chercheur est pleinement responsable de la conduite de la recherche.*

Même s'il n'effectue pas lui-même l'opération de cueillette, le chercheur assume malgré tout la responsabilité entière de son déroulement dans des conditions conformes aux normes de l'éthique. Il doit donc répondre du travail de ses collaborateurs, de ses assistants de recherche, de ses étudiants et de ses employés, lesquels n'échappent pas pour autant à leur propre responsabilité personnelle.

Le chercheur a donc l'obligation d'interrompre toute étude qui, sans qu'ils aient été prévus ou prévisibles, causerait des torts ou des dommages aux sujets. Il doit alors procéder, dans la mesure du possible, à la correction des effets négatifs ou à l'élimination des séquelles malencontreuses.

Tout au long de la cueillette, surtout lorsque celle-ci se déroule en milieu naturel, le chercheur doit prendre des précautions extraordinaires pour déranger le moins possible le milieu même dans lequel les données sont obtenues.

Le chercheur doit aussi éviter toute forme de discrimination dans la sélection des sujets.

Pour éviter que l'appat du gain ou tout simplement le besoin financier ne constituent des raisons suffisantes pour que certains individus donnent leur consentement d'une façon inconsidérée, le chercheur évitera de rémunérer le sujet de recherche. Ceci ne doit pas, par ailleurs, être interprété comme interdisant toute forme de remboursement raisonnable (pour les déplacements, par exemple) pour des frais que le sujet aurait été amené à débourser ou encore, l'octroi d'une somme modique à titre de gratification. Il suffit de se rappeler que la «rémunération» ne doit jamais être un moyen d'amener le sujet à oublier les risques probables de sa participation à une recherche.

Analyse et interprétation des résultats

On pourrait croire qu'une fois terminée la cueillette des données, la déontologie n'est plus en cause, puisque les services du sujet ne sont plus requis. Il n'en est rien puisque l'analyse et l'interprétation des résultats (tel qu'explicitées au chapitre 11) doivent se faire dans le respect d'un certain nombre de règles relatives aux obligations et responsabilités du chercheur par rapport au traitement des données, aux limites des interprétations proposées, ainsi qu'aux précautions à prendre pour protéger la confidentialité des résultats.

Règle A: Le chercheur doit analyser et interpréter objectivement les résultats.

Il va de soi que toutes les données recueillies doivent être soumises aux analyses statistiques pertinentes. Le chercheur ne doit pas s'en tenir seulement à la partie la plus prometteuse des résultats. Il ne doit jamais oublier ou faire carrément disparaître des données qui ne se conforment pas aux hypothèses, ou faire en sorte que les sujets dont les résultats sont plutôt marginaux mettent fin prématurément à leur participation. Il serait trop facile de se justifier en invoquant des arguments à posteriori ou encore en ayant recours à des aveux suspects et trop faciles sur les erreurs qu'on aurait pu commettre dans le choix des sujets.

Ce sont souvent des enjeux futurs, comme le renouvellement des subventions de recherche ou le maintien de la validité d'une théorie personnelle, qui pourraient entraîner le chercheur à trafiquer ses résultats, consciemment ou inconsciemment. Il y a quelques années, un chercheur rattaché à un laboratoire connu pour ses recherches en parapsychologie avait volontairement, semble-t-il, programmé une expérience pour obtenir des résultats particuliers; son stratagème découvert, c'est tout le domaine de la parapsychologie, et non seulement la réputation du chercheur, qui ont été discrédités. Qu'on se rappelle également le tollé incroyable (voir Hearnshaw, 1979) qu'a entraîné la découverte, quelques temps après sa mort, de bizarreries méthodologiques s'apparentant à la tricherie dans un grand nombre d'études réalisées par Sir Cyril Burt, auteur d'une théorie sur le caractère héréditaire de l'intelligence. L'objectif du chercheur est de faire toute la lumière possible sur la question à l'étude; il ne saurait y arriver que dans le respect le plus strict de la vérité.

Règle B: Le chercheur doit reconnaître la portée limitée de ses interprétations et veiller à ce qu'elles ne soient pas utilisées pour des fins autres que celles prévues.

Surtout, lorsque les résultats obtenus sont de nature plutôt ambiguë, ce qui est trop souvent le cas malheureusement, le chercheur a le devoir de fournir des interprétations nuancées et d'en indiquer clairement la portée et les limites. De plus, en certaines circonstances — lorsque de l'interprétation des données dépend, par exemple, la formulation de politiques sociales ou éducatives qui auront des conséquences graves — le chercheur a le devoir de reconnaître, le cas échéant, la validité des autres explications ou hypothèses qui pourraient être proposées. Ceci est encore plus important lorsque les résultats d'une recherche, à cause de leur complexité, sont de nature à être interprétés d'une façon discriminatoire (allant à l'encontre des intérêts de certains groupes sociaux ou culturels particulièrement vulnérables) par des profanes ou par des individus qui ont un intérêt personnel à défendre une interprétation particulière.

Règle C: Le chercheur a le devoir de protéger l'anonymat des sujets et de maintenir la confidentialité des données.

L'obligation d'anonymat et de respect de la confidentialité est implicite et s'impose toujours, à moins qu'il ait été convenu spécifiquement du contraire avec les sujets. En outre, plus les réponses à protéger touchent à des questions sensibles et personnelles et plus les moyens pour les obtenir sont indirects et cachés, plus la faute que l'on commettrait en les révélant à d'autres serait grave. Lorsque des informations sur des aspects intimes ont été obtenues subrepticement, la responsabilité du chercheur quant à la confidentialité est encore plus grande.

Un moyen discutable, que l'on utilise parfois dans certaines recherches, est d'avoir recours à des procédés indirects pour assurer l'identification ultérieure de sujets à qui on laisse croire que leur contribution est parfaitement anonyme. A cet égard, mentionnons la technique qui consiste à placer les timbres, sur les enveloppes servant au retour de questionnaires prétendument anonymes, à des endroits choisis avec précision et selon un code prévu; la position du timbre identifie la personne qui a retourné le questionnaire. L'objectif poursuivi par l'emploi d'un pareil stratagème est toujours le même: arracher des réponses franches à des sujets qui pourraient autrement en avoir honte ou refuser de répondre, ou encore qui pourraient en craindre les conséquences. L'usage de tels procédés est souvent rattaché au fait, parfaitement justifiable d'autre part, qu'on a besoin du nom du sujet pour établir des comparaisons avec des données d'arrière-plan, des opinions ou des comportements observés dans une autre situation. Il y a de fortes chances que le chercheur qui procède ainsi ne révélera pas à d'autres l'identité de ses sujets. Il n'en demeure pas moins que le manque de probité d'un tel procédé est si flagrant que seule une perspective de bénéfices scientifiques ou humanitaires substantiels pourrait, dans certains cas, justifier son emploi.

La protection de l'anonymat et le respect de la confidentialité seraient beaucoup mieux garantis, si ce n'était des nombreuses requêtes et exigences plausibles souvent associées à des données de recherche. Parmi ces demandes, il y a celles de tierces personnes, tels les parents et amis, celles des autorités institutionnelles, comme les directeurs d'école, celles émanant de collègues et celles de personnes qui veulent constituer des banques de données. Beaucoup de sujets ne participeraient pas à des recherches s'ils n'étaient pas convaincus que leurs résultats resteront confidentiels. Par conséquent, à moins d'un consentement explicite du sujet autorisant la divulgation de ses propres résultats, la règle à suivre, c'est de ne jamais rien dévoiler.

Enfin, il peut arriver qu'en cours de recherche, un chercheur découvre des faits inquiétants se rapportant à l'un de ses sujets. Ce dernier peut, par exemple, avoir l'intention clairement avouée de blesser ou de tuer d'autres individus ou, encore, il peut envisager de se suicider. Il pourrait arriver également que le chercheur apprenne que le sujet a antérieurement participé à un vol qualifié, à un viol ou à quelqu'autre délit grave. Ou encore l'utilisation d'un test peut révéler que certains sujets souffrent de troubles émotifs sérieux et ont besoin de secours immédiat. Dans le premier cas, celui où le chercheur prend connaissance d'intentions futures relatives à des infractions graves, il a, malgré son devoir de confidentialité, l'obligation de prévenir la victime potentielle, s'il la connaît, et les autorités responsables de l'imminence d'un acte criminel sérieux. L'excellente analyse de Winslade (1986) livre encore plus d'information au sujet du devoir de prévenir (qui a fait l'objet de très nombreuses publications depuis la célèbre Affaire Tarasoff, où la Cour suprême de Californie, en 1974, a imposé, entre autres, aux psychologues l'obligation de prévenir la victime possible d'un acte de violence, de la menace qui pèse sur elle). S'il s'agit d'une menace de suicide, le chercheur est soumis à la même obligation. Par ailleurs, dans le second cas, celui où le chercheur apprend l'existence d'actes passés, son obligation principale est celle de la confidentialité. La plupart des confidences de cette nature sont faites avec la conviction que la personne qui recueille ces propos est tenue à la confidentialité. Pour ce qui est du troisième cas, soit la découverte imprévue de problèmes graves pour le sujet, il semble tout à fait justifiable d'en faire part à la personne concernée, à moins d'avoir d'excellentes raisons de croire qu'une pareille révélation pourrait causer un préjudice plus sérieux.

Publication des résultats

Quelques règles déontologiques concernent spécifiquement le produit et les conclusions d'une recherche. La première, et sans doute la plus fondamentale, est l'obligation de principe faite au chercheur de publier ses résultats, tout comme le reste de son travail. En fait, bien qu'il soit souhaitable pour plusieurs raisons, dont principalement la nécessité de diffuser le savoir (ainsi que l'a décrite lu chapitre 12), que le chercheur rende publics les résultats de sa recherche, tout chercheur demeure libre de le faire. S'il le fait, il est tenu de respecter certains principes quant à la confidentialité des informations publiées, surtout quand il s'agit d'histoires de cas où l'individu en cause pourrait être facilement identifié, et quant à la reconnaissance de la collaboration des individus et des institutions à la recherche. Mises à part les questions d'éthique soulevées en pareille circonstance, il existe également un certain nombre de règles de droit touchant à la question des droits d'auteur et à la propriété intellectuelle. Il s'agit d'un sujet trop complexe pour être abordé directement ici, mais il convient d'en soulever l'importance et la pertinence. D'ailleurs, un jugement de la Cour supérieure du Québec a récemment obligé un professeur de droit d'une université connue à verser à un étudiant, qui avait collaboré activement à la rédaction d'un ouvrage spécialisé, une somme importante à titre de dommages et intérêts pour avoir omis de mentionner expressément le nom de cet étudiant dans la liste des auteurs.

PRATIQUES DOUTEUSES RENCONTRÉES DANS LA RECHERCHE EN PSYCHOLOGIE

Toute une section de l'excellente analyse dressée par Cook (1977) est consacrée à l'identification des pratiques douteuses que l'on rencontre dans les différentes étapes de la recherche dans les sciences humaines. Le présent texte se limitera donc à identifier les principales de ces pratiques, celles en fait qui touchent directement la recherche en psychologie.

Engager les gens dans une recherche à leur insu

Le chercheur qui incite des individus à participer à une recherche sans les informer à l'avance des implications qui les amèneraient peut-être à refuser leur participation, enfreint dans la plupart des cas des règles fondamentales d'éthique, peu importe ses motivations. Tel que précédemment souligné, le chercheur doit toujours s'efforcer d'éviter une participation involontaire de la part du sujet. S'il n'y parvient pas, il doit alors peser soigneusement les avantages à retirer d'une recherche particulière par rapport aux inconvénients reliés à la gravité des infractions à l'éthique qu'il est amené à poser. En principe, moins une situation de recherche crée des inconvénients aux sujets et moins elle les engage émotivement, moins les questions d'éthique soulevées par la mise à contribution d'un sujet à son insu et sans son consentement libre et éclairé, se posent sérieusement.

Soumettre le sujet à un stress physique ou moral

La décision de poursuivre ou d'abandonner un projet de recherche repose très souvent sur une évaluation de la gravité du dommage qui pourrait en résulter pour le participant. Cette situation se présente fréquemment en psychologie, à cause, entre autres, de l'intérêt que l'on porte à l'étude du stress sous toutes ses formes. Il arrive assez souvent que le chercheur doive provoquer chez les sujets une variété d'états physiques ou émotifs désagréables; il semble donc opportun d'analyser ici quelques exemples concrets.

Parmi les procédés les plus fréquemment utilisés se retrouvent l'administration de chocs électriques, le déclenchement de réactions d'effroi par la confrontation à des scènes plutôt morbides (réelles ou photographiées), la création de doutes chez le sujet quant à son équilibre psychologique, la frustration consécutive à un échec, le choc émotionnel, etc.

Les états émotifs ainsi créés peuvent facilement atteindre des intensités nettement excessives. A titre d'exemple, considérons une série d'expériences réalisées auprès de militaires et qui comportaient une simulation réaliste de situations de combat. Dans cette étude (Berkun *et al.*, 1962), les chercheurs désiraient créer des méthodes valides de sélection et d'entraînement qui pourraient éventuellement contribuer à sauver des vies humaines dans des situations similaires mais réelles. L'objectif visé était donc des plus louables, mais les moyens exploités étaient certainement discutables. Certaines des situations génératrices d'anxiété utilisées consistaient, par exemple, dans la simulation particulièrement réussie de l'écrasement d'un avion, dans l'annonce de retombées radioactives accidentelles, dans le déclenchement de feux de forêt truqués ou d'un feu d'artillerie mal dirigé dans les environs immédiats d'un avant-poste où se trouvaient les sujets. Durant plusieurs de ces situations d'urgence, on demandait, par exemple, au sujet de réparer en toute vitesse un poste radio émetteur défectueux, dont on avait absolument besoin pour transmettre les messages qui devaient permettre de sauver la vie de l'unité militaire ainsi piégée.

Le problème principal que peuvent entraîner des situations aussi graves consiste dans un risque de dommages sérieux ou permanents. C'est pourquoi le chercheur doit toujours poursuivre l'atteinte de son objectif en ayant recours aux situations de stress les moins intenses possible. Il est préférable, dans bien des cas, de planifier la recherche en fonction d'une situation de stress qui se présenterait d'elle-même, tout naturellement. Que l'on pense ici aux nombreuses occasions qui sont données au chercheur le moindrement attentif de mesurer les effets du stress. Il se trouve chaque jour des situations où des patients attendent une injection, une intervention chirurgicale ou, encore, un examen dentaire. De plus, certaines activités sportives (par exemple, le saut en parachute ou l'escalade en montagne) et les séances d'examen dans certaines facultés universitaires constituent des situations presque idéales pour l'étude des réactions au stress.

Violer l'intimité du sujet

Plusieurs techniques de cueillette d'information en psychologie peuvent, à première vue, être considérées comme des exemples particulièrement clairs de viol de l'intimité du sujet. Entrent dans cette catégorie les techniques d'observation à la dérobée (par le truchement de comparses infiltrés dans un groupe, au moyen de miroirs sans tain ou à l'aide de microphones ou de caméras dissimulés) et les questionnaires ou les tests indirects où les sujets ne sont pas conscients des informations intimes qu'ils peuvent révéler. L'inquiétude manifestée par certains à propos de ces moyens ne vient pas tant des abus constatés dans les recherches scientifiques, que de l'usage qu'en ont fait les corps policiers, les détectives privés et certaines agences gouvernementales. Le viol de l'intimité tire donc une grande part de ses connotations négatives des fins pour lesquelles il est perpétré.

En recherche, le viol de l'intimité se fait généralement de deux façons, soit par l'observation d'activités que l'individu pourrait préférer ne pas rendre publiques, soit par le fait d'être soumis à une observation sans véritablement savoir ce qui se passe. Dans les deux cas, l'atteinte à la vie privée peut varier en importance. On ne s'opposera pas, ou on s'opposera très peu, à l'observation d'activités généralement publiques, comme le fait de travailler ou de manger, alors que l'observation d'activités privées, telles les habitudes hygiéniques ou sexuelles, soulèvera au contraire de vives protestations. Puisque la plupart des conséquences négatives reliées à l'usage de techniques d'observation proviennent bien souvent d'une ignorance ou d'une fausse conception de l'information recueillie — surtout quand il s'agit d'enregistrements audiovisuels —, le chercheur se doit d'informer les sujets de tous les aspects qui pourraient réduire le risque de malentendus ou de réactions hostiles, que ce soit à l'avance afin qu'ils puissent donner un consentement éclairé, ou immédiatement après la cueillette des données, si le chercheur avait des raisons valables de cacher cette opération avant cette cueillette.

Traiter les sujets de façon déloyale et leur manquer de déférence et de respect

Imbu du fait qu'il poursuit des objectifs scientifiques «supérieurs», un chercheur peut à l'occasion avoir tendance à traiter ses sujets comme des objets de recherche et oublier qu'il a affaire à des êtres humains. Un exemple d'une telle conduite serait d'oublier de tenir les engagements pris concernant, entre autres, les rendez-vous ou encore les explications à donner au sujet par rapport aux réponses ou aux comportements qu'on l'a amené à produire. Règle générale, peu importe la simplicité de l'entente conclue avec le sujet, il est utile de formuler cette entente par écrit; de cette façon, le chercheur ne sera pas porté à oublier ses obligations.

Le chercheur évitera de faire la promesse de bénéfices dépassant nettement les possibilités réelles du projet de recherche. Même s'il n'est pas inconvenant de décrire avec réalisme et modération la contribution scientifique et sociale d'une recherche telles qu'on la perçoit, il est toujours préférable de ne pas se montrer trop optimiste sur la probabilité que la recherche que l'on entreprend révolutionne le monde scientifique.

Il est permis au chercheur de rappeler aux sujets l'autonomie et la liberté dont ils disposent dans la situation de recherche en les informant de deux points précis. Le premier consiste dans la parfaite liberté dont ils disposent d'interrompre leur collaboration à tout moment. Toutefois, comme un tel abandon est de nature à déformer les résultats de la recherche (tel qu'explicité au chapitre 4), le chercheur a également le droit d'attirer l'attention de tout sujet qui songerait à agir ainsi sur les conséquences de sa décision. La seconde information que le chercheur pourrait donner au sujet a trait au nom et aux coordonnées d'une personne en autorité (le directeur du département universitaire auquel est affilié le chercheur, par exemple) auprès de laquelle le sujet pourrait, le cas échéant, présenter ses doléances à propos du traitement dont il a été l'objet. On doit bien sûr l'encourager à formuler d'abord ses objections au chercheur lui-même, lequel prendra les mesures qui s'imposent.

Il convient enfin de se rappeler que c'est lorsque l'étude est terminée que le chercheur est le mieux en mesure de démontrer au sujet la considération et le respect dans lesquels il le tient. Il lui sera alors possible de communiquer des renseignements intéressants et utiles sur le problème étudié, sur la méthode employée et sur les retombées scientifiques et sociales escomptées. Le chercheur profite de cette occasion pour manifester au sujet sa reconnaissance et lui montrer comment il a pu contribuer à l'avancement des connaissances scientifiques.

UTILISATION DES ANIMAUX POUR FINS DE RECHERCHE

Comme environ 8% des études sur le comportement portent sur des animaux (le rat de laboratoire surtout) (APA, 1984), il convient de s'interroger sur les soins qu'on doit leur apporter et sur l'usage qu'on en fait.

Il est bien évident qu'on ne saurait, lorsqu'il s'agit de recherche sur l'animal, invoquer la plupart des principes de déontologie qui s'appliquent à la recherche sur l'être humain (la dignité de la personne, par exemple). Toutefois, il ne faudrait pas croire que le chercheur peut tout se permettre sous prétexte qu'il n'a affaire qu'à des singes ou à des rats de laboratoire. La population est de plus en plus convaincue — à juste titre — que tout être humain digne de ce nom est tenu de respecter la vie sous toutes ses formes. Une société soucieuse de ses obligations morales doit se préoccuper des questions liées à la protection et à l'exploitation de la vie animale. C'est là un principe général qui doit guider tout chercheur et tout étudiant dans ses rapports avec les animaux de laboratoire, aussi bien du reste qu'avec ceux qui sont plutôt étudiés dans leur habitat naturel.

Les mouvements de protestation contre la vivisection ont grandement contribué à sensibiliser la population et le législateur sur les sévices dont sont parfois victimes les animaux de laboratoire principalement. Même si ces critiques s'adressent surtout aux expériences qui font appel à des techniques pharmacologiques et chirurgicales, il faut bien reconnaître qu'il est souvent difficile d'établir des distinctions nettes entre recherche biomédicale et étude du comportement. Tel que signalé, dans le rapport de l'Office of technology assessment (1986), «le comportement ne se produit pas dans le vide» (p. 2). On a depuis longtemps constaté que la santé et le bien-être dépendent, la plupart du temps, de l'interaction complexe des facteurs biologiques et psychologiques. Dans les faits, psychologues, médecins et physiologistes de tous genres se retrouvent souvent dans les mêmes laboratoires où ils ont recours à des animaux pour étudier l'obésité, l'hypertension, la toxicomanie, l'agressivité, l'alcoolisme, les effets des lésions cérébrales, l'épilepsie, la dépression, les troubles d'apprentissage, l'anorexie et bien d'autres problèmes psychologiques encore.

Sans donner raison aux extrémistes, il convient de prendre au sérieux ces critiques énoncées de bonne foi et de s'interroger sur la nécessité d'utiliser des animaux pour fins d'enseignement et de recherche et sur les mesures à prendre pour s'assurer de ce qu'on le fait dans des conditions qui tiennent compte des normes de déontologie. Certains vont jusqu'à s'objecter à toute utilisation d'animaux pour fins de recherche; ils voient dans cet usage une exploitation pure et simple des êtres sans défense que sont les animaux.

Peut-on vraiment justifier le recours aux animaux?

Il faut d'abord dire que l'étude scientifique des animaux, comme celle des êtres humains d'ailleurs, n'est pas une fin en soi. Les recherches ont pour objet ultime de comprendre et de corriger, dans la mesure du possible, les conditions psychologiques et physiologiques qui nuisent au bien-être de l'individu, de la société et souvent des animaux eux-mêmes. Les études qui ont porté sur les animaux n'ont pas seulement contribué à une amélioration considérable des conditions de vie de l'être humain et de l'animal; elles sont directement responsables du progrès des connaissances en médecine et en chirurgie vétérinaires, de l'amélioration des conditions d'élevage et de conservation de nombreuses espèces animales, d'une meilleure compréhension de leurs besoins alimentaires, écologiques et sociaux et de la protection de plusieurs espèces menacées de disparition.

On a recours aux animaux dans la recherche chaque fois que des contraintes d'ordre temporel, l'importance des risques ou la présence d'autres conditions empêchent de pratiquer les mêmes interventions, pourtant indispensables, sur des êtres humains. Par exemple, plusieurs études du processus de vieillissement, qui exigent l'observation de changements qui se produisent au cours de toute une vie, ne sont possibles que sur des animaux dont la longévité, plus réduite, est beaucoup plus conciliable avec les conditions de réalisation des recherches. De même, beaucoup d'expériences requièrent l'utilisation de grands nombres de sujets de même poids ou de même souche génétique, ou encore l'imposition à des sujets de contraintes d'ordre alimentaire ou d'un environnement physique qu'on ne pourrait appliquer à des êtres humains. Les moyens de contrôle sont beaucoup plus grands dans le cas des animaux et permettent la vérification d'hypothèses qu'il serait autrement impossible de mettre à l'épreuve.

Nul ne saurait mettre en doute les innombrables avantages qu'on a retirés jusqu'ici des recherches sur le comportement animal. En effet, comme le souligne Miller (1985), la plupart des connaissances sur le comportement viennent de travaux qui ont débuté, il y a de nombreuses années, dans les laboratoires de psychologie animale. Ces expériences étaient indispensables à la poursuite des recherches sur la façon dont l'être humain acquiert ses connaissances et modifie ses conduites. On n'a qu'à songer aux bénéfices qu'on a pu en tirer dans le domaine des techniques de modification du comportement et dans l'application des thérapies béhaviorales à l'alcoolisme, l'obésité, les obsessions, les phobies, les abus de drogues, etc. On pourrait en dire autant des études de médecine comportementale sur la rétroaction biologique, le soulagement des effets secondaires du cancer, le traitement des prématurés, l'éducation des enfants déficients, le contrôle du stress, des maladies cardiaques et de la douleur, etc. Il ne fait aucun doute que la recherche sur les animaux est nécessaire et souvent indispensable. Dans le cas des expériences sur les animaux comme dans celui des études sur l'être humain, le chercheur doit, au moment où il planifie son travail, se demander sérieusement si les bénéfices attendus sont réels et s'ils justifient les conséquences défavorables pour le sujet. Au-delà de tous les principes que l'on pourrait énoncer, il s'agit là d'un jugement qui dépend de l'intégrité et du sens moral du chercheur.

Principes généraux de déontologie animale

Il ne serait ni opportun ni utile de tenter de dresser ici la liste de toutes les circonstances qui peuvent se présenter ou d'identifier tous les choix possibles, dans le seul but d'en arriver à l'élaboration d'un code déontologique rigoureux. Ce qui importe surtout, c'est d'amener celui qui a recours à des animaux pour fins de recherche à réfléchir, à la lumière de principes généraux, sur la portée de ses actes; il ne doit jamais oublier qu'il traite avec des êtres sans défense et qu'il est de son devoir de leur épargner toute souffrance et tout stress inutiles. Il est donc préférable d'énoncer et de commenter ici huit principes généraux, en renvoyant le lecteur aux sources déjà citées, soit les codes de déontologie de l'American Psychological Association (1982) et de la Société canadienne de psychologie (1985), aux publications de l'APA (1981, 1985) portant sur la question, de même qu'au premier volume du Manuel publié par le Conseil canadien de protection des animaux (1980).

Principe A: L'utilisation d'animaux dans une étude n'est justifiable que s'il existe une probabilité réelle que les travaux contribueront à l'acquisition de connaissances devant aboutir éventuellement à une meilleure protection de la santé et à une amélioration de la qualité de vie de l'être humain ou de l'animal.

Principe B: Le chercheur a l'obligation morale de respecter les principes humanitaires qui l'enjoignent de ne pas soumettre des êtres sensibles à des souffrances ou à des angoisses inutiles. Il n'aura recours à des procédés qui causent de la douleur, du stress ou des privations que si l'importance, sur un plan scientifique et humanitaire, de l'objectif poursuivi le justifie et s'il n'y a vraiment pas d'autres moyens de parvenir à ces mêmes fins. Les souffrances et les conséquences nocives doivent alors être réduites au strict minimum, tant en ce qui a trait à leur intensité qu'à leur durée.

Principe C: Si les conditions dans lesquelles se déroulent l'étude entraînaient des douleurs excessives qu'on serait incapable de soulager, on devrait alors supprimer immédiatement l'animal, en ayant recours à une méthode d'euthanasie acceptable, capable de provoquer, avant tout, une inconscience rapide.

Principe D: Quand la recherche exige qu'on place un animal dans un état de privation grave (privation alimentaire ou sensorielle, par exemple), on doit le faire durant des périodes aussi courtes que possible et qui ne créent pas des conditions inutilement préjudiciables à sa santé.

Principe E: La contrainte physique prolongée ne doit être utilisée que si elle est absolument indispensable pour atteindre des objectifs valables et après que toutes les autres techniques disponibles ont été envisagées et jugées insatisfaisantes.

Principe F: Le recours, pour des fins d'enseignement ou de démonstration seulement, à des interventions chirurgicales ou à des traitements douloureux est absolument injustifié. On doit toujours, dans de telles circonstances, utiliser des techniques audiovisuelles.

Principe G: Lorsqu'il est possible de le faire, on pratique l'anesthésie pour éliminer ou réduire la douleur, tant pendant l'étude que dans la suite. De même, quand les séquelles d'une étude comportent des douleurs excessives, des maladies, des infirmités ou des incapacités graves, on doit sacrifier l'animal aussitôt que sa survie n'est plus nécessaire aux fins de la recherche.

Principe H: Quand il est indispensable d'utiliser des animaux conscients, on doit évaluer aussi objectivement et impartialement que possible le degré et la durée de la douleur, de façon à pouvoir juger si les souffrances se situent en deçà de limites acceptables ou non. Il faut être très prudent quand on a recours à des conditions paralysantes ou immobilisantes, à la punition (par l'application de chocs électriques, par exemple) ou à des conditions ambiantes extrêmes (variations excessives de température, etc.). Le degré et la durée de la douleur ne doivent jamais dépasser les limites que justifie l'importance humanitaire du problème à résoudre.

Chaque institution d'enseignement supérieur est tenue de créer un comité de protection des animaux qui est chargé de faire respecter les règles humanitaires en matière de recherche animale. De plus, les chercheurs en psychologie ont le devoir de s'assurer de ce que les individus qui travaillent pour eux ont reçu au préalable des enseignements et des directives explicites portant sur les méthodes de cueillette des données et les soins qu'on doit apporter dans la garde et la manipulation des espèces animales en cause.

CONCLUSION

Qu'il s'adonne à l'enseignement ou à la recherche, que ses travaux portent sur les animaux ou sur l'être humain, ou qu'il offre des services professionnels à la population, tout psychologue s'intéresse d'abord et avant tout à l'amélioration de l'état et des conditions de vie de l'individu. Plus que tout autre, il se doit de penser et d'agir dans le respect le plus rigoureux de la dignité de la personne humaine et de la vie des êtres sensibles. C'est d'ailleurs en se conformant aux principes de déontologie qu'il s'est donnés lui-même que le chercheur atteindra le plus rapidement et le plus efficacement le noble idéal qu'il s'est fixé.

RÉFÉRENCES

Advisory Research Committee: *Report on the ethics review of research involving human subjects*, Imprimeur de la Reine, Ottawa, 1974.

American Psychological Association: Ethical principles of psychologists. *American Psychologist*, **36**:633-638, 1981.

American Psychological Association: *Ethical principles in the conduct of research with human participants*, American Psychological Association, Washington, 1982.

American Psychological Association: *Survey of the use of animals in behavioral research in U.S. universities*, American Psychological Association, Washington, 1984.

American Psychological Association: *Guidelines for ethical conduct in the care and use of animals*, American Psychological Association, Washington, 1985.

Barber, B., J.L. Lally, J.L. Makarushka & J.O. Sullivan: *Research on human subjects: problems of social control in medical experimentation*, Russell Sage Foundation, New York, 1973.

Berkun, M., H.M. Bialek, R.P. Kern & K. Yagi: Experimental studies of psychological stress in man. *Psychological Monographs*, **76**, no.15 (No.534 en entier), 1962.

Conseil canadien de protection des animaux: *Manuel sur le soin et l'utilisation des animaux d'expérimentation*, Vol.1, Conseil canadien de protection des animaux, Ottawa, 1980.

Conseil Canadien de protection des animaux: *Manuel sur le soin et l'utilisation des animaux d'expérimentation*, Vol.2, Conseil canadien de protection des animaux, Ottawa, 1984.

Cook, S.W.: *Problèmes d'éthique se rapportant à la recherche sur les relations sociales*, in Les méthodes de recherche en sciences sociales. Selltiz, P., L.S. Wrightsman & S.W. Cook (Eds), (pp.197-240), HRW, Montréal, 1977.

Corporation professionnelle des psychologues du Québec: *Code de déontologie des psychologues*, Décision 83-02-18, Gazette officielle du Québec, Partie 2, p.2316, Éditeur officiel du Québec, Québec, 1983.

Hearnshaw, L.S.: *Cyril Burt, psychologist,* Cornell University Press, Ithaca, 1979.

Katz, J.: *Experimentation with human beings,* Russell Sage Foundation, New York, 1972.

Kelman, H.C.: *A time to speak: on human values and social research,* Jossey-Bass, San Francisco, 1968.

Milgram, S.: Issues in the study of obedience: a reply to Beaumrind. *American Psychologist,* **19**:848-852, 1964.

Miller, N.E.: The value of behavioral research on animals. *American Psychologist,* **40**:423-440, 1985.

Office of Science and Technology: Executive office of the President. *Privacy and behavioral research,* U.S. Government Printing Office, Washington, 1967.

Office of Technology Assessment, U.S. Congress: *Alternatives to animal use in research, testing and education,* U.S. Government Printing Office, Washington, 1986.

Société canadienne de psychologie: *A canadian code of ethics for psychologists (third draft),* Société canadienne de psychologie, Ottawa, 1985.

Université de Montréal: *Politique relative à l'utilisation des êtres humains en expérimentation,* Université de Montréal, Montréal, 1977.

Winslade, W.J.: *After Tarasoff: therapist liability and patient confidentiality,* **in** Psychotherapy and the law. Everstine, L. & D.S. Everstine (Eds), (pp.207-221), Grune & Stratton, Orlando, 1986.

Bibliographie

Altmann, J.: Observational study of behavior: sampling methods. *Behaviour,* **49**:227-265, 1974.

Anderson, B.F.: *The psychology experiment: and introduction to the scientific method,* Brooks/Cole, Belmont, 1971.

Anderson, D.C. & J.G. Borkowski: *Experimental psychology: research tactics and their applications,* Scott, Foresman, Glenview, 1977.

Argyris, C.: *Inner contradictions of rigorous research,* Academic Press, New York, 1980.

Arnoult, M.D.: *Fundamentals of scientific method in psychology,* Brown, Dubuque, 1972.

Avery, D.D. & H.A. Cross: *Experimental methodology in psychology,* Brooks/Cole, Monterey, 1978.

Bachrach, A.: *Psychological research: an introduction* (3ᵉ éd.), Random House, New York, 1972.

Badia, P., A. Haber & R.P. Runyon (Eds): *Research problems in psychology,* Addison-Wesley, Reading, Massachusetts, 1970.

Barber, T.X.: *Pitfalls in human research: ten pivotal points,* Pergamon, New York, 1976.

Barrat, P.E.H.: *Bases of psychological methods,* Wiley, New York, 1971.

Behavior research methods and instrumentation, périodique publié de 1968 à 1983.

Behavior research methods, instruments and computers, périodique publié depuis 1984.

Bernard, C.: *Introduction à l'étude de la médecine expérimentale,* Hachette, Paris, 1953.

Bird, R.J.: *The computer in experimental psychology,* Academic Press, New York, 1981.

Blalock, H.M.: *Conceptualization and measurement in the social sciences,* Sage, Beverley Hills, 1982.

Brandt, R.M.: *Studying behavior in natural settings,* Holt, Rinehart & Winston, New York, 1972.

Buck, L.A.: *Psychological research and human values,* Christopher, North Quincy, 1976.

Cairns, R.B.: *The analysis of social interactions: methods, issues, and illustrations,* Wiley, Toronto, 1979.

Calfee, C.: *Experimental methods in psychology,* Holt, Rinehart & Winston, New York, 1985.

Campbell, D.T. & J.C. Stanley: *Experimental and quasi-experimental designs for research,* Rand McNally, Chicago, 1963.

Candland, D.K.: *Psychology: the experimental approach,* McGraw-Hill, New York, 1968.

Charest, J.: *La conception des systèmes: une théorie, une méthode,* Gaétan Morin, Chicoutimi, 1981.

Cherulnik, P.D.: *Behavioral research: assessing the validity of research findings in psychology,* Harper & Row, New York, 1983.

Christensen, L.B.: *Experimental methodology* (2e éd. rév.), Allyn & Bacon, Boston, 1980.

Cleary, A.: *Instrumentation for psychology,* Wiley, New York, 1974.

Conrad, E. & T. Maul: *Introduction to experimental psychology,* Wiley, New York, 1981.

Cook, T.D. & D.T. Campbell: *Quasi-experimentation: design and analysis issues for field settings,* Rand McNally, Chicago, 1979.

Cooper, H.M.: *The integrative research review: a systematic approach,* Sage, Beverley Hills, 1984.

Cozby, P.C.: *Methods in behavioral research,* Mayfield, Palo Alto, 1977.

Desportes, J.P.: *Les effets de la présence de l'expérimentateur dans les sciences du comportement,* Centre national de la recherche scientifique, Paris, 1975.

Dugue, D. & M. Girault: *Analyse de variance et plan d'expérience,* Dunod, Paris, 1958.

Dunham, P.J.: *Experimental psychology: theory and practice,* Harper & Row, New York, 1977.

Éditions de l'Université de Bruxelles: *A propos de la recherche-action,* (pp.512-702), Bruxelles, 1981.

Ellingstad, B. & N.W. Heimstra: *Methods in the study of human behavior,* Brooks/Cole, Monterey, 1974.

Fraisse, P.: *La méthode expérimentale,* **in** Traité de psychologie expérimentale. Piaget, J., P. Fraisse & M. Reuchlin (Eds), Vol.1:71-120, Presses Universitaires de France, Paris, 1963.

Gauchier, B.: *Recherche sociale: de la problématique à la collecte des données,* Presses de l'Université du Québec, Québec, 1984.

Goldstein, H.: *The design and analysis of longitudinal studies: their role in the measurement of change,* Academic Press, Londres, 1979.

Goldstein, M. & I.F. Goldstein: *How we Know: an exploration of the scientific process,* Plenum, New York, 1978.

Goldstein, M. & I.F. Goldstein: *The experience of science: an interdisciplinary approach,* Plenum, New York, 1984.

Gottsdanker, R.: *Experimenting in psychology,* Prentice-Hall, Englewood Cliffs, 1978.

Helmstadter, G.C.: *Research concepts in human behavior: education, psychology, sociology,* Appleton-Century Crofts, New York, 1970.

Hersen, M. & D.H. Barlow: *Single case experimental designs: strategies for studying behavioral change,* Pergamon, New York, 1976.

Huck, S.W. & H.M. Sandler: *Rival hypotheses: alternative interpretations of data based conclusions,* Harper & Row, New York, 1979.

Hutt, S.J. & C. Hutt: *Direct observation and measurement of behavior,* Thomas, Springfield, 1970.

Hyman, R.: *The nature of psychological inquiry,* Prentice-Hall, Englewood Cliffs, 1964.

Isaac, S. & W.B. Michael: *Handbook in research and evaluation*, Knapp, San Diego, 1971.

Jackson, D.A., G.M. Della-Piana & H.N. Sloane: *How to establish a behavior observation system*, Educational technology publications, Englewood Cliffs, 1975.

Johnson, H.H. & R.L. Solso: *An introduction to experimental design in psychology: a case approach* (2ᵉ éd.), Harper & Row, New York, 1978.

Johnson, J.M. & H.S. Pennypacker: *Strategies and tactics of human behavioral research*, Lawrence Erlbaum, Hillsdale, 1980.

Judd, C.M.: *Estimating the effects of social interventions*, Cambridge University Press, Cambridge, 1981.

Jung, J.: *The experimenter's dilemma*, Harper & Row, New York, 1971.

Kantowitz, B.H. & H.L. Roediger: *Experimental psychology: understanding psychological research*, West, New York, 1984.

Kazdin, A.E.: *Research design in clinical psychology*, Harper & Row, New York, 1980.

Kennedy, J.J.: *Analysing qualitative data: introductory log-linear analysis for behavioral research*, Praeger, New York, 1983.

Keppel, G.: *Design and analysis: a researcher's handbood*, Prentice-Hall, Englewood Cliffs, 1982.

Kerlinger, F.N.: *Foundations of behavioral research*, Holt, Rinehart & Winston, New York, 1973.

Kerlinger, F.N.: *Behavioral research: a conceptual approach*, Holt, Rinehart & Winston, New York, 1979.

Kirk, R.E.: *Experimental design: procedures for the behavioral sciences*, Brooks/Cole, Belmont, 1968.

Klopper, W.G.: *The psychological report: use and communication of psychological findings*, Grune & Stratton, New York, 1967.

Kratochwill, T.R. (Ed.): *Single subject research: strategies for evaluating change*, Academic Press, New York, 1978.

Kurtz, K.H.: *Foundations of psychological research*, Allyn & Bacon, Boston, 1965.

Ladouceur, R. & G. Bégin: *Protocoles de recherche en sciences appliquées et fondamentales*, Edisem, Saint-Hyacinthe, 1980.

Lamontagne, Y.: *Initiation à la recherche en psychologie clinique et en psychiatrie*, Edisem, Saint-Hyacinthe, 1980.

Lang, G.: *A practical guide to research methods*, University Press of America, Lanham, 1984.

Lecomte, R. & L. Rutman: *Introduction aux méthodes de recherche évaluative*, Presses de l'Université Laval, Québec, 1982.

Leedy, P.D.: *How to read research and understand it*, Macmillan, New York, 1981.

Lehner, P.N.: *Handbook of ethological methods*, Garland Press, New York, 1979.

Lemaine, G. & J.M. Lemaine: *Psychologie sociale et expérimentation*, Mouton/Bordas, Paris, 1969.

Leroy, E.: *Introduction aux méthodes de recherche*, Université de Paris, Paris, 1980.

Lester, J.D.: *Writing research papers: a complete guide*, Scott, Foresman, Glenview, 1984.

Lewin, M.: *Understanding psychological research*, Wiley, New York, 1979.

Light, R.J. & D.B. Pillemer: *Summing up: the science of reviewing research*, Harvard University Press, Cambridge, 1984.

Marken, R.: *Methods in experimental psychology*, Brooks/Cole, Monterey, 1981.

Matheson, D.W., R.L. Bruce & K.L. Beauchamp: *Introduction to experimental psychology*, Holt, Rinehart & Winston, New York, 1970.

Matlin, M.W.: *Human experimental psychology*, Brooks/Cole, Monterey, 1979.

McGuigan, F.J.: *Experimental psychology* (3e éd.), Prentice-Hall, Englewood Cliffs, 1978.

Meyers, L.S. & N.E. Grossen: *Behavioral research: theory, procedure, and design,* Freeman, San Francisco, 1974.

Miller, S.A.: *Developmental research methods,* Prentice-Hall, Englewood Cliffs, 1987.

Monte, C.F.: *Psychology's scientific endeavor,* Praeger, New York, 1975.

Montgomery, D.C.: *Design and analysis of experiments,* Wiley, New York, 1984.

Mook, D.G.: *Psychological research: strategy and tactics,* Harper & Row, New York, 1982.

Morgan, G. (Ed.): *Beyond method: strategies for social research,* Sage publications, Beverly Hills, 1983.

Morrison, J.L. & W.I. Renfro: *Applying methods and techniques of future research,* Jossey-Bass, San Francisco, 1983.

Myers, J.L.: *Fundamentals of experimental design,* Allyn & Bacon, Boston, 1966.

Neale, J.M. & R.M. Liebert: *Science and behavior: an introduction to methods of research,* Prentice-Hall, Englewood, 1973.

Nesselroade, J.R. & P.B. Baltes (Eds): *Longitudinal research in the study of behavior and development,* Academic Press, New York, 1979.

Noland, R.L.: *Research and report writing in the behavioral sciences,* Thomas, Springfield, 1970.

Ouellet, A.: *Processus de recherche: une approche systémique,* Presses de l'Université du Québec, Sillery, 1982.

Paulus, J.: *Les fondements théoriques et méthodologiques de la psychologie,* Dessart, Bruxelles, 1965.

Plutchik, R.: *Foundations of experimental research* (2e éd.), Harper & Row, New York, 1974.

Popper, K.L.: *La logique de la découverte scientifique,* Payot, Paris, 1978.

Posavac, E.J.: *Program evaluation: methods and case studies,* Prentice-Hall, Englewood Cliffs, 1980.

Reagles, K.W.: *A handbook for follow-up studies in the human services,* ICD Rehabilitation and Research Center, New York, 1979.

Reuchlin, M.: *Les méthodes en psychologie* (2e éd.), Presses Universitaires de France, Paris, 1972.

Robinson, P.W.: *Fundamentals of experimental psychology: a comparative approach,* Prentice-Hall, Englewood Cliffs, 1976.

Robinson, P.W. & D.F. Foster: *Experimental psychology: a small-N approach,* Harper & Row, New York, 1979.

Rosenthal, R.: *Experimenter effects in behavioral research* (éd. augmentée), Irvington, New York, 1976.

Sackett, G.P.: *Observing behavior,* Vol.2: *Data collection and analysis methods,* University Park Press, Baltimore, 1978.

Sarris, V. & A. Parducci (Eds): *Perspectives in psychological experimentation: toward the year 2000,* Lawrence Erlbaum, Hillsdale, 1984.

Saxe, L.: *Social experiments: methods for design and evaluation,* Sage, Beverly Hills, 1981.

Schlesselman, J.J.: *Case control studies: design, conduct, analysis,* Oxford University Press, New York, 1982.

Schultz, D.P. (Ed.): *The science of psychology: critical reflections,* Appleton-Century Crofts, New York, 1970.

Selltiz, C., L.S. Wrightsman & S.M. Cook: *Les méthodes de recherche en sciences sociales,* HRW, Montréal, 1977.

Sheridan, C.L.: *Fundamentals of experimental psychology,* Holt, Rinehart & Winston, New York, 1976.

Sheridan, C.L.: *Methods in experimental psychology,* Holt, Rinehart & Winston, New York, 1979.

Shope, R.K.: *The analysis of knowing: a decade of research,* Princeton University Press, Princeton, 1983.

Sidman, M.: *Tactics of scientific research: evaluating experimental data in psychology,* Basic, New York, 1960.

Sidowski, J.B.: *Experimental methods and instrumentation in psychology,* McGraw-Hill, New York, 1966.

Siegel, M.H. & H.P. Zeigler: *Psychological research: the inside story,* Harper & Row, New York, 1976.

Silverman, I.: *The human subject in the psychological· laboratory,* Pergamon, New York, 1977.

Tallent, N.: *Psychological report writing,* Prentice-Hall, Englewood Cliffs, 1976.

Underwood, B.J.: *Psychological research,* Appleton-Century Crofts, New York, 1957.

Underwood, B.J. & J.J. Shaughnessy: *Experimentation in psychology,* Wiley, New York, 1975.

Warwick, D.P. & S. Osherson: *Comparative research methods,* Prentice-Hall, Englewood Cliffs, 1973.

Webb, E.J., D.T. Campbell, R.D. Schwartz & L. Sechrest: *Unobtrusive measures: nonreactive research in the behavioral sciences,* Rand McNally, Chicago, 1966.

Whaley, D.L. & S.L. Surratt: *Attitudes of science,* Behaviordelia, Kalamazoo, 1968.

Wood, G.: *Fundamentals of psychological research,* Little, Brown & Co., Boston, 1974.

Yin, R.K.: *Case study research: design and methods,* Sage, Beverly Hills, 1984.

Zusne, L.: *Anomalistic psychology. a study of extraordinary phenomena of behavior and experience,* Erlbaum, Hillsdale, 1982.

INDEX DES AUTEURS

INDEX DES SUJETS